Disney World

7ᵉ édition

D1253298

If you can dream it, you can do it. Always remember that the whole thing was started with a dream and a mouse.

Ce à quoi vous pouvez rêver, vous pouvez le réaliser. Rappelez-vous que tout cela a débuté avec un rêve et une souris.

- Walt Disney

ULYSSE

Le plaisir de mieux voyager

Mise à jour
Claude Morneau

**Recherche, rédaction
et mise à jour antérieures**
Catherine O'Neal,
Lisa Oppenheimer, Stacy Ritz

Éditeur
Olivier Gougeon

Directeur de production
André Duchesne

Correcteur
Pierre Daveluy

Infographistes
Pascal Biet
Marie-France Denis
Pierre Ledoux

Cartographe
Philippe Thomas

Photographies
Page couverture
©Lourens Smak / Alamy
Planches couleur
©Disney
©La Nouba by Cirque du Soleil®
©2007 Universal Orlando. All Rights
Reserved.
© SeaWorld Orlando

Remerciements
Nous tenons à remercier Geoffrey Pointon (Walt Disney Parks and Resorts, Florida),
Rhonda Murphy (Universal Orlando), Randy W. Anger (Busch Entertainment
Corporation), Amy Voss (Orlando/Orange County Convention & Visitors Bureau) et
Henny Groenendijk (Visit Florida).

Les Guides de voyage Ulysse reconnaissent l'aide financière du gouvernement du
Canada par l'entremise du Programme d'aide au développement de l'industrie de
l'édition (PADIÉ) pour leurs activités d'édition.

Les Guides de voyage Ulysse tiennent également à remercier le gouvernement du
Québec – Programme de crédit d'impôt pour l'édition de livres – Gestion SODEC.

**Catalogage avant publication de Bibliothèque et Archives nationales du Québec et Bibliothèque et Archives
Canada**

Morneau, Claude

       Disney World
       7e éd.
       (Guide de voyage Ulysse)
       Comprend un index.
       ISBN 978-2-89464-757-8
       1. Walt Disney World (Flor.) - Guides. 2. Parcs d'attractions - Floride - Orlando, Région d' - Guides. I. Morneau,
Claude. II. Collection.
GV1853.3.F62W34   791.06'875924   C99-301821-1

Sommaire

Sommaire

Liste des cartes

Sommaire - **Liste des cartes**

Légende des cartes

★ Attraits
▲ Hébergement
● Restaurants

▨ Mer, lac, rivière
▨ Forêt ou parc
☐ Place
✪ Capitale de pays
✪ Capitale d'État ou de province
–·–·–·– Frontière internationale
·············· Frontière inter-États ou provinciale
+++++ Chemin de fer
▨▨▨▨ Tunnel

 Aéroport

 Bâtiment

 Monorail

············· Parcours des défilés

☐ Point d'intérêt (carte régionale)

Symboles utilisés dans ce guide

≡ Air conditionné
♁ Audioguide en français
⚍ Centre de conditionnement physique
🔒 Coffret de sûreté
🍴 Cuisinette
♿ Établissement accessible aux personnes à mobilité réduite
FP▶ Fast Pass
◉ Label Ulysse pour les qualités particulières d'un établissement
pdj Petit déjeuner inclus dans le prix de la chambre
≋ Piscine
❄ Réfrigérateur
♨ Restaurant
bc Salle de bain commune
⟩⟩⟩ Sauna
⚡ Spa
▤ Télécopieur
☎ Téléphone
tlj Tous les jours

Les sections pratiques aux bordures grises répertorient toutes les adresses utiles. Repérez ces pictogrammes pour mieux vous orienter:

▲ Hébergement
● Restaurants
♪ Sorties
▣ Achats

Classification des attraits touristiques

★★★★★	À ne pas manquer
★★★★	Supérieur à la moyenne
★★★	Moyen
★★	Inférieur à la moyenne
★	Pauvre

Classification de l'hébergement

L'échelle utilisée donne des indications de prix pour une chambre pour quatre personnes (deux adultes et deux enfants).

$	moins de 80$
$$	de 80$ à 125$
$$$	de 126$ à 200$
$$$$	de 201$ à 300$
$$$$$	plus de 300$

Classification des restaurants

L'échelle utilisée dans ce guide donne des indications de prix pour un repas complet pour une personne, avant les boissons, les taxes et le pourboire.

$	moins de 15$
$$	de 15$ à 25$
$$$	de 26$ à 35$
$$$$	plus de 35$

Tous les prix mentionnés dans ce guide sont en dollars américains.

Légende des cartes - Symboles utilisés dans ce guide

À moi...
Disney World!

Disney World à la carte

■ Avec de jeunes enfants

Le secteur **Fantasyland** du **Magic Kingdom** demeure le classique des classiques pour les tout-petits. Située à l'ombre du splendide château de Cendrillon, cette zone thématique regorge de manèges magiques mettant vedette des personnages comme Dumbo l'éléphant, Donald le canard, Winnie l'ourson, Blanche-Neige et Peter Pan.

Non loin de là, le secteur baptisé **Mickey's Toontown Fair** propose son décor de dessin animé et permet aux plus jeunes de visiter les maisons de Mickey et de Minnie.

Aux **Disney-MGM Studios**, les spectacles **Voyage of The Little Mermaid** et **Playhouse Disney – Live on Stage!** s'adressent spécifiquement aux jeunes enfants.

Du côté du **Disney's Animal Kingdom**, il faut se diriger vers la zone **Camp Minnie-Mickey**, où les bambins peuvent serrer la pince de plusieurs de leurs personnages préférés, se faire raconter une histoire par Pocahontas et assister à un spectacle mettant vedette le Roi Lion et ses sujets.

Aux **Universal Studios**, c'est la **Woody Woodpecker's KidZone** qui est réservée aux plus petits visiteurs, qui apprécieront en outre une balade fusée au **Jimmy Neutron's Nicktoon Blast**.

Dans l'**Universal's Island of Adventure**, emmenez-les à **Seuss Landing**, un monde pour le moins farfelu, et dans **Toon Lagoon**, à l'irrésistible décor d'un dessin animé.

Ne sous-estimez surtout pas l'extraordinaire pouvoir de séduction auprès des enfants des dauphins, baleines et otaries du **SeaWorld Adventure Park**. Ce parc abrite aussi le plus beau terrain de jeu de la région: **Shamu's Happy Harbor**.

■ Avec des ados

Ce n'est pas nécessairement chez Disney que vous trouverez les manèges les plus excitants, malgré les efforts louables que constituent **Space Mountain** (Magic Kingdom); **Test Track** (Epcot); **Rock 'n' Roller Coaster Starring Aerosmith** et **The Twilight Zone Tower of Terror** (Disney-MGM Studios); et surtout **Expedition Everest – Legend of the ForbiddMountain** (Disney's Animal Kingdom).

En fait, le parc thématique le mieux adapté aux goûts des adolescents est sans conteste Universal's Island of Adventure, grâce à ses montagnes russes à couper le souffle (**The Dueling Dragons**, **Incredible Hulk Coaster**), à ses manèges à la fine pointe de la technologie (**The Amazing Adventures of Spider-Man**) et à ses attractions aquatiques dont on ressort à coup sûr détrempé (**Dudley Do-Right's Ripsaw Falls** et autres).

Quant au SeaWorld Adventure Park, il possède aussi quelques manèges à sensations fortes tels que les montagnes russes **Kraken** et le manège aquatique **Journey to Atlantis**. Il en est de même depuis peu des Universal Studios, grâce à la création de **Revenge of the Mummy**.

■ En couple

Plusieurs seront surpris d'apprendre que de nombreux couples sans enfants visitent Disney World et les autres parcs thématiques de la région d'Orlando. Il y en a même qui choisissent Disney World pour leur lune de miel! D'ailleurs, ces visiteurs ne se plaignent habituellement pas du manque de choses à voir et à faire.

Au-delà des parcs thématiques eux-mêmes, où la sélection des attractions se fera fonction des préférences de chacun, les boîtes de nuit du **Downtown Disney** et de l'**Universal CityWalk** plairont à cette clientèle. Il en sera de même du spectacle *La Nouba* du **Cirque du Soleil**.

Et pour ce qui est d'un dîner en tête à tête, les possibilités ne manquent pas que ce soit dans les restaurants ethniques du **Future World** d'**Epcot**, au **Disney's BoardWalk** ou dans les bonnes tables des hôtels de Disney, d'Universal Orlando ou du centre-ville d'Orlando.

■ Pour les aînés

Le secteur **Future World** d'**Epcot** plaît habituellement aux aînés qui aiment y faire le «tour du monde» sans avoir à subir les effets du décalage horaire.

Les manèges comprenant des mises scène élaborées où interviennent les fameux robots audio-animatroniques si réalistes créés par Disney comptent parmi les plus appréciés. Les meilleurs sont **Pirates of the Caribbean** et **The Hall of Presidents** (Magic Kingdom); **Spaceship Earth** et **The American Adventure** (Epcot); et **The Great Movie Ride** (Disney-MGM Studios).

Plusieurs des spectacles, défilés et films 3-D présentés dans les différents parcs obtiennent également la faveur de ces visiteurs. Parmi ceux-ci, mentionnons la **SpectroMagic Parade** (Magic Kingdom); **IllumiNations: Reflections of Earth** (Epcot); **Beauty and the Beast – Live on Stage** et **Fantasmic!** (Disney-MGM Studios); **Festival of the Lion King** (Disney's Animal Kingdom); sans oublier les irrésistibles spectacles de dauphins, de baleines, d'épaulards, de phoques et d'otaries au **SeaWorld Adventure Park**.

À moi... Disney World!

Situation géographique dans le monde

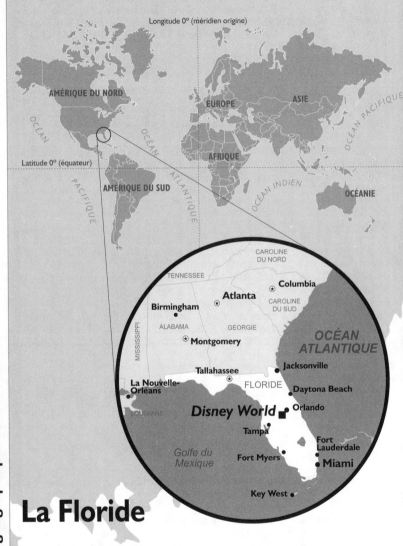

La Floride

Superficie: 152 000 km²
Population: 18 000 000 hab.
Densité: 117,3 hab./km²
Capitale: Tallahassee
Principales villes: Jacksonville, Miami, Tampa
Climat: subtropical

Fuseaux horaires:
UTC –5 et –6
Point le plus haut: Britton Hill, avec 105 m
Langue: anglais
Monnaie: dollar américain

©ULYSSE

Le rêve
de Disney

Walt Disney World, c'est l'évasion suprême! Un voyage dans la réalité quotidienne au royaume de l'imaginaire! Walt Disney World, c'est aussi une entreprise qui produit des films merveilleux. Destination voyage la plus courue du monde, Disney World attire chaque année des millions de gens qui franchissent ses tourniquets pour s'abandonner dans la fontaine de l'imaginaire, et s'y abreuver de rêves.

Il ne fait aucun doute que ce complexe touristique constitue un univers en soi: à n'importe quel moment, ses 122 km² accueillent en effet plus de gens et de circulation, et contiennent plus d'hôtels et de restaurants que la plupart des villes. Mais par-dessus tout, Disney World, c'est un état d'esprit. En une seule génération, il a su marquer la psyché américaine en faisant partager les rêves d'un seul homme à un pays tout entier. Car c'est ici qu'en 1971 Walt Disney a offert au monde le plus grand terrain de jeu qui soit, et le monde s'est empressé de le faire sien.

Mais les vacances de rêve dans ce coin de pays sont loin de s'arrêter à Disney World. Pour tous ceux qui désirent découvrir les mille et une facettes de la Floride centrale, le voyage ne fait que commencer. Aussi y trouve-t-on deux autres grands lieux de divertissement: Universal Orlando et le SeaWorld Adventure Park. Le premier se subdivise lui-même en deux parcs thématiques majeurs, soit les Universal Studios, un montage surréaliste de fantaisies ludiques et d'illusions hollywoodiennes, et les Universal's Islands of Adventure, truffées d'attractions à sensations fortes ou à la fine pointe de la technologie. Quant au SeaWorld Adventure Park, qui propose un regard sur la mer dans un cadre de détente, il a fait l'objet d'une rénovation majeure au cours des dernières années.

Puis, il y a Orlando, qui pourrait bien se révéler le secret le mieux gardé de la région, avec son nouveau centre-ville, son architecture du début du XXᵉ siècle, ses beaux musées, ses boutiques rénovées et ses restaurants colorés. Et il ne faudrait pas oublier la nature environnante, qu'il s'agisse des plantations d'agrumes s'étendant jusqu'à l'horizon, des lacs transparents jalousement protégés par des forêts de cyprès ou des pâturages sans fin où broutent paisiblement les troupeaux.

Le lecteur désireux de parcourir plus à fond cette région voudra sans doute se procurer le guide complet de la Floride de la collection des Guides de voyage Ulysse, car le présent ouvrage se concentre essentiellement sur le monde fantaisiste de Disney et sur les autres grands parcs thématiques qui lui font concurrence. L'accent est mis sur la qualité, les prix, l'exemplaire et l'exceptionnel, mais sans pour autant perdre de vue notre public cible: la famille. Pourquoi la famille? Pour la simple et bonne raison que, chaque jour, de plus en plus de voyageurs choisissent de se rendre à Disney World en famille pour partager l'expérience unique qu'on y offre.

En parcourant ce guide, vous découvrirez les meilleurs hôtels et restaurants, de même que les attractions de la Floride centrale destinées spécialement aux familles. De plus, vous y trouverez une foule de conseils qui vous permettront d'économiser temps et argent. Les besoins spécifiques des familles y sont aussi abordés, qu'il s'agisse de garde d'enfants, de lieux appropriés à l'allaitement des nourrissons ou de la location d'une poussette. Vous apprécierez aussi nos encadrés, soulignant des faits intéressants, des statistiques peu connues et des anecdotes variées.

Chacun des quatre grands parcs thématiques de Walt Disney World fait l'objet d'un chapitre distinct. Il y a bien sûr le **Magic Kingdom**, qui représente la genèse de Disney World et le creuset par excellence de l'imaginaire; c'est d'ailleurs celui que les enfants préfèrent, avec ses manèges extra-vagants et son ambiance joyeuse. Pour les amateurs de haute technologie et de culture, **Epcot** allie pour sa part une atmosphère de foire mondiale perma-nente à des attractions futuristes qui en-flamment l'imagination. Les **Disney-MGM Studios** proposent des spectacles remplis de vedettes et des visites palpitantes recréant la magie cinématographique d'Hollywood. Quant au **Disney's Animal Kingdom**, il propulse la faune à l'avant-scène avec plus de 200 espèces sauva-ges.

Les parcs secondaires de Disney World sont décrits dans le chapitre «Ailleurs à Disney». Souvent considérés comme les joyaux de la couronne de Disney, ces mondes enchanteurs comprennent **Fort Wilderness**, un vaste terrain de camping boisé où les familles peuvent tranquil-lement se retirer; le **Typhoon Lagoon**, vé-ritable paradis tropical du rafting et des toboggans nautiques; **Blizzard Beach**, un autre parc nautique, version «hivernale»; le **Wide World of Sports Complex**, un gigan-tesque complexe sportif multidiscipli-naire; et **Downtown Disney**, où l'on peut magasiner (au Marketplace), dîner (au West Side) ou s'éclater à la tombée de la nuit (Pleasure Island) en toute quié-tude.

La sécurité avant tout

Le fait que plusieurs accidents soient survenus dans les parcs thématiques nord-américains ces dernières années a suscité des in-quiétudes quant à la sécurité des manèges. Mais qu'en est-il exac-tement? La bonne nouvelle, c'est que selon les groupes respon-sables de l'industrie, environ un demi-milliard de visiteurs franchis-sent chaque année les tourniquets des manèges des différents parcs, et que la grande majorité d'entre eux en ressortent indemnes (ex-ception faite de leur portefeuille, peut-être!). Néanmoins, il y a tout de même des accidents, et de plus en plus de gens réclament des di-rectives de sécurité plus strictes. Pour de plus amples renseigne-ments à ce sujet ou pour obtenir des conseils quant à la façon d'as-surer la sécurité de votre famille lors de votre prochain voyage, rendez-vous à l'adresse suivante: *www.saferparks.org*.

Mais la liste ne s'arrête pas là. On retrouve encore **Universal Orlando**, qui comprend deux parcs thématiques auxquels des chapitres distincts sont consacrés: les **Universal Studios** et les **Universal's Islands of Adventure**. Plus grands studios de cinéma et de télévi-sion à l'extérieur d'Hollywood, les Universal Studios présentent des scènes de films renversantes, des balades époustouflantes et des effets spéciaux fabuleux. À côté, les Universal's Islands of Adventure mettent en vedette des promenades pétaradantes et d'autres attractions axées sur Dr. Seuss, le Jurassic Park et les bandes dessinées de Marvel Super Hero. Entre les deux parcs, on trouve aussi le secteur baptisé **Universal CityWalk**, où restaurants, boutiques, salles de spectacle et boîtes de nuit s'alignent dans une ambiance festive.

Et non loin de là, le **SeaWorld Adventure Park**, qui a aussi droit à son chapitre propre, dévoile les mystères cachés de l'océan. Parc marin le plus couru du monde, il fait connaître à ses visiteurs 9 000 espèces de toutes tailles.

Le chapitre «Autres attraits» présente pour sa part quelques-uns des musées et autres attractions d'Orlando, de Kissimmee et d'ailleurs dans les environs.

Pour terminer, les chapitres intitulés «Hébergement», «Restaurants», «Sorties» et «Achats» vous suggèrent différents hôtels et terrains de camping, restaurants, mais traitent éga-lement du magasinage et de la vie nocturne, aussi bien à l'intérieur qu'à l'extérieur des parcs thématiques.

Le rêve de Disney

Un peu d'histoire

Naturellement, tout commença par un rêve. Il y a quelques décennies, Disney World n'existait en effet que dans l'esprit d'un visionnaire californien. Walt Disney avait certes donné le jour à son Disneyland sur la Côte Ouest, mais il voyait plus grand encore, tellement plus qu'il chercha carrément à l'autre extrémité du pays un espace assez vaste pour contenir son rêve. Mais bien avant qu'il ne choisisse la Floride, cette péninsule parsemée de palmiers avait déjà inspiré les esprits romanesques. Ainsi, dès 1513, Ponce de León avait tenté d'y dénicher la légendaire fontaine de Jouvence ainsi que les fabuleuses cachettes d'or qui attendaient, croyait-on, les ambitieux chasseurs de trésors. Il n'y trouva ni l'or ni la jeunesse, mais découvrit plutôt un territoire aux brises embaumées, aux plages bordées de palmiers et aux fleurs épanouies à longueur d'année. Il l'appela «Floride» (de l'espagnol *florida*, c'est-à-dire «la fleurie»).

Ponce de León s'en retourna après avoir exploré le littoral est de la péninsule, mais il revint quelques années plus tard, en 1521, cette fois dans l'espoir d'y implanter une petite colonie du côté sud-ouest. Les Autochtones, hostiles à ce projet, sabotèrent ses efforts, mais nombreux étaient déjà ceux qui avaient compris que la Floride valait bien des batailles.

Au début des années 1700, des colons anglais commencèrent à donner du fil à retordre aux Espagnols. Ils ravagèrent les missions du nord de la Floride, réduisirent à néant la «première colonie» et exterminèrent beaucoup d'Amérindiens. Plus l'emprise de l'Espagne s'effritait, plus la convoitise de l'Angleterre pour ce territoire se consolidait. Finalement, en 1763, après les ravages de la guerre de Sept Ans, l'Espagne échangea la Floride contre Cuba, renonçant ainsi à ses rêves glorieux de jeunesse éternelle et de richesses étincelantes.

Les Anglais nourrissaient de grands projets pour la Floride, dont bien peu se réalisèrent cependant, car leur attention se tourna, après les palmiers et les plages ensoleillées, vers les sombres champs de bataille de la Révolution américaine. Même les Espagnols, qui profitèrent de la confusion pour reprendre la colonie aux Tuniques rouges, se virent incapables de la maintenir et durent la revendre aux États-Unis en 1821.

En 1845, la Floride était devenue un État, et l'âge d'or du bateau à vapeur commençait déjà à promouvoir le tourisme et l'agriculture. Des rumeurs, voulant qu'il y eût réellement une fontaine de Jouvence à DeLeon Springs, près de DeLand, et qu'une eau étonnamment chaude et colorée coulât à Silver Springs, contribuèrent par la suite à intensifier la circulation maritime. De superbes bateaux à vapeur, transportant denrées et marchandises dans leurs cales, entraînaient désormais les riches et les puissants vers l'intérieur des terres.

Vers la fin des années 1880, deux millionnaires aux rêves aussi grandioses que ceux de Ponce de León voulurent rendre accessible ce paradis entouré par la mer, et donnèrent le coup d'envoi à un développement territorial qui se poursuivit jusqu'au XXᵉ siècle. Tout commença lorsque Henry B. Plant et Henry Flagler construisirent des chemins de fer le long de chaque côte, les ponctuant de somptueux centres de villégiature qui conviaient le pays tout entier à venir jouir de ce paradis. Et au cours des décennies qui suivirent, c'est effectivement par milliers que des gens envoûtés par le rêve accoururent vers cette terre promise. Certains y cherchaient un meilleur emploi, ou l'éternelle chance de «commencer une nouvelle vie», alors que d'autres voulaient tout simplement se dorer au soleil et profiter de ses eaux on ne peut plus invitantes.

Pendant ce temps, la région d'Orlando accueillait une autre espèce de rêveurs: les cowboys floridiens. Ces colons, travailleurs et terre-à-terre, tirèrent leur subsistance des étendues broussailleuses (*ocali*), qui s'avérèrent d'ailleurs idéales pour l'élevage. Ayant l'habitude de faire claquer leur fouet alors qu'ils conduisaient leurs troupeaux, ils furent bientôt surnommés *crackers*. Mais ils établirent également de vastes plantations d'orangers et de pamplemoussiers, donnant ainsi naissance à l'empire agrumicole de Floride.

Toutefois, les agrumiculteurs ne connurent pas tous la réussite. Vers la fin du XIXe siècle, une gelée dévastatrice fit perdre à un Canadien du nom d'Elias Disney les oranges de sa plantation de 32 ha. Elias était parti du Kansas pour venir en Floride centrale afin de profiter de cette terre promise. Il tint tout d'abord un hôtel à Daytona Beach (un des premiers de cette région) et acheta ensuite une plantation dans la localité voisine, Paisley. L'hôtel n'attirant pas autant de touristes que prévu, il fit faillite et perdit du même coup sa ferme. Puis, en 1889, Elias s'installa à Chicago et devint un ouvrier de la construction. Il mourut en 1930 sans jamais avoir remis les pieds en Floride.

Quelle ironie du sort que le fils d'Elias, Walt Disney, vienne un peu plus de 30 ans plus tard ouvrir ses propres hôtels non loin de Daytona Beach. D'autant plus que si l'hôtel de son père a été un échec, ceux de Walt constituent un héritage sans pareil.

Lorsque Walt Disney vint à Orlando au début des années 1960, la région, un «territoire vierge» au dire des *crackers*, ne demandait qu'à s'ouvrir au tourisme et au développement. Dans son petit centre-ville, des rangées d'édifices peu élevés s'étendaient bien sur plusieurs rues, prolongées par des banlieues sur quelques kilomètres, mais pour bientôt céder la place à de grands espaces où le ciel rencontrait directement la brousse. Et, même si 90 000 personnes y avaient déjà élu domicile, Orlando ne possédait alors que deux «grandes» attractions: Gatorland et le musée Tupperware.

Avant même que Walt Disney ne pose la première pierre de son monde fantaisiste, la région était déjà un paradis pour les puristes avec ses grandes pinèdes, ses lacs sans fond d'une limpidité cristalline et ses kilomètres de terres silencieuses. C'est exactement ce qu'il fallait à Disney, à la recherche d'espaces vastes et intouchés. Car c'est précisément l'absence de telles terres qui l'avait poussé à quitter la Californie, où son Disneyland de 41 ha était cerné par les développements environnants.

Quelques dates marquantes

1901 Naissance de Walt Disney à Chicago.

1926 Les frères Walt et Roy Disney établissent à Hollywood (Californie) le Walt Disney Studio, qui fera œuvre de pionnier au cours des années suivantes avec la création du personnage de Mickey Mouse et la production du premier dessin animé parlant de l'histoire (*Steamboat Willie*, 1928).

1937 Lancement de *Blanche-Neige et les sept nains*, signé par Walt Disney et premier long métrage d'animation de l'histoire.

1955 Inauguration de Disneyland à Anaheim près de Los Angeles, qui révolutionnera l'industrie des parcs d'attractions.

1964 Incapable de développer son parc d'Anaheim, qui est cerné par les développements environnants, Disney acquiert dans le plus grand secret 11 138 ha à 32 km au sud-ouest d'Orlando sur lesquels il entend construire son nouveau «royaume».

1966 Décès de Walt Disney.

1971 Ouverture à Orlando de Walt Disney World, qui ne comprend alors que le Magic Kingdom.

Le rêve de Disney - Un peu d'histoire

1973 Un parc thématique concurrent voit le jour: SeaWorld. La personnalité particulière de la région d'Orlando commence alors à prendre forme.

1982 Epcot, second parc thématique de Walt Disney World, ouvre ses portes.

1989 Ouverture des Disney-MGM Studios, du parc aquatique Typhoon Lagoon et de la zone de boîtes de nuit Pleasure Island.

1990 Un autre géant hollywoodien vient défier l'empire Disney dans son fief d'Orlando en y installant les Universal Studios.

1995 Ouverture à Disney World d'un autre parc aquatique: Blizzard Beach.

1997 Création du secteur West Side qui, avec Pleasure Island et le Marketplace, forme dorénavant le Downtown Disney.

Ouverture du complexe Disney's Wide World of Sports.

1998 Inauguration du Disney's Animal Kingdom.

1999 Ouverture des Universal's Islands of Adventure, second parc thématique de l'empire cinématographique concurrente à Disney, qui rebaptise alors son complexe Universal Orlando.

En 1964, Disney acheta donc 11 138 ha à 32 km au sud-ouest d'Orlando et entreprit d'y bâtir son royaume. Le personnage mourut en 1966, mais son Magic Kingdom vit le jour cinq ans plus tard, ouvrant ses portes le 1er octobre 1971; et un an plus tard, il avait déjà attiré 10,7 millions de visiteurs, soit plus de monde que n'en comptait alors l'État tout entier de la Floride. L'avènement de Disney World eut l'effet d'une onde de choc sur Orlando, et entraîna une métamorphose physique et culturelle qui s'étendit à tout le centre de la Floride. D'un seul coup, ce petit patelin d'arrière-pays devint une ville champignon. L'ouverture du Magic Kingdom devait en outre décider de la destination vacances de millions d'Américains pour le reste du XXe siècle.

Le Magic Kingdom n'était pourtant qu'un début, une infime partie du plan dressé par Disney pour son projet floridien. Son rêve véritable était celui d'une ville où des gens vivraient et travailleraient, d'une communauté climatisée et régie par ordinateur, avec des appartements, des boutiques, des terrains de golf, des églises et un hôpital. Elle serait couronnée d'un dôme de verre, pour la protéger, disait Disney, de la chaleur et de l'humidité. Et elle s'appellerait **Epcot** (*Experimental Prototype Community of Tomorrow*, ou «prototype expérimental de communauté futuriste»).

Epcot ouvrit bien en 1982, mais non tel que l'avait projeté Disney. Sa «ville» d'un milliard de dollars prit plutôt la forme d'un parc thématique abritant une foire mondiale permanente ainsi qu'un éventail d'attractions scientifiques. Sa construction stimula encore davantage l'économie déjà florissante de la Floride centrale. Au cours des 10 années qui avaient suivi l'ouverture du Magic Kingdom, la population de l'agglomération d'Orlando avait presque doublé; SeaWorld avait créé un parc marin concurrençant Disney World, et des douzaines de motels, de grandes chaînes hôtelières, des comptoirs de restauration rapide et des attractions touristiques tentaculaires s'étaient implantés tout autour de Disney World, attirés par l'assiette au beurre du mégaprojet. Partout en Floride, on appelait Orlando la ville de Mickey Mouse, tandis que le reste des États-Unis continuait à investir des millions de dollars dans cette terre de vacances sans précédent.

Ce développement effréné se poursuivit au cours des années suivantes. Tout comme elle avait séduit Elias et Walt Disney, la Floride centrale demeure un pôle d'attraction pour d'innombrables visionnaires caressant rêves et projets divers, avec tout l'espace nécessaire pour les réaliser. Ainsi, Disney World s'enorgueillit bientôt de deux parcs aquatiques, d'un gigantesque terrain de camping, d'un parc naturel, d'une trentaine de complexes hôteliers, de plus de 150 restaurants, de centres commerciaux et de boîtes de nuit. Et le parc de stationnement du Magic Kingdom à lui seul pourrait contenir la totalité du Disneyland de Californie, le précurseur du Walt Disney World.

L'offre ne suffit tout simplement pas à la demande. La région d'Orlando reçoit près de 50 millions de visiteurs par an. On évalue que, chaque année, plus de 30 millions de personnes arrivent à l'aéroport d'Orlando ou y prennent l'avion, et la région métropolitaine grossit au rythme de 60 000 nouveaux résidants par année.

Suivent des hôtels et une zone nocturne, Universal CityWalk, qui visent à faire d'Universal Orlando une destination touristique à part entière, comme Walt Disney World.

1999 Arrivée du Cirque du Soleil dans le secteur West Side de Downtown Disney.

Depuis quelque temps, c'est Hollywood qui est à l'avant-scène du décor de rêve d'Orlando. Disney World, avec ses Disney-MGM Studios, ouverts aux visiteurs en 1989, et Universal Orlando, créé au début des années 1990, ont mis sur pied des centres de production télévisuels et cinématographiques qui font en même temps office de parcs thématiques à part entière. C'est ainsi qu'on surnomme présentement Orlando la Hollywood de l'Est.

Mais Hollywood ne contribue qu'en partie à la frénésie qui jaillit de cette fontaine de plaisir. Disney World continue à se développer, multipliant les nouvelles attractions, s'employant à créer de nouveaux complexes d'hébergement majeurs et inaugurant en 1998 un quatrième parc thématique: Disney's Animal Kingdom.

Puis, Disney se lance dans le développement d'une communauté du nom de «Celebration», qui comprend des habitations, des écoles, des églises et un centre commercial.

Et, pendant que ces tisserands de l'imaginaire continuent à étendre les frontières de leur monde, Orlando ne cesse de redéfinir son identité. Certains prétendent que la région s'est développée trop rapidement et trop tôt, et qu'elle a voulu plaire à trop de gens. Aujourd'hui, elle est envahie par la circulation, barbouillée de panneaux publicitaires et teintée d'un tourisme ringard, à tel point qu'on se demande si l'on doit se réjouir de cette croissance ou au contraire s'en affliger. Mais ce n'est là que la moitié de l'histoire d'Orlando. L'autre moitié est celle d'un endroit qui s'accroche aux idéaux sans prétention, aux beautés intrinsèques et à la tranquillité d'esprit. Somme toute, il s'agit d'un lieu à cheval sur l'imaginaire et la réalité.

Quand visiter Disney World?

La clé pour réussir son voyage à Disney World, c'est de s'y rendre au bon moment. Si vous y allez en haute saison, vous passerez une grande partie de vos vacances dans les files d'attente et les embouteillages. De plus, vous paierez le plein tarif sur tout. Une famille qui s'est rendue au Magic Kingdom un dimanche de Pâques (jour de grande affluence) calcula qu'elle y avait passé six heures dans les queues et seulement 35 min dans les manèges. Par contre, si vous y allez en basse saison, vous aurez une expérience tout autre, celle de vraies vacances.

L'expérience de Celebration

La vision d'origine de Walt Disney pour E.P.C.O.T. (l'acronyme d'*Experimental Prototype Community of Tomorrow*) englobait la création d'une véritable communauté de l'avenir, d'une ville modèle tournée vers le futur. Ces visées ne se concrétisèrent jamais dans le projet Epcot même, tel que réalisé par ses successeurs. Par contre, elles trouvent enfin leur écho dans le projet Celebration, actuellement en cours d'aménagement à quelque 20 km au sud de Disney World.

La corporation Disney s'est portée acquéreur de près de 2 000 ha de terrain au cours des années 1990 afin de développer une ville modèle dans laquelle, à terme, vivront 12 000 personnes. Suivant un plan d'urbanisme qui favorise un design harmonieux et une vie communautaire active, Celebration s'inspire des villes traditionnelles du sud-est des États-Unis de la première moitié du XXᵉ siècle dans l'architecture de ses habitations. Celles-ci sont construites sur des terrains de taille modeste afin d'inciter les résidants à fréquenter régulièrement les parcs et lieux publics de la ville. Elles s'élèvent d'ailleurs près les unes des autres afin d'encourager les échanges entre voisins. Mais, malgré ce regard romantique sur le passé, Celebration se tourne résolument vers l'avenir par l'utilisation au quotidien des technologies les plus avancées.

Le plan d'urbanisme qui a présidé au développement de cette ville privée est l'œuvre des firmes d'architectes new-yorkaises Robert A.M. Stern, qui a également signé l'hôtel Disney's Yacht Club Resort, et Cooper Robertson & Partners, groupe qui a notamment œuvré à la planification des projets de Battery Park City, à New York, et de Cityfront Center, à Chicago. Plusieurs autres architectes de renom participent de plus à l'expérience, qui se veut la contribution de Disney à un courant que certains nomment le *New Urbanism*.

La ville est organisée autour de Market Street, ce quartier commerçant qui fait office de centre-ville avec ses boutiques, ses restaurants, ses bureaux, son hôtel et sa mairie (Philip Johnson, Ritchie & Fiore, architectes). Elle possède aussi un splendide terrain de golf dessiné par les réputés spécialistes Robert Trent Jones, père et fils.

Des maquettes de ce projet très suivi dans les cercles américains de l'architecture sont exposées au Preview Center (Moore/Andersson, architectes), situé à l'entrée de Celebration. On y présente aussi un film qui explique les intentions des créateurs de cette ville modèle et la philosophie sur laquelle s'appuie son développement.

Malheureusement pour les familles, l'été (lors des grandes vacances scolaires) est la haute saison. La période des Fêtes n'est pas non plus un bon moment pour le visiter, puisque Disney World connaît ses pires engorgements entre Noël et le jour de l'An. La fin de semaine de l'Action de grâce américaine (Thanksgiving), un congé férié à l'échelle nationale, suit, bonne deuxième, devant les semaines entourant Pâques. Durant ces jours fous, Disney World et Universal Orlando atteignent souvent leur point de saturation (80 000 visiteurs par site) au beau milieu de l'avant-midi, et doivent alors fermer leurs portes. Bonne chance à ceux qui peuvent y entrer!

La meilleure période de toutes pour visiter Disney World se situe entre la fin de semaine de la Thanksgiving (à la fin de novembre) et la semaine précédant Noël. D'autres périodes moins frénétiques sont septembre, octobre et celle qui va de la deuxième semaine de janvier à la fin de mai (en excluant les jours fériés).

Si vous devez visiter Disney World en période d'affluence, projetez de vous rendre aux parcs thématiques le vendredi ou le dimanche. Aussi incroyable que cela puisse paraître, beaucoup de gens profitent en effet des fins de semaine pour faire route vers leur destination vacances ou s'en retourner chez eux, de sorte que ce sont là les jours les moins engorgés. Naturellement, l'inverse est aussi vrai: le lundi, le mardi et le mercredi sont les journées les plus folles. Les seules exceptions à cette règle sont le **Typhoon Lagoon** et **Blizzard Beach**, très courus des gens de la région durant les fins de semaine.

Planifier son séjour

Un minimum de planification rendra votre voyage beaucoup plus agréable, et cette consigne s'applique à tous les membres de la famille. Les parents peuvent prendre connaissance du plan d'aménagement et des attraits de chaque parc thématique, de façon à se prémunir contre la confusion et les décisions précipitées après l'arrivée sur le site. Les préadolescents et les adolescents qui veulent faire bande à part doivent nécessairement apprendre à s'orienter sur les lieux, et les jeunes enfants peuvent, quant à eux, se préparer (et s'enflammer) en lisant les contes de Disney et en visionnant ses plus importants films d'animation, cela afin de les familiariser avec les personnages et les manèges qu'ils trouveront sur place. Certaines familles louent même des vidéos de Disney et organisent des soirées de projection à domicile pour mieux se mettre dans le bain. Parmi les plus grands classiques d'animation, retenons *Cendrillon*, *Peter Pan*, *Alice au pays des merveilles* et *Dumbo*.

Les enfants devraient aussi savoir qu'ils se verront refuser l'accès à certains manèges s'ils n'ont pas encore atteint la taille réglementaire (voir l'encadré plus loin). Les parcs thématiques font respecter ces normes à la lettre; si vos enfants ne sont pas assez grands pour certains manèges, il vaut mieux les en informer **avant** votre départ.

L'ampleur phénoménale de Walt Disney World et des points d'intérêt environnants transforme une visite de trop courte durée en une véritable course contre la montre, pour ne pas dire en cauchemar. Il vaut donc mieux prévoir un séjour d'au moins trois jours, surtout si vous venez de l'extérieur de la Floride, et l'idéal serait de consacrer une semaine complète à votre périple, dont deux ou trois jours à l'extérieur des grands parcs thématiques. Car même le visiteur le plus enthousiaste se lassera de marcher sur le bitume 10 heures par jour, sans compter que la Floride centrale présente une foule d'attraits secondaires.

Quelle que soit la durée de votre séjour, il importe de savoir qu'on ne s'entend que rarement (même si vous n'êtes accompagné que d'une seule personne) sur la meilleure façon de visiter Disney World. Qu'à cela ne tienne, il existe de bonnes et de mauvaises façons d'organiser votre emploi du temps, et les quelques directives qui suivent vous aideront à rendre vos vacances un peu moins laborieuses. En tout premier lieu, arrivez tôt (au moins une demi-heure avant l'heure d'ouverture officielle). Deuxièmement, prenez un petit déjeuner copieux avant d'arriver à Disney World; et plus tard dans la journée, rompez avec vos habitudes en déjeunant et en dînant plus tôt ou plus tard que de coutume. Troisièmement, faites-vous une idée claire de l'ordre dans lequel vous comptez voir les diverses attractions; le système d'étoiles utilisé dans ce guide pour coter les attractions vous aidera à établir vos priorités.

Calendrier des événements annuels

■ Janvier

Walt Disney World: Plus de 14 000 personnes participent au **Walt Disney World Marathon**, dont le tracé traverse le Disney's Wide World of Sports Complex et les différents parcs thématiques.

Orlando: Le Premier de l'an, le **Citrus Bowl Parade** (défilé à large déploiement) donne le coup d'envoi à la partie de football décisive qu'est le **Florida Citrus Bowl**.

■ Février

Daytona Beach: Le **Daytona 500** est le point culminant de la semaine de la vitesse (Speed Week), avec sa course de stock-cars de 200 tours de piste, tenue au Daytona International Speedway.

Tampa: Le pirate légendaire José Gaspar vous fait revivre la prise de Tampa, au cours du mois de février, avec danses, festins, costumes, et un somptueux défilé, lors de la **Gasparilla Invasion and Parade**.

Kissimmee: Pour du rodéo à son meilleur, rendez-vous à Kissimmee à l'occasion du **Silver Spurs Rodeo**, le plus ancien événement du genre en Floride.

■ Mars

Orlando: Le **Florida Film Festival** présente plus de 100 films, documentaires et courts métrages du monde entier.

Kissimmee: Le **Kissimmee Bluegrass Festival** accueille plusieurs musiciens de renom.

Floride centrale: Les professionnels du baseball s'entraînent à l'occasion du **Major Leagues Spring Training**. Voyez entre autres les Braves d'Atlanta au Disney's Wide World of Sports Complex, les Astros de Houston à Kissimmee, ainsi que les Twins du Minnesota et les Red Sox de Boston à Fort Myers.

Winter Park: Des artisans venus des quatre coins de l'Amérique du Nord convergent en ce lieu à l'occasion du **Winter Park Sidewalk Art Festival**, l'un des événements artistiques les plus saillants du sud des États-Unis.

■ Avril

Walt Disney World: Mickey Mouse et le Lapin de Pâques (Easter Bunny) descendent Main Street, U.S.A. pour l'**Easter Parade** du Magic Kingdom (a parfois lieu en mars). **The International Flower & Garden Festival** tapisse Epcot de plus de 30 millions de fleurs.

Orlando: On présente du Shakespeare au bord de l'eau dans le cadre du **Shakespeare Festival**, qui dure jusqu'à la mi-avril. Les représentations ont lieu au John and Rita Lowndes Shakespeare Center.

SeaWorld Adventure Park: L'**Easter Sunrise Service** (célébration liturgique) présente des orateurs et des chanteurs connus aux États-Unis (a parfois lieu en mars).

■ Mai

Daytona Beach: Joignez-vous aux quelque 25 000 personnes qui prennent part au **Zellwood Sweet Corn Festival** (festival du maïs), qui présente entre autres des manèges de foire, des jeux ainsi que des créations artistiques et artisanales.

■ Juin

Walt Disney World: Le **Gay and Lesbian Day**, qui célèbre annuellement la fierté gay et lesbienne, invite des milliers de personnes à participer à ses festivités et à ses événements spéciaux.

■ Juillet

Walt Disney World: Le 4 juillet, l'**Independence Day** (fête de l'Indépendance américaine) se termine par un feu d'artifice majestueux dans tous les parcs thématiques et sur **Pleasure Island**.

■ Octobre

Walt Disney World: Les golfeurs professionnels s'affrontent dans le cadre de l'**Oldsmobile/Walt Disney World Golf Classic**, présenté au complexe de villégiature de Walt Disney World.

Universal Studios: Ne manquez pas les **Halloween Horror Nights** du Back Lot, transformé pour une période de deux semaines en un dédale de maisons hantées. On y présente des spectacles à faire peur, et des centaines de monstres et de mutants envahissent le site pour l'occasion.

Winter Park: Le **Winter Park Autumn Art Festival** présente des exposants locaux et nationaux.

■ Novembre

Walt Disney World: À l'occasion d'une des meilleures manifestations artistiques de l'État, le **Festival of Masters at Downtown Disney**, on expose de superbes œuvres d'art du pays tout entier.

Kissimmee: Artisanat, nourriture et jeux agrémentent l'**Osceola Art Festival**, sur les rives du lac Tohopekaliga.

■ Décembre

Walt Disney World: La souris préférée de Disney vous invite à la fête pour son **Mickey's Very Merry Christmas Party** dans Main Street, U.S.A. Quant aux célébrations de la **veille du jour de l'An**, elles comportent de grandes festivités, des feux d'artifice somptueux ainsi que des orchestres dans tous les parcs thématiques et dans plusieurs complexes hôteliers de Disney.

Orlando: Le père Noël arrive tôt pour mener le bal lors de la **Christmas Parade**, un défilé qui traverse le centre-ville.

Floride centrale: Plusieurs villes soulignent la saison par des **défilés de Noël**, des installations de sapins et d'autres festivités appropriées.

Le rêve de Disney - Planifier son séjour

Passez en tête de file

Dans les quatre parcs thématiques principaux de Walt Disney World, une utilisation astucieuse des laissez-passer *Fast Pass* peut représenter une façon efficace de gagner du temps. Ces billets, qui vous permettent de passer devant la file d'attente à une heure fixée par rendez-vous, sont disponibles aux manèges les plus fréquentés. On les obtient, sans frais supplémentaires, en glissant son billet d'entrée dans des machines distributrices bien indiquées. Il s'agit ensuite de revenir à l'heure dite pour visiter sans attente l'attraction choisie. Entre-temps, vous avez le loisir d'aller visiter d'autres attractions plutôt que d'attendre en ligne.

Dans le présent guide, les manèges pour lesquels il est possible de se procurer un Fast Pass sont identifiés dans un encadré placé au début de chacun des chapitres portant sur les parcs thématiques de Disney World (Magic Kingdom, Epcot, Disney-MGM Studios et Disney's Animal Kingdom), ainsi que par le symbole **FP▶** que vous retrouverez dans la description de ces manèges.

Dans les parcs d'Universal Orlando (Universal Studios et Universal's Islands of Adventure), il existait bien un système équivalent mais il a été abandonné récemment. En lieu et place, il est possible d'ajouter l'option *Universal Express Plus* à votre billet pour pouvoir accéder en tout temps aux attractions par la voie rapide (une seule visite «express» n'est permise par attraction). Il faut alors prévoir un supplément au coût du billet d'entrée (voir section «Types de billets et prix» à la page 40).

Gardez aussi à l'esprit que les enfants (et même les adultes!) voudront remonter plus d'une fois à bord de leurs manèges favoris; allouez donc le temps nécessaire à ces «reprises».

Finalement, ne faites pas de zèle. Décidez de ce que vous aimeriez vraiment voir, et coupez vos projets de moitié. Une mère de famille écrivant à la revue *Parents* dit avoir pris une *«dure décision qui a eu pour effet de rendre beaucoup plus agréable notre séjour à Disney World: celle de ne pas chercher à tout voir en un seul voyage»*.

■ Bagages

Souvenez-vous d'une chose lorsque vous préparerez vos bagages en vue de vos vacances à Disney World: prévoyez des vêtements légers et confortables. À moins que vous ne projetiez de dîner dans les restaurants les plus chics, tout ce dont vous aurez besoin en fait de vêtements peut s'énumérer comme suit: des shorts, des chemises légères ou des polos, des pantalons d'été, un maillot de bain et de quoi vous couvrir en sortant de l'eau, ainsi qu'une tenue moyennement décontractée en prévision de tout événement qui demanderait un look plus habillé.

Consacrez le reste de l'espace disponible à quelques articles essentiels, comme un bon chapeau, des verres fumés de bonne qualité et un bon insectifuge. Faites aussi ample provision de crème solaire (sans huile autant que possible), car même les journées d'hiver les plus ennuagées peuvent vous brûler la peau et vous donner cette apparence rougeaude si caractéristique des touristes mal avisés. Une veste légère et un imperméable sont aussi indispensables, les impers les plus pratiques étant ceux qui possèdent un capuchon et qui, une fois pliés dans leur enveloppe, tiennent aisément dans la main; on en trouve dans les pharmacies (*drugstores*) pour quelques dollars, tandis qu'à Disney World et à l'intérieur d'autres parcs thématiques ils vous coûteront plusieurs fois ce prix.

De bonnes chaussures flexibles, légères et confortables sont nécessaires à la «survie» de vos pieds. Un visiteur moyen marche environ 6 km par jour dans un parc thématique (et plus souvent qu'autrement sur le béton brûlant!), de sorte que vous aurez besoin d'un bon support à ce niveau. Les chaussures omnisports conviennent parfaitement au tourisme; gardez les sandales et les tongs pour la piscine.

Les familles avec des enfants en bas âge qui se rendent à Disney World en voiture devraient faire ample provision de nourriture pour bébés et de couches jetables. On peut bien sûr acheter ces produits dans les parcs thématiques, mais les prix en sont alors très élevés. Pour les fringales de l'après-midi, emballez à l'avance des collations dans des sacs à glissière; des craquelins, du maïs soufflé et les céréales préférées des enfants les aideront à tenir le coup jusqu'au prochain repas. Les berlingots de jus constituent par ailleurs de bons substituts aux boissons gazeuses vendues dans les parcs thématiques.

Itinéraires suggérés

Dans le but de vous aider à organiser votre visite, nous vous présentons ci-dessous des itinéraires conçus pour une famille passant quatre jours à Disney World et dans les autres parcs thématiques, de même que des suggestions pour une cinquième, une sixième et une septième journée si vous disposez suffisamment de temps.

Pour les deux premiers jours, consacrés à la visite du Magic Kingdom, deux choix vous sont proposés, selon que vous êtes accompagné ou non d'enfants en bas âge (de trois à cinq ans). Une autre option se présente au quatrième jour, soit la visite des Disney-MGM Studios ou d'Universal Orlando.

Ces itinéraires ne sont fournis qu'à titre indicatif; ne vous sentez donc pas obligé de les suivre à la lettre. Ainsi, il se peut que vous décidiez de visiter Epcot plutôt que le Magic Kingdom le deuxième jour. Il faut toutefois savoir qu'Epcot a été conçu pour les adultes, aussi n'est-il pas conseillé aux familles avec de jeunes enfants. Mais, si vous choisissez d'ignorer cette recommandation, allez-y plutôt le premier jour, car, si vos enfants voient d'abord le Magic Kingdom, il ne fait aucun doute qu'Epcot leur semblera bien terne par la suite. Tous les itinéraires ont été tracés en prenant pour acquis que vous logez dans un hôtel à Disney World même ou à quelques kilomètres à peine de là. Si votre lieu d'hébergement se trouve à plus de 8 km, prenez vos repas du midi dans un restaurant de Disney. Et quel que soit votre plan de visite, rappelez-vous qu'il s'agit de vacances, et non d'une corvée.

■ Jour 1: Magic Kingdom (avec tout-petits)

Le matin

Soyez dans Main Street, U.S.A. de bon matin (ouverture 30 min avant le reste du Magic Kingdom) afin de vous procurer tout le nécessaire pour la journée: poussettes, plans, etc. Dès que le reste du Magic Kingdom ouvrira, rendez-vous au château de Cendrillon (**Cinderella Castle**) pour placer vos réservations en vue du dîner de 18h à la Cinderella's Royal Table. Dirigez-vous ensuite vers le cœur de Fantasyland pour visiter les attractions suivantes dans l'ordre où elles apparaissent:

- **Dumbo The Flying Elephant**
- **Cinderella's Golden Carousel**
- **Mickey's PhilarMagic**
- **Snow White's Scary Adventure** *(peut effrayer les jeunes enfants)*
- **The Many Adventures of Winnie the Pooh**
- **Peter Pan's Flight** *(peut effrayer les jeunes enfants)*
- **It's A Small World**

Le midi

Retournez à l'hôtel pour déjeuner et faire la sieste.

L'après-midi

Rendez-vous à **Mickey's Toontown Fair** pour voir la maison de campagne de Mickey. Une balade à travers le **Toontown Hall of Fame** (temple de la renommée) vous permettra en outre de rencontrer vos personnages favoris et de vous faire photographier à leurs côtés.

En fin d'après-midi et en soirée

Prenez le **Walt Disney World Railroad** (train) à Mickey's Toontown Fair jusqu'à la station Main Street, U.S.A., puis un *jitney* (petit bus) ou une carriole tirée par des chevaux afin de vous rendre au château de Cendrillon pour le dîner de 18h.

Si vous avez le temps après le dîner (et si le cœur vous en dit), emmenez vos enfants au **Cinderella's Golden Carousel** pour un tour de manège nocturne ou pour une visite avec la Little Mermaid à l'Ariel's Grotto.

■ Jour 2: Magic Kingdom (avec tout-petits)

Le matin

Encore une fois, présentez-vous tôt dans Main Street, U.S.A. À l'ouverture du Magic Kingdom, allez à Adventureland pour faire la **Jungle Cruise**, après quoi vous verrez l'**Enchanted Tiki Room**, puis ferez un tour de tapis volant à **The Magic Carpets of Alladin**. Traversez au Tomorrowland à pied et essayez:

- **Tomorrowland Transit Authority**
- **Tomorrowland Indy Speedway**
- **Buzz Lightyear's Space Ranger Spin**

À Fantasyland, joignez-vous au **Mad Tea Party**, puis laissez les enfants remonter à bord des manèges qu'ils ont préférés à Fantasyland.

Le rêve de Disney - Itinéraires suggérés

Tailles minimales pour accéder à certains manèges

Magic Kingdom

The Barnstormer at Goofy's Wiseacre Farm	0,89 m
Big Thunder Mountain Railroad	1,02 m
Space Mountain	1,12 m
Splash Mountain	1,02 m
Stitch's Great Escape!	1,02 m
Tomorrowland Indy Speedway (pour conduire seul le véhicule)	1,32 m

Epcot

Body Wars (Wonders of Life)	1,02 m
Mission: SPACE	1,12 m
Soarin'	1,02 m
Test Track	1,02 m

Disney-MGM Studios

Rock 'n' Roller Coaster Starring Aerosmith	1,22 m
Star Tours	1,02 m
The Twilight Zone Tower of Terror	1,02 m

Disney's Animal Kingdom

Dinosaur	1,02 m
Expedition Everest	1,12 m
Kali River Rapids	0,97 m
Primeval Whirl	1,22 m

Universal Studios

Back to the Future The Ride	1,02 m
Jimmy Neutron's Nicktoon Blast	1,02 m
Men in Black Alien Attack	1,07 m
Revenge of the Mummy	1,22 m
Woody Woodpecker's Nuthouse Coaster	0,92 m

Universal's Islands of Adventure

The Amazing Adventures of Spider-Man	1,02 m
Doctor Doom's Fearfall	1,32 m
Dudley Do-Right's Ripsaw Falls	1,22 m
The Dueling Dragons	1,38 m
The Flying Unicorn	0,92 m
The High in the Sky Seuss Trolley Train Ride!	0,87 m
Incredible Hulk Coaster	1,38 m
Jurassic Park River Adventure	1,07 m
Popeye & Bluto's Bilge-Rat Barges	1,07 m

SeaWorld Adventure Park

Journey to Atlantis	1,07 m
Kraken	1,38 m
Wild Arctic	1,07 m

Le rêve de Disney - Itinéraires suggérés

Le midi

Vers l'heure du déjeuner, rendez-vous à Frontierland pour prendre un radeau jusqu'à la **Tom Sawyer Island**. Détendez-vous pendant que vos enfants dépensent leur énergie. Achetez des sandwichs chez **Aunt Polly's Dockside Landing**, où il y a rarement beaucoup de monde, et reprenez le radeau jusqu'à la terre ferme pour assister au **Country Bear Jamboree**.

L'après-midi

Après le jamboree, retournez vers Main Street, U.S.A. pour trouver une place afin d'assister au défilé du jour.

Le soir

Assistez à la **SpectroMagic Parade**, puis allez admirer une dernière fois le château de Cendrillon sur fond de feux d'artifice.

■ Jour 1: Magic Kingdom (sans tout-petits)

Le matin

Soyez dans Main Street, U.S.A. de bon matin (ouverture 30 min avant le reste du Magic Kingdom) afin de vous procurer tout le nécessaire pour la journée (plans, poussettes, etc.). Dès l'ouverture du Magic Kingdom, foncez vers le **Space Mountain** et le **Big Thunder Mountain Railroad**, puis allez à Frontierland pour essayer le **Splash Mountain**. Marchez ensuite jusqu'à Adventureland, où vous trouverez **Pirates of the Caribbean** et la **Jungle Cruise**.

Le midi

Après le déjeuner à l'hôtel ou dans un des restaurants du Magic Kingdom, visitez **The Haunted Mansion** et **The Hall of Presidents** au Liberty Square, et allez voir l'hilarant film 3D **Mickey's PhilarMagic** à Fantasyland.

En fin d'après-midi

Vers 17h, dînez à l'extérieur du Magic Kingdom, puis retournez-y.

Le soir

Retournez à Fantasyland, où vous aurez l'occasion d'essayer:

*   **Mad Tea Party**
*   **It's A Small World**

et tous les autres manèges de Fantasyland qui vous attirent. Puis, pour terminer votre soirée en beauté, retournez à Frontierland pour monter à nouveau à bord du **Big Thunder Mountain Railroad**, à moins que vous ne préfériez revivre l'expérience du **Splash Mountain**.

En été, ou durant la période des Fêtes, restez pour voir les feux d'artifice baptisés **Wishes Fireworks**.

■ Jour 2: Magic Kingdom (sans tout-petits)

Le matin

Encore une fois, présentez-vous tôt dans Main Street, U.S.A. À l'ouverture du Magic Kingdom, allez à Tomorrowland et amusez-vous de nouveau au **Space Mountain**. Essayez ensuite, dans l'ordre:

* **Stitch's Great Escape!**
* **Buzz Lightyear's Space Ranger Spin**
* **Tomorrowland Transit Authority**
* **Walt Disney's Carousel of Progress**

En milieu de matinée

Rendez-vous à pied à Adventureland, et profitez-en pour revoir **Pirates of the Caribbean** ou toute autre attraction qui vous plaît. Allez ensuite faire un tour à Frontierland pour assister au **Country Bear Jamboree**. Puis faites une croisière de détente sur le **Liberty Square Riverboat** ou retournez au **Splash Mountain**.

L'après-midi

Après le déjeuner, visitez la maison de campagne de Mickey (**Mickey's Country House**) à la Mickey's Toontown Fair, ou réessayez vos manèges préférés à Fantasyland. À 15h, rendez-vous dans Main Street, U.S.A. pour assister au défilé du jour. Après ce défilé, quittez le Magic Kingdom.

Le soir

Assistez à la **SpectroMagic Parade**, puis aux feux d'artifice.

■ Jour 3: Epcot

Le **World Showcase** ouvre tard le matin, habituellement vers 11h; ainsi vous pourrez passer la première moitié de la journée au Future World.

Le matin

Arrivez tôt car le **Spaceship Earth** et la zone où il se trouve sont accessibles 30 min avant le reste d'Epcot. Aux *Guest Relations*, vous devriez réserver une table pour 17h30 dans un des restaurants du World Showcase. Montez ensuite à bord du **Spaceship Earth**. Dès que le reste du Future World ouvre, rendez-vous directement à **Mission: SPACE**, puis à **Test Track**. Allez ensuite au pavillon **The Seas with Nemo & Friends**.

L'après-midi

Allez au pavillon **Imagination!** et assistez à **Honey, I Shrunk the Audience**. Puis, montez à bord de **Journey Into Your Imagination with Figment**. Finalement, visitez **The Land** et ses attractions **Soarin'**, **Living with the Land** et **The Circle of Life**.

Le soir

Retournez à Epcot à 17h, ce qui vous donnera amplement le temps de vous rendre au World Showcase. Dînez à 17h30, puis visitez les différents pavillons des pays. À la fermeture du parc, trouvez un emplacement sur le bord du lagon du World Showcase pour regarder le spectaculaire **IllumiNations: Reflections of Earth**.

■ Jour 4: Disney-MGM Studios ou Universal Studios

Disney-MGM Studios

Le matin

Arrivez tôt sur le Hollywood Boulevard et le Sunset Boulevard, qui ouvrent 30 min avant le reste des Disney-MGM Studios. Marchez jusqu'au bout du Sunset Boulevard et, lorsque le reste du site ouvre enfin, dirigez-vous tout droit vers **The Twilight Zone Tower of Terror** (notez que les enfants de moins de 1,02 m ne peuvent monter à bord et que quelques enfants admis ont parfois peur), puis vers **Rock 'n' Roller Coaster Starring Aerosmith**. Remettez-vous ensuite de vos émotions en assistant au spectacle **Beauty and the Beast**.

Traversez le parc et offrez-vous **Star Tours**. Puis passez le coin pour faire une réservation pour 13h30 chez **Mama Melrose's Ristorante Italiano**.

Si vous avez des enfants en bas âge, sautez ces manèges et rendez-vous plutôt directement au **Voyage of the Little Mermaid**, puis assistez au spectacle de **Beauty and the Beast**, présenté en milieu de matinée.

En milieu de matinée

Allez au **Great Movie Ride**. Puis voyez **The Sounds Dangerous**.

L'après-midi

Après le déjeuner, vous avez deux options:

(1) Avec de jeunes enfants, voyez:

- **Jim Henson's Muppet Vision 3D**
- **Honey, I Shrunk the Kids Movie Set Adventure**

(2) Sans jeunes enfants, participez au **Disney-MGM Studios Backlot Tour**, pour lequel il faut compter de deux heures à deux heures et demie (y compris le temps d'attente) ou assistez aux spectacles de cascadeurs **Indiana Jones Epic Stunt Spectacular!** et **Lights, Motors, Action! Extreme Stunt Show**.

Les fêtes de fin d'année dans les parcs de la région d'Orlando

Beaucoup de familles choisissent la période des fêtes de fin d'année pour visiter les parcs thématiques de la région d'Orlando. À cette occasion, des attractions particulières et des présentations spéciales sont toujours prévues. Voici un aperçu de ce que les différents parcs réservent à leurs visiteurs en cette période.

Au **Magic Kingdom**, un défilé spécial dont la vedette est nulle autre que le père Noël en personne est habituellement organisé en après-midi, et, en soirée, les feux d'artifice qui illuminent le ciel au-dessus du château de Cendrillon sont accompagnés de musique de Noël.

Au **Disney's Animal Kingdom**, le défilé de l'après-midi, auquel participent de nombreux personnages, prend aussi une couleur de circonstance.

Le World Showcase d'**Epcot** organise pendant ce temps le festival **Holidays Around the World**, où les traditions entourant les célébrations de fin d'année dans les différents pays représentés font l'objet de divers spectacles et activités.

Aux **Disney-MGM Studios**, **The Osborne Family Spectacle of Lights**, une présentation au cours de laquelle des milliers de lumières de toutes les couleurs sont synchronisées à différents thèmes musicaux, est à ne pas manquer. Ce spectacle féerique se termine même par une chute de neige artificielle.

Du côté d'Universal Orlando, une version locale de la célèbre **Macy's Holiday Parade** de New York, avec ses chars allégoriques surplombés par des ballons géants, est présentée tous les jours aux **Universal Studios**.

Finalement, aux **Universal's Islands of Adventure**, un parc thématique aux tendances un brin subversives, c'est l'occasion de rencontrer le **Grinch**, ce personnage du Dr. Seuss qui n'aime pas Noël…

Universal Studios

Le matin

Tâchez d'arriver 30 min avant l'ouverture du parc et procurez-vous au centre d'accueil (**Front Lot**) tout le nécessaire pour la journée (plans, poussettes, etc.). Tenez-vous prêt et, dès l'ouverture du parc, précipitez-vous pour assister aux films 3D **Shrek 4-D** et **Jimmy Neutron's Nicktoon Blast**. Rendez-vous ensuite à **World Expo** pour monter à bord de **Men in Black: Alien Attack** et de **Back to the Future**. (Notez que les enfants mesurant moins de 1,02 m n'y sont pas admis.) Allez ensuite à **E.T. Adventure**, tout près.

L'après-midi

Après le déjeuner, essayez **Revenge of the Mummy** et vivez l'expérience d'une tornade au **Twister... Ride it Out**. Dirigez-vous ensuite vers San Francisco/Amity et montez à bord d'**Earthquake–The Big One** avant d'affronter le requin de **Jaws**. Puis, admirez les décors d'Hollywood et faites un saut en direction de **Terminator 2-3D**.

Le soir

À moins que vous ne soyez complètement vidé de toute énergie, vous devriez assister à la **Beetlejuice's Graveyard Revue**.

■ Jour 5: Disney's Animal Kingdom ou Universal's Islands of Adventure

Disney's Animal Kingdom

Le matin

Arrivez très tôt (les heures de fermeture du parc sont les plus hâtives) et allez tout droit aux **Kilimanjaro Safaris** après avoir pris un Fast Pass pour **Expedition Everest–Legend of the Forbidden Mountain**. Baladez-vous dans le **Pangani Forest Exploration Trail**.

En milieu de matinée

Marchez jusqu'au **Camp Minnie-Mickey**, où vous vous relaxerez (en fin de matinée ou en début d'après-midi) à l'un ou l'autre des spectacles de **Festival of the Lion King** ou de **Pocahontas and Her Forest Friends**. Profitez-en pour vous rendre à pied jusqu'à DinoLand U.S.A. et montez à bord de **DINOSAUR** (notez que les enfants de moins de 1,02 m ne peuvent pas l'utiliser).

L'après-midi

Offrez-vous **It's Tough to be a Bug!**, puis une descente des **Kali River Rapids** (grandeur de 0,97 m requise) suivie du spectacle **Finding Nemo–The Musical** et du manège **Primeval Whirl**.

Universal's Islands of Adventure

Le matin

Arrivez tôt et rendez-vous directement à la Marvel Super Hero Island et à **The Amazing Adventures of Spider-Man** (si vous êtes un mordu de montagnes russes, arrêtez d'abord à **The Incredible Hulk Coaster**). Puis traversez le **Toon Lagoon** pour vous rendre au **Jurassic Park River Adventure**. Si vous avez des enfants, arrêtez au Camp Jurassic et au Jurassic Park Discovery Center.

En milieu de matinée

Offrez-vous les manèges «aquatiques» **Dudley Do-Right's Ripsaw Falls** et **Popeye & Bluto's Bilge-Rat Barges**.

L'après-midi

Flânez autour de **Seuss Landing** (vous y passerez plus de temps si vous êtes avec des enfants). Assistez ensuite au spectacle **The Eighth Voyage of Sinbad Stunt Show**, puis visitez **Poseidon's Fury** avant de vous attaquer au **Dueling Dragons** (avant de manger).

Le soir

Si vous n'êtes pas complètement satisfait de votre journée, retournez-y et payez-vous ces balades en montagnes russes que vous avez manquées ou offrez-vous une vue de nuit sur le parc entier depuis le sommet de **Dr. Doom's Fearfall**.

■ Possibilités pour les jours 6 et 7

Disney-MGM Studios ou **Universal Studios**. Si vous êtes un vrai mordu de cinéma, allez visiter le parc que vous avez manqué au jour 4.

SeaWorld Adventure Park. Les enfants adorent les animaux, et les adultes apprécieront cette pause au milieu des attractions à la fine pointe de la technologie.

La région d'Orlando. Visitez le centre-ville d'Orlando ou le ravissant **Winter Park**.

Space Coast. À seulement 50 min de route de Disney World se trouvent de belles **plages** de sable blanc ainsi que le **Kennedy Space Center**.

Busch Gardens Tampa Bay. Passez une journée et une nuit (si vous le pouvez) à Busch Gardens (à 90 min d'Orlando). Le lendemain, vous pourrez visiter les **quartiers historiques de Tampa** ou encore profiter de la **plage de Clearwater**.

Vous pouvez aussi passer ces journées dans les parcs thématiques secondaires de Disney World, comme le **Typhoon Lagoon** et **Blizzard Beach**. Mais, quoi qu'il en soit, n'oubliez pas de prendre une matinée pour emmener vos enfants partager leur petit déjeuner avec les personnages de Disney (**Disney Character Breakfast**); ils vous en seront infiniment reconnaissants!

Le rêve de Disney - Itinéraires suggérés

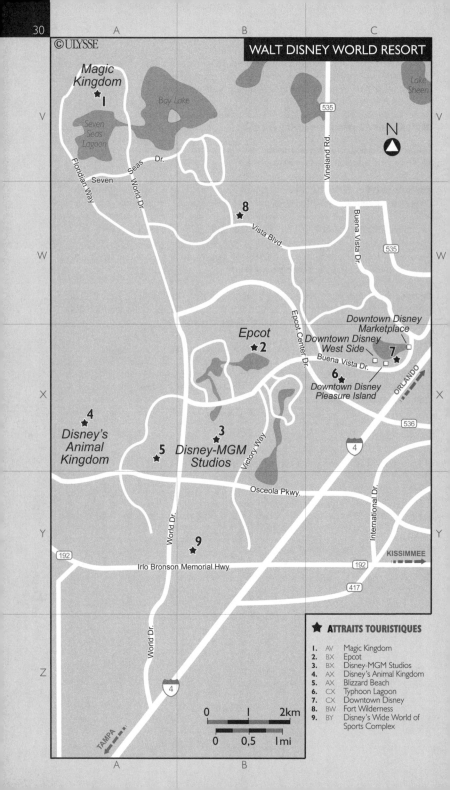

Renseignements généraux

Formalités d'entrée

■ Passeports et visas

Pour entrer aux États-Unis, les citoyens canadiens qui voyagent par avion doivent être munis d'un passeport valide. Cependant, ceux qui y vont par voiture ou par bateau n'en auront pas besoin avant le 1er juin 2009. Quoi qu'il en soit, pour plus de sûreté, nous vous conseillons de toujours vous munir de votre passeport en cours de validité lors d'un voyage aux États-Unis.

Le visiteur français, belge ou suisse en voyage de tourisme ou d'affaires n'a plus besoin d'être en possession d'un visa pour entrer aux États-Unis à condition de:

- avoir un billet d'avion aller-retour;

- présenter un passeport électronique sauf si vous possédez un passeport individuel à lecture optique en cours de validité et émis au plus tard le 25 octobre 2005; à défaut, l'obtention d'un visa sera obligatoire;

- projeter un séjour de 90 jours maximum (le séjour ne peut être prolongé sur place: le visiteur ne peut changer de statut, accepter un emploi ou étudier);

- présenter des preuves de solvabilité (carte de crédit, chèques de voyage);

- remplir le formulaire de demande d'exemption de visa (formulaire I-94W) remis par la compagnie aérienne pendant le vol;

- le visa est toujours nécessaire pour certaines catégories de voyageurs (étudiants ou visa précédemment refusé).

Tout voyageur qui projette un séjour de plus de trois mois aux États-Unis doit faire sa demande de visa (150$US) dans son pays de résidence, au consulat des États-Unis.

■ Douane

Les étrangers peuvent entrer aux États-Unis avec 200 cigarettes (ou 100 cigares) et des achats en franchise de douane (*duty-free*) d'une valeur de 400$US, incluant les cadeaux personnels et un litre d'alcool (vous devez être âgé d'au moins 21 ans pour avoir droit à l'alcool).

Vous n'êtes soumis à aucune limite en ce qui a trait au montant des devises avec lequel vous voyagez, mais vous devrez remplir un formulaire spécial si vous transportez l'équivalent de plus de 10 000$US.

Les médicaments d'ordonnance devraient être placés dans des contenants clairement identifiés à cet effet (il se peut que vous ayez à produire une ordonnance ou une déclaration écrite de votre médecin à l'intention des douaniers). La viande et ses dérivés, les denrées alimentaires de toute nature, les graines, les plantes, les fruits et les narcotiques ne peuvent être introduits aux États-Unis.

Si vous décidez de voyager avec votre chien ou votre chat, il vous sera demandé un certificat de santé (document fourni par votre vétérinaire) ainsi qu'un certificat de vaccination contre la rage. Attention, cette vaccination devra avoir été faite au moins 30 jours avant votre départ et ne devra pas dater de plus d'un an.

Pour de plus amples renseignements, adressez-vous au:

United States Customs and Border Protection
1300 Pennsylvania Ave. NW
Washington, DC 20229
☎ 202-354-1000
www.customs.gov

Accès et déplacements

■ En avion

L'**aéroport international d'Orlando (MCO)** *(☎407-825-2001, www.orlandoairports.net)* sert de porte d'entrée aérienne à la région de Walt Disney World. Du tout dernier cri, il est situé à 39 km au nord-est de Disney World et à 21 km au sud-est du centre-ville d'Orlando. Il est desservi

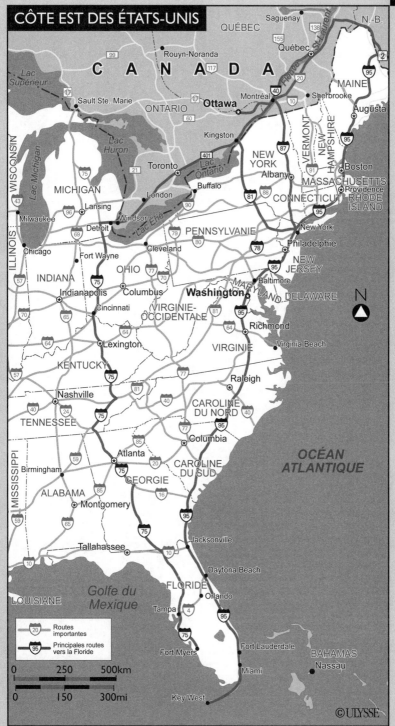

33

CÔTE EST DES ÉTATS-UNIS

© ULYSSE

FLORIDE

©ULYSSE

N

ALABAMA

GÉORGIE

Albany
Waycross
Brunswick
Valdosta
Marianna
Quincy
Monticello
Tallahassee
Live Oak
White Springs
Jacksonville
Panacea
Perry
Jacksonville Beach
Port St. Joe
Carrabelle
Branford
St. Augustine
Apalachicola
Steinhatchee
Gainesville
Palatka

OCÉAN
ATLANTIQUE

Cedar Key
Ocala
Silver Spring
Daytona Beach
De Land
Crystal River
Homosassa
Leesburg

Golfe du Mexique

Brooksville
Clermont
Winter Park
Titusville
Spring Hill
Walt Disney World
Orlando
Cape Canaveral
Tarpon Springs
Merritt Island
Cocoa Beach
Clearwater
Largo
Lakeland
Haines City
Melbourne
St. Petersburg
Tampa
Plant City
Lake Wales
Palmetto
Vero Beach
Sarasota
Sebring
Fort Pierce
Venice
Arcadia
Okeechobee
Lake Okeechobee
Palm Beach
Fort Myers
Boca Raton
Naples
Fort Lauderdale
Pompano Beach
Everglades City
Hollywood
South Beach
Coconut Grove
Miami
Everglades National Park
Coral Gables
Homestead
Florida City
Key Largo
Tavernier
Marathon
Islamorada
The Keys
Key West

0   80   160km
0   50   100mi

Panhandle

Opp
Andalusia
Dothan
GÉORGIE
ALABAMA
Crestview
Marianna
Bainbridge
Valparaiso
Freeport
Pensacola
Ebro
Quincy
Panama City Beach
Panama City
Tallahassee
Mexico Beach
Panacea
Port St. Joe
Carrabelle
Golfe du Mexique
Apalachicola

0   40   80km
0   25   50mi

par plus de 20 lignes aériennes, nationales et étrangères, dont Air Canada, Alitalia, American Airlines, British Airways, Canjet, Continental Airlines, Delta, Iberia, SN Brussels Airlines, United, US Airways, Virgin Atlantic, WestJet et Zoom.

À l'arrivée, le comptoir de renseignements de Walt Disney World (dans l'édifice principal) peut vous aider. Un service de navette bon marché vers la région de Disney World est offert par **Mears Transportation** (☎*407-423-5566, www.mearstransportation.com*). La majorité des hôtels de la région sont ainsi desservis. Comptez entre 15$ et 23$ par adulte pour un aller simple, ou de 25$ à 41$ pour un billet aller-retour.

Les visiteurs qui logent dans les hôtels de Walt Disney World peuvent pour leur part utiliser le **Disney's Magical Express Service**, une navette gratuite mise à leur disposition exclusive. Ce service, pour lequel vous devez faire votre réservation en même temps que celle de votre chambre d'hôtel, permet aussi, si vous le désirez et si vous voyagez avec une compagnie aérienne participante (American Airlines, Continental Airlines, Delta ou United par exemple), de faire livrer vos valises directement à votre chambre sans avoir à vous soucier d'aller les récupérer sur le carrousel à bagages. Notez toutefois que la livraison peut nécessiter quelques heures.

En **taxi**, comptez environ 50$ pour la course jusqu'à Walt Disney World.

En **voiture**, la Bee Line Expressway, ou route 528 (péage), permet d'atteindre rapidement la route I-4 qui, elle, donne accès à Walt Disney World, au SeaWorld Adventure Park et à Universal Orlando. Dans le cas spécifique de Disney World, une autre option consiste à emprunter la sortie sud de l'aéroport pour aller rejoindre la route 417 Sud (péage), jusqu'à la sortie 6 qui donne directement accès au royaume. Ce trajet, qui nécessite environ 30 min, peut être plus rapide que le précédent car on déplore souvent d'importants embouteillages sur la route I-4.

■ En voiture

Plusieurs autoroutes importantes mènent à la région d'Orlando. En arrivant du Québec ou du nord-est des États-Unis, prenez la **route 95** Sud vers Daytona Beach, puis la **route I-4** (Interstate 4) Ouest, qui traverse Orlando en ligne droite.

En venant de l'Ontario et du Midwest des États-Unis, prenez la **route 75** Sud jusqu'au **Florida's Turnpike**, que vous emprunterez vers le sud jusqu'à la route I-4.

La route I-4, qui s'étend de Daytona Beach à Tampa, est le principal axe routier traversant Orlando. Les sorties menant à Walt Disney World, à Universal Orlando et au SeaWorld Adventure Park se trouvent toutes le long de la route I-4.

Plus on approche de Disney World, plus l'essence coûte cher. Faites donc le plein avant d'arriver sur place.

Location de voitures

Les agences de location de voitures ayant un comptoir à l'aéroport d'Orlando incluent **Alamo** (☎*800-327-9633, www.alamo.com*), **Avis** (☎*800-831-2847, www.avis.com*), **Budget** (☎*800-527-0700, www.budget.com*), **Dollar** (☎*800-800-4000, www.dollar.com*), **L&M Car Rental** (☎*800-277-5171, www.lm-carrental.net*) et **National** (☎*800-227-7368, www.nationalcar.com*).

D'autres agences ont leurs bureaux dans les environs et sont reliées à l'aéroport par navette. Parmi celles-ci, mentionnons **Enterprise** (☎*800-325-8007, www.enterprise.com*), **Hertz** (☎*800-654-3131, www.hertz.com*) et **Thrifty** (☎*800-367-2277, www.thrifty.com*).

Si vous ne désirez louer une voiture que le temps d'une excursion à l'extérieur du royaume de Disney, adressez-vous à la réception de votre hôtel ou au comptoir prévu à cet effet dans l'hôtel.

Nombre d'agences de location exigent de leurs clients qu'ils soient âgés de 25 ans et plus, et toutes insistent pour que vous déteniez une carte de crédit reconnue.

Renseignements généraux – Accès et déplacements

Des problèmes de voiture?

Si vous tombez en panne à Disney World, à Universal Orlando ou à SeaWorld, un agent de sécurité se portera à votre aide. Les véhicules de sécurité arpentent les parcs de stationnement toutes les 5 ou 10 minutes. Hélez simplement l'une de ces voitures, qui ressemblent à celles des patrouilles motorisées de la police, et les agents verront à faire démarrer votre voiture ou, le cas échéant, à faire venir sur les lieux quelqu'un de plus compétent en la matière.

■ En autocar

L'autocar ne constitue pas le moyen le plus rapide pour se rendre à Orlando, mais c'est habituellement le meilleur marché. **Greyhound Bus Lines** (☎800-231-2222, www.greyhound.com) possède une gare routière à Orlando (555 N. John Young Pkwy., ☎407-292-3424) ainsi qu'à Kissimmee, près de Walt Disney World (103 E. Dakin Ave., ☎407-847-3911). La gare de Kissimmee offre également un service de navette pour le Magic Kingdom et Epcot.

■ En train

Dans le centre de la Floride, **Amtrak** (☎800-872-7245, www.amtrak.com) effectue les arrêts suivants: Orlando (1400 Sligh Blvd.), Kissimmee (111 Dakin St.), Winter Park (150 W. Morse Blvd.), DeLand (2491 Old New York Ave.) et Palatka (angle Reid St. et 11th St.). Si vous vous rendez dans la région d'Orlando en partant des alentours de New York, songez à prendre l'**Auto Train** d'Amtrak; vous pourrez mettre votre voiture sur le train à Lorton (Virginie), à quatre heures de route de New York, et repartir de Sanford (600 Persimmon Ave.), à 37 km au nord-est d'Orlando.

Depuis la France, on peut réserver des billets de train pour les États-Unis:

AMTRAK
☎01.53.25.03.56
▤01.53.25.11.12
amtrak@interfacetourism.com

■ Déplacements sur le site

Walt Disney World est si étendu et urbanisé qu'on peut en être intimidé à prime abord. Mais ne vous en faites pas car le personnel de Disney se montre particulièrement habile à guider les visiteurs. De plus, les sorties qui mènent aux parcs thématiques sont très bien indiquées sur toutes les routes importantes, et, une fois à Disney World, vous n'aurez plus qu'à suivre les indications.

Disney possède son propre réseau de **transports en commun**, qui n'a rien à envier à ceux de bien des grandes villes. Malgré son importance et sa conception des plus modernes, il n'offre cependant pas toujours le moyen le plus facile et le plus rapide de se déplacer. D'une manière générale, c'est le monorail qui vous permettra de vous transporter le plus rapidement d'un point à un autre, alors que les bus assurent le service le plus lent.

Toutefois, le monorail ne dessert que quelques points précis, dont le Magic Kingdom, Epcot, le Grand Floridian Resort & Spa, le Polynesian Resort, le Contemporary Resort et le Transportation and Ticket Center, tandis que les bus peuvent vous emmener partout.

Le Transportation and Ticket Center fait office de grande gare centrale à Disney.

Si vous logez dans un des complexes hôteliers de Disney, on vous fournira des plans et des indications détaillées qui vous aideront dans vos déplacements. Sinon, vous pouvez vous procurer les plans du réseau de transport au Transportation and Ticket Center et aux guichets des parcs thématiques. De toute façon, où que vous désiriez aller, un préposé de Disney saura toujours vous indiquer le plus court chemin.

En théorie, vous devez être muni d'une carte d'identité spéciale, qui vous est re-

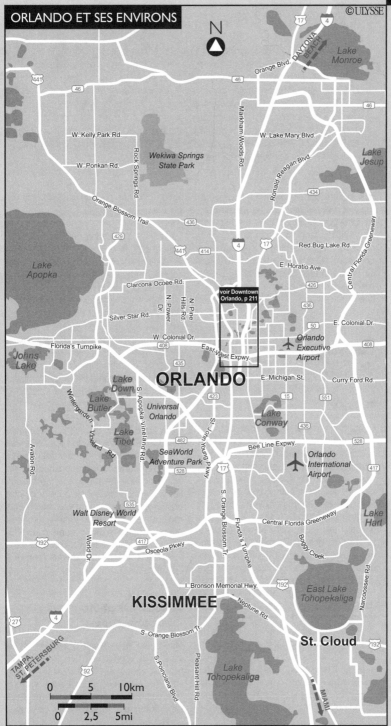

© ULYSSE

ORLANDO ET SES ENVIRONS

Aux premières loges

Savez-vous qu'il y a aussi des places à l'avant du monorail de Disney World? Il s'agit en fait des meilleures, et de loin, car les fenêtres incurvées vous permettront de profiter de vues magnifiques lors de votre balade au-dessus du site. Vous pouvez même accroître votre plaisir en vous assoyant près du conducteur pour le voir manipuler les manettes du tableau de bord. Tous les conducteurs sont d'ailleurs on ne peut plus amicaux; ils vous raconteront des anecdotes sur Disney et vous fourniront des détails sur leurs manèges favoris. Pour prendre place à l'avant, adressez-vous à un préposé; il vous conduira à un poste d'attente spécialement prévu à cet effet. Bonne randonnée!

mise à votre arrivée à l'hôtel, pour prendre le monorail, les bus ou les navettes lacustres de Disney. Dans les faits, on ne vous demandera toutefois que bien rarement de la montrer. Cette carte est émise aux hôtes des complexes hôteliers de Disney et aux détenteurs d'un laissez-passer de quatre ou cinq jours pour les parcs thématiques.

Renseignements utiles de A à Z

■ Aînés

Comme des millions de gens ont déjà pu le constater, le centre de la Floride convient parfaitement aux voyageurs plus âgés, à tel point que certains y élisent domicile de façon temporaire ou permanente. Le climat est doux, le terrain plat, et les tarifs pratiqués au cours de la saison morte rendent cette destination fort attrayante pour les voyageurs à revenus modestes. De plus, les personnes âgées de 60 ans ou plus se voient consentir (toujours en basse saison) des rabais à Walt Disney World, aux Universal Studios, au SeaWorld Adventure Park et dans certaines autres attractions locales. Les résidants de la Floride âgés de 65 ans et plus bénéficient en outre de tarifs de camping réduits dans la plupart des parcs d'État, et le «passeport de l'âge d'or» (Golden Age Passport), qu'on doit se procurer en personne et qui donne droit à l'entrée gratuite aux parcs et aux monuments nationaux, est accordé à toute personne

âgée de 62 ans ou plus qui en fait la demande.

L'**American Association of Retired Persons (AARP)** *(601 E Street NW, Washington, DC 20049,* ☎*888-687-2277, www.aarp.org)* accepte comme membre toute personne de 50 ans et plus, et offre entre autres des rabais sur les voyages auprès de nombreuses entreprises.

Elderhostel *(11 Avenue de Lafayette, Boston, MA 02111,* ☎*800-454-5768, www.elderhostel. org)* propose toute l'année des programmes éducatifs complets à prix raisonnables en plusieurs points de la Floride centrale.

Côté santé, faites preuve d'une grande diligence. En plus des médicaments que vous avez l'habitude de prendre, il serait sage d'emporter vos ordonnances de façon à pouvoir les renouveler au besoin. Songez également à vous munir de votre dossier médical (incluant vos antécédents médicaux, votre état de santé actuel ainsi que les nom, adresse et numéro de téléphone de votre médecin). Enfin, assurez-vous que votre assurance vous protège à l'étranger.

■ Appareils photo et caméscopes

Que serait un voyage à Disney World sans photos-souvenirs? Que vous apportiez votre appareil photo ou votre caméscope (et pourquoi pas les deux?), ce ne sont pas les occasions qui vous manqueront d'immortaliser les scènes classiques de Disney.

Il est interdit de prendre des photos avec un flash dans la plupart des salles de spectacle des parcs thématiques ainsi que dans plusieurs attractions intérieures.

Dans tous les parcs thématiques, vous trouverez des boutiques où vous procurer films, cassettes vidéo, cartes mémoire, piles et appareils photo jetables. Par contre, il ne fait aucun doute qu'il vous coûtera plus cher de vous procurer ces articles dans les parcs que chez votre marchand habituel.

■ Argent et services financiers

Monnaie et change

La monnaie américaine repose sur le dollar, que vous trouverez en coupures de 1$, 5$, 10$, 20$, 50$ et 100$. Chaque dollar se divise en 100 cents, et les pièces en circulation sont de 1¢ (*penny*), 5¢ (*nickel*), 10¢ (*dime*) et 25¢ (*quarter*); il existe bien des pièces de 50¢ et de 1$, mais elles sont peu courantes.

Il importe de savoir qu'on ne peut payer aucun produit ou service en devises étrangères aux États-Unis. Vous trouverez cependant des comptoirs de change aux succursales de la Bank One du Magic Kingdom et d'Epcot de Disney World, ainsi qu'à la Wachovia Bank à Universal Orlando; au SeaWorld Adventure Park, ce service est offert par le bureau des Special Services. Vous pourrez également changer vos devises dans les complexes hôteliers de Disney et dans plusieurs hôtels de la région mais à des taux moins avantageux.

Tous les prix indiqués dans ce guide sont en dollars américains.

Cartes de crédit

Ne partez surtout pas sans elles, car à Disney World vous en aurez certainement besoin. Les principales cartes (Visa, MasterCard et American Express) sont acceptées partout sur le site et dans les attractions environnantes. Font cependant exception à cette règle les marchands de babioles des parcs thématiques et les comptoirs de restauration rapide. Pour les avances de fonds ou les retraits de votre compte en banque, on trouve des guichets automatiques à l'entrée de tous les parcs thématiques.

■ Assistance aux non-anglophones

Le Magic Kingdom, Epcot, les Disney-MGM Studios et le Disney's Animal Kingdom mettent à la disposition des visiteurs étrangers des **audioguides** en plusieurs langues pour un grand nombre d'attractions. Vérifiez auprès des *Guest Services* (bureaux de service à la clientèle) de chaque parc. Nous avons identifié dans ce guide les attractions où les audioguides fournissent la traduction en français à l'aide du symbole suivant: ☊. Le bureau des *Guest Relations* d'Universal Orlando propose également des plans en langues étrangères.

■ Attractions

Un des buts premiers de cet ouvrage consiste à faciliter vos choix devant l'éventail impressionnant d'attractions offertes par les différents parcs thématiques. Le système de classification retenu dans ces pages reflète l'originalité, l'inventivité, la qualité de conception et l'intérêt général (pour l'ensemble de la famille) de chacune des attractions. Or, comme il va sans dire que tous les membres de la famille ne s'entendront pas toujours sur les «meilleurs» manèges et visites, nous nous adressons essentiellement aux chefs de l'expédition, soit les parents. C'est ainsi que certains manèges fort appréciés des jeunes enfants n'obtiennent qu'une faible cote du fait qu'ils suscitent peu d'intérêt chez les adultes, ou même chez les enfants un peu plus âgés.

Une étoile (★) signifie «**vous pouvez passer outre**» et désigne une attraction ennuyeuse qui risque de vous faire perdre

Renseignements généraux - Renseignements utiles de A à Z

votre temps. Deux étoiles (★ ★) signifient **«inférieur à la moyenne»**, mais sans pour autant exclure certaines vertus divertissantes. Trois étoiles (★ ★ ★) désignent une **«attraction moyenne»**, faisant preuve d'un minimum d'imagination, mais pas nécessairement susceptible d'éveiller l'intérêt du plus grand nombre. Quatre étoiles (★ ★ ★ ★) signifient **«supérieur à la moyenne»**, c'est-à-dire ingénieux, fantaisiste et de conception irréprochable. Enfin, cinq étoiles (★ ★ ★ ★ ★) signifient **«à ne pas manquer»** et désignent une attraction très courue, une réussite telle que vous ne songerez qu'à en redemander.

■ Billets et tarification

Quel que soit le parc thématique que vous comptez visiter, le meilleur conseil que nous puissions vous donner consiste à vous procurer vos billets à l'avance. En vous présentant billet en main, vous évi-terez en effet de longues files d'attente; or, en toute honnêteté, qui voudrait commencer sa journée par une attente de 20 min ou plus?

Walt Disney World

La structure de prix au Walt Disney World est pour le moins complexe. Aussi est-il possible d'ajouter de nombreuses options au prix de base, comme nous l'expliquons ci-après. Prenez note que les prix changent souvent (à la hausse la plupart du temps...) et que ceux qui apparaissent ici sont inscrits en dollars américains et donnés à titre indicatif seulement.

Le prix du **billet de base** (*base ticket*) est établi en fonction du nombre de jours de visite des grands parcs thématiques (Magic Kingdom, Epcot, Disney-MGM Studios et Disney's Animal Kingdom) que vous souhaitez réserver. Les jours d'utilisation de ces billets n'ont pas à être consécutifs:

Souriez!

Même s'il est difficile de prendre une photo sans intérêt dans le cadre fabuleux des parcs thématiques de Disney World, certains endroits se révèlent tout à fait exceptionnels. Voici donc quelques idées de photos d'enfants inoubliables:

- Avec Cendrillon, devant son palais (Magic Kingdom).

- Sur Dumbo, avant le départ (Magic Kingdom).

- Près des Dancing Waters (fontaines dansantes) d'Imagination! (Epcot).

- Avec les «acteurs» et les «actrices» du Great Movie Ride (Disney-MGM Studios);

- Sous le parapluie et le réverbère de *Singin' in the Rain* (la pluie s'écoule du parapluie si ce dernier est touché), à l'arrière de New York Street, au-delà de Backlot Tour (Disney-MGM Studios);

- Avec le requin de *Jaws*, sur la place publique d'Amity; ou devant le magasin de chapeaux Brown Derby, à Hollywood (Universal Orlando);

- En nourrissant les dauphins, au bassin du Dolphin Cove at Key West (SeaWorld Adventure Park).

	Adultes	Enfants (3 à 9 ans)
1 jour	67$	56$
2 jours	132$	110$
3 jours	192$	160$
4 jours	202$	168$
5 jours	206$	169$
6 jours	208$	171$
7 jours	210$	173$
8 jours	212$	175$
9 jours	214$	176$
10 jours	216$	177$

À ces tarifs, il faut ensuite ajouter environ 40$ si l'on souhaite pouvoir passer d'un parc à un autre au cours de la même journée (option *Park Hopper*).

Si vous souhaitez inclure dans votre séjour des visites aux parcs aquatiques (Typhoon Lagoon et Blizzard Beach), à DisneyQuest, à Pleasure Island et au Disney's Wide World of Sports Complex (option *Water Park Fun & More*), il faut ajouter 50$ additionnels au prix de votre billet.

Finalement, vous pouvez aussi ajouter l'option *No Expiration*, qui ne fixe aucune date limite pour l'utilisation des journées de visite réservées. Sans cette option, il faut vous rappeler que votre billet ne sera plus valide après une période de 14 jours suivant son premier jour d'utilisation. L'option *No Expiration* coûte 10$ pour un billet de deux jours, 15$ pour trois jours, 40$ pour quatre jours, 60$ pour six jours, 90$ pour sept jours, 125$ pour huit jours, 150$ pour neuf jours et 155$ pour 10 jours.

À noter que des passeports annuels pour les quatre parcs principaux (*Theme Park Annual Pass*) et pour l'accès aux parcs principaux et secondaires (*Premium Annual Pass*) sont également disponibles.

On peut acheter les billets par téléphone (☎407-824-4321), par Internet *(www.disneyworld.com)*, ainsi qu'à l'entrée de chaque parc, dans les hôtels de Walt Disney World, au Transportation and Ticket Center et à Downtown Disney.

Universal Orlando

Trois types de billets s'offrent à vous: le billet d'une journée, le billet de deux jours et le passeport annuel. Encore une fois, tous les prix sont sujets à augmentation.

Le complexe thématique connu sous le nom d'Universal Orlando englobe les Universal Studios et Universal's Islands of Adventure, inclusion faite de City Walk.

	Adultes	Enfants (3 à 9 ans)
1 jour/2 parcs	77$	67$
2 jours/2 parcs	115$	105$
Passeport annuel/ 2 parcs	180$	180$

À ces tarifs de base, il est possible d'ajouter l'option *Universal Express Plus*, qui permet un accès plus rapide à la majorité des attractions et spectacles. Il faut alors compter environ 20$ (1 jour/1 parc) ou 35$ (1 jour/2 parcs) de plus par billet. À noter que les visiteurs qui logent dans les hôtels d'Universal Orlando bénéficient automatiquement de ce privilège.

On peut acheter les billets par téléphone (☎800-711-0080), par Internet *(www.universalorlando.com)*, ainsi qu'à l'entrée de chaque parc et dans les hôtels d'Universal Orlando.

SeaWorld Adventure Park

Plusieurs types de billets sont également proposés au SeaWorld Adventure Park. Les plus populaires sont le billet d'un jour de base, le billet de deux jours, qui permet de visiter SeaWorld et le parc d'attractions Busch Gardens de Tampa, et le passeport annuel.

	Adultes	Enfants (3 à 9 ans)
1 jour/SeaWorld	65$	54$
2 jours/SeaWorld et Busch Gardens	85$	85$
Passeport annuel/ SeaWorld	95$	85$

On peut acheter les billets par téléphone (☎800-327-2424), par Internet (www.seaworld.com), ainsi qu'à l'entrée du parc.

■ Casiers et chenils

Un casier peut se révéler salutaire. Pratiques pour ranger les articles encombrants, comme une veste, des bagages ou des sacs de couches, les casiers sont accessibles à peu de frais dans tous les grands parcs thématiques.

Les chenils de Disney World offrent, quant à eux, un hébergement pratique et peu coûteux pour les animaux de compagnie. Outre Fido et Félix, les chenils acceptent aussi des pensionnaires inhabituels, comme les serpents, les oiseaux, les hamsters, les lapins et les poissons rouges. S'il se trouve que votre animal appartient à la catégorie «inhabituelle», apportez sa cage. Les chenils sont situés au Transportation and Ticket Center, au Magic Kingdom, à Epcot, aux Disney-MGM Studios, au Disney's Animal Kingdom et à Fort Wilderness.

Les Universal Studios fournissent un hébergement bon marché pour chats et chiens, tandis qu'au SeaWorld Adventure Park on veillera sur votre animal favori sans frais.

■ Climat

L'été n'est pas seulement synonyme de foules, c'est aussi l'époque des journées de chaleur accablante, avec des averses l'après-midi qui tombent avec la ponctualité d'une horloge. La pluie fait alors chuter la chaleur, suivie de nuits fraîches aux éclairs silencieux qui traversent le ciel. L'automne et le printemps apportent pour leur part des températures idéales, à l'air vif et au ciel bleu, sans le moindre nuage, faisant monter en flèche votre niveau d'énergie. En hiver, on peut passer, en l'espace de quelques heures, du chaud au froid le plus glacial, bien que la plupart des journées soient tout simplement fraîches. Les habitants de la Floride centrale, vous l'aurez compris,

n'ont pas souvent l'occasion de porter des manteaux!

Moyennes de températures et de précipitations		
Temp. max. moyenne (°C)		
Temp. min. moyenne (°C)		
Préc. (cm)		
Jan 22	9	5,8
Fév 23	10	7,6
Mars 26	13	8,1
Avr 28	15	4,6
Mai 31	19	9,1
Juin 33	22	18,5
Juil 33	23	18,5
Août 33	23	17,3
Sept 32	22	15,2
Oct 29	19	6,1
Nov 26	14	5,8
Déc 23	11	5,6

■ Décalage horaire

Il n'y a pas de décalage horaire entre Orlando et le Québec. Le décalage horaire pour la France, la Belgique ou la Suisse est de six heures. Lorsqu'il est midi dans un de ces pays, il est 6h du matin en Floride.

■ Électricité et équipement électronique

L'alimentation électrique des prises de courant est de 110 volts (60 cycles). Les appareils conçus pour d'autres types d'alimentation doivent être utilisés conjointement à un transformateur ou à un adaptateur approprié. Les voyageurs utilisant un ordinateur portatif à des fins de télécommunication doivent savoir que les configurations de modem propres au système téléphonique américain ne correspondent pas nécessairement à celles de leurs pendants européens. Les vidéocassettes américaines n'utilisent pas non plus le même format que les européennes, mais les centres d'accueil des parcs nationaux et divers commerces proposant

Les dollars Disney

Devant l'ampleur de cet univers imaginaire, il n'est guère étonnant que Disney ait songé à y faire circuler des dollars fantaisistes. Ainsi, comme si votre argent ne suffisait pas, Disney World vous offre des «dollars Disney». Voici comment cela fonctionne: lorsque vous pénétrez à l'intérieur des parcs thématiques, vous avez la possibilité d'échanger au pair vos billets américains contre des dollars Disney, honorés dans tous les restaurants et boutiques de Disney World.

Il va sans dire qu'aucune raison logique ne justifie l'achat de ces dollars à l'effigie de Mickey. Ils ne présentent aucun avantage sur les billets courants et ne permettent d'obtenir aucun rabais. Ils peuvent, par contre, vous inciter à acheter davantage! Ainsi que le fait remarquer une mère de famille: *Les dollars Disney ressemblent à de l'argent de Monopoly. Je pouvais les dépenser sans compter, ce que je n'aurais jamais osé faire avec mon propre argent.*

des vidéos-souvenirs les tiennent souvent également en format européen.

■ Forfaits et rabais

Tout le monde peut obtenir des rabais à Disney World. Si vous savez où chercher et à qui vous adresser, vous trouverez une foule de réductions applicables aux restaurants, aux hôtels, aux boîtes de nuit, aux boutiques et même aux parcs thématiques. Disney World en tant que tel n'offre que des rabais limités aux groupes suivants:

Les membres du **Disney Club**. La carte du club permet d'économiser sur l'hébergement, la restauration, les achats et les forfaits vacances; les rabais sont offerts à tour de rôle tous les mois et sont fréquemment sujets à changement. Contactez le siège social du club au ☎800-654-6347 ou par Internet à l'adresse *www. disneyclub.com*.

Les résidants de la Floride. Durant certains mois (généralement janvier, mai et septembre), ceux-ci se voient offrir jusqu'à 30% de rabais sur l'accès aux parcs thématiques de Disney World. Un permis de conduire de la Floride fera foi du lieu de résidence.

Universal Orlando et le **SeaWorld Adventure Park** offrent des rabais aux personnes âgées et aux résidants de la Floride. Pour

plus de détails, informez-vous auprès de chaque parc.

Les **SeaWorld Adventure Park**, **Universal Orlando**, **Wet 'n Wild** et **Universal's Islands of Adventure** ont uni leurs efforts pour offrir l'Orlando Flexticket, valable dans les quatre parcs pour une période de 14 jours consécutifs, plus sept jours consécutifs à City Walk. Le prix (taxes non comprises) en est de 190$ pour les adultes comme pour les enfants de trois à neuf ans. Une version élargie de ce laissez-passer inclut l'entrée aux Busch Gardens de Tampa, au coût de 222$.

Le **Kissimmee–St. Cloud Convention and Visitors Bureau** *(lun-ven 8h à 17h; 1925 E. Irlo Bronson Memorial Hwy.; P.O. Box 422007, Kissimmee, FL 34742;* ☎*407-944-2400 ou 800-333-5477, www.floridakiss.com)* met pour sa part à votre disposition des piles de brochures gratuites offrant des rabais dans les restaurants, les magasins, les boîtes de nuit et les attractions situés en dehors des grands parcs thématiques.

Vous trouverez aussi de bonnes affaires concernant les hôtels et les motels dans la publicité des rubriques voyage de tous les journaux importants. Beaucoup de ces prix sont avantageux, mais pas tous. Méfiez-vous particulièrement des hébergements à bas prix qui affichent «près de Disney», alors qu'ils s'en trouvent parfois assez éloignés. Si l'endroit est situé à plus de 8 km, cherchez ailleurs; vous perdriez en effet la moitié de la journée à vous rendre aux parcs thématiques et à en revenir. La commodité et la tranquillité d'esprit valent bien quelques dollars de plus.

Un nombre étourdissant de **forfaits** sont proposés aux visiteurs de Disney World. L'achat d'un forfait dépend surtout de vos besoins. Si vous prenez l'avion jusqu'à Orlando et logez dans un complexe hôtelier de Disney, un forfait peut probablement vous faire réaliser des économies. Recherchez les forfaits qui incluent le transport aérien, l'hébergement, la location d'une voiture et les billets d'accès aux parcs thématiques; vous épargnerez ainsi jusqu'à 20% sur les prix courants. Les forfaits ont également l'avantage de vous donner une idée de ce que coûtera votre voyage, car la plupart des frais seront couverts dès le départ. Ils permettent en outre d'éliminer plusieurs incertitudes et nombre de décisions de dernière minute.

Surtout, n'hésitez pas à «magasiner». Les agents de voyages peuvent vous aider à comparer les prix et les options des différents forfaits; compte tenu de la concurrence farouche que se livrent les hôtels et les centres d'attraction de la région, vous ne devriez avoir aucun mal à trouver une bonne affaire correspondant à vos besoins.

■ Hébergement

Possédant plus de chambres d'hôtel (au-delà de 75 000) que toute autre ville américaine, l'agglomération d'Orlando offre des possibilités d'hébergement pour ainsi dire infinies. Des petits motels familiaux et des appartements conventionnels aux somptueux complexes hôteliers ressemblant à des mini-villes, vous avez l'embarras du choix pour vous loger à Orlando. Mais quel que soit l'établissement pour lequel vous opterez, réservez toujours longtemps à l'avance. Durant la haute saison, il est recommandable de le faire jusqu'à un an avant la date de votre séjour si vous comptez loger dans les complexes hôteliers de Disney. Après tout, Disney World n'est-elle pas la destination voyage la plus courue du monde?

Dans ce guide, nous avons répertorié les lieux d'hébergement de la région qui s'avéraient les mieux adaptés aux familles, y compris les différents complexes hôteliers de Disney World et les lieux d'hébergement avoisinants qui offrent des services spéciaux tels que comptoirs d'enregistrement pour enfants et restaurants réservés à l'usage exclusif des enfants. Afin d'harmoniser toutes les bourses, les établissements sont classés par ordre de prix. Les prix indiqués sont ceux de la haute saison, mais sachez qu'on trouve parfois de bonnes affaires hors saison: à vous de mener votre enquête.

Les hôtels **«petit budget»** *($)* coûtent en général **moins de 80$** par nuitée pour deux adultes et deux enfants; les chambres y sont propres et confortables, mais manquent de commodités. Les hôtels de catégorie **«moyenne»** *($$)* affichent des prix variant **entre 80$ et 125$**, et offrent des chambres plus grandes, des meubles plus confortables et un environnement plus attrayant. Pour les hôtels de catégorie **«moyenne-élevée»** *($$$)*, vous devez compter **entre 126$ et 200$** pour deux adultes avec enfants; vous aurez ainsi une chambre spacieuse et dotée de toutes les installations modernes (en plus d'un hall chic, on y trouve habituellement un restaurant, un salon et quelques boutiques). Si l'envie vous prend de séjourner dans les hôtels dits de catégorie **«supérieure»** *($$$$)*, vous aurez certes droit au luxe et à tous les services possibles, mais on vous demandera alors **de 201$ à 300$** par nuitée. Finalement, les établissements de **«très grand luxe»** *($$$$$)* sont les plus élégants et les plus raffinés, et il faut débourser **plus de 300$** par nuitée pour y séjourner.

Camping

Le camping constitue un bon choix pour les familles voulant séjourner dans la région d'Orlando. Non seulement est-il beaucoup moins cher que l'hôtel, mais il permet en outre d'économiser sur la nourriture, car, en cuisinant vous-même certains repas, vous échapperez au piège qui consiste à manger trois fois par jour la nourriture on ne peut plus dispendieuse des parcs thématiques. Le camping vous soulagera par ailleurs des rigueurs physiques et mentales inhérentes à la visite des sites touristiques. Qui plus est, la plupart des terrains de camping sont axés sur la famille et organisent une myriade d'activités en plein air pour tous les groupes d'âge.

Les campeurs devront prévoir un nécessaire de cuisine. Pour le reste, sauf en hiver, un sac de couchage léger, une tente dotée de bonnes moustiquaires et un tapis de sol suffiront, sans oublier, bien entendu, les accessoires habituels (gamelles, trousse de premiers soins, lampe de poche, insectifuge, etc.).

Walt Disney World possède son propre terrain de camping, **Fort Wilderness**, mais on trouve aussi plusieurs terrains de camping privés aux abords immédiats de Disney. Pour une sélection de ces campings, reportez-vous au chapitre qui est consacré à l'hébergement (voir p 223).

Location d'appartements ou de maisons

La location d'un appartement ou d'une maison dans les environs est aussi à considérer. Quelques agences en font d'ailleurs leur spécialité. Ce type d'hébergement conviendra aux familles et aux groupes, qui souhaitent économiser sur les repas en les préparant eux-mêmes plutôt que de toujours s'en remettre aux restaurants. Le confort accru par rapport à une chambre d'hôtel classique en séduira aussi plusieurs. Il faut cependant se rappeler que la location d'une voiture devient pratiquement indispensable si l'on choisit cette formule.

■ Heures d'ouverture

Les heures d'ouverture des parcs thématiques semblent plus changeantes que les marées floridiennes, mais n'y voyez là aucun inconvénient, bien au contraire. Walt Disney World, Universal Orlando et le SeaWorld Adventure Park ajustent leurs heures d'ouverture et de fermeture selon l'affluence. Ainsi, lorsqu'on attend une foule nombreuse, on ouvre plus tôt et on ferme plus tard, et vice-versa. Vous disposez cependant d'un certain nombre de points de repère:

- en été et durant les jours fériés, les parcs thématiques ferment plus tard (22h, 23h ou 24h);
- en hiver, ils ferment à 18h ou 19h;
- enfin, il importe de savoir qu'à Disney World les heures affichées ne correspondent pas toujours aux vraies heures d'ouverture. Si le personnel de Disney attend une foule nombreuse, il se peut qu'on ouvre les parcs de 30 min à 60 min plus tôt que prévu. Vous ne saurez jamais ce qu'il en sera exactement, mais il vaut toujours mieux arriver tôt, au cas où....

Il est d'ailleurs recommandé de toujours se présenter au moins une heure à l'avance au Magic Kingdom et à Epcot, et 30 min à l'avance aux Disney-MGM Studios et au Disney's Animal Kingdom.

Par ailleurs, mentionnons que les visiteurs qui logent dans les hôtels Disney peuvent profiter de périodes additionnelles exclusives certains matins et certains soirs pour visiter les grands parcs thématiques et les parcs aquatiques. C'est ce qu'on appelle les ***Extra Magic Hours***. Informez-vous à votre arrivée de l'horaire (variable) en fonction duquel vous pourrez user de ce privilège.

■ Personnes à mobilité réduite

Walt Disney World et les parcs thématiques environnants sont, dans leur presque totalité, facilement accessibles aux personnes à capacité physique restreinte. Les attractions sont équipées de larges rampes à faible inclinaison, et les restaurants ainsi que les toilettes ont été aussi conçus pour eux. Des fauteuils roulants et des véhicules motorisés à trois roues sont par ailleurs offerts en location à l'entrée de chaque parc. Pour les malentendants, Disney World dispose, à l'intérieur de chaque parc, de descriptions écrites de la plupart des attractions ainsi que d'appareils de communication spécialement adaptés. Moyennant un léger dépôt, les malvoyants et non-voyants peuvent, quant à eux, se munir d'un audioguide expliquant chacune des attractions. Adressez-vous au bureau du service à la clientèle (comptoir des *Guest Relations*). Pour recevoir une brochure concernant les autres services, appelez Walt Disney World Resort Special Reservations au ☎407-939-7807.

Pour tout renseignement au sujet des services offerts aux personnes handicapées dans la région, adressez-vous au **Center for Independent Living** *(720 N. Denning Dr., Winter Park,* ☎*407-623-1070).*

Pour des conseils de voyage, communiquez avec le réseau **Travelin' Talk** *(P.O. Box 1796, Wheat Ridge, CO 80034,* ☎*303-232-2979, www.travelintalk.net).* D'autres organismes sont également susceptibles de fournir des renseignements utiles aux personnes handicapées: **Society for Accessible Travel & Hospitality** *(347 5th Ave., Suite 610, New York, NY 10016,* ☎*212-447-7284,* ▤*212-725-8253, www.sath.org)* et **MossRehab ResourceNet** *(Korman Building, 1200 W. Tabor Rd., Philadelphia, PA 19141,* ☎*215-456-9900, www.mossresourcenet.org).*

Renseignez-vous bien avant de réserver une chambre, car bon nombre d'hôtels et de motels sont équipés pour accueillir les personnes en fauteuil roulant.

■ Renseignements touristiques et service à la clientèle

Walt Disney World

Renseignements généraux
☎407-824-4321
www.disneyworld.com
À noter que le site canadien de Disney *(www.disneyworld.ca)* contient une section détaillée en français.

Réservations de chambres
☎407-934-7639

Réservations de restaurants
☎407-939-3463

Bureau des objets trouvés

Pour réclamer un bien perdu ou déposer un objet trouvé, veuillez vous référer le jour même au comptoir de service prévu à cet effet dans chacun des parcs (voir la section «Renseignements utiles» au début de chaque chapitre), au Transportation and Ticket Center ou à la réception de votre hôtel.

Le lendemain ou les jours suivant la perte, communiquez avec la **Lost and Found Station** du **Transportation and Ticket Center** *(*☎*407-824-4245).*

Universal Orlando

Renseignements généraux
1000 Universal Studios Plaza
Orlando, FL 32819
☎407-363-8000 ou 800-711-0080
www.universalorlando.com

SeaWorld Adventure Park

Renseignements généraux
7007 SeaWorld Dr.
Orlando, FL 32821
☎407-351-3600 ou 800-327-2424
www.seaworld.com

■ Restaurants

On dirait presque qu'il y a plus de restaurants que de gens dans le centre de la Floride. Afin de vous aider à choisir parmi cette pléiade de restos, nous les avons répertoriés en fonction de leurs prix et de l'intérêt qu'ils présentent pour les familles.

Les repas servis au dîner par les restaurants **«petit budget»** *($)* coûtent **moins de 15$**; l'atmosphère y est décontractée, le service habituellement rapide et la clientèle souvent locale. Les restaurants de catégorie **«moyenne»** *($$)* offrent des dîners dont les prix varient **de 15$ à 25$**; le cadre y est détendu mais agréable, le menu se révèle plus varié et le service généralement un peu moins bousculé. Les établissements de catégorie **«moyenne-élevée»** *($$$)* proposent quant à eux des dîners dans une fourchette de prix allant **de 26$ à 35$**; la cuisine y est tantôt simple, tantôt élaborée, selon le contexte, mais le dé-

Disney World et la région d'Orlando sur Internet

www.disneyworld.com et **www.disneyworld.ca**
Le site officiel du Walt Disney World Resort, ainsi que sa version canadienne qui comprend une importante section en français.

www.wdworld.com
Un site québécois très bien fait qui englobe des informations de toute nature sur Disney World et inclut un forum de discussion où les mordus de Disney et les voyageurs peuvent échanger impressions, trucs et conseils. Idéal pour obtenir des renseignements d'ordre ponctuel: attractions et établissements fermés pour rénovation, offres spéciales et réductions, horaires…

www.universalorlando.com
Le site officiel d'Universal Orlando. En anglais seulement.

www.seaworld.com
Le site officiel du SeaWorld Adventure Park. Version française disponible.

www.orlandoinfo.com
Le site de l'Orlando's Official Visitor Center. Petite section en français.

www.floridakiss.com
Le site du Kissimmee–St. Cloud Convention & Visitors Bureau. En anglais seulement.

www.flausa.com
Le site officiel de l'organisme de promotion touristique de l'État de Floride: Visit Florida. Version française disponible.

---

cor y est toujours plus somptueux et le service plus personnel. Les restaurants de catégorie **«supérieure»** *($$$$)*, où le prix des dîners s'élève à **plus de 35$**, relèvent le plus souvent de l'expérience gastronomique; la cuisine devient alors un art raffiné et le service doit être pour le moins impeccable.

Certains restaurants changent souvent d'administration, tandis que d'autres ferment à l'occasion durant la saison morte. Nous nous sommes donc efforcés de sélectionner des établissements bénéficiant d'une solide réputation de stabilité et de qualité. Notez enfin que les prix des petits déjeuners et des déjeuners varient moins d'un restaurant à l'autre que ceux des dîners. Tous les restaurants servent le déjeuner et le dîner sauf indication contraire.

■ Services aux familles

Poussettes et sièges-autos

Une poussette peut s'avérer salutaire dans les parcs thématiques. À défaut d'apporter la vôtre, vous pouvez en louer une dans n'importe quel parc de Disney World, à Universal Orlando ou au SeaWorld Adventure Park. La poussette est généralement recommandée pour les enfants de moins de trois ans et devient nécessaire pour les trois à cinq ans à Epcot et à Universal Orlando, ce qui n'est pas forcément le cas aux Disney-MGM Studios, beaucoup moins étendus. Dans le Magic Kingdom, on préférera s'en passer en début de journée, quitte à s'en procurer une plus tard si la fatigue vient à gagner les plus jeunes. Conservez toujours votre reçu de location, car, en cas de vol, il vous suffira de le présenter pour qu'on

Coins d'allaitement

L'atmosphère familiale détendue de Disney World et les nombreux locaux frais et obscurs qu'on y trouve en font un bon endroit pour allaiter discrètement son bébé. Au Magic Kingdom, essayez les salles de cinéma tranquilles du Hall of Presidents, de Mickey's PhilharMagic ou encore du Carousel of Progress.

À Epcot, dans la zone du Future World, on trouve des salles de cinéma aux endroits suivants: Universe of Energy, Wonders of Life (Cranium Command et The Making of Me) et The Land (The Circle of Life). Au World Showcase, la France, le Canada, la Chine et The American Adventure possèdent tous des cinémas sombres.

Aux Disney-MGM Studios, vous trouverez des sièges confortables ainsi qu'un peu d'intimité au Jim Henson's Muppet Vision 3D et au Voyage of the Little Mermaid.

Au Disney's Animal Kingdom, songez à la salle où est présenté It's Tough to be a Bug!

Celles qui préfèrent éviter ces endroits trouveront de confortables berceuses aux Baby Services de chaque parc (voir les sections «Renseignements utiles» au début de chaque chapitre).

vous donne une autre poussette sans frais additionnels.

Si votre voyage à Orlando se fait par avion et inclut la location d'une voiture, l'organisme **Kids in Safety Seats** (☎ *407-857-0353 ou 877-990-5477, www.kidsinsafetyseats. com*) vous fournira sièges-autos et poussettes; moyennant une modique somme, on vous les livrera n'importe où dans la région de Disney World. Il peut aussi vous fournir des berceaux et des chaises hautes. Souvenez-vous qu'en Floride la loi exige que les jeunes enfants voyagent dans un siège-auto.

Garderies

Les hôtes des complexes hôteliers de Walt Disney World bénéficient des services de garderie du centre **Kids Nite Out** (☎ *407-828-0920, www.kidsniteout.com*), qui accueille les enfants jusqu'à l'âge de 12 ans. Il est conseillé de réserver au moins 24 heures à l'avance. Les complexes hôteliers de Disney et la plupart des autres hôtels de la région offrent également le service de gardiennes aux chambres, bien que les coûts soient alors beaucoup plus élevés.

Enfin, dans bon nombre d'entreprises privées, vous pouvez louer les services d'une gardienne qui vous accompagnera dans les parcs thématiques et veillera sur vos enfants pendant que vous les visitez; appelez **Super Sitters** (☎ *407-382-2558, www.super-sitters.com*), qui offre aussi le service de gardiennes aux chambres.

Centres de services aux nourrissons (Baby Services)

Situés au Magic Kingdom, à Epcot, aux Disney-MGM Studios et au Disney's Animal Kingdom, ces centres disposent de salles tranquilles à l'éclairage tamisé, avec des tables à langer et de confortables berceuses (fauteuils à bascule) pour l'allaitement. On peut également s'y procurer des chaises hautes, des bavoirs, des tétines, du lait en poudre, des céréales et des petits pots de nourriture. Des couches jetables y sont aussi disponibles, de même que dans plusieurs boutiques de Disney; celles-ci les tiennent généralement sous le comptoir, de sorte que vous devez les demander.

MAGIC KINGDOM

1. *Mickey's PhilharMagic* met entre autres en vedette Lumière, de *La Belle et la Bête*. (page 68)
   © Disney

2. Introduction au royaume enchanté, Main Street, U.S.A. aboutit au château de Cendrillon. (page 56)
   © Disney

3. Le Big Thunder Mountain Railroad s'impose comme des montagnes russes exubérantes. (page 63)
   © Disney

EPCOT

1. Test Track vous transforme en de véritables mannequins d'essai. Attachez votre ceinture! (page 90)
© Disney

2. Le monorail mène notamment à Epcot, où se dresse la sphère géante du Spaceship Earth. (page 86)
© Disney

3. Le pavillon de la Norvège comprend la réplique d'une église du milieu du XIIIe siècle. (page 97)
© Disney

4. Un amalgame de forteresses, de châteaux et de minarets constitue le pavillon du Maroc. (page 100)
© Disney

Magic Kingdom

Pour beaucoup de gens, le Magic Kingdom, c'est Walt Disney World. C'est en effet ici que Walt Disney a tout d'abord mis la Floride sous le charme de sa formule fantasmagorique, en faisant sortir d'un marécage une architecture féerique, des réalisations artistiques purement fantaisistes, des jardins florissants et des attractions ultramodernes.

C'est ici que ce brillant créateur de dessins animés poussa l'illusion à son comble, en donnant le jour à un royaume fictif peuplé de personnages imaginaires, de villages et de jungles inventés, de musiques joyeuses, de rues étincelantes de propreté, de plans d'eau chatoyants et de manèges palpitants... Tout pour en faire une expérience unique, colorée et pleine de joie.

Le Magic Kingdom n'occupe que 43 des 12 100 ha de Walt Disney World (soit, à peu de chose près, l'équivalent d'une goutte dans un étang), mais il n'en constitue pas moins le cœur de ce monde. Clone presque parfait du Disneyland de la Californie, il compte une quarantaine d'attractions, 26 restaurants, une trentaine de comptoirs d'alimentation ambulants, 36 boutiques et une vingtaine de chariots de marchandise répartis à travers sept zones (*lands*) pleines d'imagination et fort différentes les unes des autres. Le plus populaire de ces domaines est **Fantasyland**, une toile de rêve tissée au fil des livres de contes, avec ses tours de bateaux, ses carrousels et sa musique joyeuse. **Adventureland** offre, grâce à ses huttes de chaume, ses perroquets jacasseurs et son périple dans la jungle, une randonnée sans danger dans les régions sauvages d'Afrique et d'Amérique du Sud. **Frontierland** apparaît parmi des buttes rocailleuses d'aspect cuivré, truffé de scènes d'Indiens et de cowboys, tandis qu'à côté le **Liberty Square** reproduit l'Amérique coloniale avec ses devantures d'autrefois et ses attractions patriotiques. Telle une page de bandes dessinées sortie d'un journal de fin de semaine qui aurait soudain pris vie, **Mickey's Toontown Fair** fait défiler devant vous des personnages de dessins animés, des maisons conçues en fonction de la taille des enfants et des magasins aux couleurs les plus folles. À un tout autre pôle, **Tomorrowland** avait d'abord été conçu comme un ensemble d'édifices blanchis à la chaux, destiné à représenter le futur tel que le voyait Disney dans les années 1960. Cette vision n'a toutefois pas survécu; en 1995, Tomorrowland a subi un remodelage qui a transformé les monumentales masses de béton blanc en un paysage coloré et festonné de formes convexes à la Tinker Toys. Aujourd'hui, Tomorrowland est mieux connue pour abriter l'un des manèges les plus populaires du parc, soit le Space Mountain.

Puis, il y a **Main Street, U.S.A.**, le centre névralgique du Magic Kingdom et la toute première attraction à accueillir les visiteurs. Ses rues en briques, ses lampadaires à l'ancienne et ses façades élaborées reproduisent avec éclat l'idée qu'on se fait de la petite ville américaine modèle. Il y a aussi la gare colorée du Walt Disney World Railroad, un train à vapeur qui couvre le périmètre du Magic Kingdom en faisant teuf-teuf. Un peu plus loin, passé Main Street, U.S.A., on trouve un jardin luxuriant du nom de Central Plaza, auréolé d'un cours d'eau d'un bleu à faire rêver et parsemé de chênes majestueux ainsi que de bancs laqués. Plus loin encore se dresse le somptueux château de Cendrillon, devant les tourelles effilées duquel s'émerveillent les visiteurs à toute heure du jour, rêvant de contes de fées.

L'attention toute spéciale qui est accordée aux détails (allant des poubelles décorées aux costumes des employés, en passant par les astucieux menus des restaurants) ne cesse d'étonner même les visiteurs les plus habitués. On éprouve une joie indicible à s'imprégner de l'ambiance d'une zone donnée pour ensuite succomber au charme d'une autre, complètement différente. Même les jours les plus insensés, alors que le parc est bondé de gens et que la chaleur devient suffocante, personne ne peut résister à l'esprit du Magic Kingdom.

La nuit ne fait qu'ajouter aux illusions du royaume magique, illuminant de mille feux les arabesques des toits et projetant les hautes silhouettes irisées des flèches du château contre un ciel d'encre. La fête atteint alors son paroxysme, au son triomphant des défilés, des chanteurs costumés qui envahissent les rues et des feux d'artifice qui rivalisent avec les étoiles.

Depuis l'ouverture du Magic Kingdom en 1971, Disney World s'est étendu par la création d'autres parcs thématiques, dont Epcot, qui s'étale sur 105 ha (plus de deux fois la superficie du Magic Kingdom). Malgré la concurrence, le Magic Kingdom demeure le lieu d'évasion par excellence, celui qui sort le plus de l'ordinaire. C'est un endroit conçu pour les enfants, et où les adultes retrouvent leurs rêves d'enfants. Il envoûte littéralement les cœurs sensibles, et même ceux des sceptiques qui méprisent son humour enfantin, ses accents conservateurs et son approche idéaliste.

Tous ceux qui ont vécu la fascination du château de Cendrillon, la montée d'adrénaline que provoque le Space Mountain ou la douce joie d'It's a Small World savent que le Magic Kingdom n'a pas son pareil. En fait, plus de gens visitent le Magic Kingdom que tout autre parc thématique au monde.

Accès et déplacements

Il peut s'avérer fastidieux et compliqué de se rendre au Magic Kingdom, sans compter le temps précieux que vous risquez de perdre. Pour cette raison (et parce que ceux qui arrivent tôt évitent les longues files d'attente), il est impératif de s'y rendre **une demi-heure à une heure** avant l'heure d'ouverture affichée. Les autobus et le monorail fonctionnent habituellement deux heures avant l'ouverture, et Main Street, U.S.A. ouvre normalement 30 min à 60 min plus tôt que le reste du parc.

■ Orientation

Afin de mieux vous représenter le Magic Kingdom, disons qu'il s'agit d'une immense roue dont les rayons aboutissent aux sept zones thématiques, la base de cette roue étant constituée par Main Street, U.S.A., qui sert d'entrée au parc et de point de repère principal. Le Walt Disney World Railroad (petit train) circule sur la jante de cette roue. Le moyeu de cette roue est Central Plaza, un jardin verdoyant s'étendant au pied du château de Cendrillon. Cette place constitue un bon point de rencontre si vous vous séparez pendant la journée ou si un membre de la famille vient à se perdre. On y trouve en outre plusieurs grandes pelouses où les parents peuvent se reposer pendant que les enfants dépensent leur énergie.

Certains y étalent même des couvertures à l'ombre des arbres pour pique-niquer et discuter des manèges à venir.

Du moyeu de notre roue, des passerelles et des ponts conduisent aux différentes zones thématiques. En circulant dans le sens des aiguilles d'une montre, vous croiserez dans l'ordre, à partir d'Adventureland, Frontierland, Liberty Square, Fantasyland, Mickey's Toontown Fair et Tomorrowland. Sur un plan, il semble facile de passer d'un *land* à l'autre, mais, dans la réalité, c'est une tout autre histoire. Le royaume tout entier est parcouru d'allées et de ruisseaux sinueux qui ne débouchent pas toujours là où vous croyez. Par exemple, si, en sortant du Space Mountain, vous croyez pouvoir atteindre le Big Thunder Mountain Railroad en moins de deux avec les enfants en remorque, vous risquez de perdre très vite vos illusions. Autrement dit, servez-vous d'un plan pour tracer votre itinéraire et déplacez-vous sans vous presser jusqu'à ce que les lieux vous soient plus familiers. De toute façon, sachez que, si vous vous perdez, les employés de Disney se feront toujours un plaisir de vous orienter.

■ En voiture

Sur la **route I-4** (Interstate 4), recherchez les panneaux indiquant les sorties (*exits*) vers Disney World. Prenez celle du Ma-

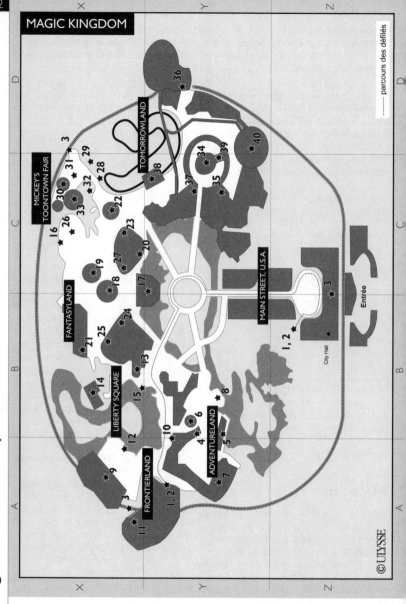

gic Kingdom et faites environ 3 km, soit jusqu'aux guérites du parc. Après que vous aurez acquitté votre droit de stationnement (9$), on vous guidera vers un terrain si immense qu'il semble se perdre à l'horizon. De ce point, comptez encore une bonne vingtaine de minutes pour accéder au Magic Kingdom.

Vous devez absolument **prendre note de la section et de la rangée où vous êtes stationné** (les sections portent le nom de personnages de Disney, comme Pluto, Goofy ou Chip and Dale), sans quoi vous risquez de ne pas retrouver votre véhicule à la fin de la journée! Prenez ensuite le tramway jusqu'au Transportation and Ticket Center, ni plus ni moins qu'une

★ ATTRAITS TOURISTIQUES

Main Street, U.S.A.

1.	BZ	Disney Dreams Come True Parade
2.	BZ	SpectroMagic Parade
3.	BZ	Walt Disney Road Railroad

Adventure Land

4.	BY	Enchanted Tiki Room Under New Management, The
5.	BY	Jungle Cruise
6.	BY	Magic Carpets of Aladdin, The
7.	AY	Pirates of the Caribbean
8.	BY	Swiss Family Treehouse

Frontierland

9.	AX	Big Thunder Mountain Railroad
10.	AY	Country Bear Jamboree
11.	AX	Splash Mountain
12.	AX	Tom Sawyer Island

Liberty Square

13.	BX	Hall of Presidents, The
14.	BX	Haunted Mansion, The
15.	BX	Liberty Square Riverboat

Fantasyland

16.	CX	Ariel's Grotto
17.	CY	Cinderella Castle (Cinderellabration)
18.	CX	Cinderella's Golden Carrousel
19.	CX	Dumbo the Flying Elephant
20.	CX	Fairytale Garden
21.	BX	It's a Small World
22.	CX	Mad Tea Party
23.	CX	Many Adventures of Winnie the Pooh, The
24.	BX	Mickey's PhilharMagic
25.	BX	Peter Pan's Flight
26.	CX	Pooh's Playful Spot
27.	CX	Snow White's Scary Adventures

Mickey's Toontown Fair

28.	CX	Barnstormer at Goofy's Wiseacre Farm, The
29.	CX	Donald's Boat
30.	CX	Judge's Tent
31.	CX	Mickey's Country House
32.	CX	Minnie's Country House
33.	CX	Toontown Hall of Fame Tent

Tomorrowland

34.	CY	Astro Orbiter
35.	CY	Buzz Lightyear's Space Ranger Spin
36.	DY	Space Mountain
37.	CY	Stitch's Great Escape!
38.	CY	Tomorrowland Indy Speedway
39.	CY	Tomorrowland Transit Authority
40.	DY	Walt Disney's Carousel of Progress

grande gare centrale où vous achèterez vos billets d'entrée, avant de monter à bord d'un monorail ou d'un traversier qui vous permettra de franchir le kilomètre (plus exactement 0,8 km) qui vous sépare du Magic Kingdom. Le monorail est plus rapide (2 min plutôt que 5 min), mais les queues y sont généralement plus longues, étant donné que les visi-

teurs veulent éviter de marcher jusqu'au quai du traversier. Si le monorail semble bondé, choisissez donc plutôt le traversier: le voyage sera, en fin de compte, plus rapide et plus relaxant.

■ En transports en commun

Du Contemporary Resort, du Polynesian Resort ou du Grand Floridian Resort & Spa: Prenez le monorail directement jusqu'au Magic Kingdom.

D'Epcot: Prenez le monorail d'Epcot jusqu'au Transportation and Ticket Center, puis le monorail du Magic Kingdom ou le traversier.

Des Disney-MGM Studios et du Disney's Animal Kingdom: Prenez un bus jusqu'au Transportation and Ticket Center, puis le monorail du Magic Kingdom ou le traversier.

Du Wilderness Lodge: Prenez le bateau de Disney, qui vous emmènera directement au Magic Kingdom.

De tous les autres complexes hôteliers de Disney: Prenez un bus Disney directement jusqu'au Magic Kingdom.

De Fort Wilderness, du Typhoon Lagoon, de Blizzard Beach, de Pleasure Island ou de Downtown Disney: Prenez un bus Disney directement jusqu'au Magic Kingdom.

Des hôtels de la région ne faisant pas partie de Disney World: La plupart disposent d'un service de navette pour le Magic Kingdom. Cependant, dans bien des cas, le service ne se fait qu'aux heures, si ce n'est toutes les deux ou trois heures. Il vaut alors mieux s'y rendre en voiture.

Renseignements utiles

■ Quelques précieux conseils

N'oubliez surtout pas qu'il est préférable de se rendre au Magic Kingdom 30 à 60 min avant l'heure d'ouverture of-

Magic Kingdom - Renseignements utiles

Les attractions du Magic Kingdom où l'on peut obtenir un *Fast Pass* FP▸

Il est possible de se procurer un *Fast Pass*, permettant d'éviter les files d'attente, aux attractions suivantes du Magic Kingdom:

Big Thunder Mountain Railroad (Frontierland) p 63

Buzz Lightyear's Space Ranger Spin (Tomorrowland) p 76

Jungle Cruise (Adventureland) p 60

Many Adventures of Winnie the Pooh, The (Fantasyland) p 70

Mickey's PhilharMagic (Fantasyland) p 68

Peter Pan's Flight (Fantasyland) p 69

Space Mountain (Tomorrowland) p 74

Splash Mountain (Frontierland) p 64

Stich's Great Escape! (Tomorrowland) p 75

ficielle; il vous sera alors facile de planifier votre matinée. Par exemple, si, à Disney, on vous dit que le parc ouvre à 9h, stationnez votre voiture vers 8h, de manière à être dans Main Street, U.S.A. autour de 8h30. Vous pourrez alors louer une poussette ou un casier, obtenir des plans et des renseignements, ainsi que réserver vos places pour les spectacles, prendre votre petit déjeuner et voir les boutiques et les autres attraits de Main Street, U.S.A. avant l'arrivée de la foule.

Mieux encore, vous pourrez peut-être même entrer dans le reste du parc plus tôt que prévu. Pendant l'été, durant les jours fériés et en période d'affluence, le Magic Kingdom ouvre en effet ses portes jusqu'à une heure plus tôt qu'à l'ordinaire pour les clients des complexes hôteliers de Disney World, cela afin d'empêcher les engorgements et les trop longues files d'attente aux guichets, surtout lorsqu'on prévoit remplir les lieux à pleine capacité, et devoir refuser des visiteurs bien avant que ne sonne midi. On ne peut jamais prévoir une telle situation, mais une chose reste certaine: le fait d'arriver tôt peut vous épargner plu-

sieurs heures d'attente devant les attractions, éliminant ainsi des désagréments qui n'ont pas lieu de ternir une expérience aussi réjouissante et fantaisiste.

Cependant, la même souplesse ne s'applique pas aux heures de fermeture. Les attractions et les manèges s'arrêtent habituellement à l'heure dite, bien que Main Street, U.S.A. reste ouverte une demi-heure ou une heure de plus, et que les bus et le monorail demeurent en service jusqu'à deux heures après la fermeture. Il s'agit bien entendu du moment rêvé pour visiter **Main Street, U.S.A.**, car, pendant que le reste du parc se vide peu à peu, vous pouvez tranquillement explorer les lieux et les boutiques à votre aise. De plus, le fait d'acheter vos souvenirs juste avant la fermeture vous évitera d'avoir à louer un casier ou à transporter des sacs toute la journée.

Essayez de visiter chaque zone thématique, ou *land*, à fond avant de passer à une autre. Le Magic Kingdom est en effet si complexe qu'il peut s'avérer désastreux de le parcourir en tous sens, en sautant du coq à l'âne.

Prenez votre temps. Vouloir couvrir l'ensemble du Magic Kingdom en une seule journée, c'est comme essayer de voir 10 films en une soirée: vous n'y arriverez tout simplement pas!

Rompez avec vos habitudes en déjeunant et en dînant plus tôt ou plus tard que de coutume, soit avant 11h30 ou après 14h dans le cas du déjeuner, et avant 16h30 ou après 20h dans celui du dîner. Vous éviterez ainsi la cohue à l'heure des repas et aurez plus de temps à consacrer à l'objet réel de votre voyage.

■ Animaux de compagnie

Ils ne sont pas admis à l'intérieur du Magic Kingdom. Vous pouvez cependant les faire garder pour la journée, ou même la nuit, au Transportation and Ticket Center. Sachez cependant que, si vous faites garder un chien pour une ou plusieurs nuits, vous serez tenu de le promener chaque soir.

■ Argent

Vous trouverez des guichets automatiques à l'entrée du parc près des casiers, dans City Hall, dans le secteur Frontierland et à la Tomorrowland Light & Power Company (près du Space Mountain). Au bureau des *Guest Relations* de City Hall, vous pourrez en outre changer des devises.

■ Bureau des objets perdus et trouvés

Signalez tout objet perdu ou trouvé aux *Guest Relations*.

■ Caisers

Disponibles sous la gare du Walt Disney World Railroad qui se trouve au pied de Main Street, U.S.A., ainsi qu'au Ticket and Transportation Center. Soyez bien conscient qu'il vous en coûtera 5$ par jour et par casier, plus un dépôt remboursable de 2$ pour accès illimité. Les articles trop volumineux pour les casiers

peuvent être laissés en consigne au comptoir Break de la gare.

■ Centre de services aux nourrissons (*Baby Services*)

Situé à côté du restaurant Crystal Palace, dans Main Street, U.S.A. On y trouve entre autres des tables à langer et des berceuses (fauteuils à bascule) pour allaiter. Couches, lait en poudre et autres articles pour bébés y sont également disponibles, de même que dans certains magasins du Magic Kingdom.

■ Enfants perdus

Signalez les enfants perdus au City Hall, aux *Baby Services* situés sur Main Street ou à tout Cast Member.

■ Poussettes et fauteuils roulants

Vous en trouverez au Stroller Shop, à droite de l'entrée principale.

■ Renseignements et audioguides ∩

Le bureau des *Guest Relations*, situé dans City Hall, est l'endroit où vous arrêter pour obtenir tout renseignement de même que pour trouver des plans du parc en français. Vous pouvez aussi vous y procurer des audioguides qui traduisent en français la narration de plusieurs attractions. Ce service est gratuit, mais on vous demandera un dépôt qui vous sera remboursé lorsque vous rapporterez l'appareil. Les plans et les audioguides sont également disponibles en espagnol, en allemand, en japonais et en portugais.

■ Service de collecte de paquets (*Package Pickup*)

Ceux qui magasinent beaucoup devraient songer à profiter de ce service gratuit. Il permet, si vous résidez dans un hôtel Disney, de faire livrer tous vos

Magic Kingdom - Renseignements utiles

achats directement à votre chambre. Si vous logez à l'extérieur du royaume, il offre aussi la possibilité de faire envoyer vos paquets au bureau du service à la clientèle (*Guest Relations*) qui se trouve près de l'entrée principale, dans City Hall. Vous pourrez ainsi passer prendre vos emplettes au moment de quitter le parc, sans avoir à les traîner toute la journée. Mais attention: il y a souvent des «embouteillages» entre 17h et 18h, ainsi que durant la demi-heure qui précède la fermeture du parc.

Main Street, U.S.A.

Quelle plus belle introduction à un royaume enchanté qu'une rue de carte postale! Cette réplique d'une charmante petite ville américaine présente un assemblage fascinant de balcons en fer forgé, de balustrades richement décorées, de constructions au style tarabiscoté, de lampadaires à l'ancienne, de bancs soigneusement peints, d'arbres touffus, de musiques joyeuses, de comptoirs à café express et à pâtisseries, et de jardinières suspendues. Les voitures de pompiers font tinter leurs cloches, les *jitneys* filent en tous sens, et les chevaux musclés tirent des tramways bondés de visiteurs.

Main Street, U.S.A. est en grande partie bordée de boutiques et d'établissements habilement conçus dont l'objet semble aussi bien être de divertir que de vendre. Pour quelque chose d'original, il y a Uptown Jewelers, qui offre un choix somptueux d'œufs en céramique. Et n'oublions surtout pas la Harmony Barber Shop, contre la vitrine de laquelle se pressent les gens (surtout les enfants)

Un rasage à l'ancienne

Vous aimeriez vous offrir un rasage «à l'ancienne»? Rendez-vous à la Harmony Barber Shop de Main Street, U.S.A. (Magic Kingdom).

pour observer le travail des barbiers moustachus faisant des rasages et des coupes «à l'ancienne».

Parmi les boutiques, on trouve divers lieux d'intérêt et des restaurants d'où s'échappent des effluves capiteux. Il y a une pâtisserie, un comptoir à glaces surmonté d'auvents rouges et blancs, et une confiserie où l'on s'emploie à malaxer de grandes cuves de pâte friable aux cacahuètes. Chaque endroit possède une atmosphère qui lui est propre; certains sont bondés et éclaboussés de lumière, d'autres plus conventionnels et d'allure victorienne, et d'autres encore, plutôt rustiques et boisés.

Les yeux et l'esprit sont sollicités de toutes parts, à tel point qu'il faut beaucoup plus que 40 min (le temps moyen consacré à la visite de Main Street, U.S.A.) pour tout enregistrer. Mais le plus beau, c'est que cet endroit très rarement engorgé peut être visité en tout temps. Essayez de vous y rendre entre le milieu de la matinée et le milieu de l'après-midi, au moment où les attractions les plus populaires attirent les plus grandes foules et où le soleil est au zénith. Main Street, U.S.A. est également un lieu où un parent peut garder les enfants pendant que l'autre part seul à la conquête du Space Mountain ou de quelque autre manège interdit aux plus jeunes.

Votre visite de Main Street, U.S.A. commence par un arrêt aux *Guest Relations*, où vous trouverez des plans, l'horaire des spectacles et des dîners, le bureau des objets trouvés et divers renseignements d'intérêt général.

D'anciens films de Disney, y compris de bons vieux dessins animés muets, sont projetés en continu au **Town Square Exposition Hall**. Bien qu'on doive y rester debout, la salle s'avère fraîche et obscure, et offre un répit bien mérité des files d'attente et de la chaleur estivale. Les enfants se montrent souvent fascinés par ces dessins animés en noir et blanc qu'ils n'ont jamais vus, mais les adultes eux-mêmes peuvent facilement passer une bonne demi-heure à regarder des classiques tels que *Steamboat Willie*. Ce

Jitneys, carrioles et autres véhicules farfelus

On peut visiter Main Street, U.S.A. sur quatre roues (ou plus) en prenant place à bord d'un des drôles de moyens de transport qui circulent le long de cette artère pavée de briques. On y trouve des *jitneys* (petits bus) et des voitures de pompiers d'un rouge éclatant, des charrettes tirées par des chevaux musclés, des bus à deux étages et des carrioles sans chevaux dont les conducteurs portent de longues moustaches. La plupart font des allers simples du début de Main Street, U.S.A. jusqu'au château de Cendrillon.

film, le premier du genre à intégrer le son, révèle d'ailleurs une trame particulièrement nostalgique puisqu'une souris futée du nom de Mickey s'y éprend d'une beauté aux pommettes saillantes du nom de Minnie. Vous verrez en outre un film intitulé *Mickey's Big Break*, une production fantaisiste dans laquelle Mickey se présente à une audition dans le but de décrocher le rôle principal dans *Steamboat Willie*!

Main Street accueille également une attraction plus importante (Walt Disney World Railroad) ainsi que les populaires défilés du Magic Kingdom.

Walt Disney World Railroad 🎧
★ ★ ★

Avec leurs auvents rayés, leurs sièges aux couleurs vives et leurs teuf-teuf lancinants, ces trains à vapeur d'époque vous promettent beaucoup de plaisir. Vous pouvez ici monter à bord d'un des quatre trains du tournant du siècle dernier qui font le tour du Magic Kingdom en s'arrêtant à Frontierland et à Mickey's Toontown Fair, traversant ce qu'un narrateur appelle la *«frontière originelle de la Floride»*, soit des bosquets de fougères et de palmiers nains, ponctués de silhouettes des personnages de Disney. Les enfants adorent cette expérience en plein air et apprécient tout particulièrement de pouvoir voyager à bord d'un «vrai train». Pour les adultes, il s'agit d'une bonne occasion de se reposer tout en se familiarisant avec chaque zone thématique.

De fait, le train est le seul à vous offrir une vue aussi complète sur le Magic Kingdom.

À NOTER: Il y a souvent des files d'attente aux gares de Main Street, U.S.A. et de Frontierland, mais rarement à celle de Mickey's Toontown Fair. Les trains passent toutes les 4 à 10 min.

Disney Dreams Come True Parade
★ ★ ★ ★

La plupart des jeunes enfants (comme beaucoup d'adultes, d'ailleurs) se rendent à Disney World en quête de leurs princes et princesses favoris, ce qui explique sans doute qu'on en retrouve tant au défilé qui a pour titre *Disney Dreams Come True Parade*. La majorité des grands noms y figurent (Cendrillon, Aladin, etc.) et recréent pour vous des scènes des plus célèbres films d'animation de Disney.

Le défilé s'ébranle à Frontierland chaque jour à 15h, puis remonte Main Street, U.S.A. jusqu'à l'entrée du parc. Avec un peu de chance (et en arrivant tôt), vous pourriez même être invité à vous joindre aux personnages, à valser avec l'entourage de Cendrillon, à courir en tout sens avec les objets vivants du château enchanté de la Bête ou à exécuter quelques pas farfelus avec les chameaux dansants d'Aladin. Le personnel d'encadrement sélectionne les «artistes invités» environ 20 min avant le défilé, mais vous devrez veiller à arriver sur les

Magic Kingdom – Main Street, U.S.A. – Disney Dreams Come True Parade lieux encore plus tôt (environ 45 min à l'avance) si vous voulez avoir de bonnes places. Et ne faites pas la moue si l'on ne vous choisit pas pour participer, car on réserve d'autres drôleries à la foule des simples spectateurs.

À NOTER: Deux bons postes d'observation: devant Casey's Korner ou le Plaza Ice Cream Parlor, le défilé s'y arrêtant plus d'une fois pour présenter des numéros.

SpectroMagic Parade
★ ★ ★ ★ ★

L'éclat de ce défilé s'amenuisait considérablement à Disneyland, et on le croyait sur le point de s'éteindre complètement lorsqu'il fut ressuscité à Disney World. Ceux qui n'ont pas eu la chance de le voir au cours des nombreuses années où il était présenté en Californie auront le bonheur de découvrir un spectacle éblouissant au cours duquel 26 chars thématiques s'illuminent de milliers d'ampoules, d'autant plus que la mélodie d'accompagnement, qu'elle vous plaise ou non, a le don de vous faire taper du pied et de vous coller au cerveau longtemps après avoir quitté le parc.

Ce défilé suit le même parcours que la *Disney Dreams Come True Parade*, mais en sens inverse: les chars allégoriques et les nombreux personnages empruntent Main Street, U.S.A. et se dirigent vers le château de Cendrillon, avant de bifurquer vers Frontierland. Intitulé **Wishes**, le fameux spectacle de feux d'artifice présenté en arrière-plan du château clôture habituellement en beauté cette célébration.

Il faut prévoir s'installer le long du parcours au moins une heure avant le début du défilé pour être certain de bien voir le spectacle. À noter qu'en haute saison cette parade est présentée deux fois au cours de la soirée et que la foule est habituellement moins compacte lors de la seconde présentation. L'horaire, qui varie selon les jours et les périodes de l'année, est publié quotidiennement.

À NOTER: La Parade a fait long feu à Anaheim avant d'être présentée ici. Si vous l'avez déjà vue dans votre enfance, ne manquez surtout pas l'occasion d'en faire revivre la magie dans vos cœurs.

Adventureland

Le pont en bois brut qui relie Central Plaza à Adventureland vous entraîne dans une véritable métamorphose: d'un côté, les allées pavées de briques, les pelouses soignées et la symétrie éclatante de la place; de l'autre, des sentiers obscurs longeant des cours d'eau, un fouillis de lianes et des coassements de crapauds. Adventureland, ou le royaume de l'exotisme tel que vu par Disney, regorge de totems, de lances sculptées, de cascades bouillonnantes qui s'écrasent sur des rochers recouverts de mousses vertes, et de fleurs radieuses en bordure des sentiers. Et le tout est rehaussé d'accents africains, polynésiens et caraïbes: cris rauques de perroquets, battements de tambours et barrissements d'éléphants mécaniques. L'air lui-même se charge de parfums humides des tropiques.

L'architecture ne fait qu'accentuer cette impression de contrée perdue, avec ses huttes de chaume, ses constructions pastel aux toits de tôle ondulée, ses bois sculptés et ses façades en pisé couronnées de tuiles d'argile. Une des plus belles constructions est sans doute la Caribbean Plaza, regroupant une série de boutiques aérées dont les marchandises s'alignent sous des arches en stuc. Des femmes vêtues d'étoffes bigarrées ou de voiles de harem vous y proposent des chapeaux de pirate, des bracelets, des coffres au trésor et d'autres «butins» du genre, donnant aux lieux un air de foire.

De toutes les zones thématiques du Magic Kingdom, Adventureland est peut-être celle qui exerce le plus grand attrait sur les visiteurs de tout âge. Qu'il s'agisse des familles, des couples sans enfant, des personnes seules ou des aînés, tous en raffolent. Aucune attraction n'y est vraiment conçue qu'à l'intention des

Où rencontrer les personnages de Disney au Magic Kingdom

Les enfants adorent rencontrer les personnages des films de Disney qu'ils préfèrent. Ceux-ci sont toujours disposés à signer des autographes ou à figurer sur les photos de famille. Avant de les approcher, rappelez toutefois à vos enfants que la plupart ne parlent pas, mais s'expriment plutôt par des gestes (assez efficacement d'ailleurs). Sachez également qu'ils sont beaucoup plus grands en personne que dans les films ou à la télévision, ce qui intimide parfois les jeunes enfants. Enfin, comme partout ailleurs, attendez-vous à faire la queue.

Voici quelques lieux où vous pourrez faire connaissance avec divers personnages au Magic Kingdom:

Plusieurs d'entre eux se tiennent sur la place située au pied de Main Street, U.S.A., à l'entrée du parc, au cours de la matinée et en début d'après-midi.

À Fantasyland, la Petite Sirène est présente toute la journée à l'Ariel's Grotto, alors que Belle vient raconter des histoires aux enfants plusieurs fois par jour dans le Fairytale Garden, à l'ombre du château de Cendrillon.

Ceux qui souhaitent serrer la pince de Mickey doivent se rendre à la Judge's Tent de Mickey's Toontown Fair. Tout près de là, le Toontown Hall of Fame Tent est l'endroit idéal pour se faire photographier avec les nombreux amis de Mickey.

---

seuls enfants, et pourtant même les plus jeunes ont accès à toutes. De la gigantesque maison dans les arbres à la croisière pleine d'aventures au cœur de la jungle, en passant par ce voyage en bateau où l'on repousse les attaques des pirates, chacun y trouvera son compte.

The Magic Carpets of Aladdin
★ ★ ★

Après un long métrage, une série télévisée et quelques suites directement diffusées en vidéo, il était temps pour le jeune homme coiffé d'un fez d'avoir son propre manège! Rien de bien excitant toutefois (on y tourne en rond à la Dumbo), si ce n'est qu'on y voit déjà un classique de demain. Les passagers prennent place dans ce qui se veut être des tapis volants accueillant chacun quatre personnes, et virevoltent autour d'une bouteille de génie tout en contrôlant les mouvements ascendants et descendants

de leur moyen de transport. Ceux qui ont déjà attendu sans fin devant le manège de l'éléphant précité à Fantasyland s'imaginent sans doute qu'ils devront attendre encore plus longtemps ici. Néanmoins, même si Aladin ne manquera pas d'attirer les foules, son manège comporte 16 nacelles, ce qui veut dire qu'il peut accueillir davantage de passagers à la fois que Dumbo. Qui plus est, la randonnée est de courte durée; vous en aurez donc bien peu pour votre argent et préférerez sans doute passer outre si vous visitez le Magic Kingdom sans jeunes enfants. Dans le cas contraire, il y a fort à parier qu'ils ne voudront pas laisser passer l'occasion de renouer avec un de leurs héros; il ne vous restera plus qu'à leur faire un beau sourire et à prendre votre mal en patience. Et, tandis que vous êtes dans le secteur, pourquoi ne pas jeter un coup d'œil sur les étals de l'**Agrabah Marketplace**, un bazar à ciel ouvert à la mode du Moyen-Orient?

À NOTER: Prenez garde aux chameaux car ils crachent!

Swiss Family Treehouse
★ ★ ★

Certains visiteurs dédaignent cette attraction, la jugeant inintéressante ou trop exigeante, mais la plupart relèvent volontiers le défi que représente l'escalade d'un arbre aussi imposant. D'un diamètre de plus de 27 m, et comptant environ 600 branches, ce banian abrite une maison à niveaux multiples inspirée de celle où habitaient les héros du conte désormais classique *Les Robinson suisses*. D'une conception et d'une ingéniosité remarquables, ce spécimen unique arbore quelque 800 000 feuilles en vinyle plus vraies que nature (au coût d'un dollar par feuille au début des années 1970!) et un tronc pour le moins ahurissant. D'étroits escaliers en bois serpentent autour du tronc et entre les branches, donnant vue sur des pièces si bien aménagées qu'on croirait que la célèbre famille de naufragés y vit réellement; des courtepointes recouvrent les lits à colonnes, et des conduits de bois alimentent chacune des pièces en eau fraîche. Remarquez la spacieuse cuisine à la base de l'arbre, avec son sol dallé de pierres, son four en briques et son attirail de casseroles.

À NOTER: L'escalade de l'arbre est assez ardue, peut-être même trop pour les personnes âgées et les jeunes enfants.

Jungle Cruise FP▶ 🎧
★ ★ ★ ★

Cette folle et amusante croisière dans une jungle savamment reconstituée est sans contredit l'une des attractions les plus connues et appréciées de Disney World. Les visiteurs se serrent les coudes sur des embarcations couvertes aux noms pittoresques comme *Nile Nellie* ou *Amazon Annie*, et un capitaine portant chapeau de safari et veste cintrée accompagne le groupe dans une aventure subtropicale qu'il qualifie de *«périlleuse»*. Il s'agit ici d'une des rares attractions commentées de vive voix, ce qui ne manque pas d'ajouter à son charme, d'autant plus que les animateurs font rire avec leurs plaisanteries et leurs bouffonneries loufoques.

> Afin de conserver à la Jungle Cruise son allure de jungle lorsque le mercure descend sous la marque des 2°C, 100 radiateurs à gaz et ventilateurs électriques (cachés dans les rochers) procurent de l'air chaud aux plantes et aux arbres.

Durant ce voyage de 10 min, l'action ne manque pas: les explorateurs de fortune déjouent les éléphants, les hippopotames, les zèbres, les gnous, les girafes et les pythons. Ils évitent également de justesse des chutes menaçantes, échappent aux pygmées et se faufilent secrètement par un temple cambodgien imprégné d'humidité. On aperçoit même sur une berge un campement pillé par des «sauvages», avec un tout-terrain renversé dont les roues tournent encore et dont la radio continue de hurler.

Rien de tout cela n'est réel, il va sans dire, mais certaines scènes sont assez vraisemblables pour effrayer des enfants d'âge préscolaire. On n'a cependant aucun mal à calmer ces derniers, tant et si bien qu'au terme du voyage ils ne veulent même plus descendre du bateau, faisant fi de l'admonition du guide: *Laissez tous vos bijoux et objets de valeur, mais n'oubliez surtout pas de reprendre vos enfants.*

À NOTER: Les files d'attente peuvent parfois être impressionnantes ici. Qui plus est, elles s'avèrent souvent trompeuses, car, à chaque détour, vous risquez de découvrir (à votre grand malheur) qu'elles se prolongent encore et encore. Il vaut donc mieux s'y rendre à la première heure le matin ou pendant le défilé de 15h sur Main Street, U.S.A.

Spectacles de rue

Vous marchez dans Main Street, U.S.A. en contemplant son architecture splendide quand, soudain, un quatuor se met à chanter. Avec leurs costumes à rayures aux couleurs vives, ces artistes chantent à pleins poumons une chanson drôle et lèvent leur chapeau aux applaudissements de la foule. Dans la jungle d'Adventureland, voilà qu'apparaît un groupe des Caraïbes, frappant sur des tambours de métal. Et près du château de Cendrillon, un pianiste remplit d'airs de ragtime une cour ornée de ballons.

Les spectacles de rue qui agrémentent gaiement le Magic Kingdom en lui donnant un air de fête sont offerts tous les jours en divers points du parc. Les heures des représentations changent fréquemment, de sorte que vous feriez bien de consulter la brochure offerte à l'entrée pour vérifier l'horaire détaillé.

Pirates of the Caribbean
★ ★ ★ ★ ★

Probablement l'une des plus grandes réussites de Disney World, cette attraction réunit tout à la fois des paysages réalistes, une musique enlevante, une descente en chute libre courte, mais néanmoins saisissante, de l'action et encore de l'action. Par contraste avec les paysages ensoleillés de la Jungle Cruise, cette expédition en bateau vous transporte au cœur de sombres et humides repaires de pirates.

À la base, c'est ce manège qui a inspiré les films éponymes mettant en vedette Johnny Depp et non l'inverse comme c'est habituellement le cas. Cela dit, par un étonnant retour du balancier, ne voilà-t-il pas que depuis peu on retrouve désormais certains des personnages des films parmi les pirates audio-animatroniques qui peuplent le manège, dont l'inénarrable capitaine Jack Sparrow, criant de vérité et visible plus d'une fois au cours du périple (à vous de le repérer!).

Au début, on aperçoit des hommes à jambe de bois et aux dents ébréchées, enchaînés aux sols de pierre, alors que des vautours s'emploient à déchiqueter des squelettes éparpillés sur la plage. Pendant la presque totalité du tour, des fiers-à-bras se livrent au pillage et sèment la pagaille sur l'île. Lors d'un raid chaotique contre une forteresse, ils font feu de leurs pistolets en tous sens, pourchassent les femmes et incendient le village. Les poules caquettent à qui mieux mieux, les chiens ne cessent d'aboyer, et les cochons enivrés se dandinent de façon étonnamment réaliste. Certaines scènes frisent la tragédie (dont celle où l'on vend les femmes aux enchères), mais on réussit malgré tout à les dédramatiser. Tous les détails sont grandement étudiés, jusqu'aux poils drus de la jambe d'un des pirates.

À NOTER: Les plus jeunes risquent d'être effrayés par certaines scènes. Même s'il s'agit d'une attraction très courue, les files avancent rapidement, et l'attente est rarement de plus de 30 min.

The Enchanted Tiki Room Under New Management 🎧
★ ★

Les visiteurs de longue date de Disney World se souviennent sans doute d'avoir subi sans grand intérêt cette attraction persistante du Magic Kingdom ponctuée de chants d'«oiseaux» et de huttes de paille secouées par le tonnerre. La nouvelle version n'en risque guère de vous renverser davantage, mais il faut tout de même reconnaître que cette volière animatronique regorge d'une énergie fortement accrue depuis qu'elle a «changé de mains». Ses nouveaux «propriétaires» –

Les robots audio-animatroniques

Walt Disney lui-même est à l'origine de la création des robots audio-animatroniques qui animent plusieurs des attractions comptant, encore aujourd'hui, parmi les plus marquantes des différents parcs thématiques de l'empire Disney. On raconte qu'il fit la découverte, lors d'un voyage en Europe à la fin des années 1940, d'un oiseau mécanique qui le fascina au point de lui inspirer le concept qu'il utilisera dans l'élaboration de plusieurs attractions-vedettes de son Disneyland, qui quant à lui révolutionnera le domaine alors très ordinaire du parc d'attractions.

Grâce à une remarquable synchronisation du son avec la reproduction très réaliste par des automates de mouvements humains ou animaliers, cette technologie issue de la fertile imagination de Disney a fait école. On fit d'ailleurs appel à lui pour qu'il l'utilise dans la création de spectacles lors de l'exposition universelle de New York en 1964.

Parmi les robots audio-animatroniques les plus réussis du Magic Kingdom, mentionnons les animaux de Jungle Cruise, les poupées chantantes d'It's A Small World, les présidents américains plus vrais que nature du Hall of Presidents et les inquiétants personnages de Pirates of the Caribbean. On les retrouve aussi dans bon nombre d'attractions d'Epcot (Spaceship Earth, *The American Adventure*) et des Disney-MGM Studios (The Great Movie Ride).

Iago d'*Aladin* et Zazu du *Roi Lion* – n'ont vraiment rien en commun (le perroquet discordant et le calao plutôt snob forment un couple pour le moins étrange). Mais ne voilà-t-il pas qu'ils se lancent corps et âme dans une danse endiablée (pour autant que la technologie animatronique le leur permette), allant jusqu'à entonner en duo la chanson «Tiki Bird», qu'on adore ou qu'on déteste.

À NOTER: La nouvelle incarnation de ce spectacle est sans contredit supérieure à l'ancienne, mais elle fait encore surtout le bonheur des tout-petits. Si vous vous trouvez à court de temps, n'hésitez pas à passer outre.

Frontierland

Passez ensuite à Frontierland, où les croassements des perroquets d'Adventureland se transforment en plaintes stridentes, soit celles de la locomotive du Big Thunder Mountain Railroad (un des manèges les plus rapides et excitants de Disney World). Rappelant une ville minière du XIXe siècle, Frontierland présente un paysage de cactus, de rochers cuivrés, de constructions en pisé et de comptoirs de traite, complété par une mairie recouverte de briques. Il y a aussi le Pecos Bill Café, flanqué de trottoirs en bois, Aunt Polly's Dockside Landing, le Churro Wagon, le Westward Ho et un Turkey Leg Wagon; ce dernier sert des portions géantes de nourriture, ses employés sont vêtus de cuir et prennent à l'occasion un accent nasillard, alors que les enfants s'en donnent à cœur joie avec leur nouveau chapeau de raton laveur.

Le Big Thunder Mountain Railroad, avec son haut profil irrégulier, est sans contredit la principale raison pour laquelle tant de gens se rendent à Frontierland; ils y restent toutefois plus longtemps lorsqu'ils découvrent la multitude d'activités qui s'y déroulent. De fait, l'endroit se révèle être un véritable paradis pour les familles: grande île boisée où les enfants peuvent gambader pendant des heures, revue musicale alliant divertissement et détente, manèges excitants... Prévoyez donc passer quelque temps ici, car, même avec de courtes files d'attente, il faut compter plusieurs heures pour visiter les plus beaux coins de cette zone thématique.

Big Thunder Mountain Railroad FP▶
★ ★ ★ ★ ★

Ces montagnes russes exubérantes et folles n'ont rien à envier à aucune autre installation du genre. Les plongeons ne sont peut-être pas très vertigineux, mais ils surviennent brusquement, et la vitesse comme les virages sont suffisants pour vous tenir en haleine. Campé dans un décor de ruée vers l'or, ce train de mine hors de contrôle serpente sur près d'un hectare dans les paysages les plus inventifs de Disney.

Gardez l'œil ouvert, sinon vous ne verrez pas, dans cette succession rapide d'images, la ville minière aux prises avec une crue subite, les animaux «audio-animatroniques» (dont des poulets, des opossums et des ânes), les éboulis et l'imbécile en caleçons longs allongé dans une baignoire à l'ancienne. Il y a aussi des douzaines d'antiquités minières éparpillées çà et là, et des chauve-souris survolent le tout. Puis il y a la montagne elle-même, haute de 60 m; il fallut deux ans pour la construire, 590 t d'acier, environ 60 000 l de peinture et 4 240 t de ciment, sans compter d'innombrables rochers et d'importantes quantités de bonne vieille terre.

> La conception du Big Thunder Mountain Railroad a demandé 15 ans et sa construction deux ans.

Après l'avoir essayé de jour, retournez-y le soir. La montagne et les rochers sont alors illuminés, et l'environnement est superbe. Soyez-y environ une demi-heure avant la fermeture du parc; la file d'attente devrait alors être courte; sinon inexistante.

À NOTER: Taille minimale 1,02 m. Ce manège n'est pas recommandé aux personnes âgées ni aux cœurs fragiles.

Tom Sawyer Island
★ ★ ★

L'île de Tom Sawyer, une des rares attractions de Disney axées sur la nature, est très bien conçue et doit figurer sur l'itinéraire de toutes les familles. Tel un beignet renversé, elle gît au centre des Rivers of America. Des bateaux à vapeur, des radeaux et des embarcations à quille font onduler les eaux d'un bleu-vert jusqu'au rivage. Les visiteurs s'entassent gaiement (debout) sur des radeaux motorisés en bois rond pour se rendre à l'île.

Fraîche et boisée, cette île offre non seulement l'occasion de se reposer des files d'attente, mais aussi plusieurs endroits où les enfants s'amuseront ferme: sentiers tortueux, collines, ruisseaux bouillonnants, un pont de tonneaux, un pont tournant à l'ancienne, un moulin à vent, un moulin à broyer et une «mine magnétique mystérieuse» dont les murs humides semblent recouverts de poudre d'or. Le meilleur endroit de tous demeure cependant le **Fort Sam Clemens**, une forteresse en rondins d'où vous pourrez faire feu sur les passagers ahuris du Liberty Square Riverboat avec des fusils à air comprimé (les effets sonores sont saisissants). Les coups de fusil retentissent toute la journée, et on les entend de tous les coins de Frontierland.

Pendant que les enfants dépensent leur énergie, les parents peuvent se promener tranquillement ou se reposer sur un des nombreux bancs disposés autour de l'île. Les familles aiment aussi se rendre au saisonnier **Aunt Polly's Dockside Landing** pour y acheter de la limonade fraîchement pressée ou encore des sandwichs au beurre d'arachide et à la confiture. Vous pouvez enfin flâner sur la loggia en bois et regarder passer les bateaux, ou simplement vous mêler aux autres familles.

L'environnement ombragé et reposant de l'île, loin des foules, en fait un lieu d'évasion idéal les après-midi de canicule où la plupart des attractions sont bondées. Une bonne idée serait d'y arriver en fin de matinée pour pouvoir y pique-niquer.

À NOTER: N'est pas recommandé aux personnes âgées. Les adultes sans enfant devraient visiter l'île lors de leur deuxième jour au Magic Kingdom. On y fait rarement la queue; aussi en profiterez-vous pour visiter les lieux quand les autres attractions sont bondées. L'île ferme au crépuscule.

Splash Mountain FP▶
★ ★ ★ ★ ★

Il ne s'agit pas du manège qui donne le plus de frissons, mais il s'impose peut-être malgré tout comme le meilleur de tous, offrant 12 min de descentes, de plongeons et de virevoltes aquatiques sur le territoire hilarant des Frères Lapin, Ours et Renard. Assis au fond d'un tronc d'arbre évidé, vous remonterez puis descendrez le courant, croisant sur votre passage d'anciennes installations de moulin, Frère Ours s'évertuant à voler le miel d'une ruche bourdonnante et Frère Renard échappant de justesse aux mâchoires d'un alligator. Il y a également plusieurs autres personnages farfelus (une centaine en tout), tous tirés du film de Disney intitulé *Song of the South* et chantant à qui mieux mieux ce qui est désormais devenu l'hymne national de Disney World: *Zip-A-Dee-Doo-Dah!*

Les amateurs de sensations fortes seront servis dès le départ par un plongeon plutôt raide et inattendu, mais le clou du manège demeure une chute libre à 47 degrés d'une hauteur de cinq étages dans le Briar Patch (chair de poule et douche assurées!). Plusieurs enfants (jusqu'à 10 ans), et même certains adultes, sont effrayés par ce passage, mais la majorité des préadolescents et des adolescents en sont emballés. Un jeune habitué résume ainsi la pensée de ses pairs: *Lorsque vient mon tour de prendre le départ, je retrouve le bonheur. Zip-A-Dee-Doo-Dah!*

Pal Mickey

Une figurine à l'effigie de la célèbre souris hôte des lieux, appelée Pal Mickey (l'ami Mickey), est en vente dans la majorité des boutiques de Disney World. Sa particularité? Elle parle aux enfants, leur raconte histoires et anecdotes, leur rappelle l'heure des défilés et spectacles, leur indique où rencontrer les personnages. Rappelez-vous toutefois que cette poupée interactive haute de 25 cm ne s'adresse aux enfants que dans la langue de Shakespeare.

À NOTER: Taille minimale 1,02 m. Au début du grand plongeon, gardez les yeux ouverts pour une vue incroyable sur le château de Cendrillon. Si vous ne tenez pas à vous faire mouiller, ne vous assoyez surtout pas à l'avant!

Country Bear Jamboree
★ ★ ★ ★

Depuis longtemps l'un des préférés à Disney, cet amusant spectacle décrit le monde du point de vue d'un ours. À l'intérieur du **Grizzly Hall**, généralement bondé, vous verrez chanter des ours «audio-animatroniques» (aux traits et aux gestes étonnamment réels) qui racontent en outre des blagues et des histoires à dormir debout. Le vénérable Big Al est devenu si populaire qu'on retrouve sa tête sur des chapeaux, des t-shirts et des cartes postales.

À NOTER: Une attraction pour tous les groupes d'âge, le Jamboree attire de grandes foules dans son petit auditorium. Allez-y avant 11h ou pendant le défilé présenté à 15h dans Main Street, U.S.A.

Liberty Square

À première vue, il est difficile de dire où finit Frontierland et où commence le Liberty Square. Tous deux sont en effet imprégnés de la même atmosphère de nostalgie américaine, et tous deux se caractérisent par des quais riverains et des promenades ombragées.

Mais le cœur du Liberty Square est résolument animé par l'esprit du colonialisme le plus pur: maisons de style *saltbox* dans les tons de vanille, commerces aux devantures de briques canneberge, toits en pignon, girouettes, et une multitude de drapeaux des États-Unis. Comme dans la plupart des autres zones thématiques de Disney World, les reproductions sont ingénieuses. De coquettes boutiques proposent confitures, gelées et couvertures crochetées, et une taverne accueillante arbore des planchers de bois grossièrement équarri de même qu'un grand foyer en pierres. Avec tant d'endroits douillets, l'air humide de la Floride semble presque s'adoucir.

La flore ne cesse pas non plus d'étonner. De resplendissantes azalées et de tendres ifs japonais peignent un tableau irisé autour des arbres, le long de la rivière et dans les boîtes à fleurs suspendues aux fenêtres. Au centre de la scène se dresse également un chêne vert majestueux du nom de **Liberty Tree** (l'arbre de la liberté), âgé de plus de 130 ans, et aux branches duquel sont suspendues 13 lanternes symbolisant les 13 premiers États de l'Union.

Avec son caractère chaleureux et ses accents typiquement américains, le Liberty Square plaît aux familles, qui passent souvent quelque temps le long de sa rivière et dans ses boutiques. Les parents trouveront un peu de calme et de solitude derrière la forge, où une série de bancs, de tables avec parasols et de grands feuillus créent une sorte de havre de paix.

The Hall of Presidents 🎧
★ ★ ★

À son ouverture, en 1971, cette attraction fut acclamée comme une des réalisations les plus marquantes de Disney, ses créateurs ayant réussi à donner à des robots des traits humains d'une telle perfection qu'on en éprouvait presque un malaise. Et, aujourd'hui encore, les visiteurs se sentent pris d'une admiration révérencieuse devant les expressions, les traits, les mouvements et les voix on ne peut plus réalistes des 42 présidents des États-Unis représentés ici. Les moindres rides, les sourcils, les taches de son, et même la prothèse fixée à la jambe du président Franklin Delano Roosevelt, sont tout simplement remarquables. Vous remarquerez par ailleurs que, pendant qu'Abraham Lincoln fait l'appel, quelques présidents s'agitent et commencent à donner des signes d'impatience.

Dans une salle confortable pouvant accueillir plus de 700 spectateurs, on présente diverses réalisations rehaussées, il va sans dire, d'accents patriotiques, le tout précédé d'un film tout à fait moyen sur l'histoire conventionnelle des États-Unis.

Puis, tous les présidents américains sont présentés un à un, de George Washington à George W. Bush, et c'est au président en poste que revient le privilège de livrer le premier discours.

À n'en point douter, le côté patriotique et conservateur de cette attraction en agacera plus d'un. Par contre, l'incroyable précision de sa réalisation et le réalisme renversant de ses présidents audio-animatroniques forceront l'admiration des plus critiques.

À NOTER: Une des attractions préférées aux yeux des personnes âgées, elle retient cependant difficilement l'attention des enfants.

Liberty Square Riverboat 🎧
★ ★ ★

Ce navire à aubes de trois étages s'impose immanquablement aux regards lorsqu'il traverse le Liberty Square et Frontierland sur ces rivières artificielles que sont les **Rivers of America**. Tandis que la vapeur des chaudières s'échappe par ses cheminées, les passagers s'entassent le long de ses garde-corps pour contempler les rives et l'île de Tom Sawyer. Il n'y a pas de capitaine (le bateau circule sur un rail sous-marin), et le voyage de 17 min se révèle très lent et reposant, un moment de répit très apprécié des parents, qui peuvent s'asseoir tranquillement pendant que leurs enfants gambadent tout autour. Ceux-ci adorent d'ailleurs explorer le navire et essuyer les tirs (de fusils à air comprimé) d'autres enfants embusqués au fort qui domine l'île de Tom Sawyer. Les sièges ne manquent pas, mais, pour vous assurer d'en avoir un, soyez parmi les premiers à monter à bord du bateau.

À NOTER: Si vous n'aimez pas spécialement les balades en bateau, vous pouvez toujours explorer l'île de Tom Sawyer à pied. Le bateau attire des foules plus ou moins nombreuses, et l'attente est en moyenne de 15 à 20 min.

The Haunted Mansion 🎧
★ ★ ★ ★ ★

Ici gît le vieux Fred, qu'une grosse pierre a assommé raide. C'est là une des épitaphes farfelues qu'on peut lire dans le cimetière qui borde le manoir hanté, une vaste demeure peu rassurante perchée au sommet d'une colline. Il s'agit d'ailleurs d'une introduction appropriée à cette attraction, une des meilleures jamais réalisées à Disney World, dont l'ingénieuse conception et les innombrables effets spéciaux ou illusions vous feront dire: *Je sais bien que tout cela n'est pas réel, et pourtant...*

Un sinistre maître d'hôtel accueille les visiteurs à l'entrée et les conduit ensuite dans une galerie octogonale aux candélabres pleins de toiles d'araignée où le plafond semble s'élever (à moins que ce ne soit le plancher qui s'enfonce?). Après plusieurs imprécations, il mène ses invités vers leur cercueil respectif, qui les entraînera dans un voyage mouvementé à travers des salles peuplées de fantômes, de goules et d'autres horreurs. Il y a aussi un pianiste macabre qui n'est en fait qu'un spectre, un cimetière hanté, avec son gardien pétrifié, une théière versant du thé de son propre gré et un corbeau criard qui ne cesse de vous suivre. Des hurlements se font entendre, des créatures se promènent au plafond, et les fantômes semblent se matérialiser au fur et à mesure que les ténèbres s'épaississent.

Tous les effets spéciaux sont fantastiques, mais ce sont définitivement les hologrammes qui retiennent le plus l'attention. Faisant appel à une imagination débordante et à une technologie très poussée, les équipes de Disney ont porté l'art des projections tridimensionnelles à des sommets inégalés. C'est ainsi que des images grandeur nature de forme humaine et en tenue de tous les jours flottent ici et là, reproduisant les gestes des vivants qu'ils représentent. Dans une scène de bal, les hologrammes tourbillonnent même sur la piste en suivant la cadence. Le plus fascinant de tous (et celui dont on parle le plus) est probablement cette tête de femme enfermée dans une boule de cristal et parlant sans arrêt.

Mais vous n'êtes pas encore au bout de vos surprises: avant de quitter le manège, au moment de vous regarder dans un miroir, quel ne sera pas votre étonnement de trouver un revenant (c'est-à-dire un autre hologramme) à vos côtés!

Malgré les effets savamment étudiés de cette attraction, elle n'effraie que bien peu de gens. Les jeunes enfants risquent par contre d'être ébranlés par ces manifestations visiblement bien «réelles».

À NOTER: Même s'il s'agit d'un manège très prisé, le Haunted Mansion se cache dans un coin retiré du Liberty Square, de sorte que les files d'attente y sont intermittentes. Pour tout dire, elles fluctuent surtout en fonction des foules qui viennent de quitter le Hall of Presidents et le Liberty Square Riverboat, situés tout près; ces deux attractions relâchent en effet, toutes les 20 ou 30 min, plusieurs centaines de personnes qui se dirigent ensuite vers le manoir hanté. Autrement dit, soyez-y juste avant le moment où ces attractions libèrent leurs visiteurs.

Fantasyland

Lieu haut en couleur et en fantaisie, Fantasyland, où se mêlent chapiteaux, tourelles étincelantes et maisons en pain d'épices, est sillonné de ruisseaux jonchés de *pennies* rutilants. Dominé par le château de Cendrillon, il revêt l'aspect d'une cour de palais, si bien qu'en longeant ses allées on a effectivement l'impression de parcourir les chapitres d'un conte de fées.

Fantasyland possède plus d'attractions que toute autre zone thématique (12 au total, soit plus du double des autres). Évidemment, ce sont les enfants qui se montrent les plus friands de ces manèges conçus autour des chansons, des thèmes et des personnages les plus aimés de plusieurs films de Disney. On y retrouve ainsi Dumbo, l'éléphant volant, les tasses de thé géantes et tourbillonnantes, les chevaux blancs du carrosse de Cendrillon et la forêt de Blanche-Neige. La plupart des adultes apprécient également ces manèges, et les autres n'en savourent pas moins l'inventivité et le souci du détail dont témoignent les lieux (dans la plus pure tradition de Disney, même les poubelles sont éclaboussées de couleurs chatoyantes).

Il n'est donc pas surprenant que Fantasyland soit généralement la section la plus courue et la plus engorgée de Disney World. Peut-être est-ce dû au fait que ce royaume fabuleux incarne le mieux l'art dans lequel Disney est passé maître: celui d'éveiller l'enfant qui sommeille en chacun de nous.

Cinderella Castle
★ ★ ★ ★ ★

Strictement parlant, cette formidable structure fait bien partie de Fantasyland, mais elle sert en réalité de point de référence à l'ensemble du Magic Kingdom. S'élevant à 55 m au-dessus de Main Street, U.S.A. et ceinturé de douves bordées de pierres, le château de Cendrillon s'impose comme une représentation magistrale du légendaire palais médiéval évoqué par le célèbre conte de fées français. Ses tourelles bleu royal et ses flèches dorées brillent au soleil, et ses multiples tours, parapets et balcons sont un véritable baume pour les yeux.

Le château resplendit à des kilomètres à la ronde, et, chaque année, des douzaines de couples viennent sceller leur union dans les complexes hôteliers de Disney, profitant de la toile de fond romantique qu'il leur offre. Certains hôtels vont même jusqu'à annoncer des chambres «avec vue sur le château».

Cependant, le château ne renferme aucune attraction à proprement dit, si ce n'est quelques boutiques et un restaurant (**Cinderella's Royal Table**). On peut aussi y admirer de belles mosaïques racontant l'histoire de Cendrillon.

> Malgré son apparence granitique, le château de Cendrillon est en fibre de verre, soutenu par des poutres d'acier et revêtu de près de 2 000 l de peinture.

Il y a aussi le spectacle musical d'une vingtaine de minutes intitulé **Cinderellabration** qui est présenté plusieurs fois par jour devant le château, transformé pour l'occasion en décor féerique. Créé à l'origine pour le Tokyo Disneyland, il met en vedette toutes les princesses des films de Disney (Cendrillon, Blanche-Neige, la Belle au bois dormant, Jasmine et Belle).

La clé du château

Nombre de visiteurs sont déçus de ne pouvoir visiter le château de Cendrillon. Il existe cependant un moyen de pénétrer à l'intérieur de ses murs enchanteurs: le dîner de la **Cinderella's Royal Table**.

La salle de banquet se trouve au premier étage, au sommet d'un large escalier qui monte en spirale le long des murs argentés du château. Témoignant d'un grand souci du détail, elle arbore une rotonde très élevée, des arcs-boutants et des vitraux à travers lesquels on découvre de magnifiques vues sur le Magic Kingdom. Les hôtesses portent de longues robes médiévales et de spectaculaires coiffes françaises, et des mélodies de cour à l'ancienne emplissent la salle.

La chère (côte de bœuf, fruits de mer, poisson, poulet et salade de fruits) se révèle correcte. Sans compter que, pour le ravissement des plus jeunes, Cendrillon fait de fréquentes incursions au cours du petit déjeuner. Il est primordial de réserver en appelant au ☎407-939-3463 aussi à l'avance que possible, sinon vous devrez vous adresser sur place à une hôtesse dès l'ouverture du Magic Kingdom.

À NOTER: Évitez de visiter le château lors de la présentation des spectacles, de même que durant le défilé de 15h dans Main Street, U.S.A., alors que les foules s'entassent tout le long du chemin. Attention: Cinderellabration devrait être remplacé par un autre spectacle mettant en vedette des personnages de Disney au cours de 2007.

Fairytale Garden
★★

À l'ombre du château de Cendrillon se trouve un petit jardin où Belle, héroïne du film *La Belle et la Bête*, vient raconter des contes de fées aux enfants plusieurs fois par jour. Une vingtaine de places sont disponibles.

À NOTER: Les enfants apprécient de rencontrer Belle et de se faire photographier en sa compagnie. Par contre, ceux qui ne comprennent pas l'anglais trouvent habituellement le temps bien long.

Mickey's PhilharMagic
★★★★★

Vous devez venir à Disney World pour voir le plus récent film de Mickey: *Mickey's PhilharMagic*. Ce film en 3D, présenté depuis 2003, remplace *The Legend of the Lion King* à Fantasyland et met en vedette Mickey et ses copains qui se retrouvent sur un écran gigantesque de 46 m de largeur, le plus grand écran tridimensionnel monopièce sur la planète. Les effets spéciaux intégrés à la salle surprennent les spectateurs dans l'amphithéâtre même; donc soyez prévenu...

En fait, même si c'est le nom de Mickey qui apparaît dans le titre du film, la véritable vedette en est bien Donald, le canard gaffeur. Ainsi, pendant toute la durée de cet essoufflant dessin animé, il cherche à corriger une de ses bourdes en se lançant à la recherche du chapeau de magicien de Mickey. Il croisera au passage les personnages de plusieurs films de Disney, incluant *La Belle et la Bête*, *La Petite Sirène*, dont il tombera follement amoureux, *Le Roi Lion* et *Aladin*.

Les extraordinaires effets tridimensionnels vous feront «pénétrer» dans ce dessin animé, comme si vous y étiez. S'y ajoutent des odeurs de gâteaux diffusées dans la salle au moment opportun, des bouteilles de champagne qui arrosent l'assistance lorsqu'on en fait sauter les bouchons et bien d'autres effets encore au comique irrésistible.

À NOTER: Sachez que le film n'effraiera pas les tout-petits et émerveillera le plus blasé des adultes.

Cinderella's Golden Carrousel
★ ★ ★

De tous les manèges de chevaux de bois, s'il en est un qu'il faut voir, c'est bien celui-là, car c'est un carrousel original rénové. Des scènes peintes à la main sur toute la surface de la voûte aux coursiers qui montent et descendent inlassablement, tout est merveilleusement articulé et détaillé.

Les 18 scènes dont s'enorgueillit la voûte du manège, tirées du film *Cinderella* de Disney (1950), présentent la petite fille en haillons sous de vibrantes couleurs filmiques. Et, sous ce dais féerique, les chevaux se parent d'épées rutilantes, de chaînes d'or et même de roses jaunes. Notez que, même si la plupart des chevaux sont blancs, il n'y en a pas deux identiques. Quant à l'orgue de Barbarie, plutôt que de faire entendre la traditionnelle musique de carrousel, il reprend des classiques de Disney tels que *Chim-Chim-Cheree* ou *When You Wish Upon a Star*. Ces mélodies s'allient aux lumières scintillantes, aux miroirs et au mouvement presque continu du manège pour créer une expérience unique, appréciée de tous les groupes d'âge.

> Le manège de chevaux de bois de Cendrillon (Cinderella's Golden Carrousel) est un pur joyau réalisé en 1917 par des sculpteurs italiens travaillant pour la Philadelphia Toboggan Company.

À NOTER: Comme c'est le cas pour la plupart des carrousels, la file d'attente n'avance pas très vite. Tentez votre chance dans la matinée ou en soirée, alors qu'une profusion de lumières fait de ce manège l'un des plus beaux de tout le parc.

Peter Pan's Flight FP▶
★ ★ ★

Les jeunes enfants adorent cette balade aérienne à bord de bateaux de pirates multicolores. Le décor est celui du pays imaginaire du conte de fées de Sir James Matthew Barrie (1904) racontant l'histoire d'un garçon mi-lutin *«qui ne pouvait pas grandir»*. Les passagers contournent des scènes intérieures bien éclairées où ils croisent la fée Tinkerbell, le capitaine Hook et d'autres personnages marquants de *Peter Pan*.

À cause de sa popularité auprès des familles, ce court périple (deux minutes et demie) suscite habituellement de longues queues. Il serait sage de passer outre si l'attente est de plus de 20 min ou de vous munir d'un *Fast Pass*; quelque amusant qu'il puisse être, un tour ne durant que deux minutes et demie ne vaut pas la peine d'attendre trop longtemps.

À NOTER: Impopulaire auprès des personnes âgées et des adultes sans enfants.

It's a Small World
★ ★ ★ ★

Cette divertissante croisière à bord de bateaux pastel vous transporte dans des décors éblouissants peuplés de centaines de figurines chantant et dansant à qui mieux mieux. Vous verrez des soldats de plomb, des poupées faisant tournoyer un cerceau autour de leur taille, des lutins, des rois et des reines, ainsi que des personnages de comptines tels que Little Bo Peep et Jack et Jill. Le thème de l'unité entre les peuples se dégage des costumes soignés et des décors de différents pays du monde. Il s'agit d'un des manèges préférés (si ce n'est LE préféré) des tout-petits, un bon moment rempli de mélodies que vous n'arriverez plus à chasser de votre esprit.

Ce délicieux manège a été créé sous la supervision de Walt Disney lui-même en vue de l'exposition universelle de New York de 1964-1965, avant d'être rapatrié à Disneyland (Californie), puis au Magic Kingdom lorsque Disney World ouvrit ses portes en 1971. Une importante restauration réalisée en 2005 a redonné à l'ensemble son éclat original.

À NOTER: Bien que ce manège soit très couru, le roulement est rapide, de sorte qu'on attend rarement plus de 15 min.

Dumbo the Flying Elephant
★ ★ ★

Cette version à la Disney d'un manège de fête foraine a pour thème l'éléphant attachant aux grandes oreilles qu'est Dumbo. Très peu enlevant, mais tout de même amusant, il réunit plusieurs éléphants volants tournant autour d'un axe central, et s'élevant dans les airs lorsqu'on appuie sur un bouton. Les enfants en redemandent encore et encore.

À NOTER: Les parents accompagnés de jeunes enfants devraient en faire le premier manège de la journée. Si la ligne est trop longue, un des parents peut faire la queue tandis que l'autre se repose à l'ombre du pavillon de Fantasyland voisin.

Snow White's Scary Adventure
★ ★ ★

Cette maison d'horreur disneyenne est parcourue par des chariots de bois qui se percutent et se fraient un chemin entre des sorcières aux hurlements déchirants, des arbres fantomatiques et d'autres objets d'épouvante. Vous aurez compris qu'il s'agit d'accompagner Blanche-Neige dans son périlleux voyage à travers la forêt. Certains découpages en

carton et autres décors passent encore, mais le plus tordant est sans doute cette roche qui manque d'atterrir sur notre tête vers la fin du parcours. Même s'il n'y a pas vraiment lieu d'avoir peur, les jeunes enfants sont souvent effrayés.

À NOTER: Impopulaire auprès des personnes âgées et des adultes sans enfants. Les longues files d'attente ont presque disparu, de sorte que vous pouvez y aller à peu près n'importe quand.

The Many Adventures of Winnie the Pooh FP▸
★ ★ ★

Le fait que des adultes sans enfants fassent la queue au côté des familles pour voir cette attraction témoigne bien de la marque durable laissée par l'ourson fantaisiste de A.A. Milne. Inspiré de *Winnie the Pooh and the Blustery Day*, ce manège convie les visiteurs à prendre place à bord d'un pot de miel en mouvement pour revivre les scènes du célèbre film d'animation. Notre préférence va à celle où Winnie quitte son corps en rêve (vous saurez de quoi il s'agit lorsque vous le verrez), quoique les Hephalumps et les Woozles imaginaires soient aussi très mignons.

À NOTER: À l'instar des manèges de Peter Pan et de Snow White, celui-ci attire de longues files de visiteurs de tout âge. Cela dit, vous pouvez réduire un tant soit peu votre temps d'attente en vous y rendant pendant le défilé ou les feux d'artifice de Fantasyland, alors que les lieux se dégagent temporairement.

Mad Tea Party
★ ★

On vous fait ici tourner à toute vitesse pendant 2 min, et toujours dans le même sens, au point que vous ne voyez plus rien. Au moment où s'arrête le manège, vous êtes encore tout étourdi et avez le sentiment d'être devenu dingue. Cette attraction aux allures de fête foraine peut néanmoins être amusante pour certains. On a même vu des adolescents s'y précipiter en sortant du Space Mountain et attendre en file à plusieurs reprises afin de monter dans ces grandes tasses de thé aux tons pastel. L'idée originale de ce manège est tirée d'*Alice in Wonderland*.

À NOTER: Si vous n'aimez pas tourner à en perdre la tête, évitez ce manège.

Pooh's Playful Spot
★★

Les enfants d'âge préscolaire s'amuseront ferme dans ce terrain de jeux inspiré de la forêt où évoluent Winnie et ses amis. On y trouve même la maison dans l'arbre de l'ourson amateur de miel.

Cette attraction toute simple est une véritable bénédiction pour les parents qui veulent se reposer un brin tout en laissant leurs jeunes enfants brûler un peu d'énergie.

À NOTER: Ce lieu sans file d'attente permet de contenter les petits fans de Winnie dans le cas où l'attente serait trop longue au manège The Many Adventures of Winnie the Pooh.

Ariel's Grotto
★★

Dans une enceinte baignée de doux bleus et de bleu-vert, de petits jets d'eau sautillent de-ci de-là autour d'une statue de la Little Mermaid. Puis, à l'intérieur de la fraîche grotte qui s'ouvre derrière, devant un mur d'eau s'écoulant en cascade, Ariel en personne trône sur un rocher, peignant ses légendaires tresses rouges à l'aide d'un trident tout en posant et en signant des autographes. Compte tenu du fait qu'Ariel ne peut déambuler dans le parc à l'instar des autres personnages, il s'agit là d'une rare occasion de photographier la Little Mermaid et de recueillir sa signature. Bien que la file puisse parfois être longue, il arrive fréquemment qu'elle s'évanouisse comme par enchantement lorsque les

gens découvrent qu'ils attendent simplement pour prendre une photo, et non pour voir une attraction exceptionnelle.

À NOTER: Les visiteurs d'Ariel ont tendance à s'attarder davantage autour d'elle qu'auprès d'autres personnages disposés à les accueillir dans le parc, de sorte que même une courte file peut représenter une attente assez longue. Pour ne pas vous éterniser dans les parages, allez-y avant 10h, durant la SpectroMagic Parade, ou juste avant la fermeture. Par ailleurs, comme vous devrez attendre en file (le plus souvent à découvert), songez à privilégier les portions les plus fraîches de la journée pour ne rien ajouter inutilement à vos souffrances.

Mickey's Toontown Fair

Si vous deviez concevoir un lieu du point de vue d'un enfant, il ressemblerait vraisemblablement à Mickey's Toontown Fair. Comme dans une scène de dessin animé du samedi matin, la rue en est bordée de constructions lilliputiennes éclaboussées de rouge, de vert, de jaune et de violet. Les pelouses bien taillées s'entourent de petites clôtures blanches, et il y a même une boîte aux lettres à l'effigie de Mickey pour attendre le passage d'un postier tout aussi irréel que le reste du décor.

Campée dans un décor de foire cantonale de dessin animé, cette fantaisiste portion du parc a ouvert ses portes en 1988 sous le nom de Mickey's Birthdayland afin de célébrer le 60ᵉ anniversaire de la célèbre souris. Le thème en fut modifié peu de temps après et donna le jour à Mickey's Toontown Fair. Mais, peu importe, l'atmosphère de bande dessinée demeure.

Une grande partie de l'action se déroule derrière la maison de campagne de Mickey (Mickey's Country House), où la vedette de Disney passe la journée dans une tente à accueillir ses hôtes et à signer des autographes. Certains compères de Mickey, mais aussi quelques fieffés vilains, vous attendent en outre au Temple de la renommée du village (Toontown Hall of Fame). Il y a enfin un parc paisible rempli de blocs, de craies et d'activités artisanales qui permettent aux enfants (et à leurs parents) de faire une pause bien méritée.

La plus évidente attraction contenue dans cette enceinte de 1,2 ha est le Barnstormer de la Goofy's Wiseacre Farm, de mini-montagnes russes conçues pour les enfants. L'ensemble demeure toutefois résolument exigu et mérite difficilement d'être considéré comme une entité thématique à part entière, quoique les visiteurs accompagnés de jeunes enfants ne puissent y échapper.

Mickey's Country House
★ ★ ★

L'extérieur de la maison de campagne de Mickey a toutes les caractéristiques d'une résidence de personnage de dessin animé. Ceinturée d'une clôture à piquets jaunes et flanquée de balustres aux formes incertaines, cette demeure se pare de jaune, de rouge, de vert et de bleu vifs; des volets verts encadrent les fenêtres, et une lucarne suave perce le toit. Empruntez l'allée jusqu'au porche et laissez-vous tenter par la confortable balançoire qui vous invite à profiter de la brise.

L'intérieur révèle un musée de Mickey, et chaque pièce donne à penser que la souris s'y trouvait un instant plus tôt. Ses vêtements sont soigneusement rangés dans la chambre à coucher tandis que, dans la salle de séjour, un téléviseur à l'ancienne joue des reprises de dessins animés mettant en vedette... vous savez qui, nul autre que votre humble serviteur.

À l'arrière s'étend l'unique jardin de Mickey, où tous les légumes ont des oreilles de souris. Pour quitter la maison, dirigez-vous vers la Judge's Tent ou frayez-vous un chemin à travers les objets qui encombrent le garage de Mickey. Bien qu'il s'agisse d'abord et avant tout d'une attraction pour les enfants, les adultes ne

manqueront pas de s'émerveiller devant l'architecture des lieux et l'humour bien particulier de Disney.

À NOTER: Cette attraction (la maison, à tout le moins) n'est presque jamais bondée, si bien que vous pouvez facilement la visiter entre 11h et 16h, alors que les autres centres d'intérêt sont accablés de longues files d'attente.

Judge's Tent
★ ★

Derrière sa maison de campagne, Mickey accueille les visiteurs toute la journée à l'intérieur de la tente du juge. Il se prête alors avec grâce aux séances d'autographes et de photographies avec les jeunes et les moins jeunes.

À NOTER: Armez-vous de patience ici, car l'attente pour rencontrer Mickey est habituellement très longue. Afin de diminuer ce temps d'attente, présentez-vous tôt le matin ou pendant les défilés.

Minnie's Country House
★ ★ ★

Franchir le seuil de la fantaisiste maison champêtre de l'éternelle compagne de Mickey, c'est en quelque sorte percer le mystère du rêve le plus cher de toutes les petites filles. Les couleurs en sont toutes pastel, de rose et de mauve rehaussés de peluche et de cœurs, le motif dominant du monde des Toons. À l'intérieur, vous verrez toutes sortes d'accessoires de travail éparpillés sur la table du bureau à domicile de Minnie (n'est-elle pas, après tout, l'éditrice du *Minnie's Cartoon Living Magazine*?), ainsi que des murs tapissés de prix et de couvertures encadrées des numéros antérieurs de son magazine.

Outre l'aspect onirique des lieux, ce sont les gadgets extravagants qu'elle recèle qui font de la maison de campagne de Minnie une inconditionnelle favorite des enfants. Sans compter que l'interaction est au rendez-vous, depuis le mobilier en peluche de la salle de séjour, sur lequel les enfants ont le droit de grimper, jusqu'au répondeur téléphonique qui laisse entendre les messages de Minnie. Dans la cuisine, ouvrez le réfrigérateur et contemplez les provisions de la souris (des fromages et encore des fromages, naturellement), puis appuyez sur le bouton du four pour voir lever comme par miracle un magnifique gâteau.

À NOTER: Comme les visiteurs passent beaucoup de temps à manipuler les nombreuses babioles de la maison, l'attente est généralement longue. Pour contourner cette difficulté, projetez de visiter cette attraction tôt le matin, alors que la file est encore courte.

Toontown Hall of Fame Tent
★★

Pour bon nombre de visiteurs de Disney World (ils sont près d'un million chaque année), les manèges et les montagnes russes n'ont qu'une importance secondaire (le personnel d'accueil vous le confirmera sans hésiter) par rapport à la grande attraction des lieux, c'est-à-dire la possibilité de rencontrer les héros chéris des célèbres bandes dessinées et dessins animés du magicien de l'enfance. Les parcs thématiques de Disney constituent en effet les seuls endroits où ces illustres personnages prennent vie, et c'est ici, au temple de la renommée de Toontown, que vous trouverez réunis en un même endroit le plus vaste assortiment de Toons qui soit. Les créatures adorées y sont regroupées par catégories: les amis de Mickey (Goofy, Donald, Pluto...), les vilains (le capitaine Hook, le prince John...) et les princesses (Snow White, Cinderella...). Les personnages s'y relaient toutefois à tour de rôle, si bien qu'il peut être intéressant de vous informer des têtes d'affiche présentes avant de vous mettre en file.

À NOTER: Au cours de la journée, l'attente peut être de 45 min ou plus (retenez qu'une fois à l'intérieur vous devrez attendre une quinzaine de minutes). Les meilleurs moments pour rencontrer vos chers amis sont donc le début de la matinée et en soirée, pendant la Spectro-Magic Parade.

The Barnstormer at Goofy's Wiseacre Farm
★★★

Un enfant de cinq ans parlait sans doute au nom de millions d'autres enfants d'âge préscolaire lorsqu'il disait: *Je n'aime pas les montagnes russes de Goofy, je les adore!* Les adultes habitués aux sensations fortes des Space Mountain et Splash Mountain se dirigeront sans doute sans grand enthousiasme vers ce manège, mais les petits téméraires qui, du seul fait de leur taille, n'ont pas accès aux grandes montagnes russes, plus rapides et plus turbulentes, seront indubitablement ravis par le Barnstormer.

Avant de prendre place à bord du manège, les passagers doivent d'abord faire la queue dans le jardin de Goofy, là où poussent ses légumes (jetez un coup d'œil sur ses poivrons). Ensuite seulement pourront-ils s'installer au volant d'un «avion-épandeur» des années 1920 (utilisé pour pulvériser l'engrais) qui tourne et virevolte avant d'enfoncer le mur de la grange de Goofy.

À NOTER: Taille minimale 0,89 m. Bien que ce manège soit d'abord et avant tout conçu pour les tout-petits, il n'en demeure pas moins qu'il s'agit de montagnes russes. Ainsi, les enfants qu'effraient les versions plus impressionnantes de ce type de manège peuvent également appréhender celui-ci.

Donald's Boat
★★

Le bateau à vapeur de Donald, baptisé *Miss Daisy*, du nom de sa douce, semble s'être égaré en mer et échoué de façon permanente à Mickey's Toontown Fair. À bord, vous découvrirez une carte de la mer des Quacks, l'indispensable roue de gouvernail de Donald et sa précieuse

Magic Kingdom - Mickey's Toontown Fair - Donald's Boat

cloche. Les enfants adorent d'ailleurs faire sonner cette cloche à la façon du Bossu de Notre-Dame, en se pendant à la corde pour envoyer à qui mieux mieux des *Dong!* à travers les rues de Toontown. Aux abords du navire se trouvent des fontaines interactives et nombre de jouets à eau qui ne manqueront pas de vous rafraîchir sous le chaud soleil de la Floride.

À NOTER: Si vous ne désirez pas être complètement détrempé, surveillez à tout le moins les fontaines interactives, qui ont le don de vous prendre par surprise et de vous asperger abondamment.

Tomorrowland

Envolé, le bon vieux Tomorrowland qui nous promettait un futur austère, géométrique et envahi par le béton. Le nouveau Tomorrowland de Disney se présente plutôt comme une scène en Technicolor de vaisseaux vitrés, de planètes violettes virevoltantes et de pointes de métal argenté tournées vers le ciel. Du bleu électrique, du jaune vif et du vert mousse éclaboussent tout sur leur passage, des fusées tourbillonnent au firmament, et un train glisse au-dessus des têtes.

Le tout doit rappeler, au dire des employés de Disney, les aventures de Flash Gordon et de Buck Rogers, et nous soupçonnons même Gene Roddenberry d'y être pour quelque chose. Envolés également, la très dépassée (mais aussi très manquée) attraction Mission to Mars de même que l'excellent film *American Journeys*, qui a joué bien longtemps. Place aux nouvelles étoiles: **Stitch's Great Escape!**, un suspense farfelu à vous faire bondir hors de vos sandales, **Buzz Lightyear's Space Ranger Spin**, une éprouvante chasse aux vilains extraterrestres, et **The Laugh Floor Comedy Club**, où les extravagants personnages de *Monsters, Inc.* prennent la vedette..

Évidemment, ce qui attire le plus de gens au Tomorrowland (souvent plusieurs fois par jour), c'est le **Space Mountain**, érigé à

l'extrémité est. Il s'agit de la seule attraction située en dehors du périmètre du Walt Disney World Railroad (qui définit officiellement les limites du Magic Kingdom). Aussi bien en termes d'emplacement qu'au niveau des sensations qu'il procure, le Space Mountain symbolise définitivement le dépassement.

Space Mountain FP▸
★ ★ ★ ★ ★

Du haut de ses 55 m, cette structure de béton et d'acier ressemble à un cône blanc strié et garni de glaçons. Qualifiée de «troisième plus haute montagne de la Floride», elle abrite un manège considéré comme un classique de Disney. Le Space Mountain, bien que surpassé depuis sa création en 1975 par nombre de montagnes russes plus rapides et plus excitantes, n'en demeure pas moins encore aujourd'hui l'une des attractions les plus appréciées du Magic Kingdom.

Parcourir ces montagnes russes en pleine obscurité donne l'impression d'un voyage dans l'espace à la vitesse de l'éclair, et ce, même si la vitesse maximale atteinte par les «capsules spatiales» dépasse à peine 45 km/h. Au cours de ce périple de 2 min 38 s, les lumières stroboscopiques clignotent, les tunnels vacillent, et les soucoupes tournent sur elles-mêmes alors que vous vous aventurez de plus en plus profondément dans les ténèbres. Il y a suffisamment de virages, de virevoltes et de plongeons soudains pour vous mettre dans un état euphorique.

Bien que toujours populaire, le Space Mountain ne provoque plus aujourd'hui la cohue de jadis, alors qu'une foule déchaînée s'y précipitait le matin sitôt les portes du Magic Kingdom entrouvertes. Il convient malgré tout de s'y rendre assez tôt, en fin de journée, ou encore de se procurer un *Fast Pass* pour minimiser le temps d'attente.

À NOTER: Taille minimale 1,12 m. N'est pas recommandé aux femmes enceintes ni aux personnes ayant l'estomac fragile ou des problèmes de dos. En cas d'hésitation, prenez le train de la Tomorrowland Transit Authority, qui vous permettra de découvrir certaines sections du Space Mountain. Selon le cas, le décor sombre et les cris stridents des passagers du Space Mountain vous effrayeront carrément ou vous donneront au contraire une envie folle d'y aller.

Tomorrowland Transit Authority 🎧
★★★

Allez-y en tout premier lieu dès votre arrivée à Tomorrowland (ou immédiatement après le Space Mountain). Ce prototype futuriste de transport en commun aux wagons ouverts offre un excellent aperçu de Tomorrowland, car il traverse différentes structures sur des rails surélevés. Chaque train de cinq wagons plonge ainsi dans les sombres entrailles du **Space Mountain** (vous entendrez alors les hauts cris des passagers de ce manège), contourne **Astro Orbiter** (une balade extérieure en fusée) et explore **Buzz Lightyear's Space Ranger Spin**. Une bande enregistrée assure la narration, fournissant de nombreux détails intéressants sur chaque attraction visitée. Vous noterez que les trains, qui roulent à environ 12 km/h, se déplacent en douceur et en silence; cela s'explique par le fait qu'ils sont mus par des électro-aimants et ne dépendent d'aucune pièce mécanique.

À NOTER: Même si on l'aperçoit partout, le train de la Tomorrowland Transit Authority ne compte pas parmi les attractions les plus prisées du parc, et c'est tant mieux car ceux qui le prennent peuvent ainsi vivre une expérience à la fois reposante et enrichissante sans avoir eu à subir une longue attente (sauf exception rare). Attire plutôt les adultes, bien qu'on le trouve divertissant à tout âge.

Stitch's Great Escape! FP▶
★★★

Dans cette attraction inspirée du film d'animation *Lilo & Stitch*, les visiteurs sont des gardiens d'une prison intergalactique

Les personnages de *Monsters, Inc.* s'installent à Tomorrowland

Au moment de mettre sous presse, une nouvelle attraction s'apprêtait à voir le jour à Tomorrowland: **The Laugh Floor Comedy Club.**

Dans ce nouveau spectacle, Mike Wazowski, personnage central du film d'animation *Monsters, Inc.*, revêt les habits du «monstre de cérémonie» qui doit recueillir le plus de rires possibles afin de fournir l'énergie nécessaire pour alimenter la ville de Monstropolis. Afin de réussir sa mission, Mike invite des comédiens à l'humour désopilant à se succéder sur la scène d'un cabaret de 400 places.

qui en sont à leur premier jour de formation. Des délinquants de partout dans l'univers sont téléportés dans ce centre de détention, et l'on annonce la venue imminente d'un prisonnier de catégorie 3, réservée aux pires criminels.

Lorsque c'est le mignon Stitch qui apparaît dans la *Prisoner Teleportation Chamber* (salle de téléportation), tout le monde le trouve bien attendrissant… jusqu'à ce qu'il sème la pagaille et se mette à courir un peu partout pendant que les gardiens recrus sont plongés dans l'obscurité.

Les habitués du Magic Kingdom reconnaîtront ici la trame de l'ancienne attraction que l'on trouvait auparavant en ces lieux: l'ExtraTERRORestrial Alien Encounter. La mise en scène est en effet similaire, sauf qu'au lieu d'un monstre effrayant venu de l'espace, c'est le sympathique extraterrestre Stitch qui est maintenant la vedette, un scénario beaucoup plus disneyen. Ce prisonnier est d'ailleurs à ce point plus amusant qu'on entend parfois des enfants l'encourager à s'évader…

À NOTER: Taille minimale 1,02 m. Tenez-vous bien droit sur votre siège au moment où les ceintures de sécurité sont abaissées, sinon la suite du spectacle, qui dure en tout près de 20 min, peut être assez inconfortable. Les personnes souffrant de claustrophobie devraient éviter cette attraction.

Walt Disney's Carrousel of Progress 🎧
★ ★ ★ ★

Cette salle de spectacle gravitant autour de six scènes stationnaires vous offre un voyage nostalgique à travers l'histoire de la technologie. Ayant fait ses débuts à l'Exposition internationale de New York en 1964, le spectacle est sans doute quelque peu suranné, mais divertit tout de même encore grâce à ses charmants personnages «audio-animatroniques» et à une mélodie sentimentale que les spectateurs ne peuvent s'empêcher de reprendre en chœur. Les personnages en question incarnent les membres d'une famille américaine typique (le père, la mère, le garçon, la fille et leur fidèle chien) confrontée aux progrès du XXᵉ siècle. Chaque scène distincte comporte de nombreux détails, des lampes à gaz de la cuisine de la fin du XIXᵉ siècle à la salle de séjour équipée d'écrans vidéo. Il s'agit d'un des plus longs spectacles présentés à Disney World (20 min), un sursis agréable dans une confortable salle climatisée.

À NOTER: Les personnes âgées et les adultes sans enfants adorent ce spectacle, alors que les enfants et les adolescents le trouvent parfois long et ennuyeux. Bien qu'il profite d'une certaine popularité, cet amphithéâtre peut accueillir plusieurs centaines de personnes et connaît donc rarement de longues files d'attente.

Buzz Lightyear's Space Ranger Spin FP▶
★ ★ ★ ★

Le méchant empereur Zurg, incontournable vengeur de Buzz Lightyear (dans *Histoire de jouets*), a résolu de se rendre maître de l'univers. Votre mission: débarrasser la galaxie de ses petits acolytes verts. Votre escadron de «pilotes interplanétaires» se rend donc dans l'espace pour y détruire les indésirables extraterrestres. Chaque vaisseau est équipé de deux pistolets à rayons infrarouges et d'une manette servant à la navigation, et vous obtenez des points pour chaque extraterrestre que vous abattez. Les obstacles ne manquent pas, quoique la plus grande difficulté consiste sans doute à contrecarrer les mouvements intempestifs de votre copilote (mon comparse, par exemple, avait la fâcheuse habitude de modifier notre trajectoire chaque fois que je m'apprêtais à ajuster mon tir). Mais il s'agit vraisemblablement là d'un bien maigre prix à payer pour sauver l'humanité!

À NOTER: Songez à «Buzz» comme à un jeu électronique grandeur nature. Il vous réserve beaucoup de plaisir... sauf si les virevoltes vous donnent la nausée.

Astro Orbiter
★ ★ ★

Les enfants adorent ce manège de foire qui les fait s'envoler à bord de jets futuristes pour un voyage de 2 min. Ces aéronefs à cockpit ouvert sont rattachés aux bras tentaculaires d'une grosse fusée, lesquels ressemblent à des membres défaillants chaque fois qu'ils s'élèvent dans les airs pour retomber aussitôt après. Le tour peut à la fois être insipide ou légèrement amusant, selon le nombre de fois que vous faites monter et descendre votre jet. Il offre par ailleurs une très belle vue sur les zones thématiques environnantes, et c'est pourquoi on voit monter à bord des gens de tout âge.

À NOTER: Les enfants de moins de sept ans doivent être accompagnés d'un adulte. Astro Orbiter est tout indiqué pour faire passer le temps aux plus jeunes pendant que votre conjoint se rend au Space Mountain (tout près) avec les plus vieux (les enfants mesurant moins de 1,12 m ne sont pas admis au Space Mountain). Cela fonctionne normalement très bien car les deux manèges ont de grandes files d'attente, et Astro Orbiter n'accueille que 22 passagers à la fois, sans compter qu'il faut un certain temps pour prendre l'ascenseur jusqu'aux aéronefs et en redescendre.

Tomorrowland Indy Speedway
★ ★ ★

Il s'agit d'une piste de course telle qu'on en trouve dans tous les parcs d'attractions, avec des autos miniatures fonctionnant à l'essence et guidées par un rail d'acier. Même s'il n'est pas futuriste, le décor se pare intelligemment de panneaux publicitaires de style Grand Prix, de routes sinueuses et de gradins souvent remplis de passionnés des courses de voitures. Les enfants adorent naturellement piloter ces «bolides», mais les parents déplorent incontestablement la forte odeur de carburant et le vrombissement des voitures, qui fait penser à un essaim d'abeilles déchaînées s'abattant sur Tomorrowland. Malheureusement, un règlement exigeant une taille de plus de 1,32 m empêche plusieurs pilotes en herbe de prendre part à la course (bien qu'ils puissent monter avec un adulte). Mais il y a pis, car il faut ici s'armer de patience: comptez de 30 à 60 min d'attente avant d'accéder à la piste, 1 ou 2 min de plus pour obtenir votre véhicule, et encore 2 à 3 min pour ramener votre voiture à la fin. C'est un peu trop demander que de patienter tout ce temps pour un tour ne durant que 3 min, et à une vitesse maximale de 12 km/h, avec interdiction absolue de tamponner le coureur qui vous précède!

À NOTER: Taille minimale pour accéder à ce manège sans la présence d'un adulte: 1,32 m. Ce manège est très prisé et nécessite en moyenne une attente d'une heure en haute saison. À moins que les enfants ne tiennent vraiment à y aller, ne perdez pas votre temps ici.

Si vous partagez une voiture avec deux jeunes enfants, vous pourrez faire le parcours deux fois (sans attente entre les deux), de manière à donner la chance à chacun des enfants de prendre le volant. Assurez-vous toutefois de cette politique auprès des responsables du manège avant de prendre place à bord des véhicules.

Magic Kingdom - Tomorrowland - Tomorrowland Indy Speedway

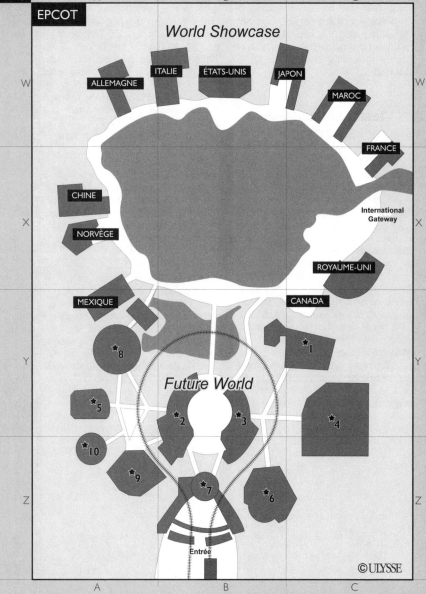

EPCOT

World Showcase

ALLEMAGNE

ITALIE

ÉTATS-UNIS

JAPON

MAROC

FRANCE

CHINE

NORVÈGE

International Gateway

ROYAUME-UNI

MEXIQUE

CANADA

Future World

Entrée

©ULYSSE

★ **ATTRAITS TOURISTIQUES**

1. CY Imagination!
  • *Honey, I Shrunk the Audience*
  • *ImageWorks: "What if" Labs*
  • *Journey Into Imagination With Figment*
2. BY Innoventions East
3. BY Innoventions West
4. CY Land, The
  • *Circle of Life, The*
  • *Living with the Land*
  • *Soarin'*

5. AY Mission: SPACE
6. BZ Seas with Nemo & Friends, The
  • *Turtle Talk With Crush*
7. BZ Spaceship Earth
8. AY Test Track
9. AZ Universe of Energy
10. AZ Wonders of Life
  • *Body Wars*
  • *Cranium Command*

Epcot

E pcot était le grand rêve de Walt Disney, un rêve qui le hanta toute sa vie. Mickey Mouse, les films d'animation fantastiques, Disneyland et tout le reste n'étaient pour lui qu'autant d'étapes sur la route d'un monde futuriste où régneraient la paix et le bonheur.

De fait, à Epcot, les nations vivent en harmonie, et le futur appelle une prospérité déjà presque palpable. Une moitié du parc ressemble d'ailleurs à une exposition internationale permanente où différents pays font valoir les joyaux de leur architecture. Quant à l'autre moitié, elle présente des structures dignes de l'ère spatiale qui défient les frontières de la technologie.

«Epcot» est l'acronyme d'*Experimental Prototype Community of Tomorrow* (prototype expérimental de communauté futuriste). Ces mots, il faut en convenir, semblent bien savants pour un parc thématique, mais Epcot réussit néanmoins à nous servir la matière propre aux laboratoires et aux musées d'une manière on ne peut plus vivante et attrayante. Car il met tout en œuvre pour combler les passionnés de savoir et de culture: des expositions qui stimulent la pensée et nourrissent le goût de l'aventure, des manèges et des films qui amusent et informent tout à la fois, et des constructions empreintes d'histoire et de génie conceptuel.

C'est à Disneyland qu'a d'abord germé l'idée d'Epcot. Au cours des années 1950, Walt Disney prenait déjà conscience du fait que son parc thématique de Californie, emprisonné qu'il était par les projets résidentiels environnants, ne pourrait jamais s'étendre. Il forma alors le vœu de tout reprendre à zéro, mais cette fois sur des terres suffisamment vastes pour qu'une communauté puisse s'y développer pendant des siècles, sur un site futuriste et prometteur où des gens pourraient aussi bien vivre que travailler.

Même si sa vision initiale fut quelque peu modifiée en cours de route (par exemple, personne ne vit vraiment à Epcot), la plus grande partie du rêve de Disney se réalisa. Plusieurs attractions sont commanditées par de grandes entreprises et servent de bancs d'essai à de nouveaux concepts appelés à révolutionner nos habitudes de vie. Des pays du monde entier y investissent sommes, matériaux et compétences afin de créer des chefs-d'œuvre qui témoignent de leurs richesses respectives. Et du point de vue environnemental, le site a un pas d'avance sur son temps: l'énergie solaire sert à l'honneur dans une grande partie des installations, l'eau de pluie recueillie des bâtiments sert à alimenter des étangs et des lagons, et l'on cultive les jardins sans l'aide de pesticides et d'engrais chimiques.

Epcot fait preuve de maturité et de raffinement, voire de cérébralité. Il suggère et explique, mais tout en divertissant. Cette «ville» d'un milliard de dollars, émergeant d'un domaine de 105 ha du centre de la Floride autrefois envahi de pinèdes et de palmeraies, explore l'espace et l'énergie, les transports et la biologie, les communications, l'agriculture et les gens. Le parc se divise en deux sections très différentes: le **World Showcase** (une vitrine sur le monde d'aujourd'hui) et le **Future World** (le monde de demain).

Au cœur du World Showcase, on trouve un lagon d'un vert océanique moucheté de traversiers et de petites îles verdoyantes. Onze «pavillons», qui représentent autant de pays, se déploient en éventail autour de ce lagon et révèlent des architectures variées, témoignant de traditions parfois plus que millénaires. La juxtaposition des styles Tudor, gothique, colonial, aztèque, japonais et marocain donne ici l'impression d'une tarte dont chacune des pointes aurait une saveur différente;

savourées une à une, elles ont un effet vivifiant, tandis que réunies elles produisent une sensation enivrante.

La cité des nations de Walt Disney est une oasis de paix et de bonheur: pas de discours sur la pauvreté au pavillon du Mexique et aucune allusion au respect des droits de l'homme en Chine. Tous ces pays sont ici représentés, comme le décrit si bien un guide d'Epcot, tels que les Américains les idéalisent. Il est d'ailleurs presque impossible de visiter un «pays» sans être emballé par sa beauté et ses mystères. Et, en sortant des pavillons, les visiteurs se posent souvent la même question: *Comment pourrais-je bien me rendre dans ce pays?*

Dans chaque pavillon, tous les détails sont reproduits avec une précision stupéfiante, qu'il s'agisse des tuyaux de cheminée des toits parisiens ou des hiéroglyphes du calendrier aztèque du pavillon mexicain. Les restaurants servent des mets ethniques, et les boutiques emploient des artistes et artisans originaires de chacun des pays. Et non seulement la flore distinctive de chaque contrée agrémente-t-elle les différents pavillons, mais elle change en outre au fil des saisons, comme si vous y étiez vraiment.

Étalé, quant à lui, au pied du décor fascinant que présente le World Showcase, le Future World prend des allures galactiques. Ses constructions de verre et de métal argenté, dont les formes rappellent celles des pièces d'un casse-tête, portent des noms tels que **Universe of Energy**, **Innoventions East** et **Innoventions West**. Près d'un édifice en forme de cône, une molécule d'ADN métallique virevolte, alors qu'ailleurs de l'eau jaillit dans les airs en décrivant des arabesques.

Mais le pavillon qui éclipse incontestablement tous les autres, c'est le **Spaceship Earth** (vaisseau spatial Terre). Recouvert d'aluminium et soutenu par des poutres d'acier, il ressemble à une immense balle de golf argentée, et, tout au long de la journée, un convoyeur y fait pénétrer une mer de visiteurs pour un voyage au centre de la Terre.

Les thèmes sérieux du Future World et le nombre restreint de manèges du World Showcase peuvent impatienter les jeunes enfants. Bien qu'au cours des années on ait ajouté des attractions pour attirer les plus jeunes (entre autres des spectacles et des repas en compagnie des personnages de Disney), pour la plupart d'entre eux, rien ne vaut le Magic Kingdom.

Pour tout dire, lors de l'ouverture d'Epcot en 1982, certains adultes ne l'accueillirent eux-mêmes qu'avec curiosité, pour ne pas dire avec réticence. Tous n'étaient pas encore prêts à des thèmes aussi futuristes, du moins pas après la fantaisie du Magic Kingdom.

Mais, avec le temps, les sceptiques se sont réconciliés avec Epcot, séduits par son haut niveau de sophistication, sa capacité à inspirer et son approche tridimensionnelle. C'est ainsi que, chaque année, de plus en plus de gens se rendent en ce lieu alliant le plaisir à la cognition. Un lieu qui, au dire de Walt Disney, *«ne sera jamais achevé, mais continuera plutôt à introduire, à évaluer et à démontrer de nouveaux concepts...».* Bref, une expérience cosmique et multiculturelle sans cesse renouvelée dans le creuset d'une vision prophétique.

Epcot

Accès et déplacements

■ Orientation

D'une superficie de 105 ha, Epcot est le plus grand parc thématique de Disney World. Il n'est donc pas étonnant qu'on l'ait surnommé «Every Person Comes Out Tired» (tout le monde en ressort fatigué). S'il s'agit de votre première visite, sachez bien ceci: **vous ne pouvez pas tout voir en une seule journée** (ni même en trois jours, d'ailleurs). Et tant mieux! Car après plus d'une douzaine de visites, on s'émerveille encore de la richesse des renseignements, des divertissements et des détails qu'on y découvre. Il est impossible de s'en lasser.

Malgré les dimensions titanesques du site, il est relativement facile de s'orienter à Epcot. Le parc se divise en deux zones thématiques distinctes: le **Future World** et le **World Showcase**. L'entrée principale (Entrance Plaza) se trouve en face du Spaceship Earth, qui fait partie du Future World et au pied duquel on trouve le bureau des *Guest Relations*, qui abrite le comptoir d'information du parc ainsi qu'une salle climatisée, dotée de nombreux sièges, où vous pourrez vous reposer au besoin. Ce lieu peut aussi servir de point de ralliement advenant le cas où un membre de votre groupe viendrait à se perdre.

Le Future World forme un cercle presque parfait, entouré de sept pavillons. En le parcourant dans le sens des aiguilles d'une montre, vous découvrirez tour à tour Universe of Energy, Wonders of Life, Mission: SPACE, Test Track, Imagination, The Land et The Seas with Nemo & Friends. Au sommet du cercle se dressent le Spaceship Earth et, en son centre, deux constructions en forme de croissant: Innoventions East et Innoventions West.

Le World Showcase s'étend au sud du Future World, dont un pont panoramique le sépare. Onze «mini-villes» y ont été aménagées autour d'une promenade ceinturant un lagon de 16 ha. En vous déplaçant dans le sens des aiguilles d'une montre, vous verrez les pavillons du Mexique, de la Norvège, de la Chine, de l'Allemagne, de l'Italie, des États-Unis, du Japon, du Maroc, de la France, du Royaume-Uni et du Canada. Entre celui de la France et du Royaume-Uni, on trouve l'International Gateway, qui fait office d'entrée arrière à Epcot. Vous pouvez notamment y louer des poussettes et des fauteuils roulants.

■ En voiture

Epcot a sa propre sortie sur la **route I-4** (Interstate 4), environ à mi-chemin entre l'embranchement de la **route 192** et de la **route 535**. Epcot se trouve approximativement à 2,5 km de la route I-4.

Après avoir payé 9$ pour votre stationnement (gratuit pour les hôtes des lieux d'hébergement de Disney World), vous vous garerez à l'une des 9 000 places de cet immense désert de béton. Des tramways vous conduiront alors jusqu'à l'entrée principale d'Epcot.

Contrairement à celui du Magic Kingdom, le stationnement d'Epcot se remplit rarement à pleine capacité. Néanmoins, compte tenu du fait que ceux qui arrivent tôt épargnent des heures d'attente en file, il est bon d'arriver une heure avant l'ouverture officielle. Les tramways et le monorail entrent habituellement en fonction deux heures avant l'ouverture.

■ En transports en commun

Du Contemporary Resort, du Polynesian Resort ou du Grand Floridian Resort & Spa: Prenez le monorail de l'hôtel jusqu'au Transportation and Ticket Center, puis celui qui conduit à Epcot.

Du Magic Kingdom: Prenez le monorail express jusqu'au Transportation and Ticket Center, puis celui qui conduit à Epcot.

Des Disney-MGM Studios: Prenez un bus Disney directement jusqu'à Epcot.

Du Disney's Animal Kingdom: Prenez un bus Disney directement jusqu'à Epcot.

Les attractions d'Epcot où l'on peut obtenir un *Fast Pass* FP▶

Pour éviter les files d'attente, procurez-vous un *Fast Pass* aux attractions suivantes:

Honey, I Shrunk the Audience – Imagination! (Future World) p 91

Living with the Land – The Land (Future World) p 92

Maelstrom – Norvège (World Showcase) p 97

Mission: SPACE (Future World) p 89

Soarin' – The Land (Future World) p 93

Test Track (Future World) p 90

De Downtown Disney, de la Blizzard Beach et du Typhoon Lagoon: Prenez un bus Disney directement jusqu'à Epcot.

De Fort Wilderness ou du Wilderness Lodge: Prenez un bus Disney jusqu'au Transportation and Ticket Center, puis le monorail qui conduit à Epcot.

Du Swan Hotel, du Dolphin Hotel, du Board-Walk Inn, du Yacht Club Resort ou du Beach Club Resort: Prenez le traversier de l'hôtel jusqu'à l'entrée du World Showcase d'Epcot, beaucoup moins bondée que l'entrée principale du site au Future World.

De tous les autres hôtels de Disney World: Prenez un bus Disney directement jusqu'à Epcot.

Des hôtels de la région ne faisant pas partie de Disney World: La plupart disposent d'un service de navette pour Epcot. Cependant, dans bien des cas, le service ne se fait qu'aux heures, si ce n'est toutes les deux ou trois heures. Il vaut alors mieux s'y rendre en voiture.

Renseignements utiles

■ Quelques précieux conseils

Pour bien préparer votre visite d'Epcot, il est primordial de savoir que le **Spaceship Earth** et le **cœur du Future World** ouvrent de 30 à 60 min avant le reste du parc. L'occasion est rêvée pour prendre une longueur d'avance sur les autres visiteurs en vous procurant les plans et les renseignements dont vous pourriez avoir besoin, en louant une poussette, un casier ou un fauteuil roulant, et en montant à bord du **Spaceship Earth**, un des manèges les plus convoités du parc. Vous pourrez en outre réserver une table pour le déjeuner ou le dîner dans un des restaurants du World Showcase, évitant ainsi de recevoir cette réponse décevante qu'on entend si souvent après 10h: *C'est complet.*

Les mercredis d'été, pendant les jours fériés et durant les autres périodes d'affluence, on ouvre parfois les portes d'Epcot jusqu'à une heure plus tôt que prévu pour les hôtes des établissements hôteliers de Disney World. Il est impossible de savoir quand cela se produira, mais vous pouvez toujours composer le ☎407-824-4321 pour vérifier les heures dites «officielles».

Le World Showcase ouvre en fin de matinée, généralement à 11h, de sorte que vous passerez la première partie de votre journée au Future World. Songez à vous rendre en premier lieu aux attractions les plus courues du Future World, à savoir Test Track, Mission: SPACE, The Seas with Nemo & Friends, The Land et Wonders of Life, car elles deviennent bondées en milieu de journée et le demeurent jusqu'en début de soirée.

La plupart des gens contournent le lagon du World Showcase dans le sens des aiguilles d'une montre, de sorte que vous devriez procéder en sens contraire. Si vous faites votre visite le matin, les premiers pavillons seront alors pour ainsi dire déserts. Chacun d'eux forme un ensemble si cohérent qu'il est préférable de visiter un «pays» au complet avant de passer au suivant, d'autant plus qu'une fois que vous aurez effectué le trajet de 2 km autour du lagon (alors que le soleil darde ses rayons) vous n'éprouverez aucun désir de revenir sur vos pas (à moins que vous n'ayez réservé une table dans un des pavillons). Si vous arrivez du Future World, vous économiserez des pas en prenant le traversier du lagon jusqu'au pavillon de l'Allemagne (angle sud-est) ou du Maroc (angle sud-ouest).

Toutes les attractions d'Epcot ferment religieusement leurs portes aux heures indiquées (20h, ou 21h pour la plus grande partie de l'année); les restaurants acceptent toutefois les réservations jusqu'à l'heure de la fermeture. Si cela ne vous dérange pas de dîner tard (et de manquer le spectacle au laser et les feux d'artifice d'*IllumiNations: Reflections of Earth*), prenez une réservation tardive (la plupart du temps, on peut aussi se présenter sans réservation à cette heure avancée). En réservant une table près de la fenêtre au restaurant Chefs De France du pavillon de la France, vous pourrez même voir une partie du spectacle.

■ Animaux de compagnie

Ils ne sont pas admis à l'intérieur d'Epcot. Vous pouvez cependant les faire garder pour la journée aux chenils situés au Transportation and Ticket Center.

■ Argent

Vous trouverez des guichets automatiques à l'entrée principale d'Epcot, sur le pont entre le Future World et le World Showcase, et un autre à l'American Adventure (pavillon des États-Unis). Au bureau des *Guest Relations*, vous pourrez en outre changer des devises.

■ Bureau des objets perdus et trouvés

Situé au bureau des *Guest Relations*, à l'est du Spaceship Earth.

■ Casiers

Disponibles à l'ouest du Spaceship Earth et à l'International Gateway (entrée qui donne directement accès au World Showcase). On trouve également d'autres casiers à l'extérieur de l'entrée principale, à l'arrêt d'autobus; ils ne sont toutefois pas très commodes si vous devez y accéder durant la journée. Il vous en coûtera 7$ par jour et par casier, plus un dépôt remboursable de 2$ pour accès illimité.

■ Centre de services aux nourrissons (*Baby Services*)

Situé à l'Odyssey Complex du Future World, du côté est du pont menant au World Showcase. On y trouve entre autres des tables à langer et des berceuses (fauteuils à bascule) pour allaiter. Couches, lait en poudre et autres articles pour bébés y sont également disponibles.

■ Enfants perdus

Déclarez la perte d'un enfant au bureau des *Guest Relations* situé du côté est du Spaceship Earth ou au Baby Care Center du Future World.

■ Poussettes et fauteuils roulants

Disponibles au pied du Spaceship Earth (du côté est) et à l'International Gateway (entrée qui donne directement accès au World Showcase). Pour faire remplacer votre poussette ou votre fauteuil roulant, présentez votre reçu de location au pavillon de l'Allemagne ou à l'International Gateway.

■ Renseignements et audioguides ∩

Le bureau des *Guest Relations*, situé tout juste à l'est du Spaceship Earth, est l'endroit où vous arrêter pour obtenir tout renseignement de même que pour trouver des plans du parc en français. Vous pouvez aussi vous y procurer des audioguides qui traduisent en français la narration de plusieurs attractions. Ce service est gratuit, mais on vous demandera un dépôt qui vous sera remboursé lorsque vous rapporterez l'appareil. Les plans et les audioguides sont également disponibles en espagnol, en allemand, en japonais et en portugais.

■ Service de collecte de paquets (*Package Pickup*)

Ceux qui magasinent beaucoup devraient songer à profiter de ce service gratuit. Il permet, si vous résidez dans un hôtel Disney, de faire livrer tous vos achats directement à votre chambre. Si vous logez à l'extérieur du royaume, il offre aussi la possibilité de faire envoyer vos paquets aux *Gift Stops* situés près de l'entrée principale et de l'International Gateway (entrée donnant directement accès au World Showcase). Vous pourrez ainsi passer prendre vos emplettes au moment de quitter le parc, sans avoir à les traîner toute la journée. Mais attention: il y a souvent des «embouteillages» entre 17h et 18h, ainsi que durant la demi-heure qui précède la fermeture du parc.

Future World

Epcot se tourne d'abord et avant tout vers l'avenir. Au Future World, les plantes ont la forme de nacelles volantes, les trottoirs décrivent des parcours anguleux, et les parasols ressemblent à des vaisseaux spatiaux. Le béton est roi sur des kilomètres, surplombé d'un monorail à la proue aérodynamique. Les constructions de verre et d'acier reflètent les rayons du soleil en pointant vers le ciel. Et pour compléter ce paysage lunaire, on a ajouté des sculptures de métal tordues et des fontaines s'harmonisant avec l'architecture épurée des lieux. Quant au **Spaceship Earth**, cette sphère argentée qui domine l'horizon, il est le point de mire du site.

Les attractions du Future World portent sur le voyage, les transports, les communications, la biologie, l'agriculture, la vie marine, l'énergie et l'imagination humaine. Le défi de Disney consiste bien sûr à rendre ces sujets si intéressants et divertissants que les gens ne cessent d'en redemander, et, dans l'ensemble, il faut avouer que le Future World s'impose comme un succès retentissant.

Contrairement au Tomorrowland du Magic Kingdom, lequel ne fait que jeter un regard furtif (et pas toujours exact) sur le monde de demain, le Future World offre des prévisions détaillées et crédibles. Plusieurs de ses attractions incarnent en fait le nec plus ultra de Disney World: effets spéciaux fantastiques, décors et projections à la fine pointe de la technologie, expositions interactives fascinantes et personnages «audio-animatroniques» saisissants de vérité. Et il y a plein de manèges. Peu de grandes chevauchées enivrantes, mais des attractions inventives qui durent souvent près de 15 min. Ainsi, l'**Universe of Energy** possède un théâtre qui se déplace de salle en salle, **The Land** offre une excursion dans des jardins hydroponiques, et le **Spaceship Earth** vous fera visiter dans tous les sens la plus grande sphère géodésique jamais construite par l'homme.

Le Future World est si complexe qu'il est impossible de le visiter au complet en une journée. Parmi toutes les attractions, certaines doivent indéniablement figurer en tête de liste: **Spaceship Earth**, **The Seas with Nemo & Friends** et **The Land**, même si vous décidez de n'explorer qu'un ou deux aspects de chacune d'elles. Si vous êtes accompagné d'adolescents toujours à la recherche de sensations fortes, **Test Track** et **Mission: SPACE** constituent également des arrêts obligés. À moins d'être un mordu des ordinateurs et des gadgets de science-fiction, remettez la visite d'**Innoventions East** et **Innoventions West** à une prochaine fois; ces deux édifices présentent en effet des démonstrations à caractère technologique et des expositions interactives qui nécessitent des heures d'approfondissement.

Surtout, ne visitez pas le Future World à la sauvette. Le souci du détail et la précision en tout contribuent grandement au charme de ce parc thématique, et plus vous vous complairez dans ces raffinements, plus vous serez porté à dire: *Apprendre n'a jamais été aussi agréable.*

Spaceship Earth 🎧
★★★★★

D'un diamètre de 55 m et aussi haut qu'un édifice de 18 étages, cet «engin» de l'ère spatiale semble avoir été trempé dans l'aluminium, puis garni de milliers d'arêtes. De loin (en avion, on le distingue depuis les côtes de Floride), ce globe de 455 t semble venir d'un autre

monde. De près, dominé par son ombre titanesque, il vous subjuguera. Ses créateurs le désignent comme *«la plus grande sphère géodésique au monde»* et ses admirateurs, comme *«la grosse balle de golf argentée»*. Le Spaceship Earth est à Epcot ce que le château de Cendrillon est au Magic Kingdom, un symbole imposant reconnu mondialement. Le jour, on y contemple le bleu du ciel et la blancheur des nuages; la nuit, le reflet des planètes qu'elle imite.

> Par temps pluvieux, remarquez qu'aucune eau ne s'écoule le long du Spaceship Earth; elle est en effet recueillie à l'intérieur du dôme et acheminée vers le lagon du World Showcase.

En entrant dans le Spaceship Earth, on découvre un autre monde. Un flot continuel de véhicules sur rails appelés «machines à voyager dans le temps» transportent les visiteurs dans des tunnels sombres, puis tour à tour dans le brouillard et la lumière, autour de remarquables projections ainsi que de reproductions «audio-animatroniques». Commanditée par AT&T, cette attraction est une véritable odyssée retraçant l'évolution des communications. Vous vous élèverez graduellement en spirale jusqu'au sommet de la sphère pour ensuite amorcer la descente de retour, tandis qu'on bombardera sans relâche vos sens d'images, de sons et d'odeurs.

Grâce à un enregistrement sonore, Walter Cronkite, dans la version originale, vous accompagnera tout au long de ce voyage de 14 min, au cours duquel vous pourrez vous familiariser non seulement avec la vie des hommes des cavernes, les hiéroglyphes égyptiens, les marchands phéniciens, le théâtre romain et l'imprimerie de Gutenberg, mais aussi avec des personnages tels que Ed Sullivan, Beaver Cleaver et une cadre devant son ordinateur. Au fil des scènes, vous percevrez l'odeur de moisi des cavernes antiques et celle de la fumée de Rome en flammes; vous entendrez même un moine, plume d'oie à la main, ronfler à tout rompre dans son abbaye. Une des scènes les plus impressionnantes est celle où Michel-Ange met la touche finale à une fresque de la chapelle Sixtine. Mais non moins spectaculaire est la vue au sommet, alors que vous plongerez dans un ciel immensément noir et constellé de millions d'étoiles.

> Les poutres d'acier qui supportent le Spaceship Earth s'enfoncent à plus de 56 m sous terre.

À NOTER: Tout le monde semble adorer le Spaceship Earth! Les parents se réjouissent des effets spéciaux fabuleux, tandis que les enfants succombent d'emblée à la magie du mouvement, des couleurs et de la musique. Malheureusement, cette grande popularité est également synonyme de longues files d'attente; vous pouvez toutefois les éviter en vous y rendant entre 8h30 et 9h ou après 19h.

- - - - - - - - - - - - - - - - - - - -
Universe of Energy 🎧
★ ★ ★ ★

Cet édifice à miroirs en forme de triangle désaxé est plaqué de 80 000 minuscules capteurs solaires qui absorbent les rayons du soleil pour les transformer en énergie. À l'intérieur vous attend un an-

C'est tout à fait cela!

Disney s'est vraiment surpassé en ce qui a trait à l'authenticité des détails qu'on retrouve à l'intérieur du Spaceship Earth. Les paroles dictées par le pharaon proviennent mot pour mot d'une lettre rédigée par un ancien monarque égyptien. Les gribouillis du mur de Pompéi correspondent parfaitement aux graffitis originaux. La presse de Gutenberg fonctionne réellement, et la page qu'elle imprime est identique à l'une de celles qui composèrent sa première bible.

tre peuplé de dinosaures presque aussi vrais que nature, de forêts et de plantes géantes conçus de manière à ce que même le plus sceptique des visiteurs ait l'impression d'avoir fait un saut dans la préhistoire.

Il fut une époque où les effets spéciaux de cette attraction en éclipsaient tout le reste, le film éducatif dont elle faisait alors l'objet, sans grand intérêt et beaucoup trop long, suscitant visiblement de l'impatience chez les spectateurs. Aujourd'hui, par contre, le concept initial a été amélioré de manière à intégrer le film et les effets spéciaux en un ensemble aussi distrayant qu'instructif.

La pièce maîtresse d'**Ellen's Energy Adventure** est un film mettant en vedette la comédienne Ellen DeGeneres. À titre de concurrente dans une ronde de *Jeopardy* dont toutes les catégories de questions portent sur l'énergie, la vedette échoue lamentablement jusqu'à ce que Bill Nye, le cerveau scientifique, vienne à sa rescousse, l'entraînant dans un voyage temporel à la découverte des origines de l'énergie.

À ce moment précis, les événements prennent une tournure pour le moins inattendue, puisque des sections de sièges se détachent les unes des autres pour prendre la direction de la sortie. Ces ingénieux «théâtres mobiles», accueillant chacun 97 «passagers», entreprennent alors un voyage dans le temps de 300 millions d'années, à travers de sinistres forêts enveloppées de brume. Des brontosaures incroyablement crédibles respirent lourdement au-dessus des spectateurs (dont certains cherchent instinctivement à se protéger en se recroquevillant), tandis que, non loin de là, un *t-rex* affronte un rival démesuré. Il y a même une version animatronique d'Ellen cherchant à repousser la menace de monstres préhistoriques.

Puis le film ramène progressivement l'héroïne et son compagnon vers le futur, tout en expliquant de façon amusante les dessous de la production énergétique.

Bien qu'il n'entre pas dans la catégorie des comédies à se rouler par terre, le film n'en demeure pas moins vif et ciblé, et résolument plus divertissant que son prédécesseur. Les dinosaures eux-mêmes, qui constituent indubitablement le clou du spectacle et méritent à eux seuls la visite, ont été révisés pour refléter les vues modernes de la science à leur sujet.

À NOTER: Certaines scènes risquent d'effrayer les tout-petits. Et ne vous laissez pas décourager par les longues files d'attente puisque, toutes les 15 min, on fait entrer quelque 600 personnes.

- - - - - - - - - - - - - - - - -
Wonders of Life
★ ★ ★

Le pavillon Wonders of Life n'apparaît plus sur les plans distribués aux visiteurs à leur arrivée à Epcot. C'est qu'il n'ouvre ses portes que sporadiquement, pendant les périodes de pointe seulement (fêtes de fin d'année, congés scolaires, une partie de l'été). On parle chez Disney d'une *Seasonal Attraction*. Il ne serait toutefois pas surprenant que ce pavillon soit revu dans un avenir plus ou moins rapproché car, malgré des qualités évidentes, l'ensemble fait un peu vieillot. Par

exemple, Body Wars, tant acclamé il y a quelques années à peine, est aujourd'hui quelque peu dépassé.

Wonders of Life se veut une sorte de découverte fantaisiste du corps humain. Sous une coupole au contour doré, on y trouve des douzaines de jeux et de gadgets qui sifflent, virevoltent, tourbillonnent et clignotent. Les enfants ne se lassent pas de ce «paradis du jeu» où ils peuvent mettre à l'épreuve leurs talents au golf et au tennis, parcourir le monde sur des vélos stationnaires (grâce à des paysages mobiles) ou encore explorer la **Sensory Funhouse**, qui possède une salle inclinée. Chaque partie de l'exposition diffuse des conseils sur la santé, avec un tel art que vous ne vous rendez même pas compte que vous apprenez en vous amusant.

Dans un petit théâtre, vous pourrez par ailleurs assister au film ***The Making of Me***, au cours duquel le comédien Martin Short entreprend un voyage dans le passé afin de connaître toutes les étapes qui ont mené à sa naissance.

Le pavillon Wonders of Life abrite en outre deux attractions plus élaborées: **Body Wars** et **Cranium Command**.

Body Wars ★ ★ ★

Le manège le plus vif et le plus bruyant d'Epcot, Body Wars, revêt la forme d'un voyage à l'intérieur du corps humain. Faisant appel à la même technologie qui contribua à la renommée du Star Tours de Disney-MGM (voir p 120), Body Wars se déroule dans un simulateur très semblable à ceux qu'on utilise pour entraîner les pilotes de l'armée. Il s'agit de vous «miniaturiser» pour ensuite vous «injecter» à l'intérieur du bras d'un patient afin d'aller secourir une scientifique qui tente d'arracher une écharde. C'est à ce moment que toute la pièce se met à trembler et à bouger, alors que la scientifique se trouve aspirée par le flux sanguin du patient. Vous la suivez de près, en esquivant les globules sanguins, les poumons et les côtes tout en vous frappant contre les parois artérielles. Combinés aux formidables images du corps, les effets spéciaux et le rythme vertigineux de ce manège témoignent de son ingéniosité et vous réservent un moment des plus palpitants.

Contrairement à Star Tours, qui utilise pourtant la même technologie, Body Wars a plutôt mal vieilli. Plusieurs de ses effets visuels laissent par exemple paraître leur âge. Bien que l'ensemble demeure amusant, vous pouvez classer cette attraction dans la catégorie «à voir si le temps le permet».

À NOTER: Les femmes enceintes et les enfants de moins de trois ans ne sont pas admis. Certains enfants admissibles trouveront par ailleurs ce manège violent et terrifiant. N'est pas recommandé aux personnes souffrant de maux de dos ou ayant l'estomac fragile.

Cranium Command ★ ★ ★ ★

Cette joyeuse attraction des plus divertissantes est le secret le mieux gardé d'Epcot. Caché tout au fond de Wonders of Life, ce spectacle époustouflant se distingue par des effets d'un genre nouveau et des textes intelligents livrés par des acteurs américains parmi les plus appréciés. Présenté dans une salle pouvant accueillir 200 spectateurs, il se compose d'un mélange de films rapides et de montages scéniques compliqués. La vedette du spectacle est un robot «audioanimatronique» du nom de Buzzy, un drôle de petit bonhomme qui pilote le cerveau d'un enfant de 12 ans pendant une journée. Buzzy détraque complètement l'horloge biologique du petit garçon: il part à l'école sans se couvrir, oublie son petit déjeuner ou son déjeuner, et vacille à la vue d'une jolie camarade de classe. Pendant tout ce temps, Buzzy a bien du plaisir à découvrir les fonctions de chacune des parties du cerveau. Les parties du corps sont jouées avec humour par des acteurs très connus de la télévision américaine.

À NOTER: Ne manquez pas le dessin animé du début, servant de mise en scène au spectacle qui suit. Cette merveille est

encore largement méconnue, de sorte que l'attente est rarement de plus de 20 min. Allez-y au milieu de la journée.

Mission: SPACE 🎧 FP▶ ★ ★ ★ ★

Bien longtemps avant l'inauguration de cette attraction, la rumeur a couru que cette reconstitution de l'envol d'une fusée serait d'un réalisme inouï et constituerait l'une des grandes réussites de Disney. Résultat, cette balade en fusée vers la planète Mars est pas mal authentique – et même le plus blasé des astronautes en herbe se retrouvera dans l'espace cosmique tel qu'il se présente, et ce, en deux temps, trois mouvements. Les équipages de quatre personnes de Mission: SPACE prennent place dans des nacelles où chaque membre se voit pourvu d'une fonction: navigateur, pilote, ingénieur et capitaine. Tout cela ressemble à un jeu d'arcade qui se déroule normalement jusqu'à ce que le compte à rebours s'amorce: l'écoutille (un moniteur de télé) «s'ouvre» alors sur un ciel bleu sans bornes, puis la fusée s'élève... Pendant que le vaisseau spatial caracole, les membres d'équipage ressentent d'inexplicables forces G.

Pour vous faire une idée de la vraisemblance de cette attraction, sachez que les astronautes de la NASA ont donné un bon coup de pouce à Mission: SPACE pour la rendre la plus réaliste possible. Vous éprouverez des sensations nouvelles, intenses – qui vous feront suer plus que quelques gouttes –, au moment où la mise à feu de l'engin s'effectuera: vous vous sentirez propulsé dans la stratosphère. Qui plus est, vous serez en compagnie de Gary Sinise (l'acteur se présente sur bande vidéo comme votre guide interplanétaire).

Toutefois, cette attraction virtuelle ne satisfait pas complètement tout un chacun. À la sortie, on voit des adultes extatiques, prêts à s'embarquer pour une seconde balade en fusée, et des jeunes qui le sont un peu moins (seraient-ce les effets secondaires d'une «surexposition» aux trucs high-tech depuis leur tendre enfance?). Les quelques personnes n'appréciant les sensations fortes que dans les montagnes russes ne seront probablement pas surprises non plus. Ce qui ne veut pas dire que Mission: SPACE s'avère plutôt stationnaire. Ainsi la plupart des gens sont-ils étonnés d'apprendre que ce sont les fuseaux tournoyant à une allure folle durant la majeure partie du «voyage intersidéral» qui créent les forces G.

Après ce turbulent voyage sur Mars, faites une halte au **Mission: SPACE Advanced Training Lab**, rempli de jeux vidéo à découvrir en solo ou en groupe (des compétitions par équipe y sont organisées).

À NOTER: Taille minimale 1,12 m. Le mouvement rotatoire qui permet de reconstituer la pression gravitationnelle essentielle au réalisme de ce manège n'est pas évident à percevoir une fois que vous êtes à bord de la «fusée», mais votre estomac, lui, le détectera… Ceux qui ont l'estomac fragile devraient donc y penser à deux fois avant de monter à bord ou choisir de s'installer dans les places fixes nouvellement créées. En effet, deux options sont maintenant proposées aux participants: l'original (suivez les indications de couleur orange) et une version plus douce pour éviter les malaises (couleur verte). Quant aux claustrophobes, ils doivent savoir qu'ils seront très à l'étroit dans le «vaisseau». Les femmes enceintes devraient pour leur part s'abstenir.

Test Track FP▶ 🎧
★ ★ ★ ★

Voici une attraction qui transforme les hôtes de Disney World en de véritables pantins, ou plus précisément en mannequins d'essai. Attachez votre ceinture et préparez-vous à subir, de l'intérieur, les tortures auxquelles on soumet les voitures avant de les juger dignes de prendre la route. Dérapages non contrôlés, virages à haute vitesse et freinages brusques sont tous au menu. De plus, une bonne peinture doit pouvoir soutenir des températures extrêmes, de sorte que vous devez être prêt à passer du froid au chaud. L'expérience ultime reste toutefois

l'«envolée» sur la piste extérieure à une vitesse maximale d'environ 100 km/h.

À NOTER: Taille minimale 1,02 m. Présenté par General Motors, qui en profite pour montrer quelques nouveaux modèles de voitures et quelques prototypes intrigants à la sortie de l'attraction.

Imagination!
★ ★ ★

Une infinité de jeux électroniques plus passionnants les uns que les autres font de cet endroit le plus grand favori de nombre d'enfants à Epcot. Le bâtiment lui-même, composé de deux pyramides de verre légèrement tordues, produit déjà un sentiment d'illusion, et, tout au long de la journée, les rayons du soleil s'infiltrent à travers le verre, attirant l'attention des visiteurs sur ces étonnantes structures géométriques. À l'intérieur de ce pavillon commandité par Kodak, vous trouverez trois attractions débordantes d'imagination: Journey Into Your Imagination with Figment, Honey, I Shrunk the Audience et ImageWorks: "What If" Labs.

Journey Into Your Imagination with Figment 🎧 ★ ★ ★

Au fait, jusqu'où va votre imagination? C'est précisément là ce que tentent de déterminer les chercheurs de l'imaginaire Institut de l'imagination (celui-là même qui reconnaît l'œuvre de Wayne Szilinski dans «Honey, I Shrunk the Audience» à la porte voisine). En vous lançant dans cette aventure, adaptée de l'ancien «Journey Into Imagination», vous mesurerez tout d'abord votre QI, à savoir votre Quotient d'Imagination dans le cas qui nous occupe, et il appert, du moins au début, que la plupart d'entre nous sont grandement déficients à cet égard ainsi qu'en témoignent les bouffées de vapeur sans substance qui semblent émaner de nos têtes dans le miroir devant lequel nous prenons place. Après avoir parcouru les salles un tant soit peu bizarres de cette attraction – dans l'une d'elles, tout est à l'envers, alors que, dans une autre, il y a

Les eaux dansantes

D'immenses jets d'eau s'élèvent et retombent, des torrents s'élancent telles des fusées dans les airs, et de fines pluies décrivent des pirouettes au son d'une musique puissante. Le spectacle se poursuit pendant plusieurs minutes, puis se termine par une explosion, comme si des feux d'artifice invisibles éclataient soudain.

Bienvenue à l'**Innoventions Fountain Show**, une symphonie dramatique toute liquide qu'on peut voir et entendre toutes les 15 min. Vous ne pouvez d'ailleurs manquer ce spectacle, puisqu'il se déroule dans la cour du Future World entre Innoventions East et Innoventions West.

D'autres grandes eaux vous attendent également à l'extérieur du pavillon d'Imagination!, où **The Dancing Waters** attirent une foule nombreuse tout au long de la journée et pendant une bonne partie de la soirée. Des trombes d'eau y sautent d'un étang à un autre, et les enfants s'en donnent à cœur joie en essayant de les attraper au vol.

du son mais aucune lumière –, nous en venons toutefois à gagner des points, si bien qu'au terme de la visite notre QI bat tous les records.

Ceux qui ont connu l'ancien manège y verront une énorme amélioration par rapport à son insipide prédécesseur. Certaines des illusions sont vraiment ahurissantes, notamment cet oiseau qui apparaît dans sa cage de façon absolument inconcevable.

À NOTER: Comme c'était le cas pour l'ancien manège, sa nouvelle version est plus ou moins appréciée selon l'âge et l'état d'esprit des participants. Alors que d'aucuns s'en font un régal, d'autres n'y voient qu'une lente et insipide randonnée.

Honey, I Shrunk the Audience FP▶ 🎧 ★★★★

Il ne fait aucun doute que ce spectacle 3D recèle certains trucages particulièrement brillants. Disney joue ici avec l'auditoire, non seulement en lui présentant des trucages visuels, mais aussi en lui procurant des sensations physiques (autrement dit, lorsqu'on relâche les souris dans le film vous les sentez grimper le long de vos

jambes!). Wayne Szalinski, le professeur atermoyant de *Honey, I Shrunk the Kids*, revient à l'écran avec sa machine infernale, et, cette fois, c'est vous, l'auditoire, qu'il réduit. Grâce à vos lunettes 3D et à vos perceptions altérées, vous vous sentirez vraiment devenir tout petit... et vulnérable. Chiens et chaussures de tennis vous sembleront aussi grands que des gratte-ciel, et un gigantesque cobra royal vous frappera en pleine figure! Ne soyez donc pas étonné si vous vous mettez à crier, à hurler ou à bondir de votre siège: tous vos semblables en font autant.

À NOTER: Beaucoup trop terrifiant et bruyant pour la majorité des jeunes enfants, à moins que vous ne vouliez risquer de les voir pleurer d'un bout à l'autre du spectacle.

ImageWorks: "What If" Labs ★★★

Au chapitre des créations de génie, peu d'attractions rivalisent avec ImageWorks: "What If" Labs. L'endroit regorge de gadgets électroniques sans pareil, soit des centaines d'appareils permettant de jouer avec la lumière, le son, la couleur, les images et le temps. Un des ateliers vous permet de métamorphoser votre

Le meilleur endroit à Epcot pour rencontrer les mascottes à l'effigie de personnages de Disney est le restaurant Garden Grill, situé dans le pavillon The Land. Les écureuils Chip and Dale (Tic et Tac) y animent tous les repas en compagnie de leurs nombreux amis, au nombre desquels figure Mickey Mouse lui-même.

Près du pavillon Innoventions West, divers personnages font leur apparition tout au long de la journée à l'Epcot Character Connection.

Aladin peut occasionnellement être aperçu au pavillon du Maroc, tout comme les personnages de *La Belle et la Bête* au pavillon de la France et ceux de *Winnie the Pooh* au pavillon du Royaume-Uni.

visage jusqu'à lui donner l'apparence d'un personnage de dessin animé, pour ensuite l'envoyer à vos amis par courrier électronique. Un autre vous permet de créer des sons au gré des mouvements de votre main. Un miroir électronique présente une version à la fine pointe des glaces déformantes normalement trouvées dans les maisons du rire. Et, aux Stepping Tones, vous pourrez jongler follement avec la lumière, les couleurs et la musique en sautant sur un tapis (vous pourriez y prendre goût au point qu'on doive poliment vous inviter à quitter les lieux à l'heure de la fermeture). Ce pavillon stimule l'esprit de créativité chez les enfants, alors que, chez les adultes, l'expérience qu'il procure leur rappelle qu'il fait bon rêver dans un monde où tout va si vite. Qui plus est, il n'y a pratiquement jamais de file d'attente; les foules du milieu de la journée occasionnent bien quelques délais à certains jeux individuels, mais vous trouverez toujours une activité ne nécessitant aucune attente.

À NOTER: Pour ceux qui désirent seulement visiter ImageWorks: "What If" Labs, sachez que cette attraction possède sa propre entrée.

- - - - - - - - - - - - - - - - - - -

The Land
★★★★

Cette énorme construction en forme de serre galactique inondée de soleil regorge de délices de la terre. Des comptoirs d'aliments multicolores remplissent le rez-de-chaussée, offrant pâtisseries maison, pommes de terre au four, grillades, glaces, cafés recherchés, desserts chocolatés et pains si frais qu'ils réchauffent vos mains. Les odeurs capiteuses et les images enivrantes de The Land vous envahissent à tel point qu'il est impossible d'y jeter «un simple coup d'œil rapide». Et c'est très bien ainsi, car le pavillon présente souvent ces «substances vitales» de façon amusante et attachante. Trois attractions très bien conçues et fort différentes les unes des autres, commanditées par Nestlé U.S.A., y sont présentées: Living with the Land, The Circle of Life et Soarin'.

Living with the Land FP▶ 🎧 ★★★★

Comme le nom de cette attraction l'indique, il s'agit d'«écouter la terre», et l'instructive promenade en bateau qu'elle propose vous fera découvrir le passé et le futur de l'agriculture. On commence par traverser une forêt tropicale, puis un désert, une prairie américaine et une ancienne cour de ferme, pour ensuite parcourir des installations modernes en activité. Il y a une mini-ferme tropicale aux papayes si pulpeuses qu'on a envie de les cueillir, un jardin hydroponique pour le moins fascinant et un centre d'aquaculture regorgeant de poissons colorés et de crevettes d'eau douce. À la prolifique **Desert Farm**, un ordinateur pourvoit aux besoins en eau des cotonniers, des tournesols, des gourdes, du sorgho et des concombres. Le doux mouvement du bateau rend cette croisière de 14 min très relaxante et instructive.

À NOTER: La plupart des renseignements fournis ici sont trop poussés pour les enfants d'âge préscolaire, ce qui ne les empêche pas pour autant d'apprécier le paysage et la balade en bateau.

The Circle of Life 🎧 ★★★

Ce film magnifique, présenté à l'intérieur du grand et confortable Circle of Life Theater, fait vibrer la corde environnementale qui sommeille en chacun de nous. Simba, le Roi Lion, en assure la narration et tente de persuader ses congénères de ne pas ériger de barrage sur la rivière à seule fin d'y construire un complexe touristique. Il les entraîne (et, avec eux, l'auditoire) dans un voyage qui leur fait voir la destruction de la planète: cours d'eau putrides, forêts tropicales humides dévastées, oiseaux marins victimes de fuites de pétrole, circulation urbaine pestilentielle et dépôts d'ordures, autant de maux causés par une population trop nombreuse, un développement trop effréné et trop peu de respect pour la Terre. La morale de l'histoire, c'est que, bien entendu, tout le monde devrait se donner la main pour préserver l'environnement. Et, pendant ce temps, Disney a rasé les forêts du centre de la Floride pour faire de la place, entre autres, à un centre résidentiel et culturel doublé d'un gigantesque centre commercial, un projet du nom de «Celebration» qui coûtera 2,5 milliards de dollars!

À NOTER: Le film s'adresse à tous les publics, même si les bambins profitent en général de l'obscurité tranquille pour faire un somme d'une vingtaine de minutes, tandis que leurs parents ne sont que trop heureux de pouvoir reposer leurs pieds. La file d'attente est rarement longue.

Visiter The Land

Si vous avez aimé la promenade en bateau dénommée «Living with the Land», ne ratez pas sur ce site le **Behind the Seeds Tour**, d'une durée de 45 min. Un guide y explique les techniques de culture expérimentale pratiquées à The Land et vous emmène dans un jardin hydroponique. Cette visite permet d'explorer plus en profondeur ce qu'on aperçoit brièvement au cours de la promenade en bateau, mais son plus grand attrait réside sans doute dans le fait qu'elle permet aux visiteurs de poser des questions.

Soarin' FP▶ ★★★★

Cette attraction, développée à l'origine pour le parc Disney's California Adventure d'Anaheim, simule un voyage à la découverte des plus beaux paysages de Californie vus des airs.

Les participants prennent place dans une salle de cinéma IMAX dont l'écran, immense, a une forme concave qui lui permet d'encercler les spectateurs sur 180 degrés. Puis, lorsque le film commence, les sièges s'élèvent à une douzaine de mètres au-dessus du sol. Vous aurez alors l'impression de pénétrer dans l'écran pour mieux survoler la Californie. Le vent s'en mêle pour accentuer le réalisme du périple, de même que l'odeur de pins lorsque vous survolez une forêt.

À NOTER: Taille minimale 1,02 m. Il s'agit d'une «promenade» bien tranquille mais d'un réalisme saisissant. Aussi peut-elle incommoder les gens sujets au vertige.

Epcot - Future World - The Land

The Seas with Nemo & Friends
★ ★ ★ ★

De petites vagues éclaboussent des rochers factices à l'extérieur de cette construction ondulante. Sur les rochers en question, on aperçoit de faux oiseaux aquatiques directement sortis du film d'animation *Finding Nemo*. Ainsi le ton est-il donné pour la nouvelle incarnation inaugurée à l'automne 2006 de l'ancien pavillon The Living Seas, entièrement revu avec une mise en scène dans laquelle le poisson clown Nemo et ses amis tiennent dorénavant les premiers rôles.

On peut subdiviser la découverte de ce pavillon en trois parties distinctes. Au cours de la première, les visiteurs s'installent dans un petit véhicule qui a la forme d'une coquille, la *clamobile*, qui entreprend un circuit permettant d'abord de revoir des extraits du film sur divers écrans, puis qui s'enfonce littéralement dans un aquarium géant de plus de 20 millions de litres d'eau salée, d'une profondeur de 8 m et d'un diamètre de 61 m. Dans ce bassin grouille une vie marine fascinante composée de barracudas, de poissons-perroquets, de requins et de quelque 65 autres espèces. Plus fascinante encore est la manière dont on arrive, grâce à d'habiles projections, à faire évoluer les personnages animés avec les véritables créatures marines, comme si de rien n'était.

Les participants sont ensuite invités à descendre à la base, qui constitue la seconde partie de la visite. Ici se trouvent plusieurs bassins et aquariums, dont un abrite d'impressionnants lamantins. Il faut aussi assister au spectacle des hommes-grenouilles qui vont nager avec les poissons pour les nourrir.

Mais le meilleur reste à venir dans la troisième partie de la visite: le film d'animation interactif *Turtle Talk with Crush*.

Turtle Talk with Crush ★ ★ ★ ★

Il ne faut pas manquer ce dessin animé qui met en vedette le personnage *cool* par excellence qu'est Crush, la tortue marine de *Finding Nemo*. Pendant une partie de ce film d'une dizaine de minutes, une astucieuse technologie permet à ce personnage animé d'interagir en direct avec les enfants présents dans la salle, de répondre à leurs questions, de leur demander leurs noms et de blaguer avec eux. Irrésistible!

À NOTER: Cette nouvelle mouture, en tablant sur la popularité des personnages de *Finding Nemo*, attire des foules importantes. Ainsi, l'attente pour assister à la présentation de *Turle Talk with Crush* est souvent longue. Présentez-vous tôt le matin pour limiter ces désagréments.

Innoventions
★ ★ ★

Nouveau millénaire oblige, Disney veut vous donner un aperçu de ce que l'avenir vous réserve, d'un point de vue technologique, s'entend. Le plus récent avatar d'Innoventions présente ainsi tout un assortiment de gadgets et d'appareils futuristes pour la maison, l'hôpital et le bureau: téléphones-bracelets à la Dick Tracy, animaux de compagnie robotisés, et une maison «intelligente» renfermant un réfrigérateur qui inventorie automatiquement son contenu tout en tenant votre liste d'épicerie à jour (reste à savoir s'il peut aussi réprimander ceux et celles qui ont la fâcheuse habitude d'y ranger un contenant de lait pratiquement vide).

Au nombre des commanditaires de cette attraction figurent des sociétés de l'envergure de GM, de Motorola et de Xerox. Il n'est donc pas étonnant d'y retrouver des objets tels que voitures à double source d'énergie, visiophones cellulaires et papier électronique. Les jeux d'ordinateur et l'arcade Sega brillent désormais par leur absence (pour le plus grand bonheur des parents), mais les enfants n'en trouveront pas moins de quoi s'amuser dans la salle Disney Online, où, en plus de pouvoir consulter le site Web de Disney, ils pourront faire une partie virtuelle de chat perché. Par contraste avec les prévisions futuristes d'autrefois (selon lesquelles nous serions maintenant censés faire la navette entre Mars et la Terre pour nous rendre au travail), tous les produits présentés sont pour ainsi dire fonctionnels et plausibles, si ce n'est qu'ils mettront encore, pour la plupart, de 3 à 15 ans à apparaître sur les rayons des commerces. D'ici là, vous aurez beaucoup de plaisir à contempler ce qui nous attend.

Ceux qui se souviennent du fouillis qui caractérisait la première version d'Innoventions seront soulagés d'apprendre que ses concepteurs ont dorénavant doté le tout d'une certaine organisation. Ainsi, du labyrinthe informe qu'elle présentait jadis, cette nouvelle attraction vous propose un tracé clairement défini. Entrez dès lors par l'East Building (Innoventions est encore réparti entre deux ailes, Est et Ouest) et laissez-vous guider vers le futur.

À NOTER: rarement bondé, et presque accessible à votre convenance.

World Showcase

Le pont panoramique reliant le Future World au World Showcase semble également remonter dans le temps, puisque d'un côté se profilent les structures de verre et d'acier du Future World, alors que de l'autre apparaissent la tour Eiffel, des pagodes multicolores et des pyramides antiques. Il y a d'ailleurs quelque chose de réconfortant dans le spectacle de ces anciennes constructions qui tout à la fois émeuvent et fascinent; le temps et l'espace se compriment, si bien que le passé le plus lointain semble ici revivre sous nos yeux.

Des parterres fleuris encadrent les sentiers qui serpentent à travers les 11 pavillons nationaux du World Showcase, dont chacun célèbre, autour de places affairées, l'architecture et les coutumes issues de différentes cultures au fil de l'histoire. Châteaux, temples, tours d'horloge et églises en pierres y reflètent les splendeurs et l'héritage culturel de pays comme l'Italie, le Maroc, la Norvège, l'Allemagne, le Japon et la Chine. Des fontaines jaillissantes, ornées de sculptures, agrémentent les squares; des musiciens et des acteurs se produisent dans les rues, fidèles ambassadeurs de la vie artistique de leur nation; des boutiques aussi pittoresques qu'exclusives proposent des spécialités propres à chaque contrée, et plusieurs restaurants permettent d'apprécier les mets de différentes ethnies.

Ainsi que le fait remarquer un guide d'Epcot, le World Showcase (une vitrine sur le monde) fut conçu dès le départ de manière à ce qu'aucun pays ne supplante les autres. Ainsi, le pavillon des États-Unis, qui devait à l'origine se présenter comme une tour aux lignes épurées, et montée sur pilotis, fut ramené à un bâtiment colonial en briques plus modeste afin de ne pas porter ombrage aux autres. Cette vaste mosaïque culturelle, créée autour d'un lagon de 16 ha, forme une composition si impressionnante qu'on ne sait trop par quel bout commencer, ni comment s'y prendre pour tout voir. Contrairement aux autres parcs thématiques de Disney, le World Showcase n'est pas un kaléidoscope de manèges, de jeux et de spectacles, mais plutôt un endroit où l'on explore, où l'on écoute et où l'on s'asseoit tranquillement pour mieux s'imprégner des merveilles qui nous entourent. De fait, pour goûter pleinement l'expérience du World Showcase, il suffit de s'y trouver, sans plus.

La meilleure façon de visiter chaque «pays» consiste à marcher et à marcher encore. Commencez par arpenter les rues en prenant le temps d'étudier les moindres détails architecturaux de chaque bâtiment. Puis scrutez les boutiques une par une; plus que de simples magasins, elles témoignent de l'histoire, des styles architecturaux et de l'artisanat de pays tout entiers. Les restaurants vous permettent également de découvrir les traits culturels de chaque nation; même si vous ne projetez pas d'y manger, visitez-les donc tout de même. Plusieurs pavillons possèdent en outre de beaux petits musées, et cinq d'entre eux présentent d'excellents films. Le Mexique et la Norvège offrent même des balades en bateau, peu mouvementées mais non moins plaisantes. Et, dans chaque pavillon, vous trouverez des employés qui s'empresseront de répondre à vos questions concernant leur pays d'origine.

Un des grands atouts du World Showcase tient à ses **amuseurs de rue**. Chaque pays présente en effet un spectacle de son cru, des mariachis coiffés de sombreros du Mexique aux joueurs de cornemuse en kilt du Canada. Les artistes se produisent généralement toutes les 15 à 45 minutes et vous réservent chansons, danse et même saynètes. À titre d'exemple, les Olde Globe Players du Royaume-Uni montent une mini-pièce dans laquelle les spectateurs sont appelés à jouer des rôles farfelus (et parfois embarrassants). Le Maroc organise pour sa part un défilé de personnages vêtus de cafetans et jouant qui du *darbuka* (tambour), qui du *nfir* (trompette) ou du *oud* (luth). Et la Chine propose une version réduite, mais tout de même fort élaborée, des traditionnelles célébrations du Nouvel An. Pour savoir qui se produit où et quand, procurez-vous un horaire des spectacles au comptoir des *Guest Relations*.

IllumiNations: Reflections of Earth
★ ★ ★ ★ ★

Chaque soir, le grand lagon autour duquel se dressent les pavillons nationaux du World Showcase devient le théâtre d'IllumiNations: Reflections of Earth, un spectacle musical et pyrotechnique tout à fait exceptionnel.

Le thème central de ce spectacle haut en couleur est l'histoire de la planète Terre, depuis sa formation jusqu'à nos jours… et même au-delà. D'une durée de 13 min, cette présentation combine rayons laser, feux d'artifice traditionnels, jeux d'eau, et une sorte de ballet sur l'eau exécuté par un globe terrestre.

À NOTER: Il y a plusieurs bons postes d'observation tout autour du lagon, mais il faut tout de même s'y installer tôt, soit une heure environ avant le début du spectacle, pour s'assurer une vue dégagée.

Le Mexique
★ ★ ★ ★

Une spectaculaire pyramide précolombienne, flanquée de têtes de serpents géantes et de sombres sculptures de guerriers toltèques, confère à ce pavillon une aura plutôt mystique. Ce spectacle ne laisse toutefois nullement présager ce qu'on s'apprête à découvrir à l'intérieur, soit un village à flanc de colline baignant dans une lumière crépusculaire. Aménagée sur le modèle du village mexicain de Taxco, la place est parsemée de petits kiosques couverts où l'on peut se procurer des sombreros, des fleurs et des sandales. Des boutiques s'entassent également autour de cette place, laissant voir leurs toits de tuiles, leurs balcons en fer forgé et leurs jardinières remplies de fleurs. Des mariachis se promènent en jouant de leurs instruments, invitant la foule à la fête, alors que, plus bas, d'autres visiteurs dînent à la chandelle sur une terrasse riveraine.

Le pavillon du Mexique offre deux attractions conventionnelles: une exposition d'art et une balade en bateau. L'exposition présente une jolie collection de sculptures en bois réalisées par des artisans de la région d'Oaxaca. Vous pouvez contempler cet étalage avant ou après la balade en bateau.

El Río del Tiempo: The River of Time ★ ★ ★

Ce voyage lent et paisible prend la forme d'une croisière nocturne sur «la rivière du temps» et permet d'admirer d'antiques pyramides, des formations rocheuses percées de grottes ainsi que des sculptures élaborées. Au fil de la balade, divers objets et décors d'influence maya, toltèque et aztèque témoignent de milliers d'années d'histoire mexicaine.

MGM STUDIOS

1. Le Twilight Zone Tower of Terror™ se cache dans le menaçant Hollywood Tower Hotel. (page 113)
   © Disney
   The Twilight Zone™ is a registred trademark of CBS, Inc. and is used pursuant to a license from CBS, Inc.

2. Le Rock 'n Roller Coaster® Starring Aerosmith, l'un des plus enivrants manèges de Disney. (page 113)
   © Disney

3. Des enfants jouent sur le terrain de jeu de Honey, I Shrunk the Kids Movie Set Adventure. (page 118)
   © Disney

ANIMAL KINGDOM

1. Attraction-vedette de l'Animal
    Kingdom, Kilimanjaro Safaris®
    s'étend sur 45 hectares. (page 133)

2. TriceraTop Spin, la seule vraie
    balade enfantine du parc: Dumbo,
    mais sur un dinosaure! (page 140)

3. Sur les Discovery Island Trails se
    dresse le colossal Tree of Life, haut
    de 45 mètres. (page 131)

Les peuples d'Epcot

Si les employés du World Showcase vous semblent être d'authentiques représentants de leur pays, c'est parce qu'ils en sont vraiment. Chaque pavillon embauche en effet des gens natifs du pays qu'ils représentent, produisant ainsi un joyeux mélange d'accents, de costumes et de traditions. Ces employés, pour la plupart dans la vingtaine, travaillent à Epcot pour une période d'un an dans le cadre d'un programme d'échanges international, et vivent tous ensemble dans des dortoirs aménagés à leur intention aux abords immédiats du parc.

Les échanges culturels font partie intégrante de l'expérience de travail offerte par le World Showcase, de sorte qu'on encourage fortement les visiteurs à poser toutes les questions qui leur viennent à l'esprit à l'intérieur de chacun des pavillons. En fait, plusieurs employés sont si enthousiastes qu'ils seront déçus si vous ne les interrogez pas sur leur patrie d'origine.

Les enfants adorent ce périple coloré et divertissant, avec ses poupées dansantes aux costumes radieux rappelant celles de It's a Small World du Magic Kingdom (voir p 69). Des séquences filmées présentant différentes scènes de la vie mexicaine (y compris des plongeurs s'élançant du haut des falaises, des danseurs endiablés et des courses de hors-bord) apparaissent ici et là le long du parcours, et constituent un intéressant documentaire touristique en soi. Quant au dernier tableau, un éblouissant spectacle de projections lumineuses par fibres optiques, il saura sans nul doute vous émerveiller.

À NOTER: Tâchez d'arriver de bonne heure pour éviter les foules. Si vous ne pouvez vous y rendre en matinée, reprenez-vous après 19h.

La Norvège
★ ★ ★ ★

Le pavillon de la Norvège, probablement l'un des plus extraordinaires du World Showcase, se révèle austère, complexe et fascinant. La beauté singulière de ce «pays du soleil de minuit» émane tout particulièrement de ses rues pavées, de ses cascades rocheuses, de ses chalets coiffés de tuiles rouges et de son château en pierres du XIVᵉ siècle. Mais l'attention est surtout retenue par la re-production d'une église en pieux de bois datant du milieu du XIIIᵉ siècle, avec ses bardeaux épais et ses sculptures stylisées. Remarquez les dragons qui s'avancent des avant-toits, ajoutés au cas où les villageois décideraient de retourner au paganisme.

Maelstrom FP▶ ★ ★ ★

Malgré la crainte qu'inspire le nom de cette attraction et les rencontres de trolls sinistres qu'on y fait, il n'y a pas du tout lieu d'avoir peur. Très appréciée des petits et des grands, cette balade intérieure sur de longs bateaux à têtes de dragons, semblables à celui sur lequel voguait Éric le Rouge il y a de cela 1 000 ans, permet d'explorer des villages vikings, des fjords et des forêts magnifiques, ainsi qu'une mer du Nord légèrement tumultueuse. Il y a bien un plongeon prononcé, mais qui se fait tout en douceur, de même qu'une quasi-bascule arrière en descendant une cascade, mais si faible que les passagers avant n'en ont parfois pas même conscience. Au terme de cette aventure, un film de 5 min révèle des paysages époustouflants de la Norvège.

À NOTER: Fort remarqué, le pavillon de la Norvège est habituellement très bondé après 11h.

Epcot - World Showcase - La Norvège

La Chine
★ ★ ★ ★ ★

Le panorama envoûtant de la Chine ancestrale présente un caractère architectural qu'on pourrait presque qualifier de spirituel. Fidèle aux traditions extrême-orientales, le pavillon s'impose comme un festin pour les yeux, gorgé de symboles de vie, de mort, de vertu et d'amour de la nature. Passé le portail du Soleil d'or (**Gate of the Golden Sun**), vous découvrirez une exquise reproduction de l'opulent Temple céleste (**Temple of Heaven**) de Pékin, construit en 1420 sous la dynastie Ming. Dignement revêtu de rouge étincelant (symbole de joie) et d'or (symbole d'impérialisme), ce joyau de trois niveaux arbore des motifs géométriques d'une grande délicatesse. Un jardin où de tendres pelouses dominées par des saules torsadés invitent à la méditation jouxte le temple. Quant à la salle des prières (**Hall of Prayer**), qui forme l'aile principale du temple, les empereurs venaient s'y recueillir dans le but d'obtenir de bonnes récoltes. À l'extérieur, 12 colonnes représentent les 12 mois de l'année, alors qu'à l'intérieur quatre autres colonnes symbolisent les quatre saisons.

Les lieux renferment tant de détails qu'il faudrait plusieurs heures pour tout voir. Si vous désirez approfondir votre visite, revenez plutôt le deuxième ou le troisième jour de votre séjour à Epcot; quoi qu'il en soit, voyez d'abord le film-vedette du pavillon: *Reflections of China*.

Reflections of China 🎧
★ ★ ★ ★

Après avoir vu ce film remarquable sur les merveilles de la Chine, rares sont les visiteurs qui n'éprouvent pas un vif désir d'aller les admirer sur place. Pendant 14 min, vous serez transporté à travers des forêts de pierres, des rizières en terrasses et des montagnes couronnées de nuages, sans oublier la Grande Muraille de Chine, qui sillonne le front de ce vaste pays. De la trépidante Shanghai moderne à la beauté silencieuse du désert de Gobi, les richesses stupéfiantes de cette contrée vous sont dévoilées sur un écran de 360 degrés.

À NOTER: Malgré la matière et la qualité exceptionnelles du film, il est regrettable qu'on ne puisse s'asseoir dans cette salle; les spectateurs doivent se contenter de s'appuyer sur les rampes disposées à cet effet. Pour les parents avec de jeunes enfants, cela peut poser un problème majeur car les tout-petits ne peuvent voir l'écran que si on les porte, et les nourrissons doivent de toute façon rester dans vos bras puisque les poussettes ne sont pas tolérées à l'intérieur du cinéma. Deux solutions possibles: si votre groupe compte plusieurs adultes, ils peuvent porter les enfants à tour de rôle; sinon, un des parents peut faire la balade en bateau du pavillon de la Norvège (juste à côté) en compagnie des enfants, pendant que l'autre assiste à la projection du film.

Enfin, le pavillon de la Chine est peut-être le plus populaire du World Showcase et, par le fait même, le plus bondé. Essayez donc de le visiter avant 13h30 ou après 19h.

L'Allemagne
★ ★ ★ ★

Cette enceinte joviale renferme un assortiment de maisons tarabiscotées, de tourelles et de balcons en bois, de boutiques de jouets, de «cafés-brasseries» et de joyeux lurons à tête blonde iodlant dans les rues. Le pavillon, qui ne s'inspire d'aucun lieu particulier, réunit des spécimens architecturaux, des œuvres d'art et des costumes provenant de toutes les régions de l'Allemagne, le tout produisant un amalgame féerique. Au milieu de la place centrale, appelée **St. Georgsplatz**, on a érigé une statue représentant saint Georges tuant un dragon; saint patron des soldats, Georges aurait tué ce monstre alors qu'il faisait route vers le Moyen-Orient. Près de là se trouve **Das Kaufhaus**, une boutique construite sur le modèle d'une *kaufhaus* (salle marchande) de Fribourg, en Allemagne. Vous remarquerez en façade les statues des empereurs Ferdinand, Charles et Philippe; la *kaufhaus*

L'Outpost: une autre façon de voyager

Situé entre les pavillons de la Chine et de l'Allemagne, un vaste marché appelé «Outpost» propose divers produits artisanaux d'Afrique, d'Australie et d'Inde, permettant ainsi à plusieurs autres pays une certaine présence dans le World Showcase.

Vous y trouverez par exemple des animaux sculptés en bois réalisés par des artistes kenyans, des chapeaux de diverses provenances, des instruments de musique et plus encore.

de Fribourg s'honore de la présence d'un quatrième empereur, Maximilien, mais la version réduite de Disney World n'offrait pas suffisamment d'espace pour lui, de sorte que le personnel du pavillon se plaît à dire que *«Maximilien a mordu la poussière»*.

À NOTER: Le pavillon de l'Allemagne ne possédant aucune attraction conventionnelle, on peut le visiter à toute heure de la journée.

L'Italie
★ ★ ★ ★

Contrairement aux constructions «historiques» de la plupart des autres pays du World Showcase, d'apparence relativement récente, les façades du pavillon de l'Italie sont délicieusement crevassées et érodées, ce qui ne fait qu'ajouter à l'authenticité de ce berceau de la pensée et des arts occidentaux. Un campanile de 32 m projette sa silhouette élancée sur une grande piazza imitant la **place Saint-Marc** de Venise. Tout près, une fidèle reproduction du **palais des Doges** (1309) s'impose comme une étude de plusieurs styles architecturaux, car, au fil

des ans, les nombreux doges qui l'ont habité y ont laissé leurs traces: colonnes romanesques, mosaïques byzantines, et même quelques arcs-boutants. Vous noterez par ailleurs que les colonnes n'ont pas de pied; la raison en est que le palais de Venise n'en a pas non plus, ayant été victime de l'érosion causée par les incessantes inondations qui ont frappé ces îles à la merci des eaux depuis maintenant plusieurs décennies. L'authenticité italienne se retrouve jusque sur une petite île située de l'autre côté de la promenade, où des gondoles sont amarrées à des poteaux rappelant des enseignes de barbier, tandis que des oliviers et des kumquats ondulent au vent, vous transportant d'emblée dans un paysage méditerranéen.

À NOTER: Comptez au moins une heure pour vous imprégner des détails historiques et architecturaux de ce pavillon. Fort heureusement, vous pouvez le visiter n'importe quand, car il est rarement bondé.

Les États-Unis
★ ★ ★ ★ ★

Malgré les accents fortement patriotiques de ce pavillon, il est difficile de ne pas se laisser charmer par ses éclats de rouge, de blanc et de bleu. Enrichi par le parfum des magnolias du Sud et une myriade d'autres fleurs multicolores, il se veut une réplique du Liberty Hall de Philadelphie. Tout bien considéré, il s'agit d'une pure merveille. L'imposant bâtiment de cinq étages, couronné d'un toit mansardé et d'un clocher abritant la Liberty Bell, est recouvert de briques rouges façonnées à la main avec de la terre argileuse provenant de la Géorgie. Pavillon hôte du World Showcase, il trône au beau milieu des autres «pays», et, de l'autre côté du lagon, il semble si invitant qu'*«il agit comme une "carotte" attirant les gens de tous les coins de la promenade»*, nous dit un guide de Disney. À l'intérieur se trouvent une immense rotonde et une grande salle confortablement climatisée où vous pourrez assister à la projection du film pertinemment intitulé *The American Adventure*.

Epcot - World Showcase - Les États-Unis

The American Adventure 🎧 ★★★★★

Ce spectacle dont on parle beaucoup, et qui constitue l'une des réalisations majeures de Disney, allie de façon remarquable les arts de la scène et la cinématographie, en utilisant des personnages «audio-animatroniques» si réels que vous aurez l'impression de les avoir déjà rencontrés quelque part. Les créateurs de Disney ont ici fait appel à la technologie qu'ils avaient déjà déployée au Hall of Presidents du Magic Kingdom (voir p 65), mais en poussant ses possibilités à l'extrême. Non seulement a-t-on reproduit de façon on ne peut plus réaliste les mouvements, les expressions et les voix des personnages, mais leur personnalité même transpire à travers leur image. Ainsi, Benjamin Franklin affiche sa perspicacité et son optimisme habituels, tandis que Mark Twain, cigare au bec, nous communique son humour désabusé. Ce sont d'ailleurs ces deux hommes qui, 26 min durant, relatent avec nostalgie les principaux événements qui ponctuèrent la grande aventure de ce pays, tels le déversement des cargaisons de thé dans le port de Boston, la guerre de Sécession, le triste largage de la bombe d'Hiroshima et le premier pas de l'homme sur la Lune. On y découvre en outre l'héritage laissé par des personnes aussi célèbres que cette blonde appelée Marilyn et ce cowboy du nom de John Wayne. Dans une scène d'après la Dépression, on voit quelques hommes flâner sur le pas de la porte d'un magasin général de campagne; il y en a un qui gratte du banjo, l'autre qui porte une bouteille de Coca-Cola à ses lèvres et un dernier qui se plaint du prix de l'essence (0,04$ le litre!). Plusieurs des décors de cette production sont montés sur un chariot qui se déplace sous la scène. Désigné du nom de *war wagon*, ce chariot pèse 175 tonnes, et ses dimensions sont de 20 m x 11 m x 4 m; de plus, il repose sur des piliers qui s'enfoncent à 92 m sous terre.

À NOTER: La mauvaise nouvelle, c'est que ce pavillon est généralement plein à craquer. La bonne, c'est qu'on peut y accueillir tellement de spectateurs que l'attente dépasse rarement 20 min, et ce, dans une belle rotonde climatisée. Les enfants d'âge préscolaire, ennuyés par le spectacle, finissent souvent par s'endormir dans cette salle sombre et fraîche.

Le Japon
★★★★

Tous ceux qui visitent ce pavillon pour la première fois en restent généralement bouche bée. Avec raison d'ailleurs, car il y a effectivement lieu de s'émerveiller devant la richesse des pagodes aux toits ailés d'un bleu si reluisant qu'on dirait du verre. Surplombant l'entrée, le *goju-no-to*, une structure de cinq étages aux allures mystiques, s'inspire de la pagode Horyuji de Nara (VIIIe siècle). Ses étages représentent les cinq éléments que sont la terre, l'eau, le feu, le vent et le ciel; le soir, ils brillent de mille feux telle une somptueuse et gigantesque lanterne japonaise. La pagode est adossée à une colline parcourue de ruisseaux caillouteux, de ponts en arc et d'arbustes denses. Des constructions aux tuiles bleues viennent compléter cette image sereine, tandis que le tintement de carillons éoliens rend la brise mélodieuse.

À NOTER: À l'arrière, une superbe reproduction du château féodal Shirasagi-Jo (XVIIIe siècle) abrite l'excellente **galerie Bijutsu-Kan**, où des expositions temporaires mettent en valeur toute la finesse des arts japonais ainsi que divers objets ayant inspiré ce peuple.

Le Maroc
★★★★

Peut-être le plus exotique et le plus romantique des pavillons d'Epcot, le Maroc présente un amalgame de forteresses, de châteaux et de minarets féeriques garnis de stuc et de bois sculpté, et recouverts de mosaïques chatoyantes. Des rues étroites et poussiéreuses se faufilent entre des arches mauresques et de petits passages vers un marché envahi de paniers, d'articles en laiton, de cornes et de tapis tissés. Sur la place, on voit des

Marocains portant des fez à pompons, alors que les femmes sont enveloppées dans des burkas. Si le tout vous semble étrangement réel, ce n'est pas pour rien: la presque totalité du pavillon fut léguée par le royaume du Maroc, qui envoya ici 8 t de carreaux taillés à la main et 23 artisans pour les assembler. Toute la construction a ensuite été effectuée suivant les règles de la religion musulmane. Notez que chaque carreau possède une petite fissure ou une imperfection quelconque, et qu'aucun ne représente une créature vivante; la raison en est que les musulmans croient que seul Allah a le droit de créer la perfection et la vie. Prenez également le temps de vous rendre au restaurant Marrakesh, somptueusement carrelé.

À NOTER: On offre des visites guidées du pavillon sur demande. Renseignez-vous auprès d'un employé une fois sur les lieux.

- - - - - - - - - - - - - - - - - - - -

La France
★ ★ ★ ★ ★

Qui n'a pas, au moins une fois dans sa vie, rêvé de visiter Paris? Il n'y a donc rien d'étonnant à ce que ce pavillon soit très prisé (et bondé). Le décor en est un du début du XXe siècle, plus précisément de la Belle Époque, caractérisée par une architecture aux accents romantiques et raffinés. Les constructions révèlent des toits mansardés, des lucarnes et des façades enrubannées de fer forgé. Une passerelle, inspirée du pont des Arts, enjambe une anse du lagon du World Showcase censée représenter la Seine. Vers l'arrière du pavillon repose une copie du marché des Halles, avec son toit en berceau, qui fut construit à Paris dans les années 1200 et ensuite déménagé à la campagne. Il y a aussi une merveilleuse pâtisserie et un traditionnel café-terrasse où la nourriture sent si bon qu'on y voit constamment des files d'attente. La tour Eiffel, juchée sur le toit de la salle de projection du pavillon, est une reproduction à l'échelle (1/10e) qu'on peut même apercevoir de l'autre extrémité du World Showcase, et, après l'avoir admirée de loin, beaucoup de visiteurs sont déçus

de ne pas pouvoir s'en approcher davantage. Néanmoins, tout juste sous ses piliers, le Palais du cinéma, de style Art nouveau, propose un film révélateur intitulé *Impressions de France*.

Impressions de France 🎧 ★ ★ ★ ★ ★

Cette projection de 18 min vous entraîne dans un voyage mélodieux et très souvent fantaisiste autour de la France. Présentée sur cinq écrans couvrant un angle de 200 degrés, elle dépeint des collines recouvertes de vignobles, des trottoirs encombrés de chariots de fleurs et des châteaux entourés de domaines si resplendissants que vous voudriez tout de suite vous procurer un billet d'avion. Il y a aussi des douzaines d'autres paysages enchanteurs, parmi lesquels les sereines Alpes françaises, la sensuelle côte méditerranéenne et le somptueux château de Versailles. Tout cela dans une salle fraîche aux sièges confortables où vous pourrez reposer vos jambes.

À NOTER: Réputé pour ses longues files d'attente. En arrivant avant 11h, vous réduirez le temps d'attente à 10 min ou moins.

- - - - - - - - - - - - - - - - - - - -

Le Royaume-Uni
★ ★ ★

Un pub au bord de l'eau, des comédiens errants et des bâtiments témoignant de plus de 1 000 ans d'histoire britannique font de ce site une joyeuse expérience culturelle. Une rue pavée de briques est bordée de boutiques aux styles variés (néoclassique, Tudor, georgien et victorien) sur une distance de 90 m. C'est ainsi qu'un cottage au toit de chaume, aux murs plâtrés et au sol de pierres, mène à une maison en bois au sol recouvert de planches et aux fenêtres ponctuées de vitraux, tandis qu'à côté une impeccable chambre Queen Anne arbore un plancher lambrissé à rainures et à languettes. Dehors, on accède à un luxuriant jardin d'herbes aromatiques, à un jardin de roses et à d'éblouissants massifs fleuris encadrés de fer forgé. On a tellement de plaisir à explorer toutes ces structures riches en détails qu'on oublie facilement qu'il n'y a pas d'attraction principale dans ce pavillon.

À NOTER: Assurez-vous de voir les Olde Globe Players dans leurs costumes colorés.

Le Canada
★ ★ ★ ★

Flanqué d'un mât totémique, entouré de jardins exubérants et surmonté de «montagnes Rocheuses», le pavillon du Canada est à la fois romantique et angulaire. De grosses pierres couleur cuivre rappelant les Rocheuses canadiennes servent de toile de fond à des chutes bouillonnantes, à des ruisseaux cristallins et à des canyons escarpés. Sur des pentes plus douces, on reconnaît les Buchart Gardens de Victoria, avec leurs saules, leurs bouleaux et leurs pruniers, offrant un paysage mixte de haies drues, de fleurs tendres et de lierres grimpants. L'étonnant «Hôtel du Canada», de style château, avec ses flèches, ses tourelles et ses toits mansardés, surplombe le tout. En y regardant de plus près, toutefois, on s'aperçoit que cet hôtel n'est pas aussi haut qu'il en a l'air. Ce qui semble être six étages n'occupe en effet l'espace que de deux étages et demi. Cet effet est produit grâce à la technique de la «perspective forcée», qui consiste à réduire la taille des briques et des fenêtres au fur et à mesure qu'on s'élève. Mais ce ne sont pas là les seuls petits tours qu'on y joue. Il y a aussi ces arbres qui semblent jaillir des Rocheuses, alors qu'ils sont en réalité plantés dans de grands pots cachés, nourris et arrosés grâce à des tubes dissimulés. Quand aux Rocheuses elles-mêmes, elles ne sont guère autre chose que du béton peint et du grillage, soutenus par une plate-forme semblable à celles qu'on utilise pour les chars allégoriques. L'attraction principale porte ici le nom de *O Canada!*.

O Canada! 🎧 ★ ★ ★ ★

La Gendarmerie royale du Canada semble vous encercler lorsqu'elle fait le tour de l'écran au début de ce film. Ce n'est là qu'un prélude aux effets visuels sensationnels qui vont suivre dans ce film «360 degrés»: plongeons dans des chutes, survol de canyons, de plaines et de rivages plus ou moins irréguliers. On y décèle le savoir-faire canadien dans les décors artistiques de Montréal et le raffinement de Toronto, tandis que la vie sauvage est représentée par des lynx, des ours, des bisons, des caribous et des aigles. La qualité cinématographique de ce film vous donne l'impression d'y être en personne; plusieurs séquences ont d'ailleurs été prises à l'aide de caméras suspendues à des hélicoptères.

À NOTER: Tout comme au pavillon de la Chine, on assiste à cette représentation debout, une nouvelle peu réjouissante pour les parents accompagnés de jeunes enfants, car ils devront les porter pendant les 18 min que dure le film. Il en va de même pour les bébés, car les poussettes ne sont pas admises à l'intérieur de l'enceinte. En guise de compromis, un des parents peut se rendre au Le Cellier Steakhouse pour une collation avec les enfants, pendant que l'autre visionne le film; il s'agit d'un restaurant offrant de nombreux mets à prix raisonnable qui feront le bonheur des enfants, sans compter que l'établissement est rarement bondé.

Disney-MGM Studios

Lorsque les Disney-MGM Studios ont vu le jour, on considérait, du moins en Floride, qu'il s'agissait d'un événement d'envergure mondiale. Les aménagements prévus sur ce site permettaient en effet pour la première fois de favoriser, et même de garantir, la production de films et d'émissions télévisées tout en donnant la chance au public de se familiariser plus étroitement avec l'industrie du spectacle. Pour un État depuis si longtemps avide des merveilles d'Hollywood, l'avènement de ce projet suscitait une jubilation sans borne.

Disney s'ouvrait aussi, par le fait même, à de nouveaux horizons. Car, bien que la société produisît, et ce, depuis des années déjà, ses propres films, jamais cette activité n'avait encore été intégrée aux parcs thématiques. De plus, en s'associant à Metro-Goldwyn-Mayer (une décision pour le moins étonnante de la part d'une société qui n'a pas l'habitude de partager ses projets), Disney s'assurait la collaboration d'une des plus importantes firmes cinématographiques qui soit.

Ce parc de 45 ha, réalisé au coût de 300 millions de dollars, s'inspire des très célèbres studios Universal du sud de la Californie. Malgré son étendue, le parc Disney-MGM paraît, à première vue, petit et familier, sans doute parce que près des deux tiers de sa superficie sont occupés par des centres de production de télévision et de cinéma (qui, soit dit en passant, offrent des visites en coulisses). Le reste des installations regroupe des manèges, des attractions demandant la participation du public et des spectacles de cascadeurs, englobant ainsi à peu près toutes les facettes de l'industrie hollywoodienne.

Tel un film des années 1930 ou 1940, le parc présente un mélange coloré d'architecture Art déco, de panneaux d'affichage kitsch, de pop art, de jardins paysagers, de restaurants dernier cri, de *diners* originaux et de boutiques de bibelots. L'ensemble des lieux peut facilement être parcouru en moins de deux heures.

Disney-MGM, c'est d'abord et avant tout le **Hollywood Boulevard**, avec ses rangées de palmiers, ses comédiens de rue, ses boutiques loufoques et ses constructions éthérées aux tons pastel. Immédiatement à droite du boulevard, vous trouverez l'**Animation Courtyard**. C'est là que, pour la première fois dans l'histoire de l'illustre firme, sont révélés les secrets de la création des personnages marquants de ses plus grands films d'animation.

De l'autre côté, on aperçoit l'**Echo Lake** et son «dinosaure» grandeur nature, *Gertie*, qui crache de la fumée tout en servant de comptoir à glaces. La zone voisine, où l'on présente l'**Indiana Jones Stunt Spectacular** (spectacle de cascadeurs), attire, pour sa part, des milliers de visiteurs d'heure en heure. Dans l'angle nord-est du parc, **Mickey Avenue** réunit pêle-mêle des entrepôts aux toits de tôle ondulée et de faux quartiers constituant les vastes centres de production de Disney-MGM. Le long de la face ouest du parc courent les **Streets of America**, où se trouve l'incontournable **Muppet Vision 3D**. Une visite guidée de deux heures (ou plus), le **Disney-MGM Studios Backlot Tour**, vous donnera ici un aperçu de ce qu'est l'industrie du cinéma.

Contrairement au Magic Kingdom ou à Epcot, les studios Disney-MGM ne sont ni imposants ni intimidants. On n'y retrouve qu'une quinzaine d'attractions importantes, comparativement à plus de 40 pour le Magic Kingdom et près de 20 pour Epcot. Cela signifie que vous pouvez voir le parc tout entier (en prenant votre temps) en une seule journée, et ce, même s'il y a foule.

Disney-MGM Studios

La beauté de ce parc réside en grande partie dans les raffinements de sa conception et dans le soin porté aux plus petits détails de ses attractions, des qualités qui sont devenues la marque même de Disney: des faisceaux de couleurs unifiant les différents secteurs du site, des façades de bâtiments si réelles que les gens cherchent à en ouvrir les portes, des comédiens sans emploi (ou plutôt jouant des comédiens désœuvrés) qui déambulent dans les rues en faisant sautiller des pièces de monnaie du bout de leurs doigts... En fait, chaque recoin fait penser à Hollywood.

À quelques exceptions près, chaque attraction regorge d'action, d'effets spéciaux et de toutes sortes de singularités qui fascinent et réjouissent quiconque s'intéresse un tant soit peu à l'industrie cinématographique. L'environnement bénéficie également d'une complexité accrue. Les responsables de Disney ont en effet compris que les visiteurs ne se contentent guère d'un simple tour de manège, et c'est pour cette raison qu'ils ont créé des attractions réunissant des films, des sketchs, des narrations instructives et des manèges.

On a en outre veillé à ce que les attractions aient quelque chose à offrir aux gens de tout âge. Alors que, dans les autres parcs de Disney World, parents, adolescents et enfants n'arrivent pas toujours à se mettre d'accord sur les attractions à visiter, on s'entend généralement sans problème à Disney-MGM. En fait, la question ne sera pas tant de savoir quelles attractions il faut voir, mais plutôt de déterminer combien on pourra en voir en une journée.

Il va sans dire que toutes les attractions de ce parc incarnent le summum de l'illusion. Car, si Hollywood n'est qu'un grand spectacle, Disney-MGM est un spectacle à l'intérieur d'un spectacle. Ici, tout ce qui s'offre à la vue, à l'ouïe et à l'odorat, relève de la plus pure fantaisie hollywoodienne, de sorte que le parc tout entier est comme le reflet d'un miroir dans un autre miroir.

Accès et déplacements

■ Orientation

Bien que les studios Disney-MGM couvrent une superficie de 45 ha, près des deux tiers en sont consacrés aux centres de production cinématographique et télévisuelle ainsi qu'aux aires de service. La plupart de ces endroits ne sont accessibles que par le biais de visites commentées en tramway ou de passerelles d'observation spécialement aménagées à cet effet. Le reste du parc peut être parcouru à pied, et les visiteurs sont libres d'explorer les attractions à leur gré.

Ce parc en forme de cercle irrégulier comprend le Hollywood Boulevard, les attractions à proprement parler et les gigantesques installations de production, desservies par le tramway du **Disney-MGM Studios Backlot Tour**. Le **Hollywood Boulevard** forme l'artère principale du parc et constitue un excellent point de repère.

Il débouche sur une place où s'élève le chapeau de sorcier géant de Mickey, devenu l'emblème du parc. Agrémenté de chênes et de bancs, ce lieu représente un bon point de ralliement si votre groupe décide de se séparer ou si quelqu'un se perd. C'est aussi un endroit de choix pour pique-niquer (hot-dogs, glaces et maïs soufflé sont offerts par les marchands des nombreux kiosques qui émaillent ce secteur) et pour assister au défilé qu'est la Disney Stars and Motor Cars Parade. Dans le sens contraire des aiguilles d'une montre, à partir du boulevard Hollywood, se succèdent le boulevard Sunset, l'Animation Courtyard, Mickey Avenue, les Streets of America et le lac Echo.

De ce point, les attractions sont réunies par petits groupes dans la moitié antérieure du parc. Quant aux visites à pied et en tramway des installations de production, vous en trouverez la liste dans la section «Disney-MGM Studios Backlot Tour» (voir p 116). La visite à pied débute au fond du parc, près de la Backstage Plaza; le tramway, lui, part du côté est du parc, près du théâtre des Muppets.

En voiture

De la **route I-4** (Interstate 4), prenez la sortie donnant accès au **Caribbean Beach Resort**, aux **studios Disney-MGM** et à **Downtown Disney**. Les studios se trouvent à environ 1 km de la route I-4.

Tous ceux qu'intimide la complexité du réseau d'accès au Magic Kingdom seront enchantés à la vue des studios Disney-MGM. Dans un premier temps, son stationnement de 4 500 places paraît minuscule à côté de celui du Magic Kingdom, sans compter qu'il se trouve juste à l'entrée du parc, ce qui veut dire que vous n'aurez pas à attendre de monorail ou de traversier pour accéder au site même.

Il y a des frais de 9$ pour le stationnement (sauf pour les résidants des hôtels de Disney World), et des tramways vous conduiront jusqu'à l'entrée, quoique plusieurs places de stationnement s'en trouvent à distance de marche. N'oubliez surtout pas de **prendre note du numéro de la rangée où vous êtes stationné**, sans quoi vous risquez de ne pas retrouver votre véhicule à la fin de la journée!

En transports en commun

Du Magic Kingdom: Prenez le monorail ou le traversier jusqu'au Transportation and Ticket Center, puis un bus Disney jusqu'aux Disney-MGM Studios.

D'Epcot et du Disney's Animal Kingdom: Prenez un bus Disney directement jusqu'aux Disney-MGM Studios.

De Downtown Disney, de Blizzard Beach, du Typhoon Lagoon ou de Fort Wilderness: Prenez un bus Disney directement jusqu'à Disney-MGM.

Des hôtels Swan, Dolphin, Disney's Yacht Club, Disney's Beach Club et Disney's BoardWalk: Prenez une navette lacustre ou rendez-vous à pied aux Disney-MGM Studios.

Des autres hôtels du Walt Disney World Resort: Prenez un bus Disney directement jusqu'aux Disney-MGM Studios.

Des hôtels de la région ne faisant pas partie de Disney World: La plupart disposent d'un service de navette pour les studios Disney-MGM. Cependant, dans bien des cas, le service ne se fait qu'aux heures, si ce n'est toutes les deux ou trois heures. Il vaut alors mieux s'y rendre en voiture.

Renseignements utiles

Quelques précieux conseils

Les studios Disney-MGM sont rarement bondés au point de devoir en restreindre l'accès, ce qui ne veut pas dire que vous n'y trouverez jamais de foules pressantes, surtout en été et à l'occasion des grandes fêtes de l'année. Tout bien considéré, il vaut toujours mieux arriver 30 min avant l'ouverture «officielle» du parc, d'autant plus qu'en haute saison on ouvre parfois les portes des studios Disney-MGM plus tôt que prévu.

Il convient aussi de savoir que le **Hollywood Boulevard**, qui fait pendant à la Main Street du Magic Kingdom, ouvre toujours ses portes une demi-heure ou une heure avant le reste du parc. On peut (tout en prenant un café avec des pâtisseries) s'y procurer des plans et des brochures, ou louer une poussette, un casier ou un fauteuil roulant avant la ruée générale. Vous pourrez également profiter de cette avance pour vous placer en tête de file aux attractions les plus prisées: **Star Tours**, **The Great Movie Ride**, **The Twilight Zone Tower of Terror**, le **Rock 'n' Roller Coaster Starring Aerosmith** et **Voyage of The Little Mermaid**.

Dans la même foulée, le Hollywood Boulevard reste ouvert une demi-heure ou une heure après la fermeture du reste du parc. L'heure de fermeture officielle est toutefois respectée assez religieusement en ce qui a trait au reste du parc.

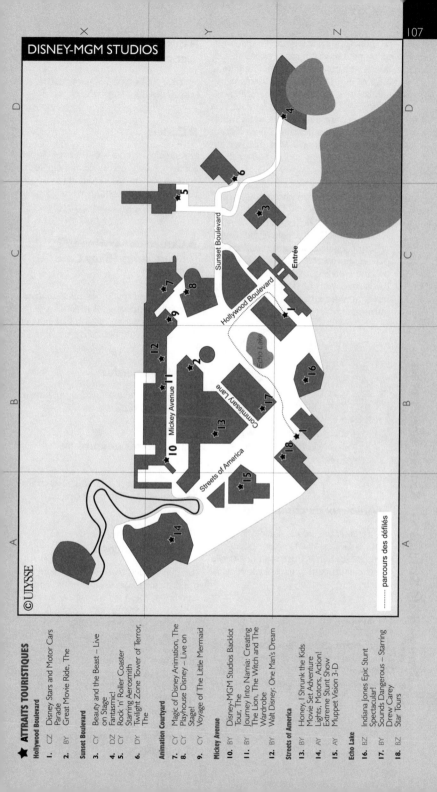

DISNEY-MGM STUDIOS

★ ATTRAITS TOURISTIQUES

Hollywood Boulevard

1.	CZ	Disney Stars and Motor Cars Parade
2.	BY	Great Movie Ride, The

Sunset Boulevard

3.	CY	Beauty and the Beast – Live on Stage
4.	DZ	Fantasmic!
5.	CY	Rock 'n' Roller Coaster Starring Aerosmith
6.	DY	Twilight Zone Tower of Terror, The

Animation Courtyard

7.	CY	Magic of Disney Animation, The
8.	CY	Playhouse Disney – Live on Stage!
9.	CY	Voyage of The Little Mermaid

Mickey Avenue

10.	BY	Disney-MGM Studios Backlot Tour, The
11.	BY	Journey Into Narnia: Creating The Lion, The Witch and The Wardrobe
12.	BY	Walt Disney: One Man's Dream

Streets of America

13.	BY	Honey, I Shrunk the Kids Movie Set Adventure
14.	AY	Lights, Motors, Action! Extreme Stunt Show
15.	AY	Muppet Vision 3-D

Echo Lake

16.	BZ	Indiana Jones Epic Stunt Spectacular!
17.	BY	Sounds Dangerous – Starring Drew Carey
18.	BZ	Star Tours

© ULYSSE

········· parcours des défilés

Le principal avantage de ce parc est qu'on peut le visiter sans encombre. De fait, contrairement au Magic Kingdom, à Epcot et à la plupart des autres parcs thématiques, on parcourt si facilement les studios Disney-MGM qu'on peut très bien sauter une attraction pour y revenir plus tard. Vous aurez ainsi l'occasion de tout voir sans avoir à tout planifier au préalable.

Toutefois, si vous tenez à visiter les meilleures attractions avant tout, après avoir essayé Star Tours, The Great Movie Ride, le Rock 'n' Roller Coaster Starring Aerosmith et The Twilight Zone Tower of Terror, feuilletez attentivement ce chapitre et choisissez les manèges de quatre ou cinq étoiles qui vous attirent le plus. Par la suite, vous ne devriez avoir aucun mal à accéder aux manèges moins populaires.

Selon l'heure de votre visite aux studios Disney-MGM, il se peut que vous assistiez au tournage d'un film ou d'une émission télévisée. Pour connaître les horaires de tournage, rendez-vous au bureau des *Guest Relations*, à l'entrée du parc.

■ Animaux de compagnie

Ils ne sont pas admis à l'intérieur des studios Disney-MGM. Vous pouvez cependant les faire garder pour la journée au chenil du parc, près de l'entrée principale.

■ Argent

Vous trouverez des guichets automatiques à l'entrée du parc, de même qu'au Toy Story Pizza Planet. Au bureau des *Guest Relations*, vous pourrez en outre changer des devises.

■ Bureau des objets perdus et trouvés

Signalez tout objet perdu ou trouvé au bureau des *Guest Relations*.

■ Casiers

Disponibles à côté de l'Oscar's Super Service Station, à l'entrée principale. Il vous en coûtera 5$ par jour et par casier, plus un dépôt remboursable de 2$ pour accès illimité.

■ Centre de services aux nourrissons (*Baby Care Center*)

Situé dans l'enceinte des *Guest Relations*, à l'entrée principale, sur la gauche. On y trouve entre autres des tables à langer et tout le nécessaire pour allaiter.

■ Enfants perdus

Signalez les enfants perdus au bureau des *Guest Relations*.

■ Poussettes et fauteuils roulants

Vous en trouverez à l'Oscar's Super Service Station, à l'entrée principale.

■ Renseignements et audioguides ∩

Le bureau des *Guest Relations*, situé immédiatement après l'entrée principale, sur la gauche, est l'endroit où vous arrêter pour obtenir tout renseignement de même que pour trouver des plans du parc en français. Vous pouvez aussi vous y procurer des audioguides qui traduisent en français la narration de plusieurs attractions. Ce service est gratuit, mais on vous demandera un dépôt qui vous sera remboursé lorsque vous rapporterez l'appareil. Les plans et les audioguides sont également disponibles en espagnol, en allemand, en japonais et en portugais.

Un tableau d'affichage à l'intention des visiteurs

Vous venez d'arriver aux studios Disney-MGM, et vous ne savez par quel bout commencer. Ne vous en faites pas car vous trouverez de l'aide dans la cour des studios. Les employés de Disney y tiennent en effet à jour un grand tableau qui vous indiquera les principales attractions, le temps d'attente approximatif pour y accéder ainsi que quelques suggestions quant aux meilleurs moments pour les visiter. Deux employés révisent régulièrement les renseignements fournis et prodiguent divers conseils aux visiteurs pour les aider à mieux planifier leur journée. L'information est presque toujours exacte, bien qu'on ait déjà constaté une attente de 40 min à une attraction qui en affichait 25, pour la simple et bonne raison qu'on avait inscrit au tableau «À voir tout de suite!».

■ Service de collecte de paquets (*Package Pickup*)

Ceux qui magasinent beaucoup devraient songer à profiter de ce service gratuit. Il permet, si vous résidez dans un hôtel Disney, de faire livrer tous vos achats directement à votre chambre. Si vous logez à l'extérieur du royaume, il offre aussi la possibilité de faire envoyer vos paquets à un comptoir situé près de l'Oscar's Super Service Station, près de l'entrée principale du parc. Vous pourrez ainsi passer prendre vos emplettes au moment de quitter le parc, sans avoir à les traîner toute la journée. Mais attention: il y a souvent des «embouteillages» entre 17h et 18h, ainsi que durant la demi-heure qui précède la fermeture du parc.

Hollywood Boulevard

Copie ambitieuse de la célèbre grand-rue de la capitale du cinéma américain, le Hollywood Boulevard a du panache à revendre. Son architecture moderne aux lignes pures révèle des rebords en saillie, des courbes légères, des néons clignotants et des chromes étincelants, et ses bâtiments peints de rose, de turquoise, de jaune clair et de vert écume se détachent élégamment sur l'azur du ciel. Des blocs de verre reflètent les rayons du soleil, et les devantures des boutiques renvoient leur image aux passants.

En bordure du boulevard, on retrouve d'anciens lampadaires, des panneaux d'arrêt rayés de noir et de blanc, et des feux de circulation qui font *Ding!* lorsqu'ils passent d'une couleur à l'autre. De magnifiques palmiers émergent du béton, leurs feuilles pointues se balançant au gré du vent, et quelques mesures de la bande sonore de *Doctor Zhivago* sont bercées par les vagues d'air chaud. Des boutiques et des entreprises plus originales les unes que les autres se volent la vedette le long des trottoirs, attirant les visiteurs à qui mieux mieux par des affiches décrivant leur spécialité, et même ceux qui n'aiment pas magasiner ont plaisir à les visiter car elles leur rappellent le bon vieux temps.

Pour couronner le tout, des acteurs et des actrices en mal de célébrité arpentent le boulevard, affublés de maquillages excessifs et de costumes outranciers. Vous reconnaîtrez sûrement la peau laiteuse de Marylin Monroe, le trench-coat de Dick Tracy et certains autres personnages «typiques» d'Hollywood (un chauffeur de taxi mâcheur de gomme, un reporter indiscret et un type louche vendant des plans des résidences des vedettes de la télévision).

Avant de vous promener sur le Hollywood Boulevard, arrêtez-vous au kiosque appelé **Crossroads of the World**; vous le verrez immédiatement après avoir passé l'entrée du parc, et il regorge de guides, de plans et d'horaires des représentations et des tournages de la journée. Les

Disney-MGM Studios - Hollywood Boulevard

Les attractions des Disney-MGM Studios où l'on peut obtenir un *Fast Pass* FP▶

Il est possible de se procurer un *Fast Pass*, permettant d'éviter les files d'attente, aux attractions suivantes des Disney-MGM Studios:

Indiana Jones Epic Stunt Spectacular! (Echo Lake) p 121

Lights, Motors, Action! Extreme Stunt Show (Streets of America) p 119

Rock 'n' Roller Coaster Starring Aerosmith (Sunset Boulevard) p 113

Star Tours (Echo Lake) p 120

The Twilight Zone Tower of Terror (Sunset Boulevard) p 113

Voyage of The Little Mermaid (Animation Courtyard) p 115

employés de Disney peuvent aussi vous conseiller et vous aider à organiser votre visite.

Si vous vous rendez sur les lieux de bon matin, dévalez le boulevard d'un pas rapide et prenez la direction des attractions qui risquent d'être bondées plus tard dans la journée. Il est préférable de commencer par le **Rock 'n' Roller Coaster Starring Aerosmith** pour ensuite essayer **The Twilight Zone Tower of Terror**, **The Great Movie Ride** et **Star Tours**. Cela vous mènera à l'heure du déjeuner, et vous pourrez alors en profiter pour visiter tranquillement le Hollywood Boulevard pendant que le reste du parc s'emplit.

Au pied du Hollywood Boulevard, vous ne manquerez pas l'**Oscar's Classic Car Souvenirs & Super Service Station**. Les passionnés de voitures anciennes adoreront cette station-service doublée d'un musée et d'une boutique garnie de distributeurs de gomme à mâcher en forme de pompe à essence et de photos de superbes voitures anciennes. Papa et maman apprécieront tout particulièrement les «véritables» services offerts ici: location de poussettes et de casiers, ainsi que toutes sortes d'articles pour bébé tels que biberons et couches. On y loue également des fauteuils roulants.

Vous voulez jouer les célébrités? Rendez-vous au **Cover Story**, où de chaleureux employés de Disney vous feront une beauté, prendront votre photo et la mettront à la une de votre magazine préféré (moyennant quelques dollars évidemment). Les enfants adorent cet endroit.

Le Hollywood Boulevard offre deux attractions principales: le défilé Disney Stars and Motor Cars et The Great Movie Ride.

Disney Stars and Motor Cars Parade
★★

Envisagez d'assister à cet extravagant défilé sur roues surtout pour voir les vedettes de Disney. La Petite Sirène, Lilo et Stitch, Hercule, Aladin, sans oublier le «Big Cheese» (Mickey lui-même), figurent parmi ceux qui y font leur apparition, tous juchés sur des voitures de style et d'époque. Qui plus est, un vrai maître de cérémonie mène le jeu et anime la foule. Au bout du compte, cette parade se révèle assez attrayante.

À NOTER: Le défilé débute à Star Tours, se dirige vers la droite d'Echo Lake, puis prend à droite le Hollywood Boulevard, bloquant au passage une grande section de la partie ouest du parc. La bonne nouvelle: ça libère l'entrée des attractions d'Animation Courtyard et de celles qui se trouvent en retrait du Sunset Boulevard, donc c'est le bon moment de visiter ces secteurs.

The Great Movie Ride 🎧
★ ★ ★ ★ ★

On peut facilement dire que ce manège se classe parmi les meilleurs, mais, ce qui le distingue vraiment, c'est son bâtiment, une superbe reproduction du somptueux Grauman's Chinese Theater d'Hollywood. Situé au sommet du Hollywood Boulevard, ce théâtre de 8 825 m² arbore de magnifiques toits en pagode et une façade ornée de rutilantes colonnes rouges et de sculptures en pierre. Ici et là sur la place, vous trouverez les empreintes de pieds et de mains de quelques vedettes d'Hollywood: Bob Hope, Jim Henson, Susan Sarandon, Danny DeVito et Rhea Perlman, pour ne nommer que celles-là. Passé le seuil, vous êtes accueilli par de hauts plafonds, des panneaux peints d'un grand raffinement et d'imposantes lanternes chinoises. Et vous n'avez encore rien vu!

Le hall d'entrée, en fait destiné à recevoir la file d'attente, abrite un mini-musée rempli d'objets aussi fascinants qu'une combinaison spatiale utilisée dans le film *Alien*, les pantoufles de rubis portées par Judy Garland dans *The Wizard of Oz* et le minuscule piano sur lequel jouait Sam dans *Casablanca*. Lorsque la file d'attente n'est pas longue (ce qui est rare), les visiteurs sont portés à traverser le hall en toute hâte, manquant du coup tous ses trésors. Suivez plutôt ce conseil: relaxez-vous et prenez le temps d'apprécier les pièces exposées, vous ne le regretterez pas.

Une fois à l'intérieur, on vous fera monter à bord de véhicules ouverts pour vous plonger sans tarder dans l'esprit du cinéma. Des murales des années 1930 représentent les collines d'Hollywood dressent une image nostalgique de cette

Chapeau bas, Disney-MGM!

Le Magic Kingdom a son château, l'Animal Kingdom a son arbre et l'Epcot a son Spaceship Earth. Il était donc plus que temps que les studios Disney-MGM aient leur propre icône (le château d'eau affublé d'oreilles de souris ne faisant apparemment pas l'affaire), et il est tout à fait approprié que le sort en ait été dévolu à un chapeau de sorcier (Sorcerer's Hat). Ce nouveau symbole se trouve en face du Chinese Theater, et, compte tenu de ses 37 m, il est évident que seule une souris géante pourrait le coiffer. Heureusement que Mickey est à la hauteur de la situation!

époque, avec ses villas en gradins et les lettres géantes de son «Hollywoodland» original, réverbérant la lumière du soleil couchant. Mais pendant presque tout le reste du périple, qui dure 20 min, on a plutôt recours à des décors fabuleux, dynamiques et incroyablement réalistes pour vous faire revivre les plus grands moments du cinéma. La pluie déferle sur Gene Kelly dans *Singin' in the Rain*, et Mary Poppins s'envole avec son parapluie magique sur l'air de *Chim Chim Cher-ee*.

Dans certaines scènes, on constate avec étonnement que l'on a du mal à différencier les robots «audio-animatroniques» des véritables employés de Disney. On y voit aussi l'impassible Clint Eastwood, qui attend au Monarch Saloon, et John Wayne brandissant une carabine à cheval sur sa monture en parcourant une prairie inondée de soleil à la poursuite de voleurs ayant fait sauter le coffre d'une banque, laissant l'édifice en flammes. Les visiteurs peuvent d'ailleurs sentir la chaleur de la déflagration depuis leur véhicule.

Disney-MGM Studios - Hollywood Boulevard - The Great Movie Ride

Dans une séquence particulièrement sinistre, on voit le monstre d'*Alien* dégoulinant de matière visqueuse au milieu d'un décor de compartiments métalliques d'où s'échappe de la fumée, alors que, dans une autre, Indiana Jones s'efforce d'extirper l'«arche perdue» d'un tombeau infesté de serpents. (Avertissement: ces deux scènes peuvent effrayer les jeunes enfants.) Mais la scène la plus fantastique est sûrement celle du *Magicien d'Oz*, où l'on aperçoit des centaines d'adorables petites bêtes, Dorothée, entourée de ses étranges compagnons, et la vilaine sorcière.

Chaque tableau fascine par la complexité de ses costumes, la richesse de ses détails visuels et ses fameux personnages «audio-animatroniques», dont les gestes et les traits paraissent si étrangement réels. De fait, à quelques exceptions près, chacun de ces personnages reproduit en tous points son modèle original, jusque dans les moindres détails de son costume et de ses accessoires, qu'il s'agisse du balai chétif de la sorcière ou du cheval et du fusil de John Wayne.

À NOTER: Un des manèges les plus populaires de Disney-MGM, et par le fait même un des plus bondés. Voici un moyen d'évaluer la durée de votre attente: lorsque le hall est plein, comptez au moins 25 min d'attente, et, lorsque la file déborde jusqu'au Hollywood Boulevard, sachez que vous devrez patienter plus d'une heure. Retenez toutefois que les temps d'attente affichés **surestiment** généralement la durée réelle de 10 à 15 min; par exemple, si un panneau porte l'inscription «Temps d'attente approximatif à partir de ce point: 40 min», il s'agit en fait plutôt de 30 min. Il existe cependant une exception à cette règle: parfois, surtout en fin de journée, il arrive que les employés de Disney refoulent tous les visiteurs en attente à l'extérieur du bâtiment afin de libérer le hall. Ainsi, avant de vous laisser décourager par les longues files d'attente qui se trouvent à l'extérieur, jetez un coup d'œil à l'intérieur.

Autre considération importante: même si ce manège plaît à tout le monde, il

présente plusieurs scènes susceptibles d'effrayer certains jeunes enfants.

Sunset Boulevard

Le plus récent boulevard de Disney-MGM respire l'Art déco. Des néons courent le long des bâtiments, les fenêtres sont surmontées de chatières, et des éclairages de théâtre scintillent sous les marquises. Des ouvrages complexes en métal chantourné ornent des façades baignées de rose, de jaune et de vert écume. Et des enseignes, comme celles de la Beverly Sunset Gallery, invitent les passants à franchir le seuil d'élégantes portes.

La plus grande partie de cet étalage demeure irréelle. Il y a bien une ou deux «vraies» boutiques, qui vendent d'ailleurs des souvenirs de Disney, mais tout le reste n'est que décor. Vous pouvez regarder, mais pas entrer. Mais la principale qualité du Sunset Boulevard est de donner accès à des attractions et spectacles comptant parmi les plus appréciés de tout le Walt Disney World Resort, rien de moins!

The Beauty and the Beast – Live on Stage
★ ★ ★ ★

Si vous avez aimé le film *La Belle et la Bête*, vous ne voudrez pas manquer ce spectacle présenté au Theater of the Stars. Au rythme des chansons à succès qui ponctuent ce grand classique, le spectacle redit l'histoire éternelle de l'amour unissant la Belle à l'inquiétante mais, somme toute, adorable Bête. Vous y retrouverez tous les numéros de chant et de danse des «habitants» du château, qu'il s'agisse de l'horloge, du candélabre, de la théière ou de la tasse, et la finale vous réserve un feu d'artifice sur scène, de même qu'une volée de colombes (qui sont en fait des pigeons blancs), pour bien finir le tout en beauté.

À NOTER: Le spectacle comme tel ne dure que 25 min et se répète cinq fois par jour, mais, en raison de sa popularité, le théâtre est toujours bondé, ce qui fait que vous devriez dépêcher un membre de votre groupe sur les lieux au moins une heure à l'avance, quitte à le remplacer de temps à autre. Même en arrivant 45 min avant le spectacle, vous risquez d'être refusé à l'entrée. Notez par ailleurs que la représentation a lieu à ciel ouvert et qu'elle devient beaucoup plus impressionnante à la tombée du jour, mais la file d'attente se forme alors encore plus tôt!

The Twilight Zone Tower of Terror FP▶ ◖
★ ★ ★ ★ ★

Tout au bout du Sunset Boulevard se dresse le menaçant Hollywood Tower Hotel (il projette même son ombre sur les studios Disney-MGM). Des fissures tentaculaires escaladent sa façade corail, ses balcons chancellent, des cris humains s'échappent à intervalles réguliers de ses fenêtres angulaires... et les visiteurs se bousculent tout naturellement pour y entrer. Du hall envahi par des toiles d'araignée et ponctué de fleurs fanées à l'«ascenseur de service» et à la chaufferie, on y progresse lentement à travers un dédale de pièces soigneusement truffées de trucages à la Disney. Et la voix de Rod Sterling ne cesse de vous exhorter à pousser plus loin votre aventure «au-delà du réel».

Le clou vous attend dans un ascenseur grillagé. Vous prenez place dans une des rangées de sièges, et une barre de sécurité se rabat sur vos cuisses. L'ascenseur entreprend ensuite son ascension, les portes s'ouvrent, et alors surgissent des personnages fantomatiques et des globes oculaires. Votre cage d'ascenseur parcourt une pièce à faire peur, retourne à son puits et poursuit son ascension. Puis vient la chute... et beaucoup de cris. La plupart des passagers s'en remettent, s'échangent des sourires et attendent qu'on les achemine vers la sortie. C'est alors que l'ascenseur remonte jusqu'au sommet et vous laisse de nouveau choir jusqu'en bas.

À NOTER: Taille minimale 1,02 m. Vous trouverez ici l'une des plus longues files d'attente des studios Disney-MGM. Allez-y donc dès votre arrivée le matin ou à la fin de la journée. Les aires d'attente offrent cependant des vues splendides, ce qui n'est pas plus mal.

Rock 'n' Roller Coaster Starring Aerosmith FP▶
★ ★ ★ ★ ★

Représentez-vous les boucles et les spirales de vos montagnes russes préférées... mais dans l'obscurité! Tel est le Rock 'n' Roller Coaster Starring Aerosmith, peut-être l'un des plus enivrants manèges de Disney. Les passagers prennent place à bord de «limousines» dans une ruelle située derrière le studio d'enregistrement d'Aerosmith. Leur mission: parcourir les rues de Los Angeles à toute allure pour ne pas rater le concert du célèbre groupe rock au Civic Center. Les voitures quittent la ruelle en trombe, passant de zéro à 100 km/h en 2,8 s pour ne plus ralentir de tout le trajet. En cours de route, la musique vous transperce les oreilles, les plaques de rue défilent en un éclair, et vous êtes tantôt ballotté tantôt renversé jusqu'à ce que vous atteigniez enfin l'entrée des hôtes de marque de la salle de concerts (après tout, n'avez-vous pas un laissez-passer vous donnant accès aux coulisses?).

La randonnée en soi est à couper le souffle, mais le thème autour duquel elle gravite en accroît grandement le plaisir. Le Rock 'n' Roller Coaster porte visiblement la marque du groupe Aerosmith (qui a d'ailleurs pris part à sa conception), et vous n'aurez aucun mal à vous imaginer ses membres prenant eux-mêmes d'assaut les rues de la ville. Qui plus est, quiconque a déjà emprunté les artères correspondantes de la Côte Ouest appréciera sans contredit de les parcourir de nouveau... sans bouchon de circulation.

À NOTER: Taille minimale 1,22 m. Le Rock 'n' Roller Coaster Starring Aerosmith est un manège populaire. Un laissez-passer rapide (*Fast Pass*) vous permettra d'y accéder sans attendre; sinon tentez votre chance pendant la Disney Stars and Motor Cars Parade.

Fantasmic!
★ ★ ★ ★ ★

Les feux d'artifice font exploser le firmament, les jets d'eau fusent de toutes parts, la musique emplit l'air de mélodies éclatantes, et ce n'est là qu'un début. Disney a voulu ce spectacle nocturne de 25 min si grandiose qu'il a carrément dû créer une île de toutes pièces pour le présenter.

Tout comme le Fantasmic original, qui fait encore la gloire de Disneyland à Anaheim, cette version à la Disney World donne vie et couleur au rêve de Mickey d'un combat entre le Bien et le Mal. Presque tous les personnages classiques et contemporains de Disney y font une apparition, les bons (Blanche-Neige, le Prince Charmant...) comme les méchants (Maléfique, Ursula, Cruella...). On y reproduit des scènes de différents films, et le tout culmine dans une rivière enflammée, un ciel sillonné de pièces pyrotechniques et un tableau de groupe réunissant pour ainsi dire tous les personnages jamais dessinés par Disney.

Disney a voulu améliorer la version californienne de ce spectacle en créant un théâtre spécialement destiné à l'accueillir (ceux qui ont assisté à la présentation de Disneyland se rappelleront avoir dû jouer du coude avec des milliers d'autres spectateurs au New Orleans Square). C'est donc dans un amphithéâtre à ciel ouvert de 6 500 places, le Hollywood Hills Amphitheater, que prennent place les spectateurs. Au cours de cette représentation nocturne, Mickey doit combattre à lui seul tous les vilains des films d'animation de Disney. Effets pyrotechniques, flammes et jets d'eau sur lesquels sont projetés des extraits de dessins animés sont mis à contribution afin de créer un spectacle haut en couleur dont vous vous souviendrez longtemps.

Il faut par ailleurs savoir qu'en dépit des dimensions accrues du théâtre vous devez songer à arriver tôt pour obtenir une bonne place; les amuseurs publics et les vendeurs ambulants se feront un plaisir de vous aider à passer le temps en attendant la représentation.

À NOTER: On commence à faire la queue jusqu'à 90 min avant le spectacle. Si vous souhaitez faire un usage plus judicieux de votre temps, pourquoi ne pas profiter du forfait dîner-spectacle de Fantasmic? Vous pourrez ainsi prendre votre repas sans vous presser au Hollywood Brown Derby, au Hollywood & Vine ou au Mama Melrose's Ristorante Italiano tout en obtenant un laissez-passer pour le spectacle. Comptez entre 23$ et 37$ pour les adultes et 11$ pour les enfants. Une formule avantageuse, s'il en est.

Animation Courtyard

Une petite cour de béton située à l'est du Hollywood Boulevard se présente comme une enclave Art déco entourée de bâtiments turquoise, jaunes et roses. On y trouve normalement une foule de gens attendant de visiter l'une ou l'autre de ses attractions: The Voyage of The Little Mermaid, The Magic of Disney Animation et Playhouse Disney–Live on Stage!

The Magic of Disney Animation
★ ★ ★

Cette visite à facettes multiples, offerte dans un bâtiment en forme de piano, révèle, pour la toute première fois, les techniques d'animation de Disney. Explorant l'histoire de l'animation et les méthodes mises en œuvre pour produire les classiques que nous connaissons, cette visite s'avère à la fois nostalgique et instructive.

En guise de prélude, vous êtes invité à assister à une présentation au cours de laquelle un acteur en chair et en os interagit avec Mushu, le dragon du film

Où rencontrer les personnages de Disney aux Disney-MGM Studios

Mickey lui-même attend les jeunes et les moins jeunes dans un abri situé sur Mickey Avenue.

Les personnages des films de la série *Histoire de jouets*, soit le cowboy Woody, le patrouilleur de l'espace Buzz Lightyear et les autres, sont présents à l'Al's Toy Barn dans le secteur Streets of America.

Quant aux personnages de *Monsters, Inc.*, on peut leur serrer la pince dans Commissary Lane, une rue qui relie la place centrale aux Streets of America.

Il est aussi possible de rencontrer les personnages-vedettes du moment à l'attraction The Magic of Disney Animation, de même qu'aux abords du chapeau de sorcier géant qui orne la place centrale du parc.

d'animation *Mulan*, et dévoile quelques «secrets de fabrication» des dessins animés de Disney.

Malheureusement, Disney ayant récemment fermé son service d'animation traditionnelle, la portion de The Magic of Disney Animation qui permettait jadis d'observer les artistes animateurs à l'œuvre n'est plus qu'un souvenir. Quel dommage! C'est l'âme même de cette attraction qui a ainsi disparu, ce qui nous a forcés à lui retirer deux étoiles dans notre palmarès.

En lieu et place, une exposition comprenant plusieurs bornes interactives a été mise sur pied, et une salle où des personnages en vogue signent des autographes et se font photographier avec les enfants a été aménagée. Vous pouvez aussi prendre part à une courte séance de formation à l'**Animation Academy**, au cours de laquelle vous apprendrez à dessiner un personnage animé sous la supervision d'un professionnel en la matière.

Finalement, une galerie présente des photogrammes originaux des films de Disney les plus appréciés, dont *Snow White* (1937) et *Peter Pan* (1953). On y trouve également des modèles en papier mâché, en bois et en plâtre de personnages de *Pinocchio*, de *The Beauty and the Beast* et de *The Little Mermaid*. Mais le centre d'attraction de cette salle demeure la collection de reproductions des nombreux oscars décrochés par les studios de Disney, soit le plus grand nombre de trophées jamais obtenu par une firme cinématographique.

À NOTER: Malgré que cette attraction ait beaucoup perdu de son lustre avec le départ de ses artistes animateurs, elle demeure passablement fréquentée. À visiter avant 11h ou après 17h.

The Voyage of The Little Mermaid FP▶
★★★★

The Little Mermaid est un autre film de Disney désormais transposé sur la scène. Pénétrez dans cette salle imitant une grotte sous-marine et laissez-vous charmer par le spectacle des rideaux en cascades, des bulles flottantes et de cette monstrueuse vilaine «audio-animatronique» de 3 m sur 3,5 m. La méchante en question, pour ceux qui ne connaissent pas l'histoire de *La Petite Sirène*, n'est autre que la terrible Ursula, résolue à dérober sa voix mélodieuse à la frêle Ariel (la Petite Sirène); elle y parvient d'ailleurs pour un certain temps. Mais rassurez-vous car tout est bien qui finit bien (au cas où vous en auriez douté), et l'ensemble réunit des séquences d'animation, de l'action sur scène, des marionnettes, des effets spéciaux et une grande finale utilisant des rayons laser qui vous laissera pantois.

À NOTER: Les meilleurs moments pour jouir de cette attraction sont tôt le matin et après 18h, car, pendant la journée, les files d'attente ne dégorgent pas. Néanmoins, le spectacle est présenté aux 30 min, de sorte que, si la queue rassemble moins de gens que deux représentations ne peuvent en accueillir, profitez-en pour vous joindre à eux; l'attente en vaut la peine.

- -

Playhouse Disney – Live on Stage!
★ ★ ★

La meilleure partie de ce spectacle – une version en direct des émissions du Disney Channel présentée sous la bannière du Playhouse Disney – est le public. Les enfants d'âge préscolaire qui ont passé de nombreuses matinées à regarder leurs personnages préférés à la télévision (Bear in the Big Blue House, Rolie Polie Olie, Pooh et Stanley) sont surexcités, avec raison, en voyant leurs héros en chair et en os (ou en fourrure comme ici). Les mots «trop mignon» viennent dès lors à l'esprit. Encore mieux, toutes les réjouissances entraînent un rare mouvement de coopération entre les vedettes et la foule: les tout-petits n'ont même pas besoin de se laisser amadouer pour chanter ou danser...

À NOTER: Vous en connaissez, de ces attractions puériles que vous visiteriez sans être accompagné d'un enfant? Eh bien, Playhouse Disney n'en fait pas partie! Oui c'est mignon, mais seulement si vous avez moins de six ans. Contrairement aux spectacles dont les représentations se succèdent (comme *Voyage of the Little Mermaid*), Playhouse Disney respecte l'horaire, et les files d'attente sont souvent prises d'assaut par les poussettes des familles venues ici dans le but de rendre heureux leurs tout-petits. Si vous souhaitez absolument voir ce spectacle

pendant votre séjour, assurez-vous de vous y rendre le matin pour les premières représentations, en arrivant 15 min d'avance; de cette façon, vous n'aurez pas à attendre trop longtemps à l'extérieur et pourrez profiter du reste de votre journée.

Mickey Avenue

Mickey Avenue s'étend à l'ouest d'Animation Courtyard, immédiatement à l'arrière de la reproduction du Grauman's Chinese Theater qui abrite The Great Movie Ride.

L'avenue en question est bordée de bâtiments dont l'allure rappelle celle de studios de cinéma ou de télévision, dans lesquels sont présentées les expositions **Walt Disney: One Man's Dream** et **Journey Into Narnia: Creating The Lion, The Witch and The Wardrobe**.

Mais le clou demeure ici le point de départ de la visite commentée des véritables studios, intitulée **Disney-MGM Studios Backlot Tour**.

- -

Disney-MGM Studios Backlot Tour 🎧
★ ★ ★ ★

La longue file d'attente pour cette visite motorisée vous semblera sans doute interminable, et pour cause. Lorsqu'il y a affluence (comme c'est généralement le cas), comptez au moins 45 min d'attente. Plusieurs divertissements ont toutefois été prévus pour vous aider à meubler ce temps, y compris des souvenirs des grands classiques de Disney, des séquences des films de Clint Eastwood et un documentaire sur le tournage de *Jaws*.

On vous fera ensuite monter à bord de tramways qui ressemblent à des chenilles de tons pastel se faufilant à travers les édifices et les plateaux de tournage. Des guides affables, et parfois même drôles, agrémentent la visite d'anecdotes et de détails intéressants. Dans la section des décors utilisés pour les scènes de verdure, vous pourrez admirer le faux tronc d'arbre dont on s'est servi dans *Honey, I Shrunk the Kids*. À l'entrepôt d'accessoires, vous découvrirez les roadsters du film *Dick Tracy*. Et, à l'entrepôt de costumes (où sont stockées plus de deux millions de pièces de vêtements), vous aurez l'occasion de contempler les ensembles portés par Madonna et Warren Beatty dans *Dick Tracy*, par Bette Midler dans *Big Business* et par Julie Andrews dans *Mary Poppins*. Vous y verrez également, à travers de grandes fenêtres, des couturières œuvrant à la confection de costumes pour des films en cours de préparation.

Vient ensuite l'atelier où l'on fabrique les décors de plateau, suivi des départements responsables de l'éclairage et des caméras. Soit dit en passant, ces dernières sont tellement sophistiquées que des équipes de tournage viennent à l'occasion s'en servir pour filmer les lancements de navettes spatiales, qui ont pourtant lieu à quelque 120 km de Disney World!

La balade se poursuit le long de ce qu'on pourrait appeler le «boulevard des rêves» d'Hollywood, un chemin bordé de maisons fabuleuses aux façades coquettes et aux pelouses bien taillées; mais ne vous y méprenez pas, car l'envers du décor ne révèle que des espaces vides. Plus loin se trouve un «cimetière» d'avions rouillées, de voitures accidentées et d'autres vestiges hollywoodiens. Parmi eux, on distingue le tramway rouge et orange de la Pacific Electric utilisé dans le film *Qui veut la peau de Roger Rabbit?*, des modules du vaisseau spatial de *E.T.* et la maison de *Ma Mère l'Oie*.

À partir de ce point, tout devient humide et brumeux, du moins pour les passagers assis du côté gauche... Au moment où, sous d'impressionnants effets sonores, le conducteur s'engage dans une caverne désolée baptisée «Catastrophe Canyon», un pétrolier explose soudain, la route se fissure, et un véritable déluge déferle en direction du véhicule à bord duquel vous vous trouvez. Tout cela cause naturellement beaucoup de remue-ménage, plusieurs personnes se retrouvent bien

mouillées, et l'on en entend s'écrier «*Sauve-qui-peut!*». Vous aurez compris qu'il s'agit de simuler, tout à la fois, un incendie, un orage, un tremblement de terre et une crue subite. Après cet émoi, les passagers apprennent que le «canyon» est en fait une gigantesque cage d'acier recouverte de béton couleur cuivre. Quant à l'eau (d'un volume total de 265 000 l), elle est recyclée plus de 100 fois par jour, soit toutes les trois minutes et demie, après le passage de chaque groupe de visiteurs.

> Le déluge éclair du Catastrophe Canyon est produit à l'aide de canons pneumatiques qui projettent près de 100 000 l d'eau sur une distance de 30 m.

Les paysages désertiques font bientôt place à des scènes urbaines, alors que vous parcourez des reconstitutions de certaines rues de New York. Le grès se mêle ici à la brique rouge, au marbre et au verre teinté, pour créer une illusion remarquable de la *Big Apple*. En y regardant de plus près, vous aurez tôt fait de constater qu'il ne s'agit encore une fois que de façades en fibre de verre et en polystyrène savamment peintes. Notez en particulier l'Empire State Building et le Chrysler Building, tout au bout de la rue; ils ne sont eux aussi que des constructions bidimensionnelles! Ils peuvent même être déplacés lorsqu'on désire créer l'illusion d'une autre ville américaine.

À NOTER: Même si la visite plaît aux gens de tout âge, certains enfants d'âge préscolaire peuvent être apeurés par les effets spéciaux du Catastrophe Canyon.

Walt Disney: One Man's Dream 🎧
★★★

Cette attraction rend un émouvant hommage à Walt Disney, celui par qui tout a commencé. Parmi les éléments les plus intéressants de ce quasi-musée créé en 2001 pour célébrer le 100e anniversaire de la naissance de Disney, mentionnons la reconstitution de son bureau et les maquettes des différents parcs thématiques construits dans le monde par l'empire qu'il a mis sur pied.

En fin de parcours, un film raconte l'odyssée de Disney, l'un des grands créateurs américains du XXe siècle.

À NOTER: À n'en point douter, cette attraction s'adresse d'abord et avant tout aux adultes. Les familles avec de jeunes enfants devraient passer leur chemin.

Journey Into Narnia: Creating The Lion, The Witch and The Wardrobe
★★

Sorte de découverte de l'arrière-scène du film *Narnia*, cette attraction se présente comme une visite guidée à travers les costumes et accessoires utilisés lors de sa réalisation.

À NOTER: Pour les fans du film seulement. Si vous ne faites pas partie de cette catégorie de personne, oubliez cette attraction.

Streets of America

Cette section des Disney-MGM Studios fascine par la seule présence de ses décors évoquant les grandes villes américaines. Les gratte-ciel de New York reproduits en trompe-l'œil sont ainsi plus vrais que nature, tout comme la vue sur San Francisco et, au loin, sur son Golden Gate Bridge.

Les décors de New York peuvent être visités à pied tant et aussi longtemps qu'on n'y tourne pas de film. Les passionnés de détails devraient y retourner et scruter attentivement les devantures des magasins. Admirez entre autres la vieille Smith-Corona qui se trouve derrière la vitre poussiéreuse de Sal's Pawn,

ou encore les filets à cheveux et les bigoudis en mousse des années 1950 du Rexall. Un distributeur de timbres plutôt rouillé au coin d'une rue ne contient plus aucun timbre depuis longtemps, mais il gobera tout de même vos pièces!

Honey, I Shrunk the Kids Movie Set Adventure
★★★

Inspiré du populaire film de Touchstone Pictures *Honey, I Shrunk the Kids* (1990), ce plateau se présente comme un terrain de jeu aux proportions démesurées. Dans ce jardin familial, les brins d'herbe font 8 m de haut, et l'arroseur ressemble à un vaisseau spatial menaçant. Les enfants adorent escalader le gros bourdon de 12 m et les autres insectes colossaux qui parsèment les lieux.

À NOTER: Véritable paradis pour les gens de tout âge, cette attraction est perdue au fond d'une cour (près du décor de la rue de New York).

Muppet Vision 3D 🎧
★★★★★

Les Muppets se retrouvent ici en compagnie de Disney dans une aventure abracadabrante soulignée par d'incroyables effets spéciaux. Alliant la technologie «audio-animatronique» de Disney et des techniques de projection tridimensionnelle ultramodernes, ce film mettant en vedette la turbulente troupe des Muppets se révèle dément et fantastique.

Les films 3D que vous avez pu voir à ce jour ont sans doute joué des tours à vos yeux, mais celui-ci peut littéralement vous faire perdre votre chapeau, vous asperger d'eau, projeter des boulets de canon contre les murs de la salle et engendrer le chaos général. Dans une démonstration sans précédent de haute voltige, un des Muppets s'envole même hors de l'écran pour atterrir parmi les spectateurs!

Le regretté Jim Henson, créateur des Muppets, expliquait: *Nous avons voulu imaginer tous les effets tridimensionnels possibles pour ensuite trouver le moyen de les intégrer à un court métrage.* Et dès le début du spectacle, Kermit la grenouille déclare avec assurance: *À aucun moment ne nous abaisserons-nous à de vulgaires illusions tridimensionnelles.*

Il en résulte un spectacle sans pareil. Miss Piggy fait valoir ses talents musicaux comme jamais auparavant, et Fozzie l'ours reçoit une tarte à la crème en pleine figure. Une incursion dans un laboratoire de recherche ultra-secret confronte l'auditoire à Waldo C. Graphic, un personnage créé par un ordinateur, et qui peut changer de forme à son gré et devenir, par exemple, un taxi ou une fusée. Il peut même s'entretenir seul à seul avec les membres de l'assistance, et s'amuser à bondir sur les têtes des spectateurs.

Les coups de théâtre se révèlent plus spectaculaires que jamais, et les joyeux personnages, conscients de leur nature tridimensionnelle, n'hésitent pas un instant à en tirer parti pour fondre sur les spectateurs. Afin de maximiser l'impact de ce spectacle, ses créateurs ont conçu une salle permettant à l'action de se dérouler directement parmi les membres de l'auditoire. En misant sur une authentique atmosphère de théâtre, sur des personnages aussi bien vivants qu'animés, sur des techniques de projection tridimensionnelles très poussées et sur une foule d'effets spéciaux, ils parviennent à intégrer l'auditoire au spectacle et redéfinissent la notion même de «théâtre vivant».

Avant que la salle n'explose dans une finale ahurissante, vous vivrez toute une série d'effets spéciaux, y compris des fleurs de boutonnières qui lancent de l'eau, des pluies de bulles, des vents violents, des coups de mousquets, des tirs de canon et un feu d'artifice patriotique créé au moyen de fibres optiques sur le thème de «Salut à toutes les nations, mais surtout à l'Amérique». Comme le dit si bien Gonzo: *Ça c'est du spectacle!*

À NOTER: Soyez prêt à vous faire mouiller un peu, car de fines gouttelettes d'eau ont été ajoutées aux effets spéciaux afin de rendre le spectacle plus réaliste.

Lights, Motors, Action! Extreme Stunt Show FP▶
★ ★ ★

Courses folles de voitures de sport, sauts spectaculaires de motocyclettes, bateaux filant à toute allure: voilà un spectacle de cascadeurs qui s'adresse à ceux qui vibrent pour tout ce qui fait vroum vroum.

Créée au Disneyland de Paris, cette présentation de 35 min en met plein la vue. Elle rend hommage aux cascadeurs appelés à recréer au cinéma courses endiablées et accidents tragiques. On y apprend d'ailleurs au passage quelques trucs du métier de ces intrépides.

À NOTER: Même si ce spectacle est présenté dans un immense amphithéâtre à ciel ouvert, il faut se présenter tôt pour s'assurer une place car sa popularité s'avère tout aussi immense. Très bruyante, cette attraction ne devrait pas se retrouver sur le parcours des familles avec de très jeunes enfants.

Echo Lake

Un peu en retrait, à l'ouest du Hollywood Boulevard, le secteur d'Echo Lake incarne la vision disneyenne du charme décontracté de la Californie: restaurants à la mode éclaboussés de rose et de bleu vert que rehaussent des garnitures chromées, salons et cafés, où l'on trouve plus de téléviseurs que de serveuses, et une boutique où la plupart des souvenirs sont à l'effigie des grandes stars.

D'un côté du lac, vous verrez le **Min and Bill's Dockside Diner**, un cargo-restaurant où l'on sert des repas minute. De l'autre, se dresse **Gertie**, une structure amusante à l'image d'un dinosaure crachant périodiquement de la fumée, où l'on vend des glaces et des souvenirs de Disney.

À partir de ce point, vous trouverez plusieurs attractions éparpillées à travers le secteur sud-ouest du parc.

Star Tours FP▸
★ ★ ★ ★ ★

Il s'agit ici d'une aventure de vitesse et de délire au cours de laquelle vous faites un véritable voyage sans jamais quitter la salle! Techniquement parlant, vous serez à bord d'un simulateur de vol tel qu'on en utilise pour former les pilotes de ligne et de l'armée. Mais dans la pratique, vous n'en croirez pas vos sens: votre cerveau aura beau vous dire que vous ne virevoltez pas dans l'espace; vos yeux, vos oreilles, vos doigts et votre cœur affolé sauront vous convaincre du contraire.

Faisant appel à des thèmes et à des séquences du film *Star Wars*, ce manège regroupe plusieurs petites salles baptisées «StarSpeeders», où vous vous attachez à un siège. Les yeux rivés sur un écran vidéo, vous vous plongez dans l'espace à la vitesse de la lumière tout en évitant des planètes et des cristaux de glace et en combattant des chasseurs équipés de canons laser. Pendant tout ce temps, votre siège tourne, votre estomac se retourne, et toute la pièce paraît voler.

Pilotée par les ineptes mais adorables R2-D2 et C-3PO (robots de *La Guerre des étoiles*), votre nacelle est censée vous entraîner dans un voyage sans histoire vers la lune d'Endor. Mais les choses se compliquent lorsque vos apprentis pilotes dévient de leur trajectoire. Finalement, après 7 min de virevoltes, de boucles et de quasi-collisions, tout le monde rentre sain et sauf, quoique un peu bouleversé.

La conception de ce manège est très semblable à celle de **Body Wars** à Epcot (voir p 88), mais sa présentation d'ensemble a mieux vieilli et s'avère aujourd'hui nettement supérieure. Star Tours se sert d'images spectaculaires et d'autres artifices high-tech pour créer des sensations que la plupart des non-initiés n'ont jamais expérimentées auparavant. Car ce manège ne s'apparente pas vraiment aux montagnes russes, puisque vous restez sur place, et l'on ne peut non plus le réduire à un simple film en trois dimensions puisqu'on s'y fait secouer. Bref, il s'agit d'une expérience unique.

À NOTER: Taille minimale 1,02 m. Les femmes enceintes et les enfants de moins de trois ans ne sont pas admis, et certains enfants admissibles trouveront ce manège brutal et effrayant. N'est pas recommandé aux gens ayant des problèmes de dos ou l'estomac fragile.

Les files d'attente y sont un véritable fléau (de 30 à 40 min), et ce, toute la journée. Essayez de vous présenter en début de journée ou peu avant la fermeture. Sinon, utilisez un *Fast Pass* pour réserver une place à un autre moment. À l'instar du Great Movie Ride, on refoule souvent les visiteurs en attente à l'extérieur pour libérer l'enceinte.

À RETENIR: Règle n° 1: s'il y a une courte file d'attente à Star Tours, **allez-y**! Règle n° 2: si le spectacle de cascadeurs Indiana Jones Stunt Spectacular vient de finir, **oubliez** Star Tours car la foule qui sort de ce spectacle (jusqu'à 2 000 personnes) se rue invariablement sur ce manège.

Sounds Dangerous – Starring Drew Carey
★ ★ ★

Drew Carey incarne ici un détective privé pour le moins malchanceux chargé d'enquêter sur un réseau de contrebande au sein d'une entreprise fumeuse. Engagé sous une fausse identité, il porte une mini-caméra qui permet à l'auditoire de suivre ses faits et gestes sur l'écran de la salle où est présenté ce spectacle... jusqu'à ce que la caméra cesse de fonctionner, après quoi l'assistance doit vivre ses péripéties par l'entremise exclusive du son.

Dans l'obscurité la plus complète, les spectateurs coiffés de casques d'écoute sont alors assaillis par une cascade d'effets sonores: sèche-cheveux, ciseaux et abeilles bourdonnantes semblent s'activer à quelques centimètres à peine de leurs oreilles. Les sensations «3D» sont renversantes, parfois même criantes de réalisme, au point que certains membres de l'auditoire se mettent à chasser de la main des insectes inexistants. C'est à s'y méprendre!

Il est intéressant de noter que cette attraction suscite de vives réactions de la part de l'auditoire, et qu'on l'adore ou la déteste franchement. Certains n'y voient qu'une perte de temps alors que d'autres, sans doute plus sensibles à ce qu'ils entendent, s'en font un délice.

Quoi qu'il en soit, après la présentation, vous aurez droit à une formidable exposition interactive baptisée **SoundWorks**. Truffée de gadgets de toute sorte qui couinent, grincent, résonnent et bourdonnent, elle ne manque jamais de ravir les enfants. Retenons les panneaux qui, au toucher, vous renvoient les sons les plus bizarres; les boutons qui transforment votre voix en celle d'une gargouille; Movie Mimics, qui vous permet de substituer votre voix à celle de Mickey Mouse, de Roger Rabbit et d'autres héros de Disney; Eerie Encounters, où vous produisez les sons émis par une soucoupe volante dans une scène de *Forbidden Panet* (un film de 1956); et Touchtoons, où vous recréez les bruits de galop d'une scène du plus récent *Sleepy Hollow*. Il y a aussi une cabine insonorisée où vous découvrirez d'autres aspects de la magie du son.

À NOTER: Ne confondez pas ce spectacle sonore avec l'une de ses versions antérieures, destinées aux enfants. Si l'un de vos tout-petits a peur du bruit ou de l'obscurité, mieux vaut vous abstenir. Sachez toutefois que quiconque devient trop effrayé peut tout simplement enlever son casque d'écoute, quoiqu'il se retrouvera alors dans le noir et le silence, ce qui est une tout autre affaire.

Il convient par ailleurs de noter que la petite salle n'accueille que 270 personnes à la fois, ce qui peut à l'occasion entraîner une longue attente, pour la plus grande partie en plein soleil. À moins de vous trouver dans les environs à une heure tranquille, nous vous conseillons dès lors de vous y rendre environ une heure avant la fermeture du parc.

Indiana Jones Epic Stunt Spectacular! FP▶
★ ★ ★ ★

Cette escapade mouvementée et remplie d'effets spéciaux a lieu dans un amphithéâtre de 2 200 places qui semble perdu en plein cœur de la jungle. Dans la plus pure tradition des *Aventuriers de l'arche perdue*, ce spectacle de 25 min vous fait assister à une série de rencontres quasi fatales à l'intérieur d'un ancien temple maya: Indiana Jones dégringole du plafond, tombe dans une trappe cachée, échappe aux flammes et aux lances, et est presque écrasé par un immense rocher.

Au beau milieu de toutes ces flammes et de tout ce tumulte, l'équipe de tournage met fin à la scène et disparaît avec les décors (montés sur roues). Derrière, on découvre une reconstitution d'une place affairée du Caire autour de laquelle gambadent des acrobates vêtus à l'égyptienne. Un groupe de nazis se pointe bientôt à la recherche d'Indiana Jones, et une émeute s'ensuit. Pendant les premiers échanges de coups, des tout-terrains et des motocyclettes vrombissent en tous sens, et un avion allemand fend l'air. Il y a aussi une scène particulièrement formidable où un camion explose et chavire, la chaleur des flammes atteignant les premières rangées de l'assistance.

Réalisé par Glenn Randall, coordinateur des cascades pour les films d'Indiana Jones, de même que pour *Poltergeist* et *E.T.*, le spectacle révèle en outre quelques trucs de tournage des scènes de cascades. Des professionnels vous font voir comment on se sert de doublures lors de scènes dangereuses, comment on cache des caméras derrière des rochers artificiels et comment on s'y prend pour tourner les séquences mouvementées. Quelques-unes de ces démonstrations font appel à des membres de l'auditoire choisis au hasard une dizaine de minutes avant le spectacle.

À NOTER: Cette représentation au rythme rapide captive les gens de tout âge. Les 8 ou 10 spectacles quotidiens affichent souvent complet longtemps avant l'heure indiquée, si bien que l'utilisation d'un *Fast Pass* s'avère tout indiquée. Sinon, il est généralement préférable d'assister à l'un des deux premiers ou des deux derniers spectacles de la journée, qui ne font jamais, pour ainsi dire, salle comble. Autre avis important: le personnel de Disney vous dira qu'il est impératif de faire la queue (en plein soleil) au moins une demi-heure avant la représentation, mais ce n'est pas le cas; en arrivant une quinzaine de minutes avant le spectacle, vous devriez pouvoir entrer directement dans le théâtre. Et assurez-vous de bien regarder s'il y a des places libres aux bouts des toutes premières rangées, car ce sont souvent les dernières à être occupées.

Disney's Animal Kingdom

Compte tenu de l'ombre imposante qu'il projette sur l'univers du divertissement, Disney – ou Mickey, à tout le moins – a souvent été associé à la proverbiale «souris qui rugit». Or, avec les 250 espèces sauvages dont s'est doté l'Animal Kingdom, le plus récent parc thématique du vaste et tentaculaire complexe de Walt Disney World, ce rugissement n'est plus seulement métaphorique.

L'Animal Kingdom, soit le quatrième parc thématique du royaume de Disney en Floride, propulse la faune à l'avant-scène. Il est d'ailleurs approprié que les animaux aient été choisis pour devenir les vedettes de ce nouvel ensemble, puisque Walt, après tout, a fait fortune à leurs dépens, fût-ce sous leur forme «animée».

À la différence de leurs prédécesseurs caricaturaux, les résidants de ce parc thématique (du moins la plupart d'entre eux) sont bien en vie: ils respirent, ils grognent, ils couinent, ils renâclent et ils défèquent dans un environnement sauvage créé spécialement à leur intention. Il va sans dire qu'ils n'en sont pas moins «animés», bien au contraire. L'absence de commandes à distance présente d'ailleurs des possibilités inattendues. Là où les créatures de Fantasyland ne bougent qu'au gré des fantaisies d'un grand maître d'œuvre (ou à tout le moins d'un informaticien), les personnages de l'Animal Kingdom ont des caprices qui leur sont propres. Il arrive ainsi que les girafes, par exemple, décident de bloquer la route et de retarder la caravane des camions de safari pendant un certain temps, un inconvénient avec lequel il faut composer, et qui compte d'ailleurs pour une part importante de l'aventure que vous vivrez ici.

Ces imprévus donnent parfois l'impression d'assister à un spectacle d'enfants d'âge préscolaire, dans la mesure où la prestation dépend entièrement de l'humeur d'animaux (on en compte 1 700) aux noms exotiques, qu'il s'agisse du jacana africain, du rollier à queue en éventail ou du tamarin cotonneux. Les attractions s'étendent ici sur plus de 200 ha, réparties en sept zones: The Oasis, Discovery Island, Camp Minnie-Mickey, Africa, Rafiki's Planet Watch, Asia et DinoLand U.S.A., dominées en leur centre par l'Arbre de la vie (Tree of Life), haut de 45 m. Le paysage – d'inspiration africaine et haut en couleur – campe l'atmosphère parmi la verdure luxuriante, les toits de chaume, les murs effrités et les chaussées soigneusement traitées de manière à ce qu'elles semblent avoir subi les assauts du temps. Il s'en faut de peu que le tout n'évoque des images d'un Adventureland géant.

On dénombre une vingtaine d'attractions et de spectacles sur les lieux, quoique les «manèges» à proprement parler se fassent plutôt rares (il y en a sept en comptant le train qui conduit au Rafiki's Planet Watch et l'hilarant spectacle 3D inspiré de *It's Tough to Be a Bug!*). Ce constat peut en étonner certains, et même en décevoir d'autres. Il est toutefois évident que le point focal de l'Animal Kingdom diffère de celui des autres parcs thématiques. Le plaisir des visiteurs demeure le but visé, si ce n'est que les sensations artificielles ne jouent ici qu'un rôle secondaire. Une grande partie des visites étant autoguidées, il ne fait aucun doute que vous passerez plus de temps debout qu'assis dans une salle ou à vous faire secouer. Mais, comme le précisent certains vétérans de Disney World, les sentiers ombragés et le rythme insouciant de l'Animal Kingdom procurent un soulagement fort apprécié de la frénétique course aux manèges à laquelle vous soumettent les autres parcs.

Toujours est-il que, si divertissant que puisse être ce parc – et personne n'accepterait de donner 63$ (aïe!) pour la journée si tel n'était pas le cas –, il s'agit beaucoup plus d'une expérience interactive que d'une succession de divertissements passifs. Vous devrez même faire votre part (en lisant, par exemple, les panneaux d'information) pour en tirer tout le bénéfice. Et les créateurs de cet espace unique espèrent bien vous voir quitter les lieux plus riche (intellectuellement, s'entend) qu'à votre arrivée.

À cet effet, des gardiens dévoués et bien informés se tiennent partout à votre disposition pour répondre à vos questions et vous fournir des indications variées, voire pour protéger les hôtes du parc contre les humains mal ou trop bien intentionnés (de grâce, ne nourrissez pas les animaux!). Sachez toutefois que l'histoire naturelle – ou plus exactement la conservation des espèces vivantes – revêt ici beaucoup plus d'intérêt qu'il n'y paraît à première vue. L'intervention de Disney vous assure ainsi un safari dans une jungle criante de réalisme, et un habitat réservé aux tigres qui vous permettra de contempler les «ruines» du pavillon de chasse d'un glorieux maharajah.

Et puisque nous parlons d'habitats, il convient de mentionner qu'ils constituent l'âme même de l'Animal Kingdom, et qu'ils révèlent la magie de Disney dans toute sa splendeur. Comme à Epcot, où chaque «pays» du World Showcase est recréé dans ses moindres détails, les lieux de résidence des animaux du présent royaume témoignent d'une précision remarquable qui se reflètent jusque dans les arbres émaillant leurs domaines. Des plantes et des arbustes originaires d'Afrique ont ainsi été importés, et les termitières de béton ressemblent à s'y méprendre à leurs modèles vivants. Au cœur de la «jungle», vous vous sentirez à mille lieues du reste du parc. Et, en passant du côté de l'«Afrique», vous jurerez avoir quitté Disney pour vous enfoncer dans le Serengeti.

Il ne fait aucun doute que cette ambitieuse entreprise a causé des maux de tête peu communs à ses concepteurs. Les horticulteurs ont dû maquiller des arbres de la région (dont le chêne méridional) jusqu'à les faire passer pour des végétaux africains (comme l'acacia). Et les paysagistes, habitués aux travaux les plus soignés, ont dû changer de cap pour donner naissance à des jungles sauvages et désordonnées. Les défis à relever ont même engagé la participation d'équipes inusitées. Par exemple, les costumiers ont dû coudre des écussons d'identification brodés sur les chemises des employés (pour éviter que les animaux soient tentés de s'emparer des habituelles cocardes en plastique agrafées), et les comptoirs de rafraîchissements ont dû éliminer les pailles et les couvercles jetables, qui présentaient des risques pour les animaux).

En dépit de tous les ajustements nécessaires, l'Animal Kingdom demeure l'œuvre de Disney, et les pièges inhérents à tous les parcs thématiques y sont partout manifestes. Entre autres, les traces de son richissime géniteur se font on ne peut plus apparentes, sinon dans les attractions elles-mêmes, du moins dans la disponibilité des souvenirs de Disney. C'est le cas, notamment, au Camp Minnie-Mickey – que les jeunes aventuriers ne voudront manquer à aucun prix –, où l'on peut entre autres obtenir l'autographe de Mickey et de ses amis. Sans parler du pur kitsch qu'on retrouve à DinoLand U.S.A., où vous attend un manège à faire dresser les cheveux sur la tête visant à vous faire revivre le Big Bang. Il reste que les spectacles présentés ici comptent parmi les meilleurs que Disney ait à offrir, et tout particulièrement le Festival du Roi Lion, qui est absolument merveilleux.

Tout bien considéré, l'expérience offerte par l'Animal Kingdom tient tout autant de la fantaisie que du réalisme de la nature sauvage. D'ailleurs, peut-être est-ce là la grande bénédiction de cette forme nouvelle que revêt la magie de Disney, de vous renvoyer chez vous un peu plus savant sans jamais vous donner l'impression d'avoir été à l'école.

Disney's Animal Kingdom

Accès et déplacements

■ Orientation

Une des différences les plus frappantes entre l'Animal Kingdom et les autres parcs de Disney tient à l'organisation des lieux. En effet, on a si bien su recréer la nature sauvage que vous pourriez parfois éprouver le besoin d'utiliser une boussole pour vous y retrouver!

Bien qu'une grande partie des 200 ha soit occupée par les animaux, il n'y en a pas moins un nombre imposant de sentiers réservés aux humains. Pour bien vous orienter, il importe de toujours vous rappeler l'emplacement du Tree of Life. Cet arbre symbolique, qu'on désigne volontiers comme le «château» de l'Animal Kingdom, repose sur une île plantée au milieu du parc, et toutes les autres zones y sont reliées par des ponts enjambant la Discovery River. Franchissez le pont de The Oasis, et vous vous retrouverez face à face avec l'arbre. Prenez à gauche la voie principale, et vous en ferez le tour, en croisant tout d'abord le Camp Minnie-Mickey, puis les secteurs Africa, Rafiki's Planet Watch (accessible par train depuis Africa), Asia et DinoLand U.S.A. avant de revenir à The Oasis. Enfin, bien que beaucoup de gens restent aujourd'hui en contact les uns avec les autres au moyen d'émetteurs-récepteurs portatifs et de téléphones cellulaires (ce qui n'est finalement pas une mauvaise idée), les bonnes vieilles techniques de repérage demeurent tout aussi valables, et le bureau des *Guest Relations*, à l'entrée du parc, constitue un bon endroit où se retrouver (ou laisser un message) dans le cas où vous viendriez à être séparé de votre groupe.

■ En voiture

Prenez la **route I-4** (Interstate 4) jusqu'à la sortie **65**; suivez les indications vers **Blizzard Beach/All-Star Resort** jusqu'à l'**Osceola Parkway West**, puis surveillez les panneaux menant à l'Animal Kingdom jusqu'à ce que vous atteigniez l'entrée principale du parc.

Fort heureusement, le terrain de stationnement (9$) de l'Animal Kingdom n'est pas aussi vaste que celui du Magic Kingdom. Il arrive même souvent que vous puissiez garer votre voiture à distance de marche de l'entrée du parc, quoiqu'un tramway s'offre toujours à transporter les visiteurs amenés à se garer plus loin. Rappelez-vous cependant que toutes les voitures de location ont tendance à se ressembler. Il est donc essentiel de noter la rangée et le numéro de votre place de stationnement, sans quoi votre dernière aventure de la journée pourrait bien se dérouler à l'intérieur d'un véhicule de sécurité à la recherche de votre voiture.

■ En transports en commun

Du Contemporary Resort, du Polynesian Resort ou du Grand Floridian Resort & Spa: Prenez un bus Disney directement jusqu'à l'Animal Kingdom.

Du Magic Kingdom, d'Epcot et des Disney-MGM Studios: Prenez un bus Disney directement jusqu'à l'Animal Kingdom.

De Downtown Disney, du Typhoon Lagoon, de la Blizzard Beach ou de Fort Wilderness: Prenez un bus Disney directement jusqu'à l'Animal Kingdom.

Des différents hôtels du Walt Disney World Resort: Prenez un bus Disney directement jusqu'à l'Animal Kingdom.

Des hôtels de la région ne faisant pas partie de Disney World: La plupart disposent d'un service de navette pour l'Animal Kingdom. Cependant, dans bien des cas, le service ne se fait qu'aux heures, si ce n'est toutes les deux ou trois heures. Il vaut alors mieux s'y rendre en voiture.

Renseignements utiles

■ Quelques précieux conseils

La planification de votre visite de l'Animal Kingdom diffère quelque peu de celle des autres parcs thématiques, pour la simple et bonne raison que vous de-

Les attractions du Disney's Animal Kingdom où l'on peut obtenir un *Fast Pass* FP▶

Pour éviter les files d'attente, procurez-vous un *Fast Pass* aux attractions suivantes:

DINOSAUR (DinoLand U.S.A.) p 139

Expedition Everest – Legend of the Forbidden Mountain (Asia) p 138

It's Tough to be a Bug! (Discovery Island) p 131

Kali River Rapids (Asia) p 137

Kilimanjaro Safaris (Africa) p 133

Primeval Whirl (DinoLand U.S.A.) p 139

vez tenir compte de l'horaire des animaux. Les diverses espèces ne sont pas également actives aux différentes heures de la journée, et, même les longs jours d'été, les attractions ferment souvent plus tôt que partout ailleurs à Disney World du fait qu'il faut du temps pour préparer les animaux avant la nuit. Cela devient particulièrement évident dans le cas du safari, qui interrompt ses activités avant le reste du parc, parfois même dès 16h30.

L'Animal Kingdom ouvre ses portes avant tous les autres parcs (manifestement dans le but de profiter au maximum des heures de clarté). Néanmoins, en vous présentant sur les lieux au moins une demi-heure à l'avance, vous aurez la possibilité d'acheter votre billet dès avant l'ouverture (les préposés à la billetterie entrent en fonction 30 min avant l'ouverture du parc) et peut-être même de commencer votre visite plus tôt, dans la mesure où l'on avance l'heure d'ouverture du parc certains jours de la haute saison. De plus, même si les attractions ne sont pas encore accessibles, vous pourrez à tout le moins en profiter pour vous procurer le plan des lieux, prendre connaissance des heures de spectacle et tracer votre itinéraire.

La meilleure stratégie consiste à vous diriger dès la première heure vers les

manèges les plus courus, comme Expedition Everest–Legend of the Forbidden Mountain, les safaris du Kilimanjaro, «It's Tough to be a Bug» (*Une Vie de bestiole*), les rapides de la rivière Kali, les spectacles *Festival of the Lion King* et *Finding Nemo–The Musical* ainsi que DINOSAUR, où les files d'attente se forment rapidement et ne cessent de s'allonger au fil du jour. Cela dit, les foules ne posent pas autant de problèmes dans le cas des visites autoguidées, dont celles du Pangani Forest Exploration Trail (sentier d'exploration) et des Discovery Island Trails.

Le temps que vous passerez ici dépendra en grande partie de l'ampleur de la foule. Lorsqu'il y a relativement peu de monde, il est de fait possible de parcourir l'Animal Kingdom dans son entier en une seule journée, mais en se pressant passablement. Cependant, vous voudrez sans doute ralentir le rythme afin de mieux apprécier toute la complexité de ce parc, sinon pour refaire et refaire le safari, dont on ne se lasse jamais.

■ Animaux de compagnie

Ils ne sont pas admis à l'intérieur de l'Animal Kingdom. Vous pourrez cependant les faire garder pour la journée au chenil situé à l'extérieur du parc, à droite de l'entrée principale.

Disney's Animal Kingdom - Renseignements utiles

■ Argent

Vous trouverez des guichets automatiques à l'entrée du parc, sur la droite, et dans le secteur DinoLand U.S.A. Au bureau des Guest Relations, vous pourrez en outre changer des devises.

■ Bureau des objets perdus et trouvés

Signalez tout objet perdu ou trouvé au bureau des *Guest Relations*.

■ Casiers

Disponibles à l'entrée du parc, sur la gauche près du bureau des *Guest Relations*. Il vous en coûtera 5$ par jour (plus 2$ de dépôt).

■ Centre de services aux nourrissons (*Baby Care Center*)

Vous trouverez entre autres des tables à langer et tout le nécessaire pour allaiter derrière la boutique Creature Comforts, sur Discovery Island.

■ Enfants perdus

Signalez les enfants perdus au bureau des *Guest Relations* ou au *Baby Care Center*, derrière la boutique Creature Comforts.

■ Poussettes et fauteuils roulants

Vous en trouverez à la boutique Garden Gate Gifts, tout près de l'entrée principale.

■ Renseignements et audioguides ∩

Le bureau des *Guest Relations*, situé près de l'entrée du parc, est l'endroit où vous arrêter pour obtenir tout renseignement de même que pour trouver des plans du parc en français. Vous pouvez aussi vous y procurer des audioguides qui traduisent en français la narration de plusieurs attractions. Ce service est gratuit, mais on vous demandera un dépôt qui vous sera remboursé lorsque vous rapporterez l'appareil. Les plans et les audioguides sont également disponibles en espagnol, en allemand, en japonais et en portugais.

■ Service de collecte de paquets (*Package Pickup*)

Ceux qui magasinent beaucoup devraient songer à profiter de ce service gratuit. Il permet, si vous résidez dans un hôtel Disney, de faire livrer tous vos achats directement à votre chambre. Si vous logez à l'extérieur du royaume, il offre aussi la possibilité de faire envoyer vos paquets au Garden Gate Gifts, qui se trouve près de l'entrée principale. Vous pourrez ainsi passer prendre vos emplettes au moment de quitter le parc, sans avoir à les traîner toute la journée. Mais attention: il y a souvent des «embouteillages» entre 17h et 18h, ainsi que durant la demi-heure qui précède la fermeture du parc.

The Oasis

Le Magic Kingdom a Main Street U.S.A., les studios Disney-MGM ont le Hollywood Boulevard et l'Animal Kingdom a The Oasis.

Histoire de vous plonger dans l'atmosphère de l'aventure que vous vous apprêtez à vivre, cette première zone de l'Animal Kingdom revêt l'aspect d'un havre de verdure luxuriant aux détours duquel vous croiserez des cours d'eau, des cascades et des prés miniatures. Contrairement aux artères principales des autres parcs de Disney, toutefois, The Oasis n'a rien d'une succession de magasins et restaurants (si ce n'est le Rainforest Cafe, qui se trouve près d'une chute déferlante à gauche de l'entrée du parc). Il s'agit plutôt d'un endroit d'où vous aurez un premier aperçu de la douzaine d'habitats où évoluent de paisibles créatures telles qu'iguanes, aras et paresseux.

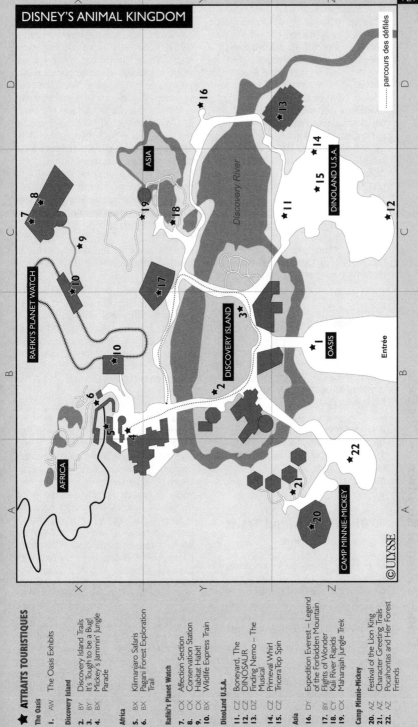

DISNEY'S ANIMAL KINGDOM

RAFIKI'S PLANET WATCH

AFRICA

ASIA

DISCOVERY ISLAND

DINOLAND U.S.A.

CAMP MINNIE-MICKEY

Discovery River

OASIS

Entrée

········ parcours des défilés

© ULYSSE

★ **ATTRAITS TOURISTIQUES**

The Oasis
1. AW The Oasis Exhibits

Discovery Island
2. BY Discovery Island Trails
3. BY It's Tough to be a Bug!
4. BX Mickey's Jammin' Jungle Parade

Africa
5. BX Kilimanjaro Safaris
6. BX Pagani Forest Exploration Trail

Rafiki's Planet Watch
7. CX Affection Section
8. CX Conservation Station
9. CX Habitat Habit!
10. BX Wildlife Express Train

DinoLand U.S.A.
11. CZ Boneyard, The
12. CZ DINOSAUR
13. DZ Finding Nemo – The Musical
14. CZ Primeval Whirl
15. CZ Tricera Top Spin

Asia
16. DY Expedition Everest – Legend of the Forbidden Mountain
17. BY Flights of Wonder
18. CY Kali River Rapids
19. CX Maharajah Jungle Trek

Camp Minnie-Mickey
20. AZ Festival of the Lion King
21. AZ Character Greeting Trails
22. AZ Pocahontas and Her Forest Friends

Il est intéressant de noter que beaucoup de gens parcourent rapidement cette section sous-appréciée, comme s'ils passaient d'un portail de débarquement à l'aire de livraison des bagages d'un aéroport, ce qui en fait l'une des zones les plus délicieusement tranquilles du parc. Pour tout dire, ce n'est souvent qu'au moment de s'acheminer vers la sortie d'un pas nonchalant, comme pour prolonger le bonheur de la journée (un peu comme sur Main Street, U.S.A. à l'heure de la fermeture), qu'ils prennent conscience du fait que cette section regorge en propre d'espèces poilues et ailées. Parmi les récompenses accordées à ceux qui s'attardent sur ces sentiers tropicaux, qu'il suffise de mentionner le spectacle peu commun des aras colorés (et bruyants!) qui se disputent une place dans les arbres, parfois de façon enjouée et parfois de façon beaucoup plus sérieuse.

Discovery Island

Disney aime voir en Discovery Island une colonie d'artistes africains. Cet ensemble coloré est mis en valeur par une œuvre d'art géante, l'Arbre de la vie, haut de 14 étages...

Il est approprié que l'immense Tree of Life, symbole par excellence du parc, se trouve sur Discovery Island, le point de mire de l'Animal Kingdom tout entier, le point de rencontre de tous les *lands*.

Discovery Island Trails
★ ★ ★

La première chose que vous verrez en approchant de l'Animal Kingdom sera sans doute le très haut Tree of Life. Point focal de ce parc de 200 ha, il s'élève à 45 m dans les airs et arbore fièrement des milliers de feuilles bercées par la brise.

Sa taille et sa circonférence mises à part, le plus étonnant tient sans doute au fait que cette merveille naturelle n'en est pas une. À l'instar de nombreux repères du paysage global de Disney World, le Tree

of Life est en effet une invention de toutes pièces. Son énorme tronc de 15 m de diamètre et ses racines formant un éventail de 50 m à sa base ont dû être fabriqués à l'extérieur du parc pour ensuite y être transportés morceau par morceau puis entièrement assemblés; son envergure est suffisante pour abriter un théâtre de 430 places sous son feuillage. Et si vous croyez que la pose annuelle des lumières de Noël constitue un défi, songez un instant que les architectes de cet arbre monumental ont dû fixer une à une, à la main, chacune de ses 8 000 branches, en les dotant de joints hautement perfectionnés qui leur permettent d'onduler de façon réaliste au gré des brises, rares mais rafraîchissantes, du sud de la Floride; et c'est sans compter les pauvres âmes qui ont dû apposer à la main chacune de ses 103 000 feuilles!

Outre la merveille en soi d'un tel accomplissement, cette attraction vous offre la chance de voir plus d'animaux. Façonnés à même le réseau de racines du géant, un dédale de sentiers serpente en effet le long d'habitats abritant une douzaine d'espèces, entre autres des flamants, des lémuriens et des tortues.

Mais la partie la plus fascinante et sans aucun doute la plus amusante de votre aventure ici réside dans le tronc lui-même. Bien qu'il ressemble à prime abord à un simple amas d'«écorce», une inspection plus poussée révèle des centaines de représentations animales gravées, ce qui en fait en quelque sorte un gigantesque livre d'images cachées, si bien qu'au moment où vous croirez les avoir toutes trouvées il en surgira toujours une nouvelle devant vos yeux émerveillés. On dénombre au total 325 gravures, certaines des plus remarquables ayant pour objet un aigle à tête blanche et un énorme serpent.

À NOTER: Les sentiers qui font le tour de l'Arbre de la vie sont rarement encombrés, de sorte qu'il vaut mieux les arpenter lorsque vous éprouvez le besoin d'échapper momentanément au brouhaha du reste du parc, sans compter qu'en commençant par ici vous pourriez donner à vos enfants la fausse impres-

Où rencontrer les personnages de Disney à l'Animal Kingdom

Situés dans le secteur Camp Minnie-Mickey, les Greeting Trails permettent de rencontrer plusieurs personnages vêtus de leur costume de safari, dont Mickey et Donald, qui se succèdent dans quatre pavillons différents tout au long de la journée.

D'autres rencontres sont possibles au Character Landing, sur Discovery Island, de même qu'au Rafiki's Planet Watch.

sion qu'ils devront passer la journée à admirer des œuvres d'art. De plus, hormis une fraîche grotte ou deux, les allées sont ici ponctuées de bancs, ce qui n'est pas à négliger lorsque la fatigue commence à se faire sentir.

It's Tough to be a Bug!
🎧 FP▶
★★★★★

Après avoir subi pendant des siècles les assauts répétés de l'homme, et s'être hissés au sommet du palmarès peu flatteur des plus grandes nuisances de la planète, les insectes de toutes sortes s'unissent pour nous sensibiliser à leur condition. Des maîtres de cérémonie animés ressemblant aux personnages de *Une Vie de bestiole* (le film montré ici s'inspire en fait du long métrage présenté sur les grands écrans du monde entier) dépeignent en détail les atrocités dont les insectes font l'objet, et s'affairent à illustrer les périls qu'on doit affronter lorsqu'on a la taille d'une punaise.

S'ensuit une partie de pur plaisir, sans nul doute un des temps forts de la visite de ce parc (le jour de son ouverture, Drew Carey a indiqué qu'il s'agissait là de son attraction préférée). Sans trop vendre la mèche (ce qui gâcherait immanquablement votre plaisir), les effets spéciaux, d'une qualité remarquable, parviennent ici à surprendre, à faire sursauter et, grâce à des mécanismes intégrés aux fauteuils, à secouer littéralement 430 spectateurs ahuris qui ne peuvent s'empêcher de rire, gigoter, crier et, plus sou-

vent qu'autrement, bondir de leurs sièges. Bref, on s'amuse follement, à moins bien sûr, d'être un «bibittophobe» invétéré, auquel cas il vaut sans doute mieux s'abstenir. Par contre, vous risquez de ne plus jamais chasser les moustiques sans y penser à deux fois.

Les créateurs de cette attraction ont anticipé les longues files d'attente (elles sont d'ailleurs parfois vraiment longues) et ont eu la brillante idée de les faire serpenter autour des racines du **Tree of Life**, où vous pourrez tuer le temps en déchiffrant les représentations animales gravées dans le tronc et en observant diverses créatures vivantes dans leurs habitats. Il y a aussi quelques distractions d'avant-spectacle, ponctuées d'une musique de circonstance.

À NOTER: Les bruits forts, les trucages on ne peut plus réalistes et les «bestioles» plus vraies que nature de cette attraction la rendent beaucoup trop effrayante pour beaucoup d'enfants. Quelques braves petits (le plus souvent âgés d'au moins huit ou neuf ans) l'apprécient réellement quoique, dans la plupart des cas, les pleurnichements commencent à se faire entendre dès l'apparition des premiers insectes.

Notez par ailleurs qu'on peut facilement rater cette attraction «entomologique» du simple fait qu'elle est cachée parmi les racines du Tree of Life. Soyez donc vigilant.

Disney's Animal Kingdom - Discovery Island - It's Tough to be a Bug!

Mickey's Jammin' Jungle Parade
★ ★ ★

Plusieurs personnages disneyens prennent part à ce défilé d'une quinzaine de minutes qui s'ébranle tous les jours, en après-midi, dans la zone thématique Africa et dont le tracé contourne Discovery Island.

La joyeuse caravane met en vedette les Mickey, Goofy, Donald et autres Rafiki, le sage du *Roi Lion*, tous fiers d'arborer leur accoutrement de safari, de même que de nombreux personnages d'autres films d'animation comme *Le Livre de la Jungle*, *Tarzan* et *Pocahontas*.

À NOTER: Vérifiez l'horaire qui vous sera remis à votre arrivée au parc pour connaître l'heure exacte de ce défilé. Le secteur Africa, où commence et se termine la parade, s'avère un bon point d'observation. En vous y rendant quelques minutes après le début du défilé, alors que la foule se sera alors dispersée, vous pourrez y jouir d'une vue dégagée lorsque le cortège sera de retour, en toute fin de parcours.

Camp Minnie-Mickey

La plus disneyenne des zones de l'Animal Kingdom est aussi celle où vous trouverez Mickey lui-même.

Élaboré sur le modèle d'une colonie de vacances des Adirondacks, le Camp Minnie-Mickey est d'abord et avant tout l'endroit tout indiqué pour recueillir des autographes. Mais ne le négligez pas pour autant si vous n'êtes pas accompagné d'inconditionnels de John Hancock, car c'est ici qu'on présente *The Festival of the Lion King*, un des meilleurs (sinon le meilleur) spectacles de Disney.

Festival of the Lion King
★ ★ ★ ★ ★

Inspiré du méga-succès de *Lion King* sur Broadway, ce spectacle enlevant de 25 min réunit costumes flamboyants, musique enivrante et interprètes aux voix renversantes. À la différence d'autres spectacles de Disney, celui-ci ne se contente pas de reprendre l'histoire du film. Simba, Pumba et Timon sont bien sûr présents (certains d'entre eux apparaissent sur des chars allégoriques qui semblent avoir été empruntés au défilé du Roi Lion), mais ne jouent ici qu'un rôle plus ou moins secondaire. Ce sont en effet les autres interprètes qui volent la vedette, à savoir d'impressionnants jongleurs de feu, des singes faisant de la trampoline, des acrobates aériens et des animaux de la jungle pour le moins fantaisistes, qui tous se produisent au son des mélodies du film, sans parler des quatre excellents chanteurs en costume tribal. Les spectateurs eux-mêmes sont de la partie, puisqu'on assigne à chacune des quatre sections du théâtre le rôle d'émettre en temps voulu le cri d'un animal, notamment celui du lion, de la girafe (quelqu'un connaît-il le cri de cet animal?) ou du phacochère (les parents seront heureux d'apprendre que leurs enfants aimeront tellement le grognement du phacochère qu'ils l'imiteront immanquablement tout le reste de la journée). On choisit par ailleurs quelques tout-petits pour danser avec la troupe au cours du dernier numéro. Tout cela sent bien sûr un peu la guimauve, mais il y a fort à parier que vous serez complètement conquis par la finale grandiose, qui reprend de façon magistrale l'indicatif musical de Simba, *The Circle of Life*.

À NOTER: Le théâtre pouvant accueillir 1 400 personnes à la fois, les foules ne constituent pas un problème en soi. Néanmoins, comme il s'agit d'un spectacle très populaire, et qu'il peut parfois être présenté à guichet fermé, arrivez 30 min à l'avance.

Character Greeting Trails
★ ★

Vous avez vu le phacochère et toisé la mangouste au Festival of the Lion King. Le temps est maintenant venu de rencontrer les vrais personnages de Disney. Mickey, Minnie et une brochette changeante de leurs compères circulent ici tout au long de la journée en tenue de safari, toujours prêts à signer des autographes et à se laisser photographier aux côtés des aventuriers de l'Animal Kingdom. Informez-vous au préalable des sentiers où vous attendent les différents personnages.

À NOTER: Peu de gens associent l'Animal Kingdom aux personnage de Disney (qu'ils comptent plutôt rencontrer au Magic Kingdom). Il en résulte que les files d'attente sont souvent moins longues qu'au royaume habituel de ces êtres animés.

Pocahontas and Her Forest Friends
★ ★ ★

L'histoire de Pocahontas fournit un cadre rêvé à la narration des aventures des animaux indigènes d'Amérique du Nord. L'héroïne du film enchante les tout-petits avec la ballade «Colors of the Wind» et discute avec grand-mère Willow du meilleur moyen de sauver la forêt et ses habitants. Les enfants adoreront tous les petits animaux présentés ici, et le dindon qui traverse la scène en se dandinant au début du spectacle en fera sûrement rire plus d'un.

À NOTER: Le thème et le jeu des acteurs s'adressent principalement aux jeunes enfants; si vous n'en avez pas, vous pouvez très bien passer outre.

Africa

Il a fallu à Disney plus que de l'imagination pour recréer son village africain. La confection de ses toits de chaume caractéristiques a en effet obligé la firme à faire appel à des experts, soit des artisans zoulous, chargés d'assembler des monceaux de paille importés directement d'Afrique. Le produit fini rend hommage à leur dur labeur dans un décor authentiquement africain qui reproduit le village portuaire d'Harambe avec son marché trépidant, ses murs de corail blanc et son architecture d'inspiration swahilie.

La grande attraction des lieux, les Kilimanjaro Safaris, est une activité tout à fait appropriée à cette mise en scène parfaitement crédible. Mais prenez aussi le temps d'apprécier les moindres détails du paysage qui vous entoure, on ne peut plus fidèle à son modèle. Il serait en effet honteux de négliger les charmes inhérents à cette zone en passant tout votre temps à faire la queue.

Kilimanjaro Safaris FP▶ 🎧
★ ★ ★ ★ ★

L'authenticité atteint ici de nouveaux sommets, et il s'agit sans contredit de l'attraction-vedette de l'Animal Kingdom, étalée sur 45 ha et d'un réalisme incomparable.

Vous saurez que vous vous apprêtez à vivre une expérience unique dès lors que vous prendrez place à bord du véhicule chargé de vous entraîner dans cette aventure. En effet, les tout-terrains utilisés ici ne circulent pas sur un rail, mais sont plutôt pilotés par des conducteurs en chair et en os qui doivent emprunter des chemins de terre authentiquement cahoteux (assurez-vous de ranger vos effets dans les filets de rétention mis à votre disposition).

Le paysage, d'abord composé d'épaisses broussailles, ne tarde pas à s'ouvrir sur un magnifique panorama de savane, pour lequel Disney mérite d'emblée moult félicitations. Les acacias et les baobabs sont tout simplement renversants, et vous plongent dans un décor qui ne semble pouvoir exister qu'en Afrique, et nulle part ailleurs.

Disney's Animal Kingdom - Africa - Kilimanjaro Safaris

Vous commencerez à voir des animaux presque aussitôt après le départ, entre autres quelque impala qui ne manque jamais de susciter des soupirs d'émerveillement et de se laisser photographier. Ayez la sagesse de ne pas épuiser tout votre film ou votre carte mémoire au cours des premières minutes, car bien d'autres surprises vous attendent, notamment des lions se faisant paresseusement dorer au soleil sur leurs rochers climatisés, des girafes grignotant la cime des arbres, des éléphants en train de faire trempette, des guépards, des rhinocéros, des phacochères et des hippopotames. Vous aurez d'ailleurs l'impression qu'ils vivent tous en harmonie, si ce n'est que des frontières invisibles les empêchent de se dévorer entre eux et de transformer votre rêve en cauchemar. Les espèces les plus inoffensives peuvent par contre errer à leur guise et s'approcher du véhicule qui vous transporte, ce qui donne lieu à des rencontres mémorables et bloque parfois complètement la circulation.

À la différence de la Jungle Cruise du Magic Kingdom, les guides ne semblent ici suivre aucun script et se livrent plutôt à des narrations apparemment improvisées (quoiqu'on ait du mal à imaginer que Disney ne leur impose pas certaines directives). La seule chose qu'on puisse regretter, c'est que tous les guides n'aient pas la même verve; ils vous indiqueront néanmoins les hauts points à ne pas manquer au passage, et les panneaux explicatifs apposés au dossier des sièges vous aideront, le cas échéant, à identifier ce que vous voyez.

Il va sans dire que, comme vous vous trouvez ici dans un parc thématique, tout n'est pas parfaitement irréprochable. La radio du véhicule retentit périodiquement de communications fortement chargées de parasites entre les gardiens du parc, et vous devrez même subir la «périlleuse» traversée d'un pont sur le point de s'écrouler, sans parler de cette chasse aux braconniers coupables de trafic d'ivoire. Ces «à-côtés» peuvent sans doute en refroidir certains, quoiqu'ils enrichissent carrément l'expérience d'autres personnes; tout est question

d'âge et d'humeur, et force est de reconnaître que l'irréalisme de ces écarts n'est pas toujours indésirable. À preuve, le fait que les véhicules du safari n'émettent aucun gaz d'échappement perceptible, un autre détail qui n'a pas échappé à Disney.

À NOTER: Étant donné que les animaux n'obéissent à aucun scénario, le contenu faunique du safari varie à chaque nouveau passage. Rien ne garantit que vous verrez telle ou telle espèce, mais on s'entend généralement pour dire que les animaux sont surtout actifs aux premières heures de la matinée. Retenez par ailleurs que le safari cesse ses activités un peu plus tôt que le reste du parc, parfois même aussi tôt que 16h30.

Pangani Forest Exploration Trail
★ ★ ★ ★

Au terme des Kilimanjaro Safaris, la route vous conduit à l'entrée du sentier d'exploration de la forêt de Pangani.

Même si, d'entrée de jeu, cette attraction peut vous sembler décevante après l'impressionnant safari que vous venez de vivre, vous devez savoir que les choses s'améliorent par la suite. Pour tout dire, une fois au cœur de la «jungle», vous aurez du mal à croire que le Magic Kingdom ne se trouve pas carrément à l'autre bout du monde.

Hormis une promenade dans un cadre luxuriant et verdoyant, l'exploration de cette forêt vous permettra d'admirer de plus près certains spécimens que vous avez sans doute à peine entrevus alors que vous vous trouviez dans la savane, entre autres de petits animaux tels que l'okapi (qui ressemble au zèbre mais qui appartient en fait à la même famille que la girafe) vivant en bordure des sentiers. Parmi les attraits les plus saisissants des lieux, il convient de mentionner l'immense vitrine donnant sur le bassin des hippopotames. Ce spectacle sous-marin, qui relève du plus gracieux des ballets, constitue d'ailleurs probablement votre seule chance de contempler ces mastodontes dans toute leur splendeur, puisque leur tendance à passer la plus grande partie de leur temps sous l'eau fait qu'on n'aperçoit bien souvent que le bout de leurs oreilles au cours du safari.

À mi-chemin du sentier d'exploration, une «station de recherche» permet d'observer des rats-taupes entièrement chauves et propose quelques activités interactives, entre autres avec ces casques d'écoute grâce auxquels vous entendrez des cris d'animaux parfaitement convaincants, au point, dans certains cas, de vous donner la chair de poule et de vous faire espérer de tout cœur que vous n'aurez jamais à les entendre d'aussi près dans la nature.

Mais le clou de cette aventure, et peut-être même du parc tout entier, vous attend dans l'enclos des grands singes, soit de majestueux gorilles argentés en compagnie de leurs petits. Ces énormes bêtes velues au regard profondément humain vivent ici dans un coin de jungle d'un réalisme remarquable et se laissent observer du haut d'un pont suspendu. On a poussé l'effet jusqu'à vous faire croire qu'ils peuvent vous atteindre en se balançant d'une branche à l'autre, mais n'ayez crainte car il n'en est rien.

Tout au long de votre périple, des soigneurs d'animaux judicieusement postés se feront un plaisir de répondre à vos questions en y mettant une pointe d'humour, du genre: *Vous pouvez me demander n'importe quoi; si je ne connais pas la réponse, j'en inventerai une et vous n'y verrez de toute façon que du feu.*

À NOTER: Les imposants gorilles semblent avoir le don d'éveiller le primate qui sommeille en l'homme, lequel se met alors à sauter et à hurler comme un singe dans le but manifeste de susciter une réaction monstre de la part de ses «semblables». Or, il vaut sans doute mieux prendre garde à vos souhaits, car les bruits excessifs ont tendance à irriter ces géants de la forêt, qui peuvent alors chercher à refroidir vos ardeurs en vous lançant... des excréments!

Rafiki's Planet Watch

Lorsque vous en aurez assez de marcher, montez à bord du train pour vous rendre au Rafiki's Planet Watch. Sa locomotive aux airs d'antan entraîne le convoi jusqu'à un centre éducatif interactif où vous en apprendrez un peu plus sur la façon dont les animaux qui vivent ici sont traités. La large baie vitrée donnant sur le centre vétérinaire permet d'observer les animaux en train de se faire soigner, mais, si vous souhaitez vous approcher encore davantage de vos amies les bêtes, sachez que l'Affection Section aménagée à l'extérieur vous donne la possibilité de flatter et de caresser certaines d'entre elles. La visite terminée, reprenez le train pour retourner à votre point de départ.

À NOTER: D'une manière générale, le Rafiki's Planet Watch n'attire pas les foules. L'absence d'attraction au sens disneyen du terme et l'éloignement relatif du site en découragent plus d'un. Si vous en êtes à votre première visite au Disney's Animal Kingdom, limitez-vous à la balade en train sans en descendre ou oubliez tout simplement ce secteur et utilisez votre temps précieux pour découvrir les autres zones thématiques. On raconte toutefois que les membres de l'équipe de Disney planchent actuellement sur une transformation importante du secteur; voilà qui est à surveiller.

Wildlife Express Train 🎧
★ ★

La seule façon d'accéder au secteur Rafiki's Planet Watch est de monter à bord de ce train à la gare qui se trouve à l'est de la zone Africa. Les départs ont lieu toutes les 5 à 7 min, et le train met un peu plus de 5 min avant d'arriver à destination.

Tout au long du voyage, qui vous permet de découvrir en partie l'envers du décor, un guide vous indiquera l'emplacement des enclos qui hébergent les divers animaux durant la nuit. Vous apercevrez d'ailleurs quelques espèces au passage.

Disney's Animal Kingdom – Rafiki's Planet Watch - Wildlife Express Train

À NOTER: Cette balade à bord d'un train peut s'avérer agréable et permettre quelques moments de répit, mais si l'attente s'annonce trop longue, vous ne perdrez pas grand-chose à passer outre.

Habitat Habit!
★★

Cette section du Rafiki's Planet Watch, accessible dès votre descente du train, permet de vous offrir une courte randonnée pédestre à la découverte de petits animaux comme les tamarins, une variété de primates menacée d'extinction.

À NOTER: Voilà une attraction somme toute mineure.

Conservation Station
★★★

Les visiteurs prendront ici connaissance des diverses activités reliées aux soins apportés aux animaux et aux recherches menées sur la conservation de certaines espèces par les experts du parc zoologique qu'est, au fond, le Disney's Animal Kingdom. Ainsi trouve-t-on dans cette portion du parc les services de médecine vétérinaire, de même que ceux de préparation de la nourriture destinée aux animaux.

À NOTER: Les adultes apprécieront cette visite, surtout si des vétérinaires et autres experts sont présents pour répondre à leurs questions (ce n'est toutefois pas toujours le cas).

Affection Section
★★

Les enfants aiment tout particulièrement cette section du Rafiki's Planet Watch, car ils peuvent s'y approcher de certains animaux (chèvres, moutons, lamas, oies et autres) afin de les caresser.

Asia

Un dragon aquatique haut en couleur et un pont en pierres flanqué de colonnes pointues vous accueillent en Asie, cet autre continent auquel l'Animal Kingdom rend hommage.

Cette zone thématique est celle où vous vivrez des aventures telles qu'une expédition «saute-moutons» (descente de rapides) en canot pneumatique et une promenade le long d'un sentier parcourant un palais remarquable. Le village rural de cette zone est par ailleurs gorgé d'authentiques vestiges, et ne manquez pas de jeter un coup d'œil sur les débris colorés qui flottent dans l'eau à l'entrée des lieux; la pleine cargaison de fournitures camoufle, pour sa part, une réserve de boissons gazeuses.

Mais c'est la silhouette du mont Everest, rien de moins, qui s'impose dorénavant comme le symbole de cette section du parc.

Flights of Wonder
★★★★

Si quelqu'un crie «*Duck!*» au cours de ce spectacle d'oiseaux, ce n'est pas pour attirer votre attention sur la présence sur scène d'une espèce particulière de canard (*duck* en anglais), mais plutôt pour vous prévenir de l'approche d'un volatile en rase-mottes (autrement dit, baissez-vous!).

Les manœuvres de vol à vous décoiffer ne constituent qu'un aspect de ce spectacle à saveur ornithologique, au cours duquel il arrive néanmoins à plusieurs reprises que d'énormes aigles et faucons vous frôlent de si près, que vous sentirez les déplacements d'air qu'ils provoquent. D'autres espèces ailées exécutent par ailleurs des tours de leur propre cru, et certains membres de l'auditoire ont même la chance de monter sur scène pour lancer en l'air des raisins qu'un oiseau s'empresse d'attraper en plein vol. Vous êtes-vous jamais inquiété des manières de vos enfants à table? Eh bien, observez la façon dont le cariama «attendrit» («terrorise» serait sans doute plus juste!) sa nourriture en la frappant contre un rocher (ne vous en offusquez pas, car il ne s'agit ici que d'un alligator en caoutchouc).

À NOTER: Afin d'éviter les foules, vous voudrez assister à ce spectacle de bon matin, dès votre arrivée, ou encore juste avant la fermeture. Assurez-vous d'arriver bien à l'avance, surtout si vous espérez être choisi comme volontaire pour monter sur scène, car les animateurs prennent souvent des personnes assises dans les premiers rangs (quoique pas toujours).

Maharajah Jungle Trek
★ ★ ★ ★

Au plus profond de l'Asie se trouvent le village mythique d'Anandapur et les ruines de ce qui fut jadis le somptueux palais d'un maharajah.

Tout en ruine qu'il soit, le palais créé par Disney demeure spectaculaire. Sur une vaste propriété – vous jurerez que vous êtes dans un autre pays – se prélassent des tigres donnant l'impression de se prendre pour les rois des lieux (et qui oserait les contredire?); déjà imposants par leur taille, ils déploient une agilité féline qui vous laissera pantois, comme lorsqu'ils plongent dans l'eau depuis le sommet des ruines. Autre vision de rêve que celle des roussettes géantes, ces chauve-souris frugivores dont les ailes peuvent atteindre une envergure de 2,5 m; avec une tête pareille, il ne fait aucun doute qu'elles ne sont aimées que de leur mère, mais ces dormeurs suspendus ne cessent jamais pour autant de nous fasciner (surtout lorsqu'ils ne peuvent s'échapper!). Enfin, vous serez également captivé par le dragon de Komodo et l'étonnante volière.

À NOTER: Si vous vous donnez la peine de suivre scrupuleusement le tracé autoguidé afin d'apprécier pleinement cette attraction, il vous faudra un bon moment pour en faire le tour. De plus, comme

vous ne pourrez apporter ici aucune nourriture (pas même un cornet de crème glacée), veillez à ce que personne n'arrive l'estomac dans les talons.

Kali River Rapids FP▶
★ ★ ★

Quoi de mieux, pour se rafraîchir après une journée harassante dans l'Animal Kingdom, qu'une randonnée sur la rivière Chakranadi?

D'immenses canots pneumatiques vous entraînent tout droit vers les rapides au beau milieu de la jungle, virevoltes, éclaboussures et quasi chavirements à la clef. Vous vous demandez à quel point vous vous ferez mouiller? Vous aurez votre réponse en voyant les groupes qui vous précèdent tordre leurs vêtements à la sortie des canots.

La camaraderie qui ne manque pas de naître entre des compagnons de fortune vivant une expérience commune des plus intenses ne tarde pas à s'installer entre les 12 parfaits inconnus qui prennent place à l'intérieur d'un même canot. Cela dit, ne soyez pas surpris de voir certains de vos coéquipiers insister pour que vous vous fassiez tremper. Il n'y a, somme toute, aucune règle absolue permettant de déterminer qui devra ou non tordre son pantalon à la sortie (vous pouvez à tout le moins sauver vos chaussures et votre appareil photo en les enfermant dans le casier étanche qui se trouve au centre du canot pneumatique), quoique les passagers faisant face au devant de l'embarcation à tribord (sur la droite) semblent écoper davantage que les autres.

Si vous n'êtes pas trop occupé à vous essuyer les yeux, vous pourrez admirer le paysage entourant les ruines de temples et diverses autres structures. Mais ne vous en faites pas trop si ces détails vous échappent, car vous avez sans doute eu amplement de temps pour contempler l'imposante collection de vestiges présentée dans l'aire d'attente.

À NOTER: Taille minimale 0,97 m. Les longues files d'attente de cette attraction fort prisée ne constituent que la moitié du défi à relever, puisque vous devrez passer la majeure partie de ce temps mort en plein soleil. Pour minimiser ces inconvénients, tentez de profiter de cette excursion de bonne heure; vous pouvez aussi y aller en fin de journée, auquel cas la queue ne sera pas moins longue quoique le soleil aura quelque peu apaisé ses ardeurs.

Expedition Everest – Legend of the Forbidden Mountain FP▶
★ ★ ★ ★ ★

C'est la fameuse reproduction du mont Everest, tout de même haute de 61 m, qui abrite cette remarquable attraction. Dorénavant, sa silhouette imposante coiffée de neiges éternelles rivalise avec le Tree of Life pour le titre d'icône visuelle d'Animal Kingdom, rôle joué par le château de Cendrillon au Magic Kindom, la sphère géodésique à Epcot et le chapeau de magicien géant aux Disney-MGM Studios.

Il a fallu six ans aux créateurs de Disney pour mettre cette attraction au point. Ils se sont par exemple rendus plusieurs fois au Népal afin de pouvoir réaliser le plus fidèlement possible son décor inspiré de l'Himalaya. Ainsi, la reconstitution du village qui s'étend au pied de la montagne, Serka Zong, est absolument remarquable, et ce, jusque dans les plus infimes détails.

Après une attente qui risque d'être longue, vous monterez à bord d'un train qui escalade la montagne jusqu'à son sommet… puis entreprend, vous vous en doutez bien, une folle descente. Celle-ci est toutefois brusquement interrompue alors que le train réussit à s'immobiliser juste avant le plongeon fatal qui semble inéluctable à la vue, droit devant vous, de la voie brisée qui mène directement dans le vide…

Puis, le train repart à toute vitesse en marche arrière dans l'obscurité la plus complète, avant de reprendre sa descente effrénée jusqu'à la rencontre effrayante avec la version audio-animatronique de l'«abominable homme des neiges». Au total, vous aurez parcouru 1,6 km.

Bien que ces montagnes russes hors du commun ne contiennent aucune boucle ou vrille, elles feront la joie des amateurs de sensations fortes grâce à leurs descentes abruptes, dont une de 24 m, leurs virages serrés et leurs courbes des plus inclinées. Cela rappelle le Big Thunder Mountain Railroad du Magic Kingdom, mais en plus haut, en plus rapide et avec, en prime, des effets visuels et sonores qui évoquent habilement l'omniprésence du Yéti.

À NOTER: Taille minimale 1,12 m. Cette attraction récente est actuellement la plus prisée du parc. Les foules qu'elle attire contribuent d'ailleurs au réalisme du village bouillonnant d'activités que l'on trouve à la base de la montagne. Procurez-vous un *Fast Pass* dès votre arrivée au parc car ils s'envolent très vite, et ce, très tôt en début de journée. Sinon, il vous faudra prévoir une attente de deux heures en moyenne.

DinoLand U.S.A.

Vous ne pourrez manquer l'entrée de cette merveille paléontologique, marquée par la présence d'un immense squelette de brachiosaure. La réalité et la fiction font plutôt bon ménage dans ce décor préhistorique (contrairement aux espèces carnivores et herbivores qui peuplaient jadis la Terre). Lors de votre séjour ici, vous pourriez tout aussi bien remonter dans le temps jusqu'au Big Bang que faire la connaissance d'authentiques paléontologues affairés à assembler les restes d'un tyrannosaure (*t-rex*). Mais tout ce qui est préhistorique ne revêt pas nécessairement une forme fossile; à preuve, les jardins et les habitats qui bordent le **Cretaceous Trail** (sentier du crétacé) abritent des spécimens bien vivants, soit des plantes et des animaux descendant directement de ceux qui proliféraient sur Terre il y a des millions d'années.

DINOSAUR FP▶ 🎧
★★★★

Dans les salles auréolées du centre de recherche immaculé de l'Animal Kingdom, les «investigateurs» du Dino Institute vous proposent une aventure irrésistible: un voyage rapide à bord d'une machine à remonter dans le temps de manière à pouvoir observer les dinosaures dans leur environnement naturel. Cependant, un savant sans scrupules a programmé votre Time Rover pour qu'il lui ramène un «iguanodon», une espèce qu'il convoite tout particulièrement. On pourrait à la rigueur lui pardonner cette fantaisie de mauvais goût, si ce n'est que le véhicule qui vous transporte ne parvient à s'acquitter de sa mission que quelques millisecondes à peine avant qu'un redoutable météorite ne s'abatte sur Terre pour y détruire toute manifestation de vie.

Des voitures à commande hydraulique et divers effets spéciaux pour le moins ardents vous frôlent à toute allure alors que vous remontez dans le temps jusqu'à ses origines, après quoi vous êtes menacé par des dinosaures à longues dents. Il fait sombre, il y a beaucoup de bruit, et les sursauts sont assez violents pour faire voler les chapeaux et les articles plus ou moins lâches que vous portez sur vous (les bacs qui se trouvent en face de vous ne sont pas là pour rien!). Hormis les contorsions et les virages, la vraie peur vient ici de vos propres appréhensions, car vous savez que des monstres hideux et menaçants vont tôt ou tard surgir devant vous; seulement, voilà, vous ne savez jamais quand ni où.

La mauvaise nouvelle, c'est que la file d'attente est presque toujours longue; la bonne, c'est qu'une fois à l'intérieur du centre de recherche, vous attendrez au moins dans le confort d'une salle climatisée.

Marchez le sentier!

Tout n'est pas que vestiges du passé à DinoLand U.S.A. Le Cretaceous Trail, un sentier ponctué de panneaux explicatifs aux abords de DINOSAUR, se voit bordé de plantes et d'animaux, y compris de certaines créatures qui descendent directement d'espèces préhistoriques et d'autres qui ont carrément survécu au crétacé. Beaucoup de ces dernières (entre autres les crocodiles et les alligators) ont de fait à peu près la même allure qu'il y a des millions d'années.

À NOTER: Taille minimale 1,02 m. Bien qu'il y ait ici passablement d'action, les amateurs de sensations vraiment fortes risquent d'être un tant soit peu déçus dans la mesure où, au dire de certains, il y a davantage de brasse-camarade que de véritables effets créatifs. Mais ne vous en privez à aucun prix. Et si vous désirez rehausser quelque peu l'expérience, songez à prendre place tout à l'arrière.

Primeval Whirl FP▶
★★★★

Ce manège n'est pas aussi rapide que le Space Mountain ou aussi excitant que le Rock 'n' Roller Coaster. Mais ce qui en fait une balade intéressante est son double impact: des montagnes russes qui tournoient comme des Tea Cups (ce qui signifie que, selon votre tempérament, vous en sortirez secoué ou que vous aurez peut-être la nausée). Les véhicules accueillent jusqu'à quatre passagers et entreprennent des descentes abruptes et des virages très serrés, souvent en tournoyant le long du parcours. Innovateur et très amusant! Et, étonnamment, c'est beaucoup plus impressionnant que ç'a en a l'air vu du sol.

À NOTER: Taille minimale 1,22 m. Primeval Whirl a les honneurs de former l'une des plus longues files d'attente de tout Disney World. Accordez-vous une faveur: munissez-vous d'un laissez-passer rapide (*Fast Pass*) et faufilez-vous devant la queue.

TriceraTop Spin
★ ★

Dumbo, mais sur un dinosaure! Qu'ajouter de plus?

À NOTER: Vu que c'est la seule vraie balade enfantine du parc, les files d'attente tendent à s'allonger. Hélas, il n'y a pas de *Fast Pass* pour cette attraction. Donc mieux vaut y aller très tôt ou très tard.

Finding Nemo – The Musical
★ ★ ★ ★

Inaugurée à la fin de 2006, cette comédie musicale met en vedette les personnages du film d'animation *Finding Nemo* et est composée de chansons originales, absentes du film, écrites par Robert Lopez. C'est dans le Theater in the Wild, l'amphithéâtre qui a abrité le spectacle Tarzan Rocks! pendant sept ans, qu'a lieu cette présentation. Notez toutefois que la salle en question a depuis subi une rénovation majeure et est désormais couverte et climatisée.

Le spectacle reprend l'histoire de Marlin, le papa poisson-clown surprotecteur, de son espiègle fils Nemo et de leurs amis parmi lesquels figure Doris, l'irrésistible poisson bleu dépourvu de mémoire à court terme. Marionnettes, danseurs, acrobates et séquences animées sont mis à contribution dans cette production de 30 min conçue pour plaire à toute la famille.

À NOTER: Ce nouveau spectacle attire des foules importantes, si bien que le théâtre est souvent rempli à capacité. Il faut arriver au moins 30 min à l'avance.

The Boneyard
★ ★ ★

Considérez le Boneyard comme le *t-rex* des terrains de jeu. À l'instar du Honey, I Shrunk the Kids Playground des studios Disney-MGM, le Boneyard est une «jungle-gymnase» à thème, soit, dans le cas qui nous occupe, un site de fouilles paléontologique déserté. Vous y trouverez des véhicules d'excavation, des os de dinosaure et de nombreux rochers propres à l'escalade; vous pourrez même enfoncer votre tête dans la gueule d'un tricératops. Les adultes aventureux peuvent eux-mêmes y prendre du plaisir, en particulier sur les hauteurs de la sculpture à escalader, où une pente raide (suffisamment escarpée pour vous obliger à vous hisser au sommet au moyen d'une corde) défie jeunes et moins jeunes. Et lorsque vous en aurez assez de grimper, vous pourrez entreprendre de creuser dans le bac à sable géant pour en déterrer un fossile.

À NOTER: Si vous avez des enfants, prévoyez passer un bon moment ici. L'escalade à elle seule a quelque chose d'enivrant, et le thème dinosauresque des lieux en fait une attraction que les bambins ne voudront plus quitter.

Ailleurs à Disney

Certains disent que le reste de Disney World est tout ce qu'il y a de mieux au monde. Et, quand on sait ce qu'est «le reste», on ne peut qu'être d'accord. Il y a d'épaisses pinèdes où camper ainsi que de grands lacs limpides pour se baigner. Il y a aussi de grandes boîtes de nuit rutilantes et de paisibles rivières, des toboggans nautiques vertigineux et l'une des plus grandes piscines de la Floride. Et que dire des boutiques originales ou des balades en charrette à foin.

D'une superficie de 324 ha, le reste du Monde se compose notamment de **Fort Wilderness**, un vaste terrain de camping boisé, doublé d'une base de plein air. Ailleurs on trouve une île tropicale artificielle: le **Typhoon Lagoon**, un paradis nautique entouré de sable et de palmiers. Et, à **Blizzard Beach**, une version «enneigée» du Typhoon Lagoon, vous découvrirez le toboggan nautique le plus rapide de Disney. Puis, il y a **Downtown Disney**, subdivisé en trois secteurs distincts: **West Side**, **Pleasure Island** et le **Marketplace**, avec leurs boutiques, leurs restaurants et leurs boîtes de nuit animées.

Puis, il y a le **Disney's Wild World of Sports Complex**, un important regroupement d'équipements sportifs où sont présentés des compétitions de premier plan, le **BoardWalk**, qui recrée habilement l'ambiance bon enfant des stations balnéaires de la côte est des États-Unis, et les magnifiques **terrains de golf** qui s'étendent ici et là dans le royaume.

Il y a tellement de choses à faire et à voir qu'on pourrait facilement passer une semaine entière à parcourir ces attractions additionnelles qui représentent vraiment la cerise sur le gâteau de Disney.

Sans aucun doute la société Disney a-t-elle ajouté ces attractions au fil des ans afin de vous garder plus longtemps et de vous faire dépenser plus d'argent. Mais elle vous offre en retour des options particulièrement intéressantes. Ainsi, après une journée épuisante à Epcot ou au Magic Kingdom, vous pourrez vous la couler douce le lendemain dans un des parcs secondaires. Plusieurs endroits se trouvent en effet en pleine nature, loin des attractions informatisées des grands parcs thématiques, et à deux d'entre eux, vous pourrez même vous baigner. Ces parcs secondaires sont aussi moins coûteux que les grands parcs thématiques, et, sauf pour le **Typhoon Lagoon** et **Blizzard Beach**, vous n'y trouverez pas de longues files d'attente.

Ces lieux paisibles et économiques sont très prisés des habitants de la région, qui évitent le plus souvent les grands parcs. Et comme eux, lorsque vous aurez découvert la face visible de Disney World, vous voudrez à tout prix explorer le reste de ce monde enchanteur.

Fort Wilderness ★ ★ ★

D'une superficie de 300 ha, parcouru de ruisseaux et de canaux, grouillant de petits animaux et d'endroits où se baigner, faire du vélo, courir ou se cacher, ce site boisé est un véritable pays des merveilles. À Fort Wilderness les clôtures sont fabriquées avec des piquets de pin, les arrêts de bus sont couverts de bardeaux de bois, et les poubelles elles-mêmes ressemblent à des souches. Des allées revêtues, surplombées de pitchpins américains, sillonnent des kilomètres d'emplacements de camping, conduisant toutes au lac Bay, dont les eaux enchanteresses sont auréolées de cyprès et de roseaux.

Fort Wilderness est la seule attraction qui a su conserver à peu près intacte son allure sauvage d'il y a une quarantaine

À l'assaut des vagues!

On ne devrait pas repartir de la Floride sans être monté dans un bateau. Ce ne sont, en tout cas, pas les occasions qui manquent à Disney World. La plupart arpentent les 81 ha du Seven Seas Lagoon (celui qu'on aperçoit toujours depuis le monorail) et le joli lac Bay, à proximité de Fort Wilderness. Selon votre fantaisie, vous pouvez aussi bien louer une vedette rapide qu'un pédalo, un canot ou un voilier. Le «bateau-ponton» motorisé est idéal pour la famille; il a 6 ou 12 places, est facile à manœuvrer et dispose de bancs ainsi que d'un toit, procurant aux passagers ombre et confort.

Des bateaux sont offerts en location à plusieurs endroits pour des périodes d'une demi-heure ou d'une heure. Vous trouverez vedettes, pontons et pédalos à la **Fort Wilderness Marina** ainsi qu'à la **Downtown Disney Marketplace Marina**. Fort Wilderness loue également des voiliers. De plus, nombre de lieux d'hébergement de Disney offrent les mêmes services. Composez le ☎407-939-7529 afin de connaître les emplacements des bureaux de location et les prix en vigueur.

d'années, époque à laquelle Disney en fit l'acquisition. Dommage, toutefois, que seuls les totems dressés devant le poste de traite honorent la mémoire des premiers habitants de cette forêt, les Indiens séminoles. C'est ici que les enfants pourront se procurer des chapeaux à queue de raton laveur et des fusils jouets. Les conducteurs d'autobus de Fort Wilderness contribuent à leur manière à recréer une ambiance de coin perdu en racontant des blagues de camping d'une voix nasillarde.

Pour les familles au budget limité, ou aimant le grand air, ce terrain de camping constitue un lieu de séjour idéal (voir p 223). L'endroit regorge d'activités pour les enfants et de lieux de relaxation pour les parents. Qu'il s'agisse d'équitation, de canot ou de simple détente sur la plage, tout est ici axé sur la nature.

■ Accès et déplacements

Que vous vous y rendiez en bus Disney ou à bord de votre propre véhicule, le voyage jusqu'au cœur de Fort Wilderness est assez long. La voiture demeure cependant le moyen le plus rapide et le plus facile pour y accéder. Voici les différentes options qui s'offrent à vous.

En voiture

De la **route I-4** (Interstate 4), empruntez la sortie du **Magic Kingdom** (**route 192**), et suivez les indications jusqu'au Magic Kingdom. Dès que vous aurez passé la guérite du Magic Kingdom (et que vous aurez payé 9$ pour le stationnement), prenez sur la droite en suivant la signalisation vers Fort Wilderness.

En transports en commun

Du Magic Kingdom, du Contemporary Resort et du Wilderness Lodge: Faites la traversée panoramique en bateau (30 min). Ou encore prenez le monorail jusqu'au Transportation and Ticket Center, pour ensuite monter à bord du bus Disney qui se rend à Fort Wilderness. La durée du voyage monorail-bus est de 40 à 50 min.

D'Epcot, du Polynesian Resort ou du Grand Floridian Resort & Spa: Prenez le monorail jusqu'au Transportation and Ticket Center, pour ensuite monter à bord du bus Disney qui se rend à Fort Wilderness. Durée du voyage: de 40 à 50 min.

De tous les autres points de Disney World: Prenez un bus Disney jusqu'au Transportation and Ticket Center, puis celui qui

Ailleurs à Disney - Fort Wilderness

se rend à Fort Wilderness. Le trajet du Transportation and Ticket Center à Fort Wilderness est de 30 à 40 min.

Des hôtels de la région ne faisant pas partie de Disney World: La plupart disposent de navettes qui font l'aller-retour jusqu'au Transportation and Ticket Center. Prenez ensuite le bus Disney qui se rend à Fort Wilderness.

■ Renseignements utiles

Quelques précieux conseils

Maintenant que vous êtes dans les bois, aussi bien en profiter un certain temps. Arrêtez-vous au centre d'accueil afin de vous procurer plans, horaires et renseignements divers. De là, vous monterez à bord d'un autobus qui vous mènera vers les principaux points d'intérêt. Ce voyage à travers la forêt dure environ 10 min et est entrecoupé d'arrêts aux différentes aires de camping. Fort Wilderness n'est jamais vraiment envahi par les foules, de sorte qu'il n'est pas nécessaire de suivre un itinéraire précis. Les familles doivent néanmoins s'assurer de ne pas manquer la ferme et les écuries, où des promenades à cheval sont offertes. Quelques événements (feux de joie, promenades en charrette à foin, revue musicale, etc.) y sont également organisés chaque jour; renseignez-vous quant aux heures. Retenez toutefois que les feux de joie sont réservés aux seuls hôtes des lieux d'hébergement de Disney.

Animaux de compagnie

Ne sont admis qu'à certains emplacements de camping. Vous pouvez toutefois les confier au chenil du stationnement de Fort Wilderness.

Centre de services aux nourrissons (Baby Care Center)

Vous trouverez des tables à langer dans les toilettes du Pioneer Hall. Des couches, du lait en poudre et autres articles pour bébé sont offerts aux comptoirs commerciaux de Settlement et de Mea-

dow. On n'y loue cependant pas de poussettes: apportez la vôtre.

Enfants perdus / bureau des objets perdus et trouvés

Signalez tout enfant égaré ou tout article perdu ou trouvé à un employé de Disney.

■ Points d'intérêt

Fort Wilderness Beach

Bien qu'on ne puisse s'y baigner, la plage de Fort Wilderness demeure un des plus beaux endroits de Disney World. Couverte d'un beau sable doré et bordée de chênes et de pins majestueux, elle offre en outre une vue spectaculaire sur le Space Mountain et le Disney's Contemporary Resort, situés sur l'autre rive.

Vous y trouverez un terrain de jeux, une aire de pique-nique et des hamacs, à l'ombre des arbres, pour faire la sieste.

Quant à ceux qui tiennent à faire trempette, ils se tourneront vers les deux piscines situées à l'intérieur des limites de Fort Wilderness.

À noter cependant que l'accès à la plage et aux piscines est réservé aux résidents du Fort Wilderness Campground.

La marina

Immédiatement en retrait de la plage, vous pouvez louer à la marina un bateau ou les services d'un guide pour la pêche au bar.

La ferme (Petting Farm)

Les enfants ne se lassent pas de ses animaux de basse-cour. Toute la journée, vous les verrez courir après les chèvres, les canards et les paons, faisant voler herbe et poussière sur leur passage jusqu'à ce qu'ils s'épuisent. Cette ferme, nichée à l'ombre de grands arbres, offre aussi des balades à dos de poney.

AILLEURS À DISNEY

1. Au LEGO Imagination Center, il y a entre autres des serpents de mer et des dinosaures. (page 269)
   © Disney

2. Les enfants adorent batifoler dans les eaux du parc aquatique de Blizzard Beach. (page 149)
   © Disney

3. Dans le secteur West Side, le Cirque du Soleil présente *La Nouba*™, un spectacle fabuleux. (page 155)
   © La Nouba by Cirque du Soleil ®

4. Les petites filles se transforment en de jolies princesses à la Bibbidi Bobbidi Boutique. (page 269)
   © Disney

UNIVERSAL STUDIOS

1. Plus grand parc thématique à vocation exclusive de la Floride: les Universal Studios. (page 157)

2. Les effets spéciaux de Shrek 4-D soulèvent littéralement les spectateurs de leurs sièges. (page 175)

3. Les assauts répétés de Jaws, le requin meurtrier, font vivre aux passagers 5 min d'enfer. (page 172)

4. Revenge of the Mummy emmène les amateurs de sensations fortes dans une folle balade. (page 174)

Le ranch Tri-Circle-D

C'est ici que vous retrouverez ces magnifiques chevaux que vous avez déjà vus tirant des tramways dans Main Street, U.S.A., dans une grande écurie entourée de pâturages. Un maréchal-ferrant s'y occupe en tout d'une centaine de percherons et de chevaux de trait belges, trop heureux de se laisser photographier par les visiteurs.

Équitation, vélo et canot

Ces trois activités sont l'occasion de belles excursions en famille. Si vos enfants sont âgés d'au moins neuf ans, vous pouvez participer à la **Fort Wilderness Trail Ride**, une promenade équestre guidée de 45 min à travers bois. Pour réserver, composez le ☎407-939-7529.

Vous trouverez ici des pistes cyclables tout à fait splendides. Des vélos sont offerts en location, à l'heure ou à la journée, à la Bike Barn, située derrière le Meadow Trading Post. Si vous préférez visiter sans vous fatiguer, louez plutôt une voiturette de golf *(il est nécessaire de réserver:* ☎*407-824-2742).* La Bike Barn dispose également de canots qui vous permettront d'explorer le vaste réseau de ruisseaux et de canaux de Fort Wilderness.

Promenades en charrette à foin

Une longue charrette remplie de foin, attelée à deux percherons noirs, circule chaque soir à travers la forêt, à deux reprises. Sortie en famille par excellence, cette balade d'une heure donne l'occasion aux parents de discuter des joies et des peines de la journée pendant que les enfants s'amusent dans le foin. Enfin vous vous serez en outre fait de nouveaux amis.

Typhoon Lagoon ★ ★ ★ ★

Voici comment se déroule une journée typique au Typhoon Lagoon: vous descendrez lentement une rivière, après quoi

L'arbre et la tondeuse

Sur un pin contorsionné, près de la Fort Wilderness Marina, vous trouverez un poème bizarre:

Billy Bowlegs
a trop longtemps
Oublié sa vieille tondeuse
Un jour de soleil écrasant
Au pied
de cette tige ligneuse

À côté de ce poème, vous apercevrez les lames rouillées d'une ancienne tondeuse à gazon emprisonnées par le tronc du pin. C'est pour le moins un spectacle étrange, d'autant plus que personne ne sait comment ce tour de force a pu se produire. Certains cyniques avancent l'hypothèse que, lorsque Walt Disney acheta cette forêt, l'arbre, craignant d'être rasé pour faire place à un parc thématique, déploya son arsenal de guerre!

vous serez emporté par les tourbillons d'un toboggan. Vous ferez du surf sans planche et de la plongée-tuba avec les requins, pour ensuite vous faire sécher sur une plage bordée de palmiers. Vous escaladerez un escarpement connu sous le nom de Mayday (SOS) et vous vous abandonnerez au tracé du Humunga Kowabunga, un toboggan infernal qui vous donnera l'une de ces frousses, et vous en redemanderez! Vous gravirez de nombreuses marches, ferez souvent la queue, et vous vous sentirez accablé par la fatigue, une grande fatigue...

La piscine à vagues et à surf du **Typhoon Lagoon** contient près de 9 millions de litres d'eau.

Ainsi vont les choses au Typhoon Lagoon, dont le cadre paisible cache une

Ailleurs à Disney – Typhoon Lagoon

activité frénétique. Ce que Disney a voulu être, «l'ultime parc aquatique du monde» l'est vraiment, du moins en ce qui a trait à la rapidité des toboggans, à la variété des installations et aux décors enchanteurs. Cette glorieuse oasis de 23 ha recèle des collines recouvertes de jungles, des étendues de sable immaculé, des huttes en chaume, des ponts de bois, des ruisseaux tortueux et suffisamment de piscines pour couvrir deux terrains de football. Ajoutez à cela une pléiade d'effets spéciaux, dont les moutons fougueux produits par des machines à vagues, et des toboggans en tire-bouchon, en eau vive, de type «tempête» et de haute vitesse (où vous vous envolerez littéralement à 50 km/h), et vous comprendrez que ce parc est vraiment unique en son genre.

Le Typhoon Lagoon se veut à l'image d'une île après une violente tempête. Des planches de surf pointent à travers les palmiers, les bâtiments sont à moitié déglingués, et un crevettier du nom de *Miss Tilly* repose au sommet d'un volcan. Le bateau déchiqueté et le «volcan» de 26 m, baptisé Mount Mayday, constituent le clou du lagon. Chaque demi-heure, ce volcan crache en outre un torrent d'eau comme pour éjecter le bateau.

Une énergie incroyable règne au Typhoon Lagoon. Les rapides moutonneux, les vagues tumultueuses, les rires des enfants, le bruit des tambours d'acier et les cris des adeptes du surf et des toboggans créent un maelström d'activités incessant. Par contre, il n'appartiendra qu'à vous de choisir entre les descentes vertigineuses et le plaisir tranquille de se faire bronzer sur la plage en sirotant une boisson.

> **Blizzard Beach** et le **Typhoon Lagoon** restent généralement fermés durant les jours de pluie. Pour ne pas vous déplacer inutilement, composez le ☎407-824-4321.

■ Accès et déplacements

Si vous en avez la possibilité, allez-y en voiture; c'est beaucoup plus facile et plus rapide que de recourir aux moyens de transport de Disney, et le stationnement est gratuit.

En voiture

De la **route I-4** (Interstate 4), prenez la sortie d'**Epcot**, puis suivez les indications vers le Typhoon Lagoon. Le parc se trouve à environ 800 m de la route I-4.

En transports en commun

Du Magic Kingdom, d'Epcot, du Contemporary Resort, du Polynesian Resort ou du Grand Floridian Resort & Spa: Prenez le monorail jusqu'au Transportation and Ticket Center, puis montez à bord d'un bus se rendant directement au Typhoon Lagoon.

De tous les autres hôtels du Walt Disney World Resort: Prenez le bus qui va directement au Typhoon Lagoon.

■ Renseignements utiles

Quelques précieux conseils

Avec le plan des lieux en main, il devient très facile de se déplacer à l'intérieur du Typhoon Lagoon. Le seul véritable problème est que le site est généralement beaucoup trop bondé. Les moments les plus propices pour s'y rendre sont le printemps et l'automne, ou encore les lundis d'été. Les dimanches en matinée, le parc est également désert, car les gens des environs sont alors à l'église. Si vous devez absolument y aller une fin de semaine d'été, arrivez 30 min avant l'ouverture; vous aurez ainsi le temps de vous garer, d'acheter vos billets et de louer des chambres à air avant l'arrivée des foules. Durant la première heure, les toboggans et les autres attractions n'ont que de petites files d'attente. Il faut aussi savoir que, durant l'été et lors des longs congés, le Typhoon Lagoon atteint souvent sa pleine capacité (7 200 personnes) et ferme alors ses portes en milieu de matinée. Quand cela se produit, l'attente au point de départ des toboggans et des descentes de rivière est inévitablement de plus d'une heure.

Arrivé sur place, installez-vous quelque part. Si vous êtes accompagné de tout-petits, la plage située près de la zone de **Ketchakiddee Creek** constitue votre meilleur choix. Si vous recherchez plutôt un endroit à la fois ensoleillé et ombragé, rendez-vous aux aires gazonnées qui entourent **Getaway Glen**, un vallon assez calme qui dispose de tables de pique-nique. Enfin, si vous adorez observer les gens, trouvez-vous un coin en face de la piscine à surf; les adolescents et les grands-parents faisant du surf sans planche vous offriront tout un spectacle.

Votre expérience initiale au Typhoon Lagoon devrait être celle du **Castaway Creek**. Cette balade en chambre à air zigzague à travers le parc et vous aidera à vous orienter. Rendez-vous ensuite aux piscines et aux autres attractions dans l'ordre qui vous plaira.

Animaux de compagnie

Ils ne sont pas admis.

Centre de services aux nourrissons (Baby Care Center)

Vous trouverez des tables à langer dans les toilettes. On ne fournit cependant pas de poussettes; apportez donc la vôtre.

Chambres à air

Les chambres à air sont fournies gratuitement pour toutes les descentes de rivière. Afin d'éviter les longues files d'attente, soyez au bureau de location à la première heure. Sachez enfin qu'il n'est pas permis d'apporter sa propre chambre à air au Typhoon Lagoon.

Chaussures

Il est préférable de porter des chaussures même si vous n'avez pas les pieds sensibles. Il y a en effet beaucoup de bé-

ton dans ce parc, et certains sentiers sont accidentés. De simples sandales peuvent toutefois suffire.

Douches, vestiaires et casiers

Les douches, les vestiaires et les casiers se trouvent tous sous des toits de chaume. Les casiers sont offerts en location.

Glacières

Apportez une glacière remplie de boissons désaltérantes et de victuailles. Les contenants en verre et les boissons alcoolisées ne sont pas tolérés. On vend néanmoins de la bière et des boissons glacées au rhum à plusieurs endroits.

Serviettes et gilets de sauvetage

Vous pouvez apporter votre propre serviette, mais il est plus commode d'en louer une. Après avoir payé plus de 35$ pour entrer, les serviettes devraient sans doute être gratuites. Si vous ne savez pas bien nager, vous pouvez obtenir gratuitement un gilet de sauvetage (moyennant un dépôt remboursable).

■ Points d'intérêt

Castaway Creek

Cette balade (longue et lente) en chambre à air est tout spécialement destinée aux parents, qui pourront glisser, au gré des flots, dans une crique pittoresque qui se prête merveilleusement bien à la relaxation. D'une profondeur de 1 m, cette eau cristalline sillonne un paysage original. Entre les grottes et la verdure tropicale, vous croiserez des épaves de bateaux, des tonneaux et des glacières abandonnées (à cause du typhon décrit plus tôt), et vous vous baladerez sous les eaux de deux cascades. Le trajet donne une très bonne vue d'ensemble du Typhoon Lagoon. Il y a plein d'endroits où vous pouvez faire escale pour vous reposer, et ensuite reprendre le fil du courant. Sans escale, la descente dure une demi-heure.

Ailleurs à Disney - Typhoon Lagoon

Les piscines à vagues et à surf

Situées en plein cœur du Typhoon Lagoon, ces piscines sont très mouvementées. Techniquement parlant, il y a ici trois bassins: la **Typhoon Lagoon Surf Pool**, une piscine à surf occupant la scène centrale; le **Blustery Bay**, une piscine à vagues située à gauche du lagon (si vous faites face au Mount Mayday); et le **Whitecap Cove**, une piscine à vagues qui se trouve à droite du lagon.

Les surfeurs expérimentés se tiennent à la Typhoon Lagoon Surf Pool, où des vagues de 2 m passent toutes les 90 s (les planches de surf ne sont pas tolérées; on ne se sert que de son corps). Pour ceux qui préfèrent des vagues moins imposantes, la houle du Blustery Bay et du Whitecap Cove n'atteint qu'environ 1 m; vous pouvez alors nager ou utiliser une chambre à air.

Ketchakiddee Creek

Cette version nautique d'un terrain de jeu d'école renferme des douzaines d'endroits où s'ébattre et se mouiller. Les enfants peuvent escalader des barils, explorer des cavernes humides, glisser sur le dos d'une baleine (qui crache même de l'eau) et descendre de petits rapides sur des mini-chambres à air. Les «étangs de sable à bulles», où les enfants peuvent s'asseoir dans des eaux glouglourantes, sont particulièrement appréciés. Pour ces jeux, les enfants doivent mesurer moins de 1 m et être accompagnés d'un adulte.

Humunga Kowabunga

Lorsque les gens parlent du Typhoon Lagoon, le Humunga Kowabunga leur vient aussitôt à l'esprit. Il ne faut pas s'en étonner car ces trois toboggans haute vitesse sont conçus pour vous donner la frousse de votre vie. Situés l'un à côté de l'autre sur le flanc du Mount Mayday, ils plongent à la verticale à travers des grottes pour se terminer dans l'eau. La vitesse moyenne y est de 50 km/h, et la durée moyenne du voyage, de 3 s. Interdit aux enfants mesurant moins de 1,12 m ainsi qu'aux femmes enceintes.

Storm Slides

Ces trois toboggans de type «tempête» sont conçus pour les trouillards qui n'osent pas essayer le Humunga Kowabunga, et ils suivent un trajet sinueux à travers des cavernes, sous des chutes et autour de rochers. Chacun de ces toboggans de 90 m est tout de même assez rapide (32 km/h) et offre une vue sur un beau paysage.

Raft Rides

Ces descentes de rivière sont extrêmement amusantes. Durant la descente des **Gangplank Falls**, des **Mayday Falls** ou des **Keelhaul Falls**, vous serez entraîné dans une spirale autour du Mount Mayday et contournerez des cavernes, des arbres et des rochers. Aucune d'elles ne donne de grands frissons, quoique celle des Mayday Falls présente un plus grand nombre de virevoltes et de tourbillons que les autres. Les descentes de Mayday et de Keelhaul se font seul dans une chambre à air, alors que celle de Gangplank regroupe trois ou quatre personnes à la fois à bord d'un canot pneumatique. Le Gangplank est idéal pour les familles, mais, dans le cas où vous ne seriez pas assez nombreux, on vous jumellera à d'autres visiteurs. Les enfants doivent mesurer plus de 1,12 m pour être admis à Mayday Falls et à Keelhaul Falls; Gangplank Falls n'impose aucune restriction. Les femmes enceintes ne sont admises à aucune de ces descentes.

Shark Reef

On fait trop de cas de ce bassin de plongée-tuba. Tout d'abord, vous devez faire la queue de façon plus ou moins ordonnée, après quoi on vous fera traverser à la sauvette un réservoir bondé de gens (les préposés chronomètrent presque votre temps dans l'eau). En de rares occasions seulement, lorsque le Shark Reef n'est pas trop engorgé, le plongeon en vaut-il la peine. Les coraux sont faux, mais les milliers de poissons multicolores, entre autres les requins nourrices (ou dormeurs) et les requins-tigres, sont bien réels. Lorsqu'il n'y a pas de file d'attente, vous pouvez pourchasser à votre aise les poissons et explorer le pétrolier qui gît au fond du réservoir.

À NOTER: On fournit gratuitement l'équipement de plongée, bien que vous puissiez aussi apporter votre propre masque (s'il est en verre durci) et votre tuba, mais non vos palmes. Les préposés vous donneront un petit cours de plongée au besoin. Si vous désirez rapporter des souvenirs de votre expérience, sachez qu'on vend sur place des appareils photo étanches. Afin d'éviter la formation d'algues à l'intérieur du bassin, on maintient la température du Shark Reef aussi froide que 22°C, soit huit degrés de moins que la température normale de l'eau dans les autres bassins du Typhoon Lagoon. Le Shark Reef est habituellement fermé de novembre à avril.

Crush 'n' Gusher

Cette attraction récente prend la forme de véritables montagnes russes aquatiques. On parle d'ailleurs chez Disney de *water coaster*.

Installé sur une chambre à air pouvant accueillir une ou deux personnes, vous y serez littéralement propulsé dans une suite de montées, de descentes et de virages. Il y a trois parcours différents qui font chacun environ 125 m: le Banana Blaster, le Coconut Crusher et le Pineapple Plunger.

À NOTER: Taille minimale 1,12 m.

Blizzard Beach ★ ★ ★ ★

On souhaiterait croire que le fait que Walt Disney World renferme deux parcs aquatiques fasse en sorte que chacun de ces lieux s'avère relativement peu fréquenté. Eh bien, non! Blizzard Beach et le Typhoon Lagoon sont tous les deux bondés, et ce, pratiquement tous les jours: les files d'attente pour les toboggans les plus rapides frisent les 90 min, et la course aux chaises longues en mi-lieu de matinée demeurent plus frénétique que jamais.

Blizzard Beach, qui couvre une superficie de 27 ha, fait beaucoup penser au Typhoon Lagoon, quoiqu'en version «hivernale». L'apparence de la neige (suggérée par le béton peint) s'y fait partout présente, skis et bâtons envahissent le décor, et un mini-télésiège se charge même de vous entraîner au sommet du mont Gushmore. Le concept: une épouvantable tempête de neige a déferlé sur le centre de la Floride et déposé des tonnes de flocons du côté ouest de Disney World, dont les responsables se sont empressés d'ouvrir le premier centre de ski de l'État. Puis, le soleil de la Floride est réapparu, faisant fondre une bonne partie de la neige, si bien que les pentes de ski se sont transformées en toboggans nautiques; c'est d'ailleurs ici que vous trouverez le toboggan le plus rapide de Disney, voire du monde entier.

■ Accès et déplacements

C'est en voiture qu'on atteint le plus facilement et le plus rapidement Blizzard Beach. Le stationnement est gratuit, et vous n'aurez pas à attendre un bus de Disney pour en sortir. Si toutefois vous préférez vous y rendre en car, sachez que tous les complexes hôteliers de Disney offrent un service direct vers le parc, d'où vous pourrez en outre effectuer une correspondance vers tous les autres sites de Disney.

En voiture

De la **route I-4** (Interstate 4), prenez la **route 192** en direction ouest jusqu'à **World Drive**, que vous emprunterez ensuite vers le nord.

■ Renseignements utiles

Quelques précieux conseils

Vous n'aurez aucun mal à vous repérer sur les lieux. Orientez-vous tout d'abord en vous procurant un plan à la billetterie ou au bureau des *Guest Relations*. Foncez ensuite tout droit vers la première chaise longue inoccupée que vous verrez, et installez-vous. Si l'occasion s'en présente, vous apprécierez sans doute les abords sablonneux de la Melt Away Bay, une immense piscine aux vagues clémentes (mécaniques, bien sûr). Les adultes accompagnés de jeunes enfants apprécient en outre le décor de la pataugeoire du Tike's Peak, tandis que les adolescents préfèrent les installations du Ski Patrol Training Camp. Cela dit, peu importe où vous vous installerez, la foule sera omniprésente, et les chaises seront le plus souvent cordées en rang d'oignons.

Prenez ensuite la direction du Summit Plummet, le toboggan le plus rapide qui soit, et aussi le plus couru, après quoi vous essaierez les Snow Stormers et les Toboggan Racers. Les longues files d'attente de toutes ces attractions vous épuiseront et mobiliseront vraisemblablement une bonne partie de votre matinée; prévoyez donc ensuite un moment de repos. Vous pourrez plus tard profiter des autres toboggans nautiques et divertissements aquatiques à votre gré.

Apportez un pique-nique (les glacières sont autorisées sur le site) pour ne pas avoir à faire la queue une fois de plus devant un comptoir de restauration. Si toutefois vous désirez profiter des installations prévues à cet effet, mangez plus tôt ou plus tard pour éviter la cohue du midi.

> Si vous voulez vraiment optimiser votre vitesse sur les toboggans, allongez-vous de tout votre long, croisez les chevilles, croisez les bras sur votre poitrine et arquez légèrement votre dos. Bon vol!

Blizzard Beach s'emplit très vite, de sorte qu'il faut s'y présenter de bon matin, préférablement avant l'ouverture du parc. Si vous prévoyez arriver en milieu de journée, prenez la peine d'appeler avant de vous déplacer, car le parc doit souvent fermer ses portes dès la fin de la matinée. Sachez toutefois que les hôtes des complexes d'hébergement de Disney sont généralement admis même après la fermeture des portes, à condition de prendre un car de Disney.

Animaux de compagnie

L'entrée leur est interdite.

Centre de services aux nourrissons (Baby Care Center)

Toutes les toilettes de Blizzard Beach sont équipées de tables à langer. Il n'y a toutefois pas de poussettes, de sorte que vous devrez apporter la vôtre.

Chambres à air

On met à votre disposition un nombre limité de chambres à air dans certains toboggans. Après la descente, vous remettez simplement la chambre à air à la personne en tête de la queue (quoique certains petits malins tentent de la garder pour eux, ce qui ne manque pas de causer tout un émoi). Vous ne pouvez pas apporter votre propre chambre à air à l'intérieur du parc.

Chaussures

Les trottoirs de béton ont tôt fait de vous échauffer les pieds. Portez donc des chaussures (de solides tongs feront très bien l'affaire).

Douches, vestiaires et casiers

Vous trouverez des casiers en location, des douches et des vestiaires près de l'entrée du parc.

Glacières

Garnissez votre glacière d'un bon pique-nique et de vos rafraîchissements préférés (les boissons alcoolisées ne sont toutefois pas permises, les contenants de verre non plus). Les fruits coupés (surtout la pastèque) s'avèrent très savoureux au sortir de l'eau. Bière et panachés sont en outre vendus dans le parc.

Serviettes et gilets de sécurité

Vous pouvez apporter vos propres serviettes, mais vous devrez les transporter mouillées en fin de journée. Vous trouverez sans doute plus pratique d'en louer sur place, au coût de 1$ pièce (après avoir déboursé 35$ à l'entrée, ne devraient-elles pas être gratuites?). Si vous ne savez pas très bien nager, vous pouvez en outre obtenir, gratuitement cette fois, un gilet de sécurité (moyennent un dépôt remboursable).

■ Points d'intérêt

Cross Country Creek

Ce cours d'eau serpente longuement et lentement autour du périmètre de Blizzard Beach, et le parcourir donne une belle vue d'ensemble du parc. Vous pouvez l'emprunter, confortablement installé sur une chambre à air, et vous laisser glisser dans un décor tropical animé par les cris des enfants s'ébattant non loin de là dans les toboggans. Des fontaines menacent par endroits de vous refroidir les esprits (leur eau est à seulement 3°C!), et les enfants ont grand plaisir à tenter d'y pousser leurs parents. Vous pouvez accéder au Cross Country Creek en plusieurs points de son tracé, d'une longueur totale de près de 0,9 km.

Melt-Away Bay

Ce vaste bassin d'un bleu cristallin s'étend au pied du mont Gushmore et dispose d'une machine à vagues qui envoie de clémentes ondes à sa surface. Des «rochers» typiques de Disney bordent l'extrémité de la baie, surplombés d'une cascade qui vous assure un bon massage dorsal, à moins que vous ne préfériez vous bercer doucement sur les eaux à bord d'une chambre à air.

Chair Lift

Conçu à la manière des télésièges d'antan, avec des planchettes de bois en guise de sièges, ce «manège» peut facilement vous induire en erreur. Vous aurez en effet, à première vue, l'impression qu'il vous suffit d'attendre en file ici (en général de 20 à 30 min) pour atteindre le sommet du mont Gushmore et ainsi accéder aux toboggans du Summit Plummet, du Slush Gusher et des Teamboat Springs. Mais, en réalité, le télésiège vous conduit simplement aux files d'attente de ces attractions, de sorte qu'il vaut mieux l'oublier et monter à pied.

Summit Plummet

Avez-vous jamais descendu un toboggan en chute libre à près de 100 km/h? L'expérience est quelque peu effrayante, follement amusante, et ne dure que quatre secondes. Pour reprendre les propos d'un visiteur: *On arrive en bas avant l'eau.* La chute s'effectue sur le flanc du mont Gushmore, d'une hauteur de 37 m, et, si vous y regardez à deux fois avant de sauter, vous risquez de changer d'avis. Il s'agit du toboggan le plus rapide de Disney World, voire du monde à ce qu'on raconte. Les adolescents ne jurent que par lui et n'hésitent pas à subir les interminables files d'attente pour le faire et le refaire. Les tonnes de béton blanc (destiné à imiter la neige) qui réfléchissent ici le soleil peuvent considérablement faire grimper la température ambiante, et vous aurez peut-être, quant à vous, du mal à envisager une attente d'une heure et demie sous une chaleur écrasante pour une descente de 4 s. Pour amenuiser quelque peu la torture, allez-y dès votre arrivée dans le parc, et retenez que les femmes enceintes et les enfants mesurant moins de 1,22 m ne sont pas admis.

Slush Gusher

Une course plus longue et moins mouvementée sur les pentes du mont Gushmore vous attend ici, assortie de files moins longues. Vous vous y installerez à plat ventre sur une carpette munie de poignées et emprunterez un tracé curviligne vous projetant bien haut sur les remparts du toboggan avant d'aboutir dans une piscine on ne peut plus rafraîchissante. Le décor est censé représenter une ravine de montagne encombrée de neige.

Toboggan Racers

Vous rappelez-vous les toboggans rectilignes multipistes des foires? Eh bien, vous les retrouverez ici en version nautique (avec carpette). Vous vous allongez sur le ventre et dévalez gentiment le flanc du mont Gushmore le long de l'une ou l'autre des huit pistes. Rien de bien effrayant, mais tout de même beaucoup de plaisir.

Teamboat Springs

La famille prend place dans un canot pneumatique à six places et s'engouffre dans un tourbillon de 365 m pour une sorte de partie d'autos tamponneuses aquatique. Ce ne sont pas les rapides du Colorado, mais vous ne trouverez pas de meilleurs «saute-moutons» en Floride. Les files d'attente sont malheureusement longues, si bien qu'il vaut mieux en profiter en début ou en fin de journée.

Runoff Rapids

Vous négocierez en solitaire, et sur une chambre à air, ces rapides moins houleux que les Teamboat Springs. Choisissez l'un des trois parcours qui s'offrent à vous, toujours sur les pentes du mont Gushmore, et profitez calmement d'une descente rafraîchissante qui vous plongera dans le noir pendant quelques secondes.

Snow Stormers

Du slalom géant version nautique? À Blizzard Beach, il s'agit de trois tracés en lacet ponctués de drapeaux et de bornes que vous croisez installé sur une carpette.

Ski Patrol Training Camp

Des toboggans étamés, des téléskis et d'immenses «icebergs» sur lesquels vous pouvez marcher, voilà ce que vous trouverez dans cette colonie estivale follement humide. Conçue pour les préadolescents et les adolescents, elle est constamment envahie par une foule enjouée qui s'amuse à grimper, à glisser et à s'arroser dans des eaux d'un bleu limpide.

Tike's Peak

Une autre colonie, mais cette fois pour les tout-petits, avec des bassins peu profonds, des jouets aquatiques, des toboggans courts et faciles, et de menues chambres à air. Un véritable bonheur pour les parents. Nul n'est admis dans le bassin dès lors qu'il mesure plus de 1,22 m.

Downhill Double Dipper

Les participants s'engagent ici dans une course de 70 m en prenant place dans deux toboggans au tracé parallèle. Au cours de la descente, dont une partie a lieu à l'intérieur, ils atteignent une vitesse de quelque 40 km/h.

À NOTER: Taille minimale 1,22 m.

Disney's Wide World of Sports Complex ★ ★ ★

Disney World s'est une fois de plus surpassé en créant un gigantesque complexe sportif multidisciplinaire. Il ne s'agit pas là d'une mince affaire, loin de là, puisque ses installations peuvent accueillir quelque trois douzaines d'événements sportifs amateurs, professionnels, senior et collégiaux, du tir à l'arc au taekwondo.

Aménagé sur un terrain de 80 ha, ce complexe réunit un stade de baseball de 7 500 places, des terrains de balle molle et un stade d'athlétisme, sans parler

Toujours plus vite

Jusqu'à maintenant, le stationnement du Magic Kingdom n'avait que des airs de piste de course. Or, vous y trouverez désormais un véritable circuit: le **Walt Disney World Speedway**.

En effet, grâce à la **Richard Petty Driving Experience**, une attraction aménagée en plein centre du stationnement du Magic Kingdom, les amateurs peuvent prendre le volant d'un stock-car biplace et se lancer sur la piste à des vitesses atteignant 235 km/h! Combinaisons et casques protecteurs étant fournis, vous n'avez plus besoin que d'un permis de conduire, d'une expérience pratique de la conduite manuelle et... de nerfs d'acier.

Les maniaques de vitesse ne manquent pas de qualificatifs pour décrire leur expérience. On ne vous demande pas d'être un athlète pour donner libre cours à vos fantasmes, mais sachez néanmoins que ces voitures n'ont pas de portières, si bien que vous devez être suffisamment agile pour vous introduire à l'intérieur par une ouverture d'à peine 40 cm et pour ressortir par le même chemin.

Les conducteurs doivent en outre être âgés de 18 ans et plus (les 16-17 ans peuvent toujours prendre la place du passager à condition d'être accompagnés par un adulte), et les prix varient en fonction du nombre de tours de piste que vous effectuez. Pour réservation, composez le ☎800-237-3889.

des courts de basket-ball, de volley-ball de plage et de tennis. Nombre d'équipes professionnelles y ont d'ailleurs élu domicile, parmi lesquelles les Braves d'Atlanta (baseball), qui s'y préparent à leur saison officielle au printemps, et les Orlando Magic (basket-ball), qui s'entraînent également sur un des nombreux courts disponibles.

D'entre les événements qu'on y a présentés et qui figurent au programme actuel, retenons des parties de basket-ball disputées par les Harlem Globetrotters, des matchs d'exhibition de football professionnel, des compétitions d'athlétisme collégial d'envergure nationale et des tournois de volley-ball de plage professionnel. Mais il s'agit d'abord et avant tout d'un paradis pour sportifs de salon, à même d'accueillir les milliers de supporters en délire des équipes qui s'y produisent.

Après un match enlevant, faites un saut à l'Official All Star Cafe, un restaurant sportif à vocation familiale qui appartient à André Agassi, Wayne Gretzky,

Ken Griffey Jr., Joe Montana, Shaquille O'Neal et Monica Seles.

Vous pouvez vous procurer des billets pour les différents événements auprès de Ticketmaster ou directement à l'entrée. Les prix varient selon l'endroit où vous vous assoyez et selon l'événement. Pour connaître les événements à venir, appelez le service d'information du Disney's Wide World of Sports au ☎407-939-4263.

■ Accès et déplacements

Prenez un bus pour les Disney-MGM Studios au départ d'un des complexes hôteliers, puis une correspondance pour le Wide World of Sports Complex.

En voiture

Empruntez la **route I-4** (Interstate 4) jusqu'à la sortie **65** (**route 192 West**). Prenez ensuite la première sortie (**World Drive**) et de nouveau la première sortie (**Oseola**

Parkway) pour enfin tourner à droite au premier feu de circulation.

Downtown Disney ★ ★ ★ ★

Plus de 35 ans après son ouverture, Disney World s'impose non seulement comme une des grandes «mecques» du divertissement, mais aussi, à proprement parler, comme une ville en soi, avec ses propres restaurants et hôtels, et même son propre code postal. Et voilà que Disney World a maintenant son propre centre-ville: Downtown Disney, qui se compose du Marketplace (autrefois connu sous le nom de Disney Village Marketplace), de Pleasure Island et du chic West Side. Il s'agit de la plus récente extension de ce géant du centre de la Floride, qui occupe une superficie totale de près de 50 ha en bordure d'un lagon et forme un gigantesque complexe regroupant des boutiques, des restaurants, des établissements nocturnes, des aires de jeux et divers autres lieux de divertissement.

■ Accès et déplacements

Il faut tout d'abord préciser qu'il est très facile de se rendre à Downtown Disney en voiture. Le stationnement y est grand et gratuit, mais la distance (à pied) qui le sépare de l'entrée principale est toutefois assez considérable. De la route I-4 (Interstate 4), empruntez la sortie d'Epcot et suivez la signalisation vers Downtown Disney. Si vous prenez un bus Disney, comptez au moins 30 min pour vous rendre de votre hôtel à Downtown Disney.

En voiture

De la **route I-4** (Interstate 4), empruntez la sortie d'**Epcot** et suivez les indications jusqu'à **Downtown Disney**, qui se trouve à environ 1 km de la route I-4.

En transports en commun

Du Magic Kingdom, d'Epcot, du Contemporary Resort, du Polynesian Resort ou du Grand Floridian Resort & Spa: Prenez le monorail jusqu'au Transportation and Ticket Center, montez ensuite à bord du bus qui se rend directement à Pleasure Island, au West Side ou au Marketplace.

De tous les autres complexes hôteliers de Disney: Prenez un bus ou un bateau se rendant directement à Pleasure Island, au West Side ou au Marketplace.

■ Renseignements utiles

Quelques précieux conseils

Même s'il est facile de s'orienter sur les lieux de Downtown Disney, vous devriez vous procurer un plan du site au guichet d'entrée ou dans n'importe quel restaurant ou boîte de nuit.

Le prix d'entrée pour flâner à Pleasure Island est de 23$, et vous aurez alors accès à toutes les boîtes de nuit, de sorte que vous pourrez aller et venir à votre guise. Sinon, il faut compter 11$ par établissement. Vous pourrez y magasiner entre 19h et 1h. Les boîtes de nuit, quant à elles, sont ouvertes jusqu'à 2h.

■ Points d'intérêt

Pleasure Island ★ ★ ★

Pleasure Island est l'endroit tout indiqué pour se défouler, le soir tout au moins. Dès que sonne 19h, une musique assourdissante, des lumières aveuglantes et une mer de monde envahissent les rues. À Pleasure Island, vous trouverez un mélange de métal peint, de rues pavées de briques, d'enseignes au néon et de gens soigneusement vêtus; c'est un peu le coin dans le vent (ou à la page) de Disney, ou encore sa face excentrique. L'endroit s'enorgueillit de plusieurs boîtes de nuit, restaurants et boutiques.

Ce qui rend la vie nocturne de Pleasure Island un peu particulière, c'est qu'il se passe autant de choses à l'intérieur qu'à l'extérieur. Les barmans font glisser les boissons sur les bars de trottoir, et les vendeurs de rue offrent à grands cris des «cadeaux» extravagants, alors que des orchestres de rock-and-roll et d'agiles danseuses (presque nues) présentent leur spectacle sur des scènes en plein air. Les gens du coin et les touristes y fraternisent vraiment (jeunes étudiants, grands-parents et yuppies confondus), et l'on organise chaque soir des fêtes du Nouvel An dans les rues. Des feux d'artifice illuminent le ciel de l'île, les confettis volent, et les lasers découpent le ciel, le colorant sur des kilomètres.

Bien qu'aucun règlement n'existe à cet effet, sachez que Pleasure Island n'est pas un endroit où vous devriez emmener les enfants le soir. Les jeunes de 18 ans et plus ont accès à toutes les boîtes de nuit (sauf le Mannequins Dance Palace et le BET Soundstage Club), mais ils ne peuvent consommer de l'alcool que s'ils ont 21 ans. Les boîtes de nuit laissent bien entrer les enfants de moins de 18 ans à condition qu'ils soient accompagnés d'un adulte, mais ils n'ont droit à aucune réduction sur le prix d'entrée.

West Side ★ ★ ★ ★

Ce «quartier» constitue sans doute le développement le plus branché de Disney depuis l'avènement du Planet Hollywood et du Cirque du Soleil. Il fait partie du vaste complexe immobilier de Downtown Disney et propose de la musique en direct, des divertissements variés, des restaurants, des boutiques, et le plus important complexe cinématographique de la Floride (5 390 places au total).

Parmi les établissements les plus branchés, il faut retenir le Bongos Cuban Café (qui appartient à la star de la chanson Gloria Estefan), la House of Blues (qui appartient à Dan Aykroyd, Jim Belushi, John Goodman et certains membres du groupe Aerosmith) et le Wolfgang Puck Cafe, les deux premiers présentant des spectacles sur scène. Vous trouverez également sur les lieux une succursale géante du disquaire Virgin, d'ailleurs le plus grand magasin du genre en Floride,

qui possède même une scène extérieure, des cabines de disque-jockey, 300 postes d'écoute de disques compacts et 20 postes de visionnement de vidéos.

Il faut aussi signaler la présence sur place du **Cirque du Soleil**. Avec l'installation à demeure de la célèbre troupe québécoise dans le secteur West Side, où un magnifique chapiteau a été spécifiquement érigé pour elle, Disney a frappé un grand coup. Le Cirque du Soleil y présente son extraordinaire spectacle *La Nouba* ★ ★ ★ ★ ★ *(adultes 61$ à 95$, enfants 49$ à 76$; mar-sam 18h et 21h; ☎407-939-1298, www.lanoubaorlando.com)*, dans lequel les prestations d'acrobates, de clowns et autres contorsionnistes prennent une dimension théâtrale comme nulle part ailleurs.

Finalement, les amateurs de jeux vidéo et d'attractions interactives se tourneront quant à eux vers **DisneyQuest** ★ ★ ★ *(adultes 38$, enfants 31$; ☎ 407-828-4600)*, qui renferme une myriade de manèges virtuels.

Marketplace ★ ★ ★

Nous présumons que vous n'allez pas à Disney World dans le seul but de magasiner. Mais pour ceux qui ne peuvent résister à une brève escapade dans les magasins, il y a toujours le Marketplace (autrefois connu sous le nom de Disney Village Marketplace). Aménagé tout à côté de Pleasure Island, cet endroit fantaisiste renferme des bâtiments bardés de bois disposés autour d'un lac. De petits bateaux à moteur sillonnent le plan d'eau, tandis qu'une musique lyrique se fait entendre dans les moindres recoins.

Les visiteurs à répétition de ce marché noteront immédiatement les changements dont il a fait l'objet à la suite de la création de Downtown Disney. Les boutiques (certaines nouvelles, d'autres anciennes) proposent toujours une incroyable variété d'articles, des jouets coûteux aux décorations de Noël, en passant par les vêtements de surf, mais la plupart se sont refait une beauté. Entre autres, The World of Disney renferme

Ailleurs à Disney - Downtown Disney

une incroyable collection d'objets liés à Disney.

Et même si vous n'êtes pas un coureur de magasins, le Marketplace demeure un bon endroit pour vous détendre. Au milieu de la journée, lorsque les parcs thématiques sont à leur comble, vous y trouverez en effet la tranquillité (à l'exception, peut-être, du Rainforest Cafe, qui semble toujours affairé). Faites un peu de lèche-vitrine, prenez un cocktail au bord du lac ou relaxez-vous simplement sur un banc face à l'eau.

Pour mieux explorer les lieux, procurez-vous un plan et un répertoire dans n'importe quelle boutique.

Disney's BoardWalk ★ ★ ★

Ce secteur du Walt Disney World Resort situé tout juste entre Epcot et les Disney-MGM Studios faisait simplement partie, à l'origine, du complexe hôtelier Disney's BoardWalk Inn. Mais la prolifération des restaurants, boutiques et boîtes de nuit en a pratiquement fait aujourd'hui une zone thématique à part entière.

Aménagée en bordure d'un joli lagon, le lac Crescent, cette promenade en bois rappelle celles des stations balnéaires du nord-est des États-Unis du début du XXe siècle. On y trouve quelques restaurants et boîtes, dont l'ESPN Club, une petite plage, des jeux de fête foraine et même un authentique *dance club* de bord de mer.

Universal Studios

Avec Mickey, Cendrillon et Shamu l'épaulard comme têtes d'affiche, il était tout à fait prévisible qu'Orlando prenne tôt ou tard des airs d'Hollywood. Les Disney-MGM Studios furent les premiers à faire du cinéma dans la région lors de leur ouverture en 1989, mais les Universal Studios leur volèrent la vedette un an plus tard en devenant la scène cinématographique la plus sophistiquée qui soit à l'extérieur d'Hollywood.

Suivant le style hollywoodien, ce géant du cinéma sut tirer profit des pâturages et des espaces sablonneux d'Orlando en les animant de personnages mythiques, de décors à faire rêver et de scènes électrisantes des grandes productions américaines. D'une superficie totale de 45 ha, cette «mecque» du cinéma, érigée au coût de 650 millions de dollars, nous fait vivre des tremblements de terre, des fantaisies dignes des dessins animés les plus farfelus et même des voyages dans le temps, le tout dans une mer d'effets spéciaux.

Si Hollywood est une grande foire d'illusions, alors les studios Universal en sont une des grandes scènes. Car ici tout se passe sur le plateau. Vous y retrouverez la ville balnéaire de *Jaws* et les forêts humides parcourues par E.T., mais aussi la chic Rodeo Drive de Los Angeles et les rues de San Francisco.

Plus étendus que ceux de Disney-MGM, les studios Universal constituent le plus important centre de production en dehors d'Hollywood, aussi bien pour la télévision que pour le cinéma. Ils s'enorgueillissent de 38 décors de rues hautement élaborés, de neuf studios d'enregistrement, d'une vingtaine de manèges, spectacles et attractions, de 18 restaurants et de 21 boutiques.

Techniquement parlant, le parc se divise en six zones thématiques distinctes, même si, dans les faits, il semble former un tout homogène, telle une toile irisée par la main experte d'un artiste. L'entrée du parc, appelée **The Front Lot**, ne constitue pas une zone thématique en tant que telle, mais elle donne déjà le ton avec ses façades pastel délavées, ses arches et ses courbes Art déco. La transition se fait alors sans peine vers le secteur **Hollywood**, sur la droite. Plus loin, la **Woody Woodpecker's KidZone** vous fait pénétrer dans un monde fantaisiste où les plus jeunes se sentiront tout à leur aise.

Après le secteur **World Expo**, dont les bâtiments modernes abritent deux des attractions les plus appréciées du parc, vous serez surpris de découvrir que les quais de San Francisco peuvent cohabiter avec ceux d'une station balnéaire typique de la Nouvelle-Angleterre dans la zone **San Francisco/Amity**.

Ces paysages marins cèdent bientôt le pas aux immeubles de grès brun, aux panneaux-réclames et aux boutiques exclusives de **New York**. Non loin de là, la zone des studios et entrepôts de **Production Central** présente un décor minimaliste de rues dépouillées, d'édifices gris ardoise et de grandes affiches de cinéma.

Plus élégants et un peu plus spacieux que leurs homologues hollywoodiens, les studios Universal doivent, du moins en partie, leur éclat au cinéaste de génie Steven Spielberg. En sa qualité de conseiller créatif des studios Universal, Spielberg a ici contribué à la conception de manèges bourrés d'action, de spectacles révélant les ficelles de l'art cinématographique et de paysages teintés de surréalisme.

Depuis le premier jour de leur mise en service, les manèges des studios Universal sont notoires pour leurs longues files d'attente. Mais quiconque a goûté l'envoûtement de *E.T.*, la folie de Jimmy Neutron ou les frissons de *Back to the Future* sait que

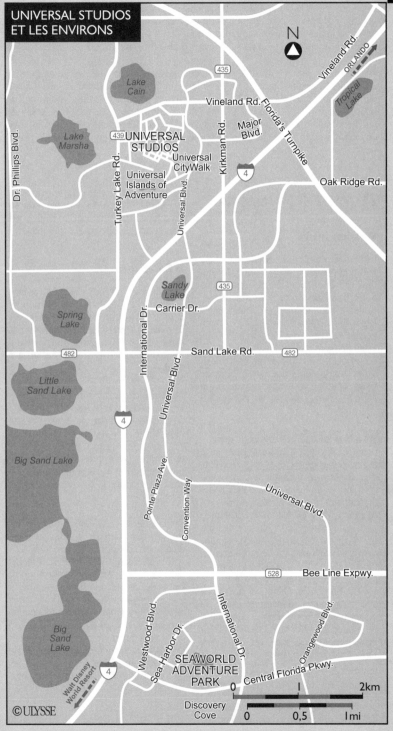

UNIVERSAL STUDIOS
ET LES ENVIRONS

N

Vineland Rd.

ORLANDO

Tropical
Lake

435

Lake
Cain

Vineland Rd.

Florida's Turnpike

Kirkman Rd.

Major
Blvd.

Dr. Phillips Blvd.

Lake
Marsha

439 UNIVERSAL
STUDIOS

Universal
CityWalk

Turkey Lake Rd.

Universal
Islands of
Adventure

Universal Blvd.

4

Oak Ridge Rd.

Sandy
Lake

435

Carrier Dr.

Spring
Lake

International Dr.

Universal Blvd.

Sand Lake Rd.

482

482

Little
Sand Lake

4

Big Sand Lake

Pointe Plaza Ave.

Convention Way

Universal Blvd.

Bee Line Expwy.

528

Big
Sand
Lake

Westwood Blvd.

International Dr.

Orangewood Blvd.

Sea Harbor Dr.

SEAWORLD
ADVENTURE
PARK

Central Florida Pkwy.

Walt Disney
World Resort

4

Discovery
Cove

0   1   2km

0   0,5   1mi

©ULYSSE

l'attente en vaut la peine. Par ailleurs, même si les manèges et les spectacles sont les grandes vedettes du parc, les décors de rue n'en constituent pas moins de véritables envolées imaginatives, vous entraînant d'un film à l'autre dans un voyage empreint de nostalgie, et on ne peut plus fidèle aux traditions d'Hollywood.

Ces décors magiques placent le spectateur aussi bien devant que derrière la caméra, et l'on peut presque chaque jour y assister à un tournage quelconque, qu'il s'agisse d'un film ou d'une émission télévisée. Il est même possible (bien que moins probable) d'y décrocher un rôle de figurant. Pour la plupart des gens toutefois, le simple fait de découvrir cet univers hollywoodien est déjà bien assez enivrant. On y éprouve en effet une sorte d'exaltation presque puérile en découvrant que le rêve et la réalité peuvent se côtoyer d'aussi près.

Accès et déplacements

■ Orientation

De loin le plus grand parc thématique à vocation exclusive de la Floride, les studios Universal sont très étendus. Même durant la saison morte, alors que les files d'attente sont réduites au minimum, il faut compter au moins deux jours afin de voir tout ce que ses 45 ha ont à offrir. Contrairement aux studios Disney-MGM, où les deux tiers du parc ne sont accessibles aux visiteurs que par le biais de visites guidées, vous pouvez parcourir à votre aise la presque totalité des studios Universal.

Sur plan, les studios Universal ressemblent à un grand *C* trapu s'apprêtant à avaler une gorgée d'eau; ce plan d'eau, c'est **The Lagoon**, alors que le *C* lui-même se compose du Front Lot et de six zones thématiques distinctes. À la base de ce *C* se trouve **The Front Lot**, avec son entrée principale bordée de palmiers et marquée par l'arche grandiose des studios Universal. **Hollywood** forme la courbe inférieure du *C*, dont la pointe se termine avec la **Woody Woodpecker's KidZone** et le secteur **World Expo**. Quant au dos de ce *C*, il suit le tracé de **Production Central**, où d'énormes bâtiments abritent des studios de production pour la télévision et le cinéma ainsi que des manèges. Enfin, **New York** et **San Francisco/Amity** complètent la partie supérieure du *C*.

Il importe de vous fixer un point de ralliement au cas où vous vous sépareriez de ceux qui vous accompagnent. Le meilleur endroit pour cela se trouve en face du Mel's Drive-In, un restaurant Art déco tape-à-l'œil situé sur le Hollywood Boulevard (à Hollywood naturellement).

■ En voiture

Les studios Universal s'étendent immédiatement à l'ouest de l'intersection de la route I-4 et du Florida's Turnpike. De la **route I-4** (Interstate 4), empruntez la sortie **74B** ou **75A**. L'entrée principale des studios est située en retrait de **Kirkman Road**.

Après avoir acquitté votre droit de passage, vous vous verrez assigner une place de stationnement dans le garage des studios. Un trottoir roulant vous transportera ensuite jusqu'à CityWalk. Gardez la droite jusqu'à l'impressionnante entrée principale du parc, reconnaissable à son arche et au globe géant des studios Universal.

Du fait de leur taille monstrueuse, les studios sont rarement bondés au point de fermer leurs portes. Malgré tout, vous vous épargnerez des heures d'attente dans les files en arrivant le plus tôt possible, idéalement une demi-heure avant l'ouverture officielle du parc. Vous aurez alors tout le temps de garer votre voiture, d'acheter vos billets (si ce n'est déjà fait) et de vous procurer plans et brochures. Cela vous mettra en outre en excellente position pour visiter les attractions les plus populaires dès l'ouverture du parc.

■ En navette ou en autocar

Des hôtels de la région: La plupart disposent d'un service de navette pour les studios Universal, parfois toutes les heures, parfois toutes les deux ou trois heures. Cette règle ne s'applique évidemment pas aux lieux d'hébergement de Disney World, quoique **Mears Transportation** (☎ *407-423-5566)* comble avantageusement cette lacune. Les studios Universal se trouvent à 16 km au nord-est de Disney World.

Renseignements utiles

■ Quelques précieux conseils

L'idéal serait de pouvoir entrer tranquillement dans les studios Universal, pour ensuite arpenter à votre aise le pittoresque Front Lot et le Hollywood Boulevard. Mais l'impitoyable réalité de la ruée vers les manèges, inhérente à tout parc thématique, vous impose une tout autre conduite. Car si vous voulez éviter les files d'attente à n'en plus finir, vous devez arriver tôt et filer en vitesse à travers les décors pour monter à bord de quelques manèges avant que les choses ne se gâtent. Compte tenu de la popularité et de l'emplacement des différentes attractions, il vous est conseillé d'accorder la priorité aux manèges suivants:

* **Back to the Future**
* **E.T. Adventure**
* **Jaws**
* **Revenge of the Mummy**
* **Jimmy Neutron's Nicktoon Blast**
* **Shrek 4-D**

Si vous voyez ces quatre attractions en avant-midi, vous pouvez vous féliciter, car vous venez de sauver deux ou trois heures d'attente. Il ne vous reste plus qu'à vous détendre en visitant le reste des studios Universal, y compris Terminator 2-3D, dont la file d'attente est la plus courte en fin d'après-midi.

Notez également qu'il est préférable de visiter chaque zone thématique au complet (Hollywood, New York, etc.) avant de passer à une autre. Le parc est si grand que vous n'aurez aucunement l'envie de revenir sur vos pas, surtout si vous avez de jeunes enfants et une poussette.

Afin d'épargner un temps précieux, choisissez l'endroit où vous comptez déjeuner et soyez-y pour 11h30. De même, prévoyez dîner autour de 16h30 pour éviter les embouteillages de 17h30. Si vous projetez de dîner au Lombard's Seafood Grille, le restaurant le plus populaire du parc, prenez soin de réserver tôt dans la journée ou, mieux encore, appelez plusieurs jours à l'avance au ☎ 407-363-8000. Notez par ailleurs que le Monsters Cafe ne prend aucune réservation.

■ Animaux de compagnie

Ils ne sont pas admis aux studios Universal. Vous pouvez toutefois les confier pour la journée au chenil (comptez 10$) situé près de l'entrée principale, à côté de la guérite du stationnement.

■ Argent

La banque Chase, qui se trouve à l'entrée principale du parc, offre des services de change, de chèques de voyage et d'avance de fonds sur carte de crédit. Vous y trouverez également un guichet automatique. Les heures d'ouverture fluctuent selon les saisons et concordent avec celles du parc.

■ Bureau des objets perdus et trouvés

Situé dans le bâtiment des *Guest Services*.

■ Casiers

Il y a deux séries de casiers, l'une près de la sortie du parc et l'autre avant l'entrée réservée aux groupes. Il en coûte 8$ par jour pour utiliser un casier accessible n'importe quand.

À quel manège allons-nous maintenant?

La matinée tire à sa fin, vous avez vu Back to the Future, Jaws, E.T. et Jimmy Neutron's Nicktoon Blast, et vous vous demandez maintenant quelle direction prendre. Pour connaître l'état des files d'attente (les plus courtes comme les plus longues), rendez-vous aux postes d'information disséminés à travers le parc. Les tableaux d'affichage qu'on y trouve indiquent la durée approximative de l'attente pour chacune des attractions, et vous conseillent sur le meilleur moment pour les visiter. Sachez toutefois que le temps d'attente affiché est souvent sous-estimé de 5 ou 10 min, ce qui est tout à fait compréhensible compte tenu du fait que les files peuvent fluctuer considérablement d'un instant à l'autre.

■ Centre de services aux nourrissons (*Baby Services*)

Situé dans le même bâtiment que les *Guest Services*, à l'entrée principale du parc, et au First Aid, derrière le Louie's Italian Restaurant, entre New York et San Francisco. On trouve des tables à langer dans toutes les toilettes.

■ Enfants perdus

Signalez tout enfant égaré aux *Guest Services*, à l'entrée principale du parc.

■ Liste et horaire des spectacles

Consultez la brochure qu'on vous remet au moment d'entrer dans le parc.

■ Poussettes et fauteuils roulants

Offerts en location à l'entrée principale du parc, du côté gauche.

■ Renseignements

Le bureau des *Guest Services*, situé immédiatement après l'entrée principale (une fenêtre donne aussi sur l'extérieur), est l'endroit où vous arrêter pour obtenir tout renseignement de même que pour trouver des plans du parc en français, ainsi qu'en espagnol, en allemand, en japonais et en portugais.

■ Service de collecte de paquets (*Package Service*)

Ce service permet de faire envoyer tous vos achats au comptoir It's A Wrap, situé près de l'entrée principale. Vous pourrez ainsi passer prendre vos emplettes au moment de quitter le parc, sans avoir à les traîner toute la journée. Mais attention: il y a souvent des «embouteillages» entre 17h et 18h, ainsi que durant la demi-heure qui précède la fermeture du parc.

The Front Lot

Quelle meilleure entrée dans l'univers onirique du cinéma qu'un décor couleur de rose? Cette zone restreinte, quoique expressive, révèle une abondance de verre et de chrome, ponctués d'auvents cramoisis, d'édifices gris clair et de saillies donnant du relief aux façades. Au coin d'une rue, le café à ciel ouvert **The Boulangerie** tente les passants avec ses odeurs d'express et de croissants frais. Au **Fudge Shoppe** voisin, des femmes en tablier s'affairent au-dessus de grandes cuves remplies de chocolat onctueux et offrent à grands cris des plateaux assortis de cette friandise qu'est le fudge.

Néanmoins, ces douceurs mises à part, The Front Lot demeure essentiellement une zone d'affaires. On n'y trouve pas d'attraction comme telle, mais plutôt une foule de services aux visiteurs: location de poussettes, de fauteuils roulants et de casiers, bureau d'objets perdus et trouvés, services bancaires et services d'interprète pour non-anglophones. Avant de commencer votre visite, arrêtez-vous aux *Guest Services* afin de vous procurer plans et dépliants, de même que les horaires des projections et des spectacles de la journée.

Hollywood

Du Front Lot, le Hollywood Boulevard s'ouvre sur un pays de rêve. C'est ici, dans cette usine de l'imaginaire dénommée Hollywood, qu'on retrouve les trottoirs incrustés d'étoiles, les boutiques en forme de chapeaux, les affiches de vedettes de cinéma et les façades recherchées qui semblent avoir été conçues par un magicien. Des palmiers élancés projettent leur ombre sur le revêtement rosé des rues, et les poussettes suivent la cadence des musiciens de rue.

Nombre de symboles du sud de la Californie ont ici été merveilleusement reproduits. Ainsi, vous reconnaîtrez les accents Beaux-Arts du Beverly Wilshire Hotel et le vieux pèse-personne à sous de la buvette de Schwab. De la légendaire Sunset Strip, vous verrez le Ciro (boîte de nuit) et le Garden of Allah, un groupe d'édifices en stuc ornés de tuiles rouges et entourés d'herbes soyeuses et de fleurs plantées dans des pots d'argile. De chics boutiques arborent des noms tels que Studio Styles, alors que le Mel's Drive-In fait étalage d'un grand nombre de voitures de promenade des années 1950 dans un décor de vaisseau spatial. À toute heure du jour, les familles ne cessent de se faire photographier devant ces lieux drôlement chouettes.

Parmi tous les décors de rue qu'on trouve aux studios Universal, c'est Hollywood qui semble susciter le plus de passion et de curiosité. Il n'est d'ailleurs pas inhabituel d'entendre des commentaires du genre: *Est-ce vraiment comme cela?* ou *Ouvrez grand les yeux, car vous ne reverrez jamais Hollywood d'aussi près!* Peut-être cet engouement s'explique-t-il par le fait que l'esprit humain prend un malin plaisir à se délecter dans le monde de

Échange d'enfants

Lorsque vous verrez un panneau portant l'inscription *Child Swap*, ne paniquez pas! Il ne s'agit nullement d'échanger vos enfants à proprement parler (même si vous en avez peut-être parfois envie), mais plutôt d'un ingénieux système qui permet aux parents accompagnés d'enfants trop petits (ou trop peureux) de monter dans un manège à tour de rôle (pendant que l'autre surveille les enfants), et sans avoir à faire la queue deux fois. Des aires d'attente confortables ont été prévues à cette fin près des points d'embarquement, et le tout fonctionne très bien.

l'imaginaire. Ou peut-être chacun de nous désire-t-il, fût-ce secrètement, et quel que soit son âge ou son vécu, jouer un peu les vedettes.

Malheureusement, deux des trois attractions d'Hollywood comptent parmi les moins attrayantes du parc. Il vaut donc mieux se contenter d'y explorer les décors de rue, passer outre aux pétards mouillés et prendre la direction de la Woody Woodpecker's Kid Zone sans trop s'attarder.

Terminator 2-3D
★ ★ ★ ★

Vous avez sans doute du mal à imaginer un Terminator plus convaincant que celui des deux films originaux. Eh bien, voilà l'expérience ultime à ce chapitre! Si les films ont fait battre votre cœur à tout rompre, cette attraction on ne peut plus élaborée, qui fait appel à un environnement virtuel plus vrai que nature, vous fera exploser.

Une grande partie de l'action provient d'un film projeté sur trois écrans convergents de 7 m sur 15 m placés à l'avant de la salle. Ce film de 12 min met en vedette Arnold Schwarzenegger et d'autres comédiens de la distribution originale. Grâce à des effets spéciaux qui semblent projeter l'image hors de l'écran, il vous fera bel et bien vibrer sur votre siège tout en vous faisant passer de l'actuelle Orlando à celle de l'an 2029, où Arnold et compagnie livrent bataille au sinistre système de défense de Cyberdyne.

L'aspect le plus renversant de la présentation tient au fait que les acteurs semblent se matérialiser tantôt sur l'écran, tantôt dans la salle. À un moment particulièrement intense, un comédien en chair et en os traverse la scène sur une motocyclette et se fond dans l'écran où sa course se poursuit sans coupure apparente dans l'action.

Comme d'autres attractions des studios Universal, Terminator 2-3D préserve son réalisme du début à la fin. L'entrée en matière (vous arrivez au siège social de Cyberdyne pour assister à une présentation secrète de son système de défense qui finit par mal tourner) fait déjà en elle-même l'objet d'une réalisation haute en panache, selon l'habitude des studios. Vous savez qu'il ne s'agit que d'un

spectacle, mais avez pourtant du mal à retenir votre émoi au fur et à mesure que se déroule la scène.

Bien que tout ne soit pas absolument parfait du commencement à la fin, vous vous devez de voir Terminator 2-3D, la finale à elle seule valant le déplacement. Mais ce spectacle ne s'adresse nullement aux jeunes enfants.

À NOTER: Terminator 2-3D compte parmi les premières attractions que vous croiserez en entrant dans le parc, et les files y sont particulièrement longues en début de journée, alors qu'on attend souvent une heure ou plus avant d'entrer. Tentez plutôt votre chance après 15h.

Lucy: A Tribute
★★

Il ne s'agit pas de la huitième merveille du monde, mais, si votre cœur bat pour l'héroïne de *I Love Lucy*, vous apprécierez sans doute l'hommage qu'on lui rend ici. Étant aux comédies télévisées ce qu'Elvis est au rock, Lucille Ball a mérité l'honneur d'être représentée aux studios Universal, qui ont créé une sorte de musée rempli d'une foule de costumes, d'accessoires et de souvenirs de la célèbre série américaine, y compris des lettres de fans aussi célèbres que les ex-présidents Hoover, Eisenhower et Nixon. On y voit en outre des séquences filmées et des diapositives de la famille Arnaz, une reproduction à l'échelle du plateau de tournage utilisé pour la série et un quiz interactif pour les connaisseurs.

À NOTER: Si vous n'êtes pas un fervent admirateur de Lucy, vous serez probablement aussi fasciné par cette attraction que par les objets oubliés qui encombrent le fond de vos placards.

Photographies truquées

Si vous avez jamais eu l'envie de prendre des photos truquées comme on en voit au cinéma, voici votre chance. Grâce à des décors en carton de taille réduite et à un verre déformant, vous pourrez donner l'impression que vos sujets se trouvent dans les collines d'Hollywood ou au cœur du bruyant Manhattan, à moins que vous ne préfériez un équipage de navette spatiale de la NASA. Pour ce faire, vous devez vous rendre à l'un des trois emplacements pour photos avec effets spéciaux qui se trouvent à Hollywood, à New York et à San Francisco/Amity. Placez vos sujets sous le décor en carton, mettez votre appareil sur le support métallique adjacent, ajustez vos lentilles sur le verre déformant, puis prenez la photo! (Si vous avez du mal à vous y retrouver, suivez les instructions qui figurent sur les panneaux prévus à cet effet.) Les meilleurs résultats sont obtenus entre 13h et 18h.

Universal Horror Make-Up Show
★ ★

Les entrailles et le sang ayant toujours capté l'attention des amateurs de cinéma américain, on s'attendrait à ce que cette attraction soit une grande réussite. Mais à moins d'avoir entre 8 et 18 ans, et d'être friand de scènes répugnantes, vous trouverez ce spectacle moins divertissant qu'un film d'horreur de série B. Présenté dans une salle confortable dirigée par un employé zélé d'Universal, ce spectacle a pour but de dévoiler de façon originale les effets spéciaux utilisés dans certaines des séquences de films les plus macabres d'Hollywood. Mais on y assiste plutôt à une succession ennuyeuse et décousue d'effets de surprise manqués: poignets coupés, blessures par balles, têtes sans torse et torses sans tête. Vous apprendrez entre autres comment la bouche d'un acteur se transforme en un motel délabré dans *Creep Show*, comment les têtes peuvent pivoter sur elles-mêmes dans *The Exorcist* et comment l'homme devient loup dans *An American Werewolf in London*. Les meilleurs moments de ce spectacle sont ceux où l'on montre les prises de vue classiques de ces films et d'autres, tels *Gorillas on the Mist* et *The Fly*. Au risque de paraître bête et méchant, il faut cependant avouer que, dans l'ensemble, les démonstrations laissent beaucoup à désirer.

> Chaque année, l'**Universal Horror Make-Up Show** utilise 365 rasoirs à main, 863 l de sang artificiel ainsi que 2 070 l d'«entrailles» ensanglantées (composées de sauce aux crevettes, de bouillie d'avoine et de teinture rouge mélangées selon une recette secrète).

À NOTER: Certains enfants d'âge préscolaire sont effrayés par les détails sanglants, tandis que les plus vieux adorent souvent ces horreurs. Quant aux nourrissons, ils profitent de cet endroit frais et sombre pour faire un petit dodo.

Universal Studios - Hollywood - Universal Horror Make-Up Show

Woody Woodpecker's KidZone

Les enfants en visite aux studios Universal n'avaient jadis qu'une aire de jeu où s'ébattre, alors qu'on leur consacre désormais une zone entière, sans doute pour souligner le fait qu'ils sont, eux aussi, de grands fervents des parcs thématiques.

Une grande partie de ce qui se trouve dans la Woody Woodpecker's KidZone appartient aux anciennes installations: le dinosaure pourpre chante toujours son amour pour les tout-petits («A Day in the Park with Barney»), E.T. tente encore de téléphoner à la maison («E.T. Adventure») et Fievel parcourt sans relâche les égouts de New York à la recherche de sa famille («Fievel's Playland»).

Mais il n'y a pas que du vieux, et, parmi les additions les plus intéressantes, il convient de retenir de petites montagnes russes à la Woody Woodpecker («Woody Woodpecker's Nuthouse Coaster») et une aire de jeu interactive («Curious George Goes to Town») agrémentée d'accessoires de toute sorte dans un cadre aquatique; il y a d'ailleurs fort à parier que, si vous en faites votre premier arrêt, vous risquez de ne jamais vous rendre à Amity.

E.T. Adventure
★ ★ ★ ★

Le film à grand succès de Steven Spielberg a inspiré cette balade aérienne en bicyclette dans de brumeuses forêts de séquoias et vers de lointaines planètes. Le scénario est le même que dans le film: E.T. se trouve coincé sur Terre à trois millions d'années-lumière de sa bien-aimée Planète Verte. Le héros (ou plutôt son image digitalisée) monte sur votre bicyclette afin de rentrer à la maison, car il doit sauver sa planète d'une catastrophe certaine. Les lumières des villes scintillent tout en bas, alors que vous vous éloignez de la Terre en pédalant sous une pluie d'étoiles. Arrivé sur la Planète Verte, vous vous émerveillerez devant des eaux enchantées, des décors aux couleurs de l'arc-en-ciel, de petits E.T. dansants et des plantes qui semblent tout droit sorties d'un livre de contes. Le moment le plus touchant survient incontestablement à la fin de votre périple, lorsque E.T. vous fait ses adieux en vous appelant par votre prénom!

À NOTER: Ce manège dispose sans contredit de la plus attrayante salle d'attente qui soit: une forêt fraîche et ombragée où les troncs d'arbres sont plus gros que des voitures et où l'air a une odeur de nature vivante. Alors que vous vous approchez de votre objectif, un E.T., qui semble vivant, brille du haut d'un monticule et vous adresse la parole. Dans un tel cadre, l'attente habituelle de 45 min n'est, somme toute, pas si pénible.

★ **ATTRAITS TOURISTIQUES**

Hollywood

1.	BZ	Lucy : A Tribute
2.	BZ	Terminator 2: 3-D
3.	CY	Universal Horror Make-Up Show

World Expo

4.	DY	Back to the Future
5.	EY	Men in Black: Alien Attack

Woody Woodpecker's KidZone

6.	DY	Animal Actors on Location!
7.	DZ	Curious George Goes to Town
8.	DY	Day in the Park with Barney, A
9.	DZ	E.T. Adventure
10.	DZ	Fievel's Playland
11.	DZ	Woody Woodpecker's Nuthouse Coaster

San Francisco / Amity

12.	CX	Beetlejuice's Graveyard Revue
13.	DX	Earthquake – The Big One
14.	EX	Fear Factor Live
15.	EX	Jaws

New York

16.	BY	Blues Brothers, The
17.	BX	Revenge of the Mummy
18.	BY	Twister… Ride it Out

Production Central

19.	BY	Jimmy Neutron's Nicktoon Blast
20.	AY	Shrek 4-D

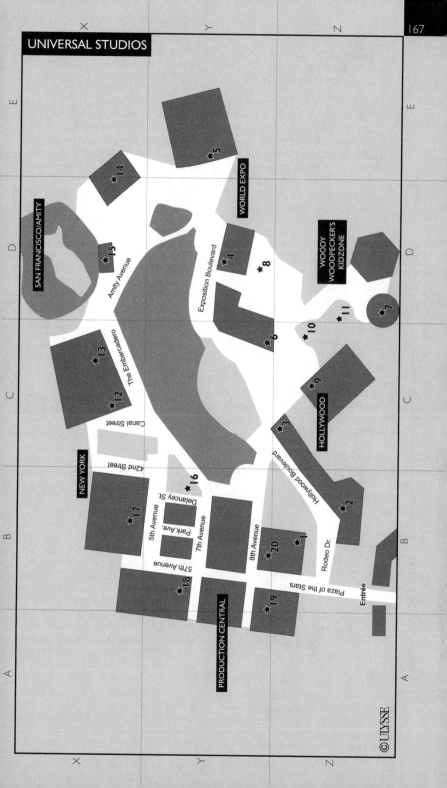

UNIVERSAL STUDIOS

SAN FRANCISCO/AMITY

WORLD EXPO

WOODY WOODPECKER'S KIDZONE

NEW YORK

HOLLYWOOD

PRODUCTION CENTRAL

Amity Avenue

Exposition Boulevard

The Embarcadero

Canal Street

42nd Street

Delancey St.

5th Avenue

Park Ave.

7th Avenue

57th Avenue

8th Avenue

Hollywood Boulevard

Rodeo Dr.

Plaza of the Stars

Entrée

©ULYSSE

La distribution spéciale d'E.T.

Véritable foire d'effets spéciaux sans pareils, E.T. met en scène 80 personnages animés, 558 arbres et buissons artificiels et 306 plantes dansantes. L'immense ville d'Earth arbore 3 340 édifices miniatures, 1 000 lampadaires et 250 voitures, tandis que son ciel brille des feux de 4 400 étoiles.

Animal Actors On Location!
★ ★ ★

Les animaux de toute taille et de toute espèce qu'on vous présente ici, tantôt adorables, tantôt talentueux et tantôt même maladroits à en faire rougir leurs entraîneurs, raviront les enfants à coup sûr. S'il est vrai que ce spectacle de 20 min comporte certaines longueurs et que son humour n'est pas du plus haut niveau, reste que beaucoup d'enfants rient à gorge déployée de bout en bout. Que demander de plus?

À NOTER: Comme ce spectacle se déroule dans une grande salle, les files d'attente sont rarement longues, et vous ne devriez avoir aucun mal à entrer si vous vous présentez une quinzaine de minutes à l'avance. En y allant entre 10h et 16h, non seulement oublierez-vous temporairement les longues queues des autres attractions, mais vous bénéficierez en outre d'un moment de répit appréciable.

Fievel's Playland
★ ★ ★

Vous vous direz sans doute que c'est trop beau pour être vrai, mais ce terrain de jeu constitue l'un de ces rares endroits où vous pouvez laisser aller vos enfants en toute tranquillité et les oublier pendant quelque temps. C'est qu'à l'intérieur de cet univers miniaturisé ils ont

la possibilité de s'amuser à leur gré avec des accessoires géants inspirés des deux parties du film *American Tail*. Votre seul problème, si vous venez ici dans l'intention de vous reposer, tient au fait que vous ne pourrez résister à Tiger, un chat robotisé, ennemi juré de Fievel (la petite souris), qui adresse la parole à tous les passants en empruntant la voix de Dom DeLuise. Vous vous laisserez en outre tenter par la «balade en boîte de sardines au milieu des égouts», qui vous entraîne aux confins de l'univers de Fievel. Pour la relaxation, il faudra donc repasser, mais qu'à cela ne tienne, car vous saviez déjà qu'on trouve difficilement le temps de se reposer vraiment en ces lieux.

À NOTER: Cette attraction ne bénéficie pas de la faveur des enfants de plus de 10 ans.

A Day in the Park with Barney
★ ★ ★

En 1995, les studios Universal dévoilaient leur attraction familiale en l'honneur de Barney, le célèbre dinosaure pourpre favori de tous les enfants d'âge préscolaire. Il s'agit d'une visite ludoéducative en compagnie du reptile chantant dans un environnement spécialement conçu à l'intention des enfants et de leurs parents.

À l'intérieur du Barney Theater, une salle circulaire n'accueillant que 350 personnes à la fois, des trucages donnent l'impression à l'auditoire d'assister à un changement climatique comme par enchantement tandis que le jour cède rapidement le pas à la nuit. Entouré de sa meilleure amie, Baby Bop, et de son grand frère BJ, Barney entraîne la foule dans d'adorables chansons telles que «If You're Happy and You Know It» et «I Love You».

Après le spectacle, tout le monde se presse vers le jardin de Barney, rempli de merveilles comme cette murale sur mur de Velcro que les enfants peuvent modifier à leur gré, ou ces pierres qui

Où rencontrer vos personnages favoris

Un peu comme à Disney World, il est possible de se faire photographier avec plusieurs «célébrités» aux studios Universal. Ainsi, Bob l'éponge et Jimmy Neutron font souvent des apparitions près du Jimmy Neutron's Nicktoon Blast.

Quant à Shrek et à son envahissant ami l'âne, on peut les rencontrer à la boutique Shrek's Ye Olde Souvenir Shoppe, située en face de la sortie de l'attraction qui les met en vedette.

Les tout-petits pourront aussi serrer la pince de leurs personnages de dessins animés préférés dans la Woody Woodpecker's KidZone. Finalement, d'autres personnages peuvent habituellement être vus dans les rues de New York, à l'angle de 57th Street et de 5th Avenue.

émettent des sons musicaux et de ridicules bruits d'animaux lorsqu'on les piétine.

Les enfants adorent aussi explorer la maison dans l'arbre de Barney, agrémentée de tunnels et de toboggans.

À NOTER: Si vous avez de jeunes enfants seulement.

Curious George Goes to Town
★ ★ ★

À en juger par son nom, on s'attend à ce qu'il s'agisse là d'une attraction réservée aux enfants – aux jeunes enfants –, et tel est bien le cas, si ce n'est que les très grands n'hésitent pas une seconde à en profiter avec leurs bambins.

La ville miniature aux couleurs vives représentée ici semble sortie tout droit des pages d'un livre de H.A. Rey. Vous pouvez en faire l'ascension de part et d'autre sous l'œil espiègle de George lui-même, perché au sommet d'une fontaine, l'eau étant d'ailleurs le thème récurrent des lieux, puisque tout, ou presque, est ici conçu pour vous... détremper. Il y a des pièges partout (entre autres ce téléphone à l'ancienne, d'apparence on ne peut plus «inoffensive»!), et, lorsque retentit

la cloche d'incendie, prenez garde à la «chute» qui promet de s'abattre sur vous. Enfin, complètement à l'arrière, vous attend la version maison de la «piscine à balles», soit une pièce remplie de quelque 13 000 balles de mousse qui fusent de toutes parts, propulsées par des canons mis à votre entière disposition.

À NOTER: Nous n'avons ici que deux conseils à vous donner: visitez cette tumultueuse attraction par une journée chaude et portez un maillot de bain.

Woody Woodpecker's Nuthouse Coaster
★ ★ ★

Après avoir vu les grands affronter certains des manèges les plus audacieux du parc, les tout-petits peuvent maintenant se targuer d'avoir leurs propres montagnes russes. Prenez place à bord de ce mini-monstre et parcourez l'usine de trucs et gadgets de Woody. Le court tracé sur rails, d'à peine 244 m à une vitesse maximale de 22 km/h, vous réserve toutefois quelques virages assez raides, sans doute incomparables à ceux des grands manèges mais tout de même surprenants; néanmoins, comme la randonnée ne dure en tout qu'une minute et demie, la plupart des enfants n'auront même pas le temps d'avoir peur.

170

À NOTER: Taille minimale 0,92 m. Bien qu'il s'agisse résolument de montagnes russes pour jeunes enfants, elles sont plus rapides qu'on pourrait le croire. Cela ne veut nullement dire que vos tout-petits devraient s'abstenir pour peu qu'ils se montrent enthousiastes, mais ne leur faites surtout pas croire qu'il s'agit d'un petit manège tranquille pour les convaincre d'y aller, sous peine de les ramasser en larmes.

World Expo

Cet endroit vibrant et bourdonnant d'activité offre une vision de vastes bâtiments métalliques striés de bandes colorées, de grands chapiteaux, de denses massifs de palmiers et de grosses colonnes peintes de rayures rappelant les enseignes de barbier. En dépit de son nom, cet espace n'a en fait rien d'une exposition universelle, sinon une rangée de drapeaux de différents pays et une aire de restauration où les gyros à la grecque côtoient les pâtés impériaux asiatiques et les saucisses allemandes.

Back to the Future
★ ★ ★ ★ ★

Ce simulateur de vol sophistiqué offre un étourdissant mélange de vitesse, de fantaisie, de frayeur et d'effets spéciaux à vous couper le souffle. À la suite de cette aventure, vous aurez tellement crié que vous en aurez mal à la gorge. Il s'agit d'un de ces manèges où les enfants de 12 ans topent bien haut avant d'annoncer à leurs parents qu'ils y retournent derechef.

Avant de monter à bord de la *DeLorean* à **Back to the Future**, remarquez l'inscription de sa plaque d'immatriculation: *Outatime* (intemporelle).

Basé sur la fracassante trilogie de *Retour vers le Futur*, ce voyage de 4 min vous fait parcourir les siècles à une vitesse supersonique. L'action débute dans une salle de réunion où un toubib aux yeux exorbités raconte à ses invités que Biff (le rustre du film) est revenu du passé. En tant que «volontaire pour voyager dans le temps», vous devez le retrouver et le renvoyer en 1955. Biff tente cependant de vous en dissuader lorsque, affichant sa tête de malotru sur un écran vidéo, il vous lance: *Que regardes-tu, connard?* Huit aventuriers montent alors à bord d'une magnifique *DeLorean* à remonter dans le temps, d'où s'échappe une fumée d'azote liquide ressemblant à de la glace en sublimation. Votre véhicule s'envole dramatiquement du garage, et vous êtes soudain enveloppé par un écran vidéo, de la taille d'une salle, qui vous transporte dans un monde fascinant d'illusions d'optique: vous tombez dans des chutes, vous vous précipitez du haut des falaises, vous butez contre les parois des cavernes et des canyons, et vous vous faites avaler puis recracher par un *Tyrannosaurus rex* en furie. Pendant tout ce temps, vous êtes constamment secoué, à tel point que vous avez du mal à distinguer clairement la personne qui est assise à côté de vous.

Pour cette attraction, les studios Universal se sont servis des simulateurs dernier cri utilisés aux Star Tours et Body Wars de Disney World, mais en y ajoutant du piquant: les bruits, les sensations et les images sont tous amplifiés, donnant presque l'impression d'une quatrième dimension. Ce réalisme «4D» est obtenu en grande partie grâce à un film 70 mm projeté sur des écrans «hémisphériques» de la taille d'un édifice de sept étages qui entourent chaque *DeLorean*. L'électrifiante bande sonore du film a été produite à l'aide d'un système multipistes à effet de salle, et les secousses parfaitement synchronisées de la *DeLorean* sont provoquées par des circuits hydrauliques. L'édifice abritant le manège, bigarré de métal orangé, bleu vert et jaune moutarde, mérite à lui seul le déplacement.

À NOTER: Taille minimale 1,02 m. Une affiche descriptive placée à l'entrée de

Back to the Future indique qu'il s'agit d'un «manège dynamique simulant des acrobaties aériennes», une habile façon de dire qu'on s'y fait **beaucoup** secouer. On ne le recommande d'ailleurs ni aux femmes enceintes, ni aux claustrophobes, ni aux personnes souffrant de maux de dos ou susceptibles d'avoir la nausée. Et ne prenez pas cet avis à la légère: si votre estomac est le moindrement fragile, pensez-y à deux fois avant de monter à bord.

À peu près tous ceux qui visitent les studios Universal veulent essayer Back to the Future (même les masochistes à l'estomac fragile ou souffrant de maux de dos). Cela dit, sachez qu'à moins de vous y présenter dès l'ouverture du parc vous devrez attendre de 45 min à deux heures!

Men in Black: Alien Attack
★ ★ ★

De méchantes et mystérieuses créatures cherchent à envahir le monde, et vous avez pour mission de les en empêcher. Inspiré du film du même nom, ce manège façon jeu électronique grandeur nature dépêche les «expéditionnaires malgré eux» par groupes de six pour exterminer les extraterrestres. Installés dans leur véhicule, ils parcourront les «rues» truffées de monstres à plusieurs bras, jambes et têtes, prêts à fondre sur eux dans les moindres recoins, et devront, arme au poing, les viser, tirer et... marquer des points pour chaque ennemi abattu. Mais cette aventure n'est pas aussi effrayante qu'il n'y paraît à première vue; quelque peu risible, quoique amusante, elle vous procurera à peine plus de frissons que le manège de Buzz Lightyear du Magic Kingdom. Sachez toutefois que ça tourne à fond là-dedans, et qu'il vaut mieux ne pas passer à l'attaque aussitôt après avoir mangé, mais cette caractéristique du jeu plaira sans nul doute aux enfants. Par ailleurs, il convient de savoir que la fin vous réserve un passage dans le noir des plus bruyants qui risque de faire frémir les plus braves de vos jeunes soldats.

À NOTER: Taille minimale 1,07 m. Ce manège se trouve commodément juste à côté de Back to the Future, de sorte que vous pourrez faire d'une pierre deux coups en vous y rendant de bon matin, car les files s'allongent rapidement par la suite.

San Francisco/Amity

Aux studios Universal, vous ne trouverez aucun endroit plus invitant que San Francisco/Amity. Ces deux villes convergent vers un lagon bordé de rochers où flottent des sloops et des remorqueurs pleins de suie. C'est un lieu de fête portuaire, ponctué d'entrepôts en tôle, de jongleurs de rue, d'édifices en briques rouges, de marchands de carnaval, de chalets en bardeaux, de phares, de joueurs de banjo et de trompettistes, le tout dans un vibrant et joyeux pot-pourri aux accents culturels.

On peut difficilement tracer une ligne de démarcation entre San Francisco et Amity, et ce, en dépit du fait que chacune conserve son cachet particulier. San Francisco se distingue par ses rues pavées, ses constructions en planches, ses vieilles pompes à essence et la D. Ghirardelli Co., une manufacture de chocolat située près du Fisherman's Wharf. Les docks sont encombrés de casiers à homard et de filets de pêche, tandis que les rails du *cable car* coupent la rue en deux (le *cable car* lui-même n'est cependant pas en vue). On a accordé tellement d'importance aux détails que même les vieux écriteaux portant l'inscription «Pêche interdite» sont écrits en chinois.

Plus loin, le long de la rive, Amity prend des airs de fête foraine. Cette station balnéaire de la Nouvelle-Angleterre, qui se veut une reconstitution du village tristement célèbre de *Jaws*, est un ramassis de marchands de maïs soufflé et de glaces, d'artistes de rue, de maisons de style Cape Cod et de stands de jeu pleins d'animaux en peluche. Un homme à la peau cuivrée dessine des scènes marines tandis qu'une femme solidement charpentée, cramponnée à un microphone, se targue de pouvoir deviner votre âge ou votre poids. Et le gros méchant en personne, un imposant requin blanc de 7 m, la gueule garnie de dents acérées, est suspendu au beau milieu de la ville.

Fear Factor Live
★ ★ ★

Ce spectacle, présenté dans un vaste amphithéâtre de 2 000 places, s'inspire de la populaire émission de téléréalité *Fear Factor*, au cours de laquelle les participants doivent confronter leurs peurs en relevant divers défis. Des épreuves de toute sorte, incluant des cascades plus audacieuses les unes que les autres, émaillent ainsi cette version *live*. Les spectateurs peuvent s'inscrire comme concurrents en se présentant au kiosque réservé à cette fin devant le théâtre quelque 90 min avant chaque représentation.

À NOTER: Seules les personnes de 18 ans et plus peuvent participer aux différentes épreuves. Elles doivent en outre mesurer entre 1,50 m et 1,85 m, et peser de 50 kg à 100 kg.

Jaws
★ ★ ★ ★ ★

Les dents de la mer s'inscrit dans la même veine que *Earthquake* et d'autres grands classiques à vous donner des frissons dans le dos. Il ne s'agit pas ici du requin peu convaincant que vous avez peut-être déjà vu aux studios Universal de Los Angeles, mais bien du monstre lui-même, ou presque, campé dans un décor époustouflant de 3 ha avec un lagon contenant près de 20 millions de litres d'eau. Cette attraction est d'ailleurs l'une des plus populaires du site. Les amateurs de sensations fortes prennent place à bord d'un des huit bateaux mis à leur disposition pour une croisière dans les eaux paisibles d'Amity quand, soudain, un grand requin blanc de 2,75 t, mesurant près de 10 m et filant à une vitesse de 6 m/s, fonce tout droit sur leur embarcation vacillante. Les assauts répétés

du grand meurtrier font vivre aux passagers 5 min d'enfer qui se terminent dans un mélange d'explosions, de flammes envahissantes et d'odeurs rassurantes de chair de squale calcinée.

À NOTER: Cette attraction est toujours bondée, même le soir; il vaut donc mieux s'y rendre le plus tôt possible.

Earthquake – The Big One
★ ★ ★ ★

Le métro est bondé de gens lorsque survient la première secousse. Peu à peu, ce léger frémissement de la croûte terrestre se transforme en tremblements si violents que vous n'arrivez plus à vous agripper nulle part. Les ampoules éclatent, et tout est subitement plongé dans le noir. La ville en flammes commence à s'écrouler, et des pots de fleurs de même que des morceaux de voies élevées s'abattent près de votre wagon. Un camion citerne plein de gaz propane glisse dans une crevasse et explose en dégageant une bouffée de chaleur qui atteint votre visage. Mais l'incendie est tout de suite maîtrisé par un raz-de-marée qui menace de vous engloutir par la même occasion. Vous êtes déjà en train de réciter un «Je vous salue Marie» lorsqu'un homme lance à brûle-pourpoint: *Coupez!* Alors, comme si l'on rembobinait simplement une cassette vidéo, tout revient étrangement à la normale, et le métro poursuit son chemin comme si de rien n'était.

> Pour le déluge subit d'**Earthquake**, on recycle plus de 200 000 l d'eau toutes les 6 min.

Cette balade à vous couper le souffle simule un tremblement de terre de force 8,3 sur l'échelle de Richter. Inspirée du film *Tremblement de terre* et narrée par Charlton Heston, cette aventure vous donne l'occasion de découvrir de façon on ne peut plus saisissante les secrets de tournage des grandes catastrophes. Un

Universal 360 – A Cinesphere Spectacular

Ce nouveau spectacle pyrotechnique inclut la projection de séquences cinématographiques sur des écrans sphériques positionnés sur le lagon central du parc, ainsi qu'une bande musicale originale diffusée par quelque 300 haut-parleurs répartis sur le site.

Cette présentation haute en couleur est programmée selon un horaire variable et peut être adaptée en fonction de thèmes reliés aux différentes périodes de l'année (Halloween, fêtes de fin d'année, etc.). Vous référer à l'horaire distribué à l'entrée du parc pour connaître les heures de représentation.

film présenté avant la balade démontre à quel point on peut, à l'aide de décors miniatures, d'images composites, d'un écran bleu et de cascadeurs, donner à l'illusion des allures de réalité. Afin d'amplifier le caractère dramatique de la balade, les studios Universal ont retenu les services de John Dykstra, grand spécialiste des effets spéciaux, et lui ont demandé d'assurer la conception de l'incroyable séquence filmée qui l'accompagne. Plusieurs des accessoires sont tout ce qu'il y a de plus vrai, y compris la rame de métro de 18 tonnes (achetée à la Ville de San Francisco), qui peut transporter jusqu'à 200 passagers, et un tronçon de route pesant plus de 20 000 kg.

Bien que l'attraction bénéficie d'une grande popularité, on ne peut s'empêcher d'être troublé par le fait que les studios Universal présentent San Francisco de façon si éclatante, pour ensuite reproduire la pire catastrophe qui pourrait la frapper. Même si, en principe, le manège s'inspire d'un film qui traite d'un tremblement de terre, il y a fort à parier que ceux qui ont déjà vraiment senti la terre bouger sous leurs pieds se contenteraient volontiers d'une promenade parmi les magnifiques décors de rue de cette zone thématique.

À NOTER: Les moins de trois ans ne sont pas admis, et les enfants plus âgés sont parfois effrayés par les effets spéciaux. Ce manège n'est pas recommandé aux personnes qui paniquent facilement.

Beetlejuice's Graveyard Revue
★★★

Cette revue musicale animée par Bételgeuse en personne, héros du film et des dessins animés du même nom, met en vedette diverses célébrités parmi les morts vivants, dont Dracula, l'homme-loup, Frankenstein et son adorable fiancée. Tous ces sinistres personnages dansent, chantent et jouent la comédie sur des airs de reggae, de rock, de soul et de rhythm-and-blues, tandis que des effets d'éclairage illuminent la scène.

À NOTER: Ce spectacle n'a rien pour effrayer les plus jeunes, à moins qu'ils se mettent à trembler aussitôt qu'ils aperçoivent un comédien déguisé en monstre. La salle est couverte (mais non intérieure), et, pour plus d'atmosphère, vous devriez y aller le soir.

New York

Aux studios Universal, 15 m à peine séparent San Francisco de New York. Sur cette courte distance, les paysages marins cèdent bientôt le pas aux murs de grès bruns, aux rues de briques argentées, aux théâtres sophistiqués et aux étalages débordant d'oranges et de pommes alléchantes de la grande métropole. Une enseigne de barbier rouillée se dresse dans une étroite ruelle bordée de panneaux métalliques froissées et de

Universal Studios - New York

devantures embuées et remplies d'articles bon marché.

Il émane de cet endroit un certain charisme, une apparence coquine qui tente de refléter avec autant d'exactitude que possible la culture de la Côte Est américaine. Les panneaux-réclame annoncent les grandes productions de Broadway, et les façades ornementées dressent un portrait éblouissant de l'Upper East Side (quartier riche de New York). En face du Macy's, un sosie de Marilyn Monroe est penché sur un taxi, son image se reflétant sur le brillant capot jaune de la voiture. Vêtue d'une robe dorée très serrée, un boa de plumes saphir autour du cou, Marilyn fait mine d'embrasser les passants à distance et roucoule avec une modestie affectée; un homme portant un costume zazou et des demi-guêtres fait une pause devant elle, regarde sa montre de poche en or et poursuit son chemin.

Quelques sites connus de la *Big Apple* ont été reproduits avec nostalgie, comme le Greenwich Village, le Grammercy Park et le pont de Queensboro. Il y a aussi une galerie marchande de Coney Island, une petite boutique d'objets d'occasion (Second Hand Rose) ainsi qu'un vrai restaurant italien (Louie's).

The Blues Brothers
★ ★ ★

Préparez-vous à danser dans les rues sur la musique endiablée d'Elwood et de Jake, les célèbres mauvais garçons du blues. Ce spectacle est présenté plusieurs fois par jour dans la rue Delancey, sur une petite scène aménagée devant l'un de ses immeubles.

À NOTER: Cette présentation enlevante s'adresse à tous, même à ceux de qui ces deux hurluberlus sont inconnus. Un conseil: présentez-vous quelques minutes avant le début pour ne pas manquer l'entrée en scène fracassante des deux compères.

Revenge of the Mummy
★ ★ ★ ★

Cocktail explosif à base de pyrotechnie, de robotique de pointe et de montagnes russes, Revenge of the Mummy (la revanche de la momie) entraîne les amateurs de sensations fortes dans une folle balade à travers les passages secrets de la tombe d'un pharaon égyptien.

Après un départ canon, votre véhicule s'arrêtera soudainement pour mieux repartir en marche arrière. Puis, après avoir retrouvé le droit chemin, il reprendra sa course endiablée jusqu'à un irrésistible clin d'œil final.

Cette attraction techniquement irréprochable vous réserve un moment aussi intense que bref. En effet, le voyage en lui-même, bien que fort mouvementé, en décevra certains par sa courte durée.

À NOTER: Taille minimale 1,22 m. Inaugurée récemment, cette attraction attire les foules; allez-y donc en début de journée pour tenter de limiter votre temps d'attente.

Twister... Ride It Out
★ ★ ★ ★

Bien que son nom laisse imaginer des montagnes russes nouveau genre, il s'agit en réalité d'un spectacle de trucages, quoiqu'on puisse aussi parler de «manège».

Après un court métrage sur les tornades (mettant en vedette les étoiles de la superproduction du même nom, Helen Hunt et Bill Paxton), on vous conduira aux ruines de la maison de «Tante Meg», puis au fameux ciné-parc qui se voit complètement ravagé dans le film. Mais ce n'est pas tout, car alors commence vraiment la ronde des effets spéciaux: vents insoutenables, jets d'eau, incendies spontanés et, au moment où vous êtes persuadé qu'il est impossible d'en faire davantage... une vache volante.

À NOTER: Twister est à tout le moins bruyant et intense. Nombre d'adultes vont même jusqu'à se recroqueviller au plus fort de la «tempête». En aucun cas un endroit pour les petites natures, enfants ou adultes.

Production Central

Tel un quartier d'entrepôts et de studios qu'on aurait soigneusement astiqués, Production Central est un labyrinthe de gigantesques édifices sans ornement, tous alignés en rangées bien droites. Ce sont là les «muscles» des studios Universal, l'arrière-boutique des salles de tournage, des équipements techniques, des costumes et des accessoires.

Contrairement à San Francisco/Amity, à New York et aux autres zones thématiques, Production Central n'a pas de décors de rue. L'action se passe ici à l'intérieur, là où sont tournés des films et des émissions de télévision, mais aussi dans deux salles de cinéma hors de l'ordinaire.

Shrek 4-D
★ ★ ★ ★ ★

À première vue, on se demande quels nouveaux trucs a bien pu ajouter Universal à la salle de cinéma de Shrek: les énormes sièges, qui semblent être branchés sur quelque chose de diabolique... Et l'auditorium s'appelle la Lord Farquaad's Torture Chamber (la chambre de torture de Lord Farquaad) – c'est tout dire! Suivant la tradition du 4D, chaque spectateur a droit, dans le feu de l'action, à son lot de secousses et de «vols»: quelques-uns des effets spéciaux, surprenants, vous soulèveront littéralement de votre siège. Le gros ogre vert et son copain l'âne sont de retour dans ce film – une suite au premier film de la série réalisée expressément pour le parc thématique – où le méchant Lord Farquaad revient de l'au-delà pour menacer le monde fantastique de la féerie. Bien que le film soit l'attraction vedette (avec Mike Myers et le reste de la distribution

originale), vous serez sûrement heureux de vous retrouver, avant la représentation proprement dite, dans le hall du cinéma où votre hôte affiche l'humour irrévérencieux d'Universal, décochant quelques pointes criantes (et délirantes) à l'autre parc thématique de la ville. Le film qui suit donne beaucoup de plaisir, même si, contre toute attente, ce n'est pas un festival du fou rire... En fait, l'histoire de Shrek est difficile à suivre dans ce film. Néanmoins, si vous êtes vraiment un admirateur de l'ogre, vous ne devez absolument pas manquer Shrek 4-D.

À NOTER: Shrek 4-D compte parmi les attractions les plus populaires du parc. Si vous n'avez pas ajouté l'option *Universal Express Plus* à votre billet d'entrée, il est recommandé de s'y rendre dès le début de la journée pour éviter de trop longues files d'attente. Par ailleurs, même si elle se base sur un dessin animé, l'attraction offre un environnement sombre et turbulent: les parents de tout-petits devraient y penser à deux fois avant de venir s'asseoir ici.

Jimmy Neutron's Nicktoon Blast
★ ★ ★ ★ ★

À quoi s'attendre de cette simulation de vol? La confusion totale... Vous n'aurez aucune idée de ce qui est en train de se passer alors que vous aurez été vaguement averti que vous seriez catapulté à bord d'une fusée. Sauf en présence des personnages familiers que sont Sponge-Bob et Angelica, et de quelques autres personnalités de Nickelodeon, vous perdrez le fil. Peu importe! L'attraction s'avère très plaisante, et, de toute façon, tout le phénomène de Jimmy Neutron ne s'adresse pas aux «bien-pensants» que sont les parents. Le film d'animation permet en fait de trouver seulement une (bonne) excuse pour ligoter les spectateurs dans les sièges mobiles du cinéma, pour ensuite leur faire effectuer un vol plané avec Jimmy. Les effets spéciaux se révèlent des plus convaincants, et c'est très agréable, même si l'on ne sait pas ce qui se produit...

Cela dit, cette extraordinaire présentation amusera petits et grands grâce à son rythme trépidant et à ses personnages colorés. Aux effets visuels très réussis s'ajoutent des mouvements effectués indépendamment par chaque petit groupe de fauteuils au gré de l'action qui se déroule sur l'écran. Le tout donne vraiment l'impression de se retrouver au cœur d'un dessin animé.

À NOTER: Le thème on ne peut plus attrayant pour les enfants et la salle de cinéma à grande échelle (ce n'est pas une petite nacelle, comme à l'attraction Back to the Future) font de Jimmy Neutron's Nicktoon Blast une excellente initiation au simulateur de vol pour les enfants. Unique à l'attraction, la première rangée de la salle offre des sièges immobiles, ce qui veut dire que les spectateurs qui ne souhaitent pas être secoués peuvent quand même expérimenter Jimmy Neutron's Nicktoon Blast. Donc, tous ceux qui ne veulent pas participer «activement» à l'histoire de ces dessins animés devraient réserver un de ces sièges auprès de l'hôte de l'attraction.

Universal's Islands of Adventure

Avant qu'Universal Orlando n'inaugure son deuxième parc thématique, il ne représentait qu'une excursion d'une journée lors d'un séjour moyen d'une semaine dans la région. Avec l'ouverture d'Islands of Adventure en 1999, Universal est devenu un lieu de vacances à part entière. L'avènement de ce parc thématique à tout casser a de fait transformé cette «mecque» floridienne du septième art, auparavant une simple halte touristique, en une destination autonome.

L'ensemble des installations porte désormais le nom générique d'Universal Orlando et offre, à l'intérieur d'un même complexe, des parcs thématiques (deux), des lieux d'hébergement (trois hôtels de grand luxe) et une kyrielle de restaurants à thème (entre autres NBA City et Jimmy Buffett's Margaritaville, pour ne nommer que ceux-là), sans parler d'une concurrence accrue pour vous savez qui.

Le fait que ce deuxième parc des studios Universal se propose de vous offrir des sensations tout ce qu'il y a de plus tangible (par opposition aux émois illusoires que suscite le grand écran) devient évident dès l'entrée sur le site. Des masses d'acier aux couleurs vives épousent des courbes étudiées à même de réjouir le cœur de tous les amateurs de montagnes russes, qui décrivent ici des boucles se jouant de la pesanteur, des spirales en tire-bouchon et des plongeons quasi verticaux. Quant à la bande sonore du parc, elle peut être décrite comme un duo de musique préenregistrée et de cris perçants dénotant aussi bien l'effroi que le plus pur bonheur. Si la devise originale des studios Universal était *Ride the movies* (par allusion aux manèges et aux attractions inspirés de différents films), le credo de ce parc semble se résumer à *Ride*, en ce que les manèges n'y existent que pour eux-mêmes, sans autre prétexte.

L'élaboration du paysage a requis tout le savoir-faire de quelques super-génies (Steven Spielberg a participé aux travaux à titre de consultant), lesquels ont dû, à proprement parler, concevoir la technologie nécessaire au bon fonctionnement de ses diverses composantes. Pour tout dire, il a sûrement fallu beaucoup d'imagination et de longues nuits de remue-méninges pour donner le jour à toutes les grandes premières de ce parc, y compris des montagnes russes qui vous catapultent littéralement vers le firmament, une glissoire qui vous fait plonger sous l'eau et un manège à double voie dont les rames se croisent de si près (à moins de 30 cm) que vous regretterez sans doute de ne pas avoir rédigé votre testament si ce n'est déjà fait.

Bien que, dans cet âge où toute technologie devient rapidement obsolescente, la notion descriptive de «fine pointe» ne s'applique que de façon momentanée (et appartient sans doute déjà au passé au moment où vous lisez ces lignes), toutes les innovations d'Islands of Adventure en font un véritable «canon», d'autant plus que vous y passerez le plus clair de votre temps à vous envoler comme une fusée ou à dévaler quelque impossible tour ou falaise de la mort. Bref, nul besoin d'être une vedette du grand écran pour vous faire des admirateurs dans ce décor flamboyant où figures mythologiques, héros de bandes dessinées et personnages de dessins animés se chargent d'amuser les simples spectateurs, tandis que les cœurs fragiles peuvent au moins faire un tour de carrousel ou assister à un spectacle de cascadeurs. Quant aux rires, ils sont aussi de la partie, ne serait-ce qu'à la vue de vos compagnons à la sortie d'un manège haut en émotion, leur visage figé dans le vague sourire grimaçant de ceux qui viennent de survivre à l'absence de gravité.

On dénombre ici cinq îles (six en comptant le Port of Entry): Seuss Landing, The Lost Continent, Toon Lagoon, Jurassic Park et Marvel Super Hero Island, pour un total d'environ 20 spectacles et manèges. À la différence du décor des studios Universal, qui affiche une continuité sentie, chacune des sections du parc présente un caractère suffisamment distinct pour constituer une «île» en soi. Les concepteurs se sont néanmoins inspirés de la contrepartie animée ou cinématographique de chaque zone, pour la doter d'une toile de fond à saveur narrative qui mobilise la participation des visiteurs par sa seule présence. Ainsi, parmi les ruines du «Continent perdu», vous aurez vraiment l'impression de vous trouver dans une ville oubliée. Et la musique elle-même a fait l'objet d'un savant assemblage, puisque des pièces originales (dont les compositions de John Williams pour les films *Jurassic Park*) ont été créées autour de chacun des thèmes. En plus de camper l'atmosphère, ces décors et ces trames sonores distinctifs permettent de mieux s'orienter, dans la mesure où l'on ne saurait douter un instant que l'on vient de passer, par exemple, de l'hilarant Toon Lagoon à l'inquiétant Jurassic Park.

Le fait que les plus jeunes membres de la famille puissent ici prendre part à l'action constitue un atout indéniable. Universal a pris conscience de ce que, de nos jours, les familles envahissent en bloc les parcs thématiques, et elle a eu la sagesse de concevoir Islands of Adventure en conséquence. Il en résulte que presque toutes les îles ont quelque chose à offrir aux tout-petits. Mieux encore, la plupart des attractions créées à leur intention sont de celles que papa et maman peuvent réellement apprécier, plutôt que d'avoir à les «tolérer»; adieu les petits trains pépères et sans intérêt, ici remplacés, notamment, par un laboratoire de recherche sur les dinosaures, où vous pourrez assister à l'éclosion d'un bébé *raptor*, et par une sculpture à escalader à nulle autre comparable. La nostalgie qui émane de Seuss Landing aura aussi le don de divertir longuement les adultes de votre groupe, et même ceux qui n'enfourcheraient normalement un cheval de manège forain pour rien au monde ne pourront résister au charme des créatures du Caro-Seuss-el.

Quoi qu'il en soit, les sensations extrêmes restent la marque des lieux, un domaine où Universal déploie tout son savoir-faire, et la plupart des manèges sauront vous faire découvrir vos limites. Cela est d'autant plus vrai dans le cas des manèges aquatiques, qui vont jusqu'à vous submerger (ou presque); il vaut d'ailleurs sans doute mieux les approcher dans des vêtements que vous ne craignez pas de détremper ou, mieux encore, carrément en maillot de bain (du moins en été), pour ne pas avoir à vous soucier de l'inévitable. Amusez-vous bien!

Accès et déplacements

■ Orientation

Outre son avance technologique, Islands of Adventure s'impose comme un des parcs thématiques les plus faciles à parcourir. Le site lacustre du Port of Entry vous donne d'ailleurs une vue claire de l'ensemble des lieux, ce qui vous facilitera grandement la tâche, non seulement pour vous y retrouver, mais aussi pour dresser votre plan de visite.

Les différentes îles décrivent un cercle autour du lac: depuis le Port of Entry, prenez à droite pour atteindre Seuss Landing, puis The Lost Continent; en prenant plutôt à gauche, vous verrez successivement la Marvel Super Hero Island et le Toon Lagoon. Quant au Jurassic Park, il s'agit de la zone la plus éloignée de l'entrée (à l'opposé du Port of Entry, de l'autre côté du lac), ce qui signifie que vous couvrirez la même distance de part et d'autre du lac pour l'atteindre.

L'aménagement labyrinthique de chaque île présente par contre un certain défi. Retenez toutefois que, si vous vous perdez, vous devriez toujours pouvoir retrouver l'artère principale en vous éloignant du lac. Cela dit, en un lieu aussi vaste, il n'est pas rare que les membres d'un même groupe soient séparés les uns des autres; prenez donc la peine de vous fixer au préalable un point de rendez-vous pour le cas où vous viendriez à vous perdre de vue (la devanture des *Guest Services*, à l'intérieur de l'entrée principale, constitue généralement un lieu de rassemblement fiable).

■ En voiture

Islands of Adventure s'étend immédiatement à l'ouest de l'intersection de la route I-4 et du Florida Turnpike. De la **route I-4** (Interstate 4), empruntez la sortie **74B** ou **75A**. L'entrée principale du parc se trouve en bordure de **Kirkman Road**.

Après avoir acquitté les frais de stationnement, on vous orientera vers un des emplacements de l'immense terrain de stationnement des studios. De là, un trottoir roulant vous fera faire un bout de chemin en direction de l'entrée principale; mais vous ne serez pas encore au bout de vos peines puisque, avant de l'atteindre, vous devrez encore franchir le CityWalk.

■ En navette ou en autocar

Des hôtels d'Universal Orlando: Prenez un bus ou une navette lacustre directement jusqu'aux parcs thématiques.

Des hôtels de la région: La plupart des hôtels (sauf, il va sans dire, ceux de Disney World) disposent d'un service de navette pour Universal Orlando, tantôt aux heures, tantôt aux deux ou trois heures. Ceux qui logent dans les hôtels de Disney doivent néanmoins savoir que **Mears Transportation** (☎ *407-423-5566)* se propose de les cueillir pour les emmener à Universal Orlando, qui se trouve à 16 km au nord-est de Disney World.

Renseignements utiles

■ Quelques précieux conseils

Bien qu'à peu près de la même taille que les studios Universal en tant que tels, Islands of Adventure n'est pas tout à fait aussi intimidant. Les «îles» forment

d'ailleurs un anneau symétrique, d'où émane un certain sens de l'ordre et de l'organisation. Quoi qu'il en soit, il y a beaucoup de terrain à couvrir et de nombreuses (et longues) files d'attente.

Rêver de faire le tour des lieux en une journée, fût-ce en l'absence inconcevable de toute file d'attente, relève de la plus pure fantaisie, une fantaisie d'ailleurs trop éreintante pour en profiter pleinement. Il vous faudra donc compter au moins deux jours, sans quoi vous devrez vous résoudre à reporter certaines attractions à une visite ultérieure.

Les lève-tôt voudront tout naturellement s'attaquer dès le départ à l'un ou l'autre des manèges-vedettes du parc. The Amazing Adventures of Spider-Man n'est pas le premier que vous croiserez à votre arrivée (ce sera plutôt l'Incredible Hulk Coaster), mais comme il s'agit sans doute de celui où se forme la plus longue file d'attente, et que celle-ci ne cesse de s'allonger au fur et à mesure que la journée avance, vous gagnerez beaucoup de temps en commençant par ici. Outre les deux que nous venons de mentionner, les autres manèges-vedettes comprennent Dueling Dragons, Dudley Do-Right Ripsaw Falls, Popeye & Bluto Bilge-Rat Barges et Jurassic Park River Adventure.

Il est certes possible de courir les grands manèges en sautant d'une île à l'autre, mais vous risquez ainsi de manquer beaucoup de choses et d'user vos semelles de chaussure. Par ailleurs, réfléchissez bien avant d'inscrire les manèges aquatiques au sommet de votre liste; il ne fait aucun doute que vous réduirez ainsi votre temps d'attente, mais vous pouvez alors être à peu près certain de passer le reste de la journée à patauger dans des vêtements complètement détrempés (et il n'y a là aucune figure de style!).

Quelque approche que vous reteniez, accordez-vous suffisamment de temps pour prendre un repas plus consistant qu'un simple hamburger sur le pouce. Islands of Adventure a en effet la particularité d'être un des rares parcs théma-

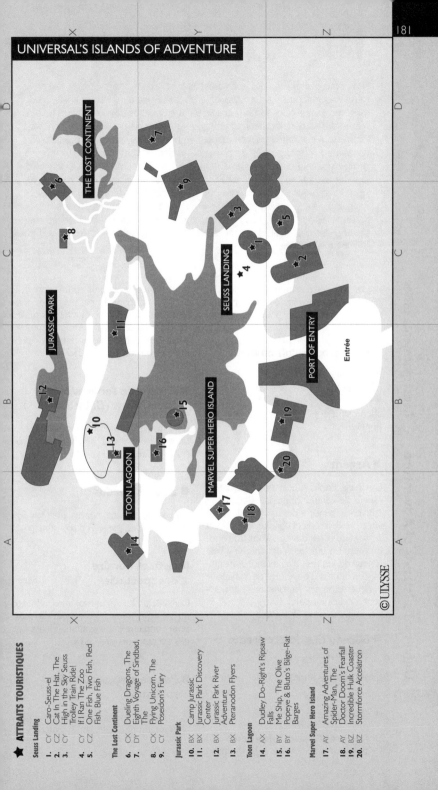

181

UNIVERSAL'S ISLANDS OF ADVENTURE

THE LOST CONTINENT

JURASSIC PARK

TOON LAGOON

SEUSS LANDING

MARVEL SUPER HERO ISLAND

PORT OF ENTRY

Entrée

© ULYSSE

★ ATTRAITS TOURISTIQUES

Seuss Landing
1. CY Caro-Seuss-el
2. CZ Cat In The Hat, The
3. CY High in the Sky Seuss Trolley Train Ride!
4. CY If I Ran The Zoo
5. CZ One Fish, Two Fish, Red Fish, Blue Fish

The Lost Continent
6. CX Dueling Dragons, The
7. DY Eighth Voyage of Sindbad, The
8. CX Flying Unicorn, The
9. CY Poseidon's Fury

Jurassic Park
10. BX Camp Jurassic
11. BX Jurassic Park Discovery Center
12. BX Jurassic Park River Adventure
13. BX Pteranodon Flyers

Toon Lagoon
14. AX Dudley Do-Right's Ripsaw Falls
15. BY Me Ship, The Olive
16. BY Popeye & Bluto's Bilge-Rat Barges

Marvel Super Hero Island
17. AY Amazing Adventures of Spider-Man, The
18. AY Doctor Doom's Fearfall
19. BZ Incredible Hulk Coaster
20. BZ Stormforce Accelatron

Verrouillage et entreposage

Le bureau des objets perdus de presque tous les parcs thématiques renferme tous les objets possibles et imaginables «subtilisés» à d'infortunés amateurs de manèges à sensations fortes – chapeaux et casquettes, clefs et briquets, voire même des caméscopes! S'il est vrai que les casiers de certains parcs sont trop loin de tout pour être vraiment utiles, il n'en va pas de même ici, puisque Universal a eu la brillante idée de placer des casiers «courte durée» à l'entrée de certains manèges particulièrement mouvementés, comme l'Incredible Hulk Coaster et Dueling Dragons, sans compter qu'ils sont gratuits pour les premières 90 min (vous n'êtes censé les utiliser que pendant votre tour de manège). Rangez-y donc vos biens (chapeaux, lunettes de soleil et autres objets précieux susceptibles de s'envoler ou de quitter vos poches comme par magie) et amusez-vous ferme, rassuré par le fait que vous aurez toujours vos clefs de voiture à la fin de la journée.

tiques dont les restaurants sont de ceux où vous voudrez vraiment prendre la peine de vous asseoir pour manger.

■ Animaux de compagnie

Ils ne sont pas admis sur le site d'Islands of Adventure. Vous pouvez cependant les faire garder pour la journée (10$) au chenil situé tout près du péage du stationnement.

■ Argent

La Chase Bank, située tout juste à l'extérieur de l'entrée principale des studios Universal, consent des avances de fonds sur carte de crédit et change les chèques de voyage et les devises. Vous trouverez en outre un guichet automatique à l'extérieur de l'entrée d'Islands of Adventure. Les heures d'ouverture de la banque varient selon les saisons et s'harmonisent à celles du parc.

■ Bureau des objets perdus et trouvés

Informez-vous auprès des *Guest Services*.

■ Casiers

Des casiers utilisables à la journée (8$) se trouvent près de l'entrée du parc.

Pour un usage de plus courte durée (le temps d'un manège, par exemple), rendez-vous au pied des montagnes russes de Hulk et de Dueling Dragons; les 90 premières minutes sont gratuites, après quoi il vous en coûtera 2$ l'heure.

■ Centre de services aux nourrissons (*Baby Services*)

Il se trouve à l'intérieur du bureau des *Guest Services*, passé l'entrée principale sur la droite.

■ Enfants perdus

Signalez les enfants perdus aux *Guest Services*, tout juste passé l'entrée principale.

■ Liste et horaire des spectacles

Consultez le plan-brochure *Preview* qu'on vous remet à l'entrée du parc pour connaître la programmation exacte des événements présentés.

■ Poussettes et fauteuils roulants

Vous en trouverez à louer tout juste passé l'entrée principale, sur la gauche.

■ Renseignements

Le bureau des *Guest Services*, situé immédiatement après l'entrée principale, sur la droite, est l'endroit où vous arrêter pour obtenir tout renseignement de même que pour trouver des plans du parc en français, ainsi qu'en espagnol, en allemand, en japonais et en portugais.

■ Service de collecte des paquets (*Package Service*)

Pour ne pas avoir à traîner vos achats toute la journée, faites-les envoyer au comptoir prévu à cet effet près de la sortie, où vous pourrez les récupérer avant de quitter le parc.

Port of Entry

Toute aventure digne de ce nom doit avoir un point de départ. À Islands of Adventure, il s'agit du Port of Entry, où vous pouvez vous procurer de ce dont vous pourriez avoir besoin dès votre entrée dans le parc (pellicules et cartes mémoire photo, crème solaire, eau en bouteille...), mais aussi faire provision de souvenirs de dernière minute à la sortie.

Les concepteurs du parc ont envoyé un acheteur aventureux aux quatre coins du monde pour qu'il en rapporte toutes sortes d'objets plus exotiques les uns que les autres. Hormis ces souvenirs de voyage, les lieux revêtent l'allure d'un marché des antipodes aux murs de simili-adobe et aux étals coiffés de baldaquins. Le look international de l'endroit est même accentué par les poubelles, qui prennent ici la forme de malles de voyage aussi cabossées que si elles avaient été trimballées dans tous les ports de la planète. Les commerces eux-mêmes supplantent ceux qu'on trouve normalement dans les parcs thématiques, puisqu'on y vend notamment du café en grains, des condiments de divers pays et des épices exotiques. Laissez tout ce dont vous n'aurez pas besoin au cours de la journée dans les casiers marqués *Storage*, et prévalez-vous des différents moyens de transport mis à votre disposition; en effet, outre les fauteuils roulants et les poussettes, Reliable Rentals vous propose (pour rire) traîneaux à chiens, submersibles et vélocipèdes!

Où rencontrer vos personnages favoris

Spider-Man, le Capitaine America et les X-Men comptent parmi les super-héros qui font leur apparition à heure fixe dans la Marvel Super Hero Island.

Pour les plus jeunes, les personnages du Dr. Seuss, comme le Cat in the Hat ou le Grinch par exemple, sont présents dans la zone thématique baptisée Seuss Landing.

Seuss Landing

Certains pourraient sûrement passer leur journée entière dans les manèges à couper le souffle d'Islands of Adventure. Mais, pour ceux qui en sont incapables, ou qui ne désirent tout simplement pas se limiter de la sorte, il y a Seuss Landing.

Cette reconstitution inventive de l'héritage de Seuss, rendue possible grâce à la bénédiction de la veuve de Theodor Geisel, rappelle en tous points les pages des livres du fameux docteur. L'horizon est ici découpé de constructions sinueuses en équilibre apparemment précaire (il ne semble pas y avoir un seul angle droit en vue!), des lampadaires tordus éclairent les rues, et des étoiles vertes parsèment les trottoirs colorés, le tout couronné d'un énorme chapeau à la *Cat in The Hat* (le chat dans le chapeau). Beau temps, mauvais temps, vous pouvez d'ailleurs être assuré que le félin malfaisant du célèbre conte fera quelques apparitions par ici, tout comme

Universal's Islands of Adventure - Seuss Landing

le Grinch, Horton, Sam I Am ainsi que divers autres personnages. Vous pourrez même goûter au plat favori de Sam au Green Eggs and Ham Cafe.

The Cat in The Hat
★ ★

Si vous avez de jeunes enfants, vous vous mettrez probablement à ânonner le texte du conte *The Cat in The Hat* en parcourant la version mise en scène de ce classique. Sous un grand chapiteau en forme de chapeau affaissé rouge et blanc, vous vous retrouverez à six sur un canapé roulant défilant à travers les pages de ce classique du Dr. Seuss, tandis que le chat facétieux et ses amis sèment la pagaille tout autour. Les personnages du livre prennent littéralement vie, et une centaine d'effets spéciaux couronnent le tout.

À NOTER: Il ne s'agit vraiment pas d'un mauvais manège, mais force est de reconnaître qu'il s'adresse d'abord et avant tout aux chérubins. Conclusion: les enfants adorent et les adultes se morfondent, ou presque. Notez par ailleurs que les personnes allergiques au tournis feraient mieux de s'abstenir.

One Fish, Two Fish, Red Fish, Blue Fish
★ ★ ★ ★

Faites confiance aux créateurs d'Universal pour instiller un tant soit peu de diabolisme dans un manège qui risquerait sinon de s'avérer passablement ordinaire. Les passagers prennent place à bord d'avions en forme de poissons volants rouges, jaunes ou bleus qui ressemblent à s'y méprendre à ceux des livres du Dr. Seuss. Ces curieux véhicules se mettent ensuite à tourner dans les airs, chacun d'eux étant équipé de leviers permettant de les faire monter ou descendre. Il y a toutefois un piège: si vous ne manœuvrez pas votre poisson au rythme de la comptine diffusée pendant le tour, vous risquez de vous faire arroser par les poires en caoutchouc montées sur

les poteaux de 5 m disposés autour du manège. Pour reprendre les mots du panneau qui vous prévient du danger, *«certains sont rouges, certains sont bleus, d'autres mouillés et vous aussi!»*.

À NOTER: Même si ce manège semble réservé aux tout-petits, vous verrez beaucoup de grands enfants (et leurs propres enfants) en profiter on ne peut plus allègrement. Les poires en caoutchouc font ici toute la différence entre un manège passable et une pure partie de plaisir. Prenez d'ailleurs la peine de prévenir les plus jeunes de la forte possibilité d'être arrosé, surtout si la coordination œil-main n'est pas votre fort.

Caro-Seuss-el
★ ★ ★

Vous ne vous attendez sûrement pas à trouver ici un carrousel ordinaire, et vous avez parfaitement raison. La présente adaptation de cet incontournable des parcs thématiques est d'ailleurs tout à fait adorable, puisque sept personnages de Seuss en quête de chevaux de carrousel y tournent en rond sous un dais rose incliné. Les montures les plus facilement reconnaissables comprennent les oiseaux-éléphants de *Horton Hatches the Egg* et les chameaux jumeaux de *One Fish, Two Fish, Red Fish, Blue Fish*, auxquelles s'en ajoutent plusieurs autres, toutes plus mignonnes les unes que les autres. Outre le plaisir de la randonnée elle-même, vous pourrez également manipuler toutes sortes de manettes et boutons contrôlant les mouvements des yeux, de la tête et d'autres parties de votre monture.

À NOTER: Tous les personnages disposent d'attributs différents, de sorte que vous pouvez toujours observer les montures au préalable pour voir si elles clignent des yeux, bougent la tête, etc.

If I Ran the Zoo
★ ★ ★

Tiré des pages du livre du même nom, If I Ran the Zoo (Si j'étais maître du zoo) raconte l'histoire de la ferme d'animaux idéale dont rêve Gerald McGrew. Ce terrain de jeu interactif met à votre disposition un assortiment de trucs et de machins que vous pouvez tirer, pousser et piétiner, ce qui a toujours pour effet de faire ricaner les plus petits. Le simulateur d'escalier émet un son tout à fait rigolo, et, pour peu que vous le sollicitiez avec assez d'ardeur, il vous réserve une surprise. Il y a aussi des grottes à travers lesquelles ramper, une sonnette farfelue et une chenille à escalader. Mais n'oubliez pas que vous êtes à Islands of Adventure, et que vous pouvez vous faire arroser à tout moment, entre autres par deux ou trois fontaines ainsi que par un Scraggle Foot Mulligatawny frappé d'un rhume et susceptible d'éternuer sans prévenir.

À NOTER: Cette attraction libre est rarement bondée, mais vous feriez sans doute mieux de la garder pour la fin de la journée, car les enfants qui passent un certain temps ici ont tendance à en ressortir très mouillés.

The High in the Sky Seuss Trolley Train Ride!
★ ★ ★

Ce manège prend la forme d'un petit train sur voie surélevée, soit une sorte de monorail qui suit un parcours surplombant le secteur coloré de Seuss Landing. La balade réserve de jolies vues sur les manèges de cette zone. Qui plus est, le train pénètre en quelques occasions dans des bâtiments farfelus qui abritent les désopilants personnages du Dr. Seuss.

À NOTER: Taille minimale 0,87 m.

The Lost Continent

Toits de chaume et lanternes flamboyantes signalent votre entrée dans une autre époque. Sur les terres du «Continent perdu», les bâtiments semblent appartenir à quelque légende arthurienne; le pavage accuse les assauts du temps, des bannières royales flottent sur des hampes d'or, et la musique celtique ondule au fil des volutes d'encens parfumé.

Universal s'est donné beaucoup de mal pour auréoler cette île de mythologie ancienne. Le marché d'une autre époque arbore des tentes à auvent sous lesquelles vous attendent des chiromanciennes et des mages. Des statues en morceaux gisent éparses de-ci de-là (l'énorme bras de Poséidon vous rappellera sans doute celui de la statue de la Liberté dans la dernière scène de *La Planète des singes*), et les structures soigneusement maquillées donnent l'impression qu'elles s'effritent et se rembrunissent depuis au moins quelques millénaires. Vous pourrez par ailleurs vous amuser à découvrir l'image de Merlin savamment camouflée dans le majestueux «chêne enchanté» et tout particulièrement impressionnante le soir.

Poseidon's Fury
★ ★ ★

Des fouilles archéologiques ont lamentablement échoué. Grâce à un guide rabâcheur, le méchant «Dark One» s'est réveillé de nouveau, prenant au piège votre groupe de touristes involontaires dans une caverne souterraine qui est sur le point d'être inondée.

La bataille de titans qui s'ensuit donne lieu à un fabuleux spectacle où se mêlent séquences filmées, flammes et effets spéciaux. Vient un moment où les aventuriers doivent franchir un tunnel de 13 m entouré d'une masse d'eau bouillonnante de quelque 65 000 litres qui menace dangereusement de les engloutir. Le tout culmine dans un ballet de boules de feu, d'explosions aquatiques et de nappes d'obscurité. Enfin, lorsque revient la lumière, attendez-vous à être stupéfait, sinon complètement abasourdi par la grande finale.

La prise de participation à cette incroyable présentation débute dès que vous commencez à faire la queue. La longue file d'attente serpente à l'intérieur d'un palais bien conçu aux murs de pierres humides à souhait dont les faibles bougeoirs simulent fort bien de petites flammes vacillantes. Au bout du compte, votre degré d'implication dépendra sans doute de la place que vous occuperez pendant le spectacle lui-même, ceux qui se trouvent dans les premières rangées (c'est-à-dire plus près de l'eau!) étant vraisemblablement appelés à vivre l'expérience de façon beaucoup plus engageante.

À NOTER: Bien qu'elle procure énormément de plaisir, cette attraction tend à être un peu longue, dans la mesure où, du début de la file d'attente à la fin du spectacle, vous passerez au moins 30 min debout. Veillez à en profiter alors que vous êtes bien éveillé et bien restauré, du moins suffisamment pour ne pas avoir à vous appuyer constamment contre les murs.

Notez par ailleurs que la fureur de Poséidon s'avère passablement bouleversante, et que le bruit et l'obscurité risquent d'effrayer certains jeunes enfants.

The Eighth Voyage of Sindbad
★ ★ ★

Après avoir sillonné les sept mers, Sindbad nous revient pour une huitième aventure, cette fois pour arracher son amie de cœur, Amoura, aux griffes de la méchante reine Miseria. Au cours de ce spectacle de 17 min riche en cascades, le légendaire voyageur tente de sauver sa mie en se jouant du feu et des forces de la nature, sans parler d'une multitude d'adversaires redoutables.

Avant de pénétrer dans le théâtre où est présenté ce spectacle, ou en en ressortant, faites un vœu à **The Mystic Fountain**.

En général, les fontaines ne fournissent que de l'eau, mais celle-ci prodigue également des conseils. Vous pouvez ainsi poser n'importe quelle question au sage qui habite cette fontaine magique et il vous répondra… quoique pas toujours de façon très polie, d'autant qu'il n'y a pas toujours que des paroles qui sortent de sa bouche (il s'agit, après tout, d'une fontaine!).

À NOTER: Comme tous les spectacles du genre, celui-ci est fort bruyant. Quelle que soit la place que vous occuperez dans cette immense enceinte de 1 700 sièges, vous verrez tout ce qui se passe sans obstruction aucune, si ce n'est que les jeunes plus impressionnables apprécieront sans doute davantage un poste d'observation plus reculé, aussi loin que possible des flammes et des effets tonitruants.

The Dueling Dragons
★ ★ ★ ★ ★

Un sentiment des plus sinistres s'empare de vous dès lors que vous vous approchez de ce manège. En apercevant les contorsions décrites par le métal entrelacé de ces montagnes russes, vous aurez tôt fait de comprendre qu'elles n'ont rien d'ordinaire, et elles sont de fait terrifiantes, quoique aussi fort amusantes.

Vous vous retrouvez bientôt solidement retenu en place, du moins la partie supérieure de votre corps, car vos pieds privés d'appui pendent lamentablement dans le vide, et le tout se met en branle… La fastidieuse ascension de 40 m qui s'ensuit devient de plus en plus intolérable, car vous n'avez plus qu'une pensée en tête, celle du plongeon qui vous attend à quelque 100 km/h!

La moitié du plaisir que procure ce manège provient de la désorientation que provoquent ses boucles et ses virages sans fin, si bien que vous ne savez plus vraiment si vous avez la tête en haut ou en bas. Mais The Dueling Dragons vous réserve une autre surprise, soit un second convoi de «victimes» fonçant droit sur vous et annonçant une inévitable collision frontale. Ce n'est qu'au tout dernier instant que les rames dévient pour suivre une course différente, arrachant un soupir (ou un cri) de soulagement aux passagers qui se demandent encore comment ils ont pu survivre à la catastrophe, sinon par quelque intervention divine. Et, pour ceux qui se demandent jusqu'à quel point cette rencontre en plein vol a vraiment de quoi faire frissonner, les ingénieurs d'Universal affirment que la distance séparant les deux rames peut se trouver réduite à moins de 30 cm!

Universal a tout mis en œuvre pour entourer cette expérience d'une histoire crédible, soit celle d'un impitoyable duel entre deux dragons – l'un qui crache du feu et l'autre de la glace. À un point donné, vous devrez choisir entre deux sentiers, selon que vous préférez périr par le feu ou par le froid. La file d'attente se prolonge ensuite dans une forêt enchantée où divers objets et cadavres tout à fait convaincants vous révèlent le sort réservé à vos prédécesseurs. Cependant, quelque impressionnante que cette mise en scène puisse être, elle s'estompe rapidement devant le spectacle offert par le manège lui-même.

À NOTER: Taille minimale 1,38 m. Les places intérieures amenuisent l'illusion de l'imminente catastrophe, de sorte que les plus braves voudront sans doute s'assurer une place extérieure, peut-être même tout à l'avant du convoi, pour maximiser l'«impact» de ce manège époustouflant.

Notez par ailleurs que, malgré la nature tourbillonnante, pour ne pas dire «renversante», de ce manège, vous serez sans doute trop enivré par l'expérience pour éprouver quelque nausée que ce soit. Cela dit, il est nettement préférable de s'y attaquer «avant» de manger. Toutefois, les amateurs de sensations fortes noteront que c'est en soirée que le sentiment de désorientation est le plus accentué et que, conséquemment, ce manège devient le plus excitant.

Aux premières loges

Universal a eu la grande sagesse de retirer des mains du hasard l'attribution des places avant à bord des montagnes russes, en créant des files d'attente distinctes pour ceux qui les convoitent. Sans doute devrez-vous attendre un peu plus longtemps, mais pour peu que vous soyez un véritable amateur de manèges à sensations fortes, le jeu en vaut largement la chandelle. Et cela est d'autant plus vrai dans le cas de The Dueling Dragons, où un champ de vision dépourvu de tout obstacle vous permettra d'apprécier pleinement le croisement fatidique de l'autre rame. La question reste de savoir si vous en avez le courage...

Flying Unicorn
★ ★

Il n'y a aucun doute quant au fait que les studios Universal redéfinissent les normes de l'industrie avec leurs manèges à sensations fortes. Mais, pour les enfants (et les adultes) qui voient dans The Dueling Dragons une source de torture d'ampleur mythique, il y a maintenant le Flying Unicorn, des montagnes russes destinées aux plus jeunes. Installés derrière un unicorne complètement blindé, les passagers goûtent en effet ici des sensations beaucoup plus modérées. Dans la plus pure tradition du parc, cette attraction offre en effet toute l'excitation d'un manège pour enfants... d'un niveau supérieur à la moyenne, il va sans dire. Et c'est très bien ainsi, mais assurez-vous de préparer vos enfants en conséquence.

À NOTER: Taille minimale 0,92 m. Ça ne dure vraiment pas longtemps, une minute tout au plus, ce qui veut aussi dire que la file avance très rapidement. Ne vous laissez donc pas intimider par une longue queue.

Jurassic Park

La remarquable trame sonore créée par John Williams pour le film *Parc jurassique* vous accueille au moment de franchir l'immense portail de cette île préhistorique. S'il est un univers de rêve peuplé de princesses et de fées, il en est un autre de cauchemar, fondé sur le méga-succès du grand écran, où la place d'honneur revient aux dinosaures.

Ceux qui ont déjà visité le parc thématique d'Universal en Californie – où «Jurassic Park River Adventure» a d'abord vu le jour – pourraient être tentés de passer outre en se disant qu'ils ont déjà vu ce qu'il y avait à voir. Or, le Jurassic Park de Californie n'est qu'un manège parmi d'autres, tandis qu'on lui consacre ici une île entière. Les sentiers de pierres «primitifs» portent la trace d'innombrables siècles, des ptéranodons fendent l'air, et la verdure envahissante vous réduit à une taille lilliputienne en ce monde préhistorique où vous entendrez partout les cris de dinosaures menaçants (grâce à une bande sonore très efficace). Mais n'ayez crainte car des clôtures «électrifiées» vous protègent des monstres carnivores et assurent votre entière sécurité.

Jurassic Park River Adventure
★★★★

C'est une journée comme les autres dans une réserve de dinosaures, et l'on vous invite à y faire un tour. Votre embarcation glisse doucement au fil de l'eau, tandis que vous repérez quelques espèces végétariennes parmi vos favorites. Mais un incident inattendu vous entraîne soudain à la dérive au royaume des redoutables carnivores.

Cette impressionnante mise en scène n'est en fait qu'un prétexte pour vous faire dévaler une chute de 25 m (pour ceux que la chose intéresse, c'est quelque 10 m de plus que le Splash Mountain de Disney!). Les dinosaures n'ont de cesse de baver et de chercher à vous agripper, et une bête féroce aux dents plus que menaçantes bondit sur vous juste avant que vous ne piquiez du nez, vous projetant ainsi de Charybde en Scylla, d'autant plus que vous savez ce qui vous attend et que votre cœur bat de plus en plus vite.

À NOTER: Taille minimale 1,07 m. La rumeur veut qu'Universal ait réduit le facteur «trempette» après que des passagers du manège californien en furent ressortis complètement trempés. Quoi qu'il en soit, vous allez bel et bien vous faire mouiller. Si vous tenez à minimiser les dommages, essayez d'obtenir un siège à l'arrière, du côté droit.

Pteranodon Flyers
★

Pourvus d'ailes et d'une tête de dinosaure, ces reptiles volants attirent immanquablement l'attention des jeunes enfants. Les passagers (deux par «oiseau») de ce manège survolent lentement, et de haut, le périmètre du Camp Jurassic.

Les ptéranodons créent un effet intéressant en cette île préhistorique, dans la mesure où vous aurez l'impression que de véritables oiseaux d'une taille démesurée volent en rond au-dessus de vous. Cela dit, les spectateurs sont ici plus impressionnés que les passagers. Non pas qu'il s'agisse d'un mauvais manège – son intérêt est indéniable –, mais il ne dure en tout et pour tout que 80 s, décollage et atterrissage compris!

À NOTER: Les vétérans de Disney World y verront la version locale de «Dumbo». Cette très courte balade dans les airs attire certaines des plus longues files d'attente du parc, si bien que, même lorsqu'il n'y a presque personne ailleurs, vous pourriez très bien vous retrouver à faire la queue ici pendant quelque 45 min. Comme il s'agit toutefois d'un incontournable aux yeux de tous les jeunes enfants, nous ne pouvons que vous recommander d'y courir le plus tôt possible.

Camp Jurassic
★ ★ ★

Ce «camp de recherche» doublé d'un labyrinthe à escalader est sans contredit la meilleure «sculpture-jouet» jamais réalisée. S'il vous faut des preuves, sachez que de nombreux parents y prennent tout autant de plaisir que leurs enfants.

Des structures rustiques en bois et en corde émaillent ce camp ponctué de ponts, de filets, de maisons dans les arbres et de cavernes. Il n'y a pas d'aire délimitée à proprement parler, et les lieux à explorer semblent se succéder sans fin. Au moment même où vous croyez avoir tout vu et tout fait, s'ouvre à vous une toute nouvelle gamme de possibilités. Les gamins aventureux qui atteignent le sommet auront le plaisir de découvrir une cachette qu'ils ne seraient que trop heureux d'avoir à la maison. Parmi les accessoires dignes de mention, qu'il suffise de retenir ces empreintes de dinosaures qui émettent le cri de la bête lorsque vous y posez le pied, ou encore ces télescopes qui permettent d'observer l'activité qui se déroule plus bas. Les cavernes à donner la chair de poule recèlent de l'«ambre», et que serait une attraction d'Islands of Adventure sans deux ou trois canons à eau pour asperger vos semblables? Prenez seulement garde aux clôtures «électrifiées»!

À NOTER: La bonne nouvelle, c'est que vos enfants vont follement s'amuser ici; la mauvaise (ou est-ce vraiment le cas?), c'est que vous devrez les suivre. Si vous êtes accompagné d'enfants plus âgés, il s'agit assurément d'un bon endroit où faire usage de talkies-walkies. Le site est vaste, et l'on peut y entrer ou en ressortir de plus d'une façon. Ainsi, afin de ne pas perdre de vue vos protégés, vous n'aurez d'autres choix que de les accompagner dans le labyrinthe ou de poster un adulte à chaque entrée ou sortie.

Jurassic Park Discovery Center
★ ★ ★ ★

La dernière fois que nous avons visité cette attraction vraiment inspirée, nous avons vu un parent agripper le bras d'un enfant complètement sous le charme en lui disant d'un ton suppliant: *Est-ce qu'on peut y aller, maintenant?*

Si vous décidez de plonger vos enfants dans ce fantastique univers «éducatif», attendez-vous à y passer un bon moment. En effet, où d'autre peut-on voir une nurserie de rapaces préhistoriques? Les incubateurs de ce laboratoire sont remplis de futurs dinosaures prêts à sortir de leur coquille, et l'on y assiste d'ailleurs régulièrement à des éclosions. Les naissances sont de plus tout à fait réalistes, et vous jurerez que vous avez bel et bien devant vous un bébé *raptor* susceptible de vous cracher de l'acide à la figure à tout moment (charmantes créatures, n'est-ce pas?).

Les mordus de l'épopée originale de Steven Spielberg reconnaîtront ici une réplique exacte du poste d'accueil représenté dans le film. Il n'y a toutefois aucun péril en la demeure, que des activités géniales à profusion, comme ces binoculaires spéciaux qui permettent de faire l'expérience de la vision infrarouge des dinosaures. Si vous tenez vraiment à vous aventurer en terrain inconnu, vous pouvez même croiser votre ADN avec celui d'un dinosaure (pas vraiment, il va sans dire, mais l'illusion est tout de même remarquable), pour voir quel genre de créature préhistorique il en résulterait.

À NOTER: Les éclosions d'œufs de dinosaures ne répondent pas à un horaire précis, mais elles méritent d'être vues si vous en avez l'occasion. Afin d'optimiser vos chances de vivre cette expérience, vous pouvez toujours profiter de votre séjour au Parc jurassique pour vous informer de temps à autre si le précieux événement est sur le point de se produire ou non.

Souriez!

Une image vaut mille mots – sinon au moins deux ou trois. Un emplacement judicieusement conçu du Toon Lagoon vous permet de vous faire photographier sous une bulle exprimant votre pensée (il y en a plusieurs). Un autre endroit fort apprécié lorsqu'il s'agit de s'immortaliser sur pellicule est celui où se tient une énorme représentation du chien Marmaduke; accrochez-vous à sa queue, et, en regardant ensuite la photo de côté, on aura l'impression que vous flottez dans les airs, comme s'il vous emportait dans sa course (pour un effet optimal, veillez à adopter une posture appropriée et à afficher une expression faciale de circonstance).

Toon Lagoon

Comment ne pas adorer un endroit qui s'offre à vous nourrir de Wimpy Burgers et de sandwichs à la Dagwood?

Tous les éléments de cette île proviennent d'une bande dessinée ou d'un dessin animé, depuis les couleurs propres jusqu'aux «petits bonhommes» du samedi matin, en passant par les bâtiments délabrés et brinquebalants qui semblent spécialement conçus pour s'écrouler. Des panneaux rédigés en grosses lettres pointent vers les «cachettes» des méchants, les marquises des restaurants arborent des mises en garde du genre *«Pas de #*@#!»* et les «montagnes enneigées» ressemblent à ces monceaux de guimauve qu'on voit sur les coupes glacées.

Il n'y a donc rien d'étonnant à ce que les visiteurs doivent ici faire les frais des plus folles facéties, qu'il s'agisse d'éclaboussures, de jets d'eau ou de quelque «explosion» (fort heureusement, on a renoncé à l'idée des tartes à la figure!). Les héros de bandes dessinées comiques tels que Blondie, Beetle Bailey, Betty Boop et une foule d'autres font ici des apparitions tout au long de la journée, et, toutes les deux heures environ, un tramway fait irruption, transportant à son bord tantôt Popeye et Olive Oyl, tantôt quelque autre célèbre personnage disposé à vous servir quelques pas de danse et une chanson. Cela dit, personnages animés mis à part, ce sont les manèges aquatiques dont vous vous souviendrez le plus, surtout si vous passez la journée à tordre vos vêtements comme cela risque fort de se produire!

Popeye & Bluto's Bilge-Rat Barges
★ ★ ★ ★ ★

Vous ne voudrez absolument pas manquer ce manège drôle et extravagant à souhait en compagnie du marin mangeur d'épinards, à moins, bien sûr, que l'étiquette d'entretien de vos vêtements ne stipule clairement «nettoyage à sec seulement».

Les radeaux aux nombreux membres d'équipage de ce manège virevoltant filent sur la rivière en sautant des obstacles tout en arrosant leurs occupants. Et si vous croyez pouvoir échapper à la douche (certains vont même jusqu'à effectuer des sondages à la sortie pour connaître les places présentant le moins de risques), sachez que les concepteurs diaboliques de ces radeaux pneumatiques sont allés jusqu'à prévoir des ouvertures dans les sièges de manière à ce que vous vous fassiez arroser par-dessous!

Inutile de dire que ce manège ne laisse aucune chemise intacte. Le sort en est vraiment jeté, puisque même si, d'aventure, vous parvenez à éviter les éclaboussures, vous ne pourrez en aucun cas échapper au portique de lavage des bateaux. Vous croiserez par ailleurs une pieuvre gonflée à bloc (d'eau, il va sans dire), et l'on prend même le soin d'armer les observateurs postés aux abords du parcours (le plus souvent des enfants) de canons à eau haute puissance;

et n'allez surtout pas croire qu'ils vont vous épargner du simple fait qu'ils ne vous connaissent pas. Il ne vous reste plus qu'à mémoriser les visages de vos assaillants (à condition d'y voir encore quelque chose) pour vous venger plus tard.

À NOTER: Taille minimale 1,07 m. Au cas où vous ne l'auriez pas encore compris, ce manège vous mouillera de la tête aux pieds. Si l'idée de barboter toute la journée dans des chaussures inondées ne vous chante pas particulièrement, prenez le soin, avant le départ, de les ranger dans les compartiments étanches qui se trouvent au centre de chaque radeau.

Me Ship, The Olive
★ ★ ★

Si vous êtes accompagné de jeunes enfants, gardez ce mignon tour de remorqueur pour la fin de la journée, sans quoi vous risquez de passer le plus clair de votre après-midi ici même. Baptisée du nom de la petite amie de Popeye (Olive), cette attraction regorge de bidules à pousser, à tirer ou à manipuler qui tous produisent des effets différents. Les clochettes tintent, les sifflets sifflent, et l'eau gicle – il y a même un piano produisant des notes. Et les plus diaboliques adorent les super-canons à eau de la Cargo Crane; ces canons haute puissance sont conçus pour être précis, ce qui permet aux francs-tireurs de cibler les malheureux passagers des Popeye & Bluto Bilge-Rat Barges (faites-vous une raison, vous n'y échapperez pas).

À NOTER: Les enfants n'en ont que pour cette attraction, quoique certains parents risquent d'avoir beaucoup de mal à suivre le rythme de leurs tout-petits. Si vous pouvez vous offrir le luxe d'un coéquipier, le fait de vous partager la tâche vous sera sans doute salutaire: l'un de vous tentera de suivre le bambin, tandis que l'autre montera la garde entre les portes.

Dudley Do-Right's Ripsaw Falls
★ ★ ★ ★ ★

Après avoir conçu les attractions du Jurassic Park et les Popeye & Bluto Bilge-Rat Barges, les créateurs d'Universal n'étaient apparemment pas satisfaits de n'être parvenus à détremper que les passagers des différents manèges; ils devaient aussi s'en prendre aux inoffensifs spectateurs.

Si les passants ont toujours la possibilité de faire un pas à droite ou à gauche pour échapper à la noyade, il n'en va pas de même de ceux qui prennent place à bord des rondins à quatre places de ce manège. Qu'à cela ne tienne, vous aurez beaucoup trop de plaisir pour vous en soucier.

Le parcours menant au grand plongeon final vous entraîne à travers la ville fictive de Ripsaw Falls, où Nell (la petite amie de Dudley, lequel fait partie de la Gendarmerie royale du Canada) est tombée aux mains du sinistre Snidely Whiplash. Les décors se révèlent fort divertissants, sans parler des nombreuses ratées soigneusement calculées pour vous donnent, à coups répétés, l'impression (naturellement fausse) d'être enfin au bout de vos peines. Et lorsque finalement vous serez vraiment emporté par la chute, ce sera avec la certitude que vous allez vous écraser tout droit sur la cabane remplie de dynamite de Snidely.

Les ingénieux concepteurs de ce manège sont parvenus à aménager un tunnel sous le réservoir d'eau d'un million et demi de litres, si bien qu'au moment même où vous pensez avoir touché le fond, vous vous voyez plonger encore 5 m plus bas. La brume chargée d'eau qui enveloppe alors votre embarcation fait en sorte que personne n'en sort indemne.

À NOTER: Taille minimale 1,22 m. Une décision difficile s'impose ici à vous: ou alors vous y allez tôt et risquez d'être trempé toute la journée, ou alors vous y allez plus tard et risquez de faire la queue très, très longtemps. Tout dépendra probablement de la chaleur qu'il fait et de votre capacité à attendre.

Marvel Super Hero Island

Cette ville futuriste est tout ce que vous attendez d'une cité de bande dessinée. Même si vous n'apercevez pas immédiatement l'immense représentation de Spider-Man sur les parois de l'édifice du *Daily Bugle* (le siège du grand quotidien où travaille Peter Parker, alias Spider-Man), son empreinte sur le paysage urbain ne laisse aucun doute à la vue des étranges constructions pointues, peintes de pourpre, d'argent, de rouge et de vert.

Les moindres éléments de cet environnement stimulant sont conçus pour garder les sens en éveil, depuis les images de super-héros plus grands que nature jusqu'aux puissants airs de guitare électrique qui vous accompagnent tout au long de votre périple. Vous vous attendez presque à voir surgir des bulles descriptives du genre *Crrrack!* et *Booom!* Il n'y a dès lors rien d'étonnant à ce qu'on ne trouve pas une seule aventure insipide dans cette île.

The Amazing Adventures of Spider-Man
★ ★ ★ ★ ★

Quoi que vous pensiez de l'«homme-araignée», sachez que cette attraction est vraiment époustouflante. La fusion du 3D, des simulateurs de vol et des effets spéciaux y est à ce point réussie que la distinction entre la réalité, la fiction et la pure fantaisie devient presque impossible.

Le scénario: la statue de la Liberté a été volée par les ennemis jurés de Spider-Man, et vous devez aider le super-héros à la récupérer. Pour ce faire, vous prenez place à bord de véhicules qui vous propulsent dans l'aventure. Les animations

et les trucages se conjuguent de façon ahurissante, si bien que, lorsque Spider-Man atterrit sur votre voiture, vous pourriez jurer qu'il est en chair et en os. Les véhicules donnent par ailleurs l'impression de déraper comme s'ils étaient complètement hors de contrôle, et le sentiment de perdition devient d'autant plus palpable que vous vous voyez soudain projeté au sommet d'un gratte-ciel. Vient enfin le docteur Octopus (Doc Ock pour les intimes) avec son fusil à rayon anti-g, dont vous tentez d'esquiver le tir en effectuant un plongeon spectaculaire de plus de 120 m dont vous vous souviendrez longtemps. Il prend de fait la moitié du temps passé dans ce manège et répondra indubitablement à toutes vos attentes, quoi qu'on ait pu vous en dire.

Dire que ce manège est techniquement à la fine pointe constitue un euphémisme. Les technologies du simulateur de vol, du cinéma sur écran géant, de projection tridimensionnelle et d'effets spéciaux sensoriels furent toutes mises à contribution dans la conception de ce bijou, probablement le manège le plus achevé de tous les temps. Un *must* absolu!

À NOTER: Taille minimale 1,02 m. Sans conteste l'un des grands favoris du parc. La sensation de chute libre est on ne peut plus réelle, un facteur que vous devrez sans doute considérer si vous êtes sujet au vertige, quoique vous puissiez toujours fermer les yeux en vous disant qu'il ne s'agit, après tout, que d'une expérience virtuelle.

Stormforce Accelatron
★ ★

Fan des X-Men, voici votre chance de voler au secours de vos super-héros. L'archivilain Magneto a encore quelque plan diabolique en tête, et vous pouvez prendre place à bord de l'Accelatron pour faire échouer ses projets. Tout cela n'est en fait qu'une excuse pour monter dans une espèce de soucoupe volante et tourner jusqu'à ce que vos tripes en soient complètement retournées. Mais

UNIVERSAL'S ISLANDS OF ADVENTURE

1. Au Jurassic Park River Adventure, les embarcations vont à la dérive, vers des dinosaures. (page 188)

2. The Amazing Adventures of Spider-Man, un manège à la fine pointe des technologies. (page 192)

3. Les radeaux de Popeye & Bluto's Bilge-Rat Barges traversent de nombreux obstacles. (page 190)

4. The Incredible Hulk Coaster, des montagnes russes monstrueuses, vous laissera pantois. (page 193)

SEAWORLD ADVENTURE PARK

1. Au Shamu Stadium, le spectacle *Believe* met en vedette Shamu et huit autres épaulards. (page 207)
   © SeaWorld Orlando

2. Le Whale and Dolphin Theatre présente *Blue Horizons*, un superbe spectacle aquatique. (page 200)
   © SeaWorld Orlando

3. Les électrisantes montagnes russes nautiques de Journey to Atlantis ont du piquant. (page 202)
   © SeaWorld Orlando

ne vous y trompez pas: les super-héros en herbe en raffolent, d'autant plus que ce manège s'avère un tant soit peu plus rapide que ses homologues du type «tasses de thé tournantes».

À NOTER: Caché dans un recoin de la Marvel Super Hero Island, ce manège risque fort de vous échapper si vous n'êtes pas à sa recherche. Mais ce n'est peut-être pas plus mal si aucun enfant ne vous accompagne, car c'est bel et bien pour eux qu'il a été créé.

Doctor Doom's Fearfall
★ ★

Le méchant docteur Doom, impitoyable adversaire des Fantastic Four, a élaboré un plan diabolique visant à extraire les plus redoutables craintes de l'esprit de ses victimes (en l'occurrence, vous), et il entend y parvenir à l'aide d'une horrible machine conçue pour sucer la substance même de toutes les peurs qui sommeillent en vous (nous vous laissons le soin de deviner à quelles fins il compte l'utiliser!).

Tout cela n'est en fait qu'un formidable prétexte pour vous attacher à un siège éjectable et vous propulser au sommet de l'une ou l'autre des deux tours de 60 m de l'infâme docteur. Le déclenchement du mécanisme vous soumet à une poussée d'adrénaline sans pareille, mais tout de même négligeable à côté de celle qui vous attend au moment de redescendre... en chute libre. Le tout produit naturellement un effet plutôt comique dans le paysage surréaliste de cette île, et les spectateurs, les yeux tournés vers le ciel, ne peuvent généralement s'empêcher de penser: *Un autre malheureux envolé en fumée!*

Nombreux sont ceux que la seule pensée d'une telle chute aux enfers terrifie au plus haut point. Néanmoins, aussi étrange que cela puisse paraître, l'anticipation de la pire des calamités s'avère ici plus effrayante que le manège en soi. Peut-être est-ce lié au fait que tout se déroule beaucoup trop rapidement, ou

que la chute tant redoutée a apparemment été écourtée et amortie depuis la création du manège (allez savoir pourquoi!). Il en résulte que les mordus de ce genre d'attraction risquent d'être déçus.

À NOTER: Taille minimale 1,32 m. Comme on ne «lance» que quelques passagers à la fois, la file d'attente peut devenir très longue. En vous y rendant de bonne heure, non seulement réduirez-vous le facteur d'attente, mais vous bénéficierez en outre d'un magnifique panorama des îles à la lumière du jour au moment d'atteindre le sommet de la tour (à condition, toutefois, de garder les yeux ouverts!).

The Incredible Hulk Coaster
★ ★ ★ ★ ★

Ces montagnes russes aussi vertes et monstrueuses que l'incroyable Hulk luimême vous laisseront pantois, surtout si vous vous êtes déjà demandé ce que l'on peut bien ressentir dans la peau d'un boulet de canon.

Les «missiles» en devenir parcourent d'abord le laboratoire de Bruce Banner (le nom civil de votre hôte), où ils prennent connaissance des essais qu'il effectue sur un accélérateur à rayons gamma. Le manège démarre plutôt normalement, au son des interminables «clic-clac» de la première pente; mais, au moment précis où vous anticipez l'inévitable descente qui doit s'ensuivre, vous vous voyez catapulté encore plus haut dans un tube de 45 m et passez de zéro à 65 km/h en deux secondes – à l'envers –, avec la même force que si vous étiez à bord d'un chasseur F-16! La suite n'est qu'une succession ininterrompue de boucles, de sauts et de virages plus insensés les uns que les autres, à des vitesses atteignant les 100 km/h! Il y a fort à parier qu'il vous faudra un moment pour reprendre votre souffle, et vous devrez immanquablement prendre rendez-vous chez le coiffeur, surtout si vous avez opté pour la file spéciale donnant accès aux places avant.

À NOTER: Taille minimale 1,38 m. Il n'y a absolument aucun endroit où cacher vos effets personnels une fois à bord du manège. Épargnez-vous donc des désagréments en utilisant les casiers temporaires mis à votre disposition à l'entrée.

SeaWorld Adventure Park

Rien de plus naturel pour un État presque entièrement entouré d'eau que d'accueillir un paradis aquatique artificiel. D'une superficie de plus de 80 ha, le SeaWorld Adventure Park n'est évidemment qu'une goutte d'eau dans l'océan, mais on y retrouve néanmoins une quantité impressionnante de spectacles, d'attractions et d'expositions révélant les mystères de la planète bleue.

Les quelque 20 000 créatures qui y ont élu domicile viennent d'aussi près que la baie de Tampa et d'aussi loin que l'Antarctique. Vous découvrirez dans ce parc marin, le plus connu du monde, des baleines de la taille d'une maison, des poissons-clowns de la taille d'un orteil, des phoques de jais luisants et des invertébrés auréolés de rose. Il y a également des dauphins enjoués, des pingouins attachants, des otaries moustachues et des loutres espiègles, mais aussi des espèces moins connues, tels les macareux, les petits garrots, les poissons-licornes et les anguilles furtives.

Plusieurs de ces animaux évoluent dans les grandes piscines bleues qui parsèment le paysage luxuriant de SeaWorld. Chaque jour, des milliers de personnes s'entassent dans des gradins autour de ces réservoirs pour voir ces fascinantes bêtes à l'œuvre, que ce soit au jeu ou au travail: des baleines qui sifflent et font des sauts, des phoques qui se tapotent mutuellement le dos, et des dauphins qui nagent sur le dos.

Les hôtes de la mer (auxquels s'ajoutent quelques humains) volent décidément la vedette des spectacles qui ont contribué à la renommée mondiale de SeaWorld. Mais l'endroit offre beaucoup plus que des spectacles. Ce parc thématique doublé d'un centre de recherche, réalisé au coût de plusieurs dizaines de millions de dollars, scrute ainsi les mystères du monde du silence avec quelque 25 spectacles et attractions de premier plan. Et il brosse un tableau réellement saisissant de l'océan, que ce soit par son gigantesque aquarium de coraux, sa banquise intérieure, naturellement occupée par les pingouins, ou son antre de requins redoutables.

En dehors de ces expositions, le parc a l'air d'une toile marine en mouvement. Les goélands percent l'azur de leurs cris, et une brise saline balaie de tendres pelouses. Des étangs rocailleux épousent les contours de jardins surplombés de palmiers, et des flamants rose bonbon laissent leurs empreintes un peu partout sur le sable. Enfin, des vedettes rapides traversent en vrombissant un lagon dominé par la Sky Tower, haute de 122 m; point de repère de SeaWorld, cette tour ressemble à une aiguille bleue plantée sur le rivage.

Dans ce décor océanique, vous verrez évoluer d'habiles danseurs polynésiens de même qu'un sculpteur de châteaux de sable. Vous pouvez aussi vous prélasser au soleil sur la plage du lagon, une boisson glacée au rhum dans la main.

Si cela vous semble correspondre à l'image qu'on se fait de la Floride dans ce qu'elle a de plus touristique, c'est que tel est bien le cas. Depuis son ouverture en 1973, SeaWorld constitue en effet un attrait éducatif sur la vie marine tout en vous donnant la possibilité de vous détendre à souhait.

Quoi qu'il en soit, force est de reconnaître qu'il ne s'agit plus du parc thématique le plus «gentil» et le plus «sage» qui soit. En cette ère du toujours plus grand, toujours plus fort et toujours plus explosif (sous peine de devoir déposer son bilan), les lieux appartiennent désormais à Anheuser-Busch et se dotent de tous les atouts nécessaires pour affronter la concurrence. La flamme du capitalisme se distingue jusque dans le nouveau nom du parc, «SeaWorld Adventure Park», sans parler de l'aménagement d'une nouvelle entrée qui en met plein la vue et de l'addition de quelques manèges du tonnerre. «Journey to Atlantis» et les immenses montagnes russes Kraken offrent une expérience sans pareille, tandis que le Discovery Cove voisin permet de s'approcher des dauphins, des pastenagues et d'autres animaux marins.

Petit lexique anglais-français

Puisque toutes les affiches de SeaWorld sont en anglais, voici un petit lexique qui vous permettra de faire le lien entre les noms d'espèces utilisés dans ce guide et ceux que vous lirez une fois sur place:

Bass	bar	*Penguin*	manchot
Beluga Whale	béluga	*Puffin*	macareux
Butterflyfish	poisson-papillon	*Scorpionfish*	rascasse, scorpène
Clownfish	clown orangé/	*Sea Lion*	otarie
	poisson-clown	*Seal*	phoque
Conch	conque	*Shark*	requin
Crappie	marigane blanche	*Smew*	harle-piette
Dolphin	dauphin	*Snapper*	vivaneau
Grouper	mérou	*Stingray*	raie
Killer Whale	épaulard	*Surgeonfishes*	chirurgiens
Lionfish	rascasse volante	*Unicorn fish*	poisson-licorne
Manatee	lamantin	*Walrus*	morse
Murre	marmette de Brünnich	*Whale*	baleine
Otter	loutre	*Wildebeest*	gnou

Accès et déplacements

■ Orientation

Rien de plus facile: imaginez un beignet quelque peu allongé et percé d'un trou en son centre. Le trou en question est un vaste lagon traversé par une passerelle en Y. Autour de ce dernier se trouvent des boutiques, des restaurants, de petits bassins grouillants de vie marine et l'**Atlantis Bayside Stadium**. Et, à la périphérie de notre beignet, sont présentés les spectacles et les attractions principales; il s'agit, en procédant dans le sens des aiguilles d'une montre, de **Key West at SeaWorld**, du **Whale and Dolphin Theatre**, de **Manatee Rescue**, de **Journey To Atlantis**, de **Kraken**, de **Penguin Encounter**, de la **Pacific Point Preserve**, du **Sea Lion and Otter Stadium**, de **Shark Encounter**, du **Nautilus Theatre**, de l'**Anheuser-Busch Hospitality Center**, du **Shamu's Happy Harbor**, du **Shamu**

Stadium, du **Shamu Underwater Viewing** et de **Wild Arctic**.

Si vous devez vous déplacer en fauteuil roulant, vous n'aurez aucun problème à SeaWorld. Les promenades sont larges, et les rampes sont nombreuses (toujours en pente douce). Les amphithéâtres et les salles de spectacle offrent amplement d'espace pour les fauteuils roulants (souvent en première rangée) et sont facilement accessibles.

■ En voiture

SeaWorld est facile à trouver, et le coût du stationnement y est peu élevé (10$). Il se trouve près du croisement de la route I-4 et du Bee Line Expressway, à 16 km au sud du centre-ville d'Orlando. De la **route I-4** (Interstate 4), empruntez la sortie de SeaWorld et suivez la signalisation jusqu'à l'entrée principale. Après vous être garé, prenez le tramway qui vous conduira à la porte principale. Souvenez-vous de **noter l'emplacement de votre place de stationnement** afin de retrouver votre voiture à la fin de la journée.

Renseignements utiles

■ Quelques précieux conseils

S'il s'agit de votre première visite, vous vous attendez sûrement à affronter une foule aussi nombreuse qu'à Universal Orlando ou à Disney World. Mais n'ayez crainte, car SeaWorld est rarement engorgé, et tout y est si relaxant et si bien organisé que les files d'attente y sont presque inexistantes. Il est toutefois très important de se rappeler que les principales attractions de SeaWorld prennent la forme de spectacles, de sorte que vous avez tout avantage à planifier votre journée en fonction de ceux-ci. Il est impossible de les voir tous, mais vous pouvez tout de même en voir la plus grande partie.

SeaWorld vous aide d'ailleurs à faire les meilleurs choix en fonction de vos besoins grâce à son *Map and Show Schedule*, qui change tous les jours. Peu importe ce que dit l'horaire, ne manquez pas les spectacles au **Sea Lion and Otter Stadium**, au **Whale & Dolphin Theatre** et au **Shamu Stadium**.

Donnez-vous au moins 45 min de jeu entre les spectacles; vous aurez ainsi le temps d'aller aux toilettes et d'apprécier les expositions secondaires telles que **Dolphin Cove**, **Shark Encounter**, **Wild Arctic** et

Penguin Encounter. De cette façon, vous pourrez également arriver 15 min avant le prochain spectacle et vous assurer d'un siège. Certains spectacles affichent complet assez vite, surtout au milieu de la journée. Si vous avez de jeunes enfants, assoyez-vous près d'une allée afin d'avoir facilement accès aux toilettes durant le spectacle.

Les parents voudront aussi prévoir une halte au terrain de jeu du **Shamu's Happy Harbor** vers le milieu de la journée. Les enfants adorent en effet toutes les activités formidables auxquelles ils peuvent s'y livrer, tandis que les parents se délectent de ses coins ombragés. Surtout, pas de précipitation; une grande partie du charme de SeaWorld, c'est que vous pouvez en faire le tour à votre rythme et sans être bousculé.

Quant à ceux qui recherchent les sensations fortes, ou qui sont accompagnés d'ados qui le sont, il faut placer en haut de liste les montagnes russes **Kraken** et le manège **Journey to Atlantis**, voisins l'un de l'autre.

■ Animaux de compagnie

Ils ne sont pas admis. Vous pouvez cependant utiliser les chenils climatisés aménagés à droite de l'entrée principale.

■ Argent

Vous trouverez des guichets automatiques (distributeurs de billets) à l'entrée principale et un peu partout dans le parc. Pour changer des devises étran-

★ **ATTRAITS TOURISTIQUES**

1.	DX	Anheuser-Busch Hospitality Center
2.	DZ	Atlantis Bayside Stadium
3.	AY	Journey to Atlantis
4.	BZ	Key West at SeaWorld
		• *Dolphin Cove*
		• *Stingray Lagoon*
		• *Turtle Point*
5.	BX	Kraken
6.	AY	Manatee Rescue
		• *Alligators*
7.	CX	Nautilus Theater (Odyssea)
8.	BX	Pacific Point Preserve
9.	BY	Penguin Encounter

10.	CX	Sea Lion & Otter Stadium (Clyde & Seamore)
11.	CY	Seaport Theatre (Pets Ahoy!)
12.	EY	Shamu's Happy Harbor
13.	DY	Shamu Stadium (Believe)
14.	DY	Shamu Underwater Viewing
15.	CX	Shark Encounter
16.	CY	Sky Tower
17.	CY	WaterFront at SeaWorld, The
18.	BY	Whale & Dolphin Theatre (Blue Horizons)
19.	EY	Wild Arctic
20.	BY	Xtreme Zone

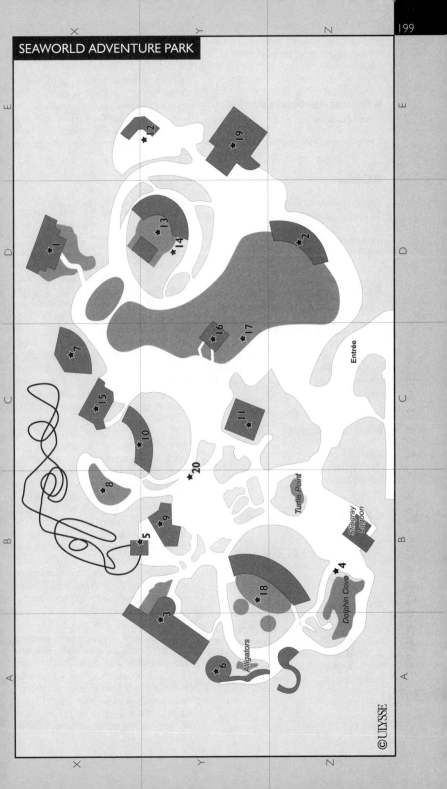

gères, rendez-vous au guichet des *Guest Relations* à l'entrée principale entre 9h et 15h.

■ Bureau des objets perdus et trouvés

Il se trouve à l'intérieur des *Guest Services*.

■ Casiers

Vous en trouverez tout juste à l'extérieur du parc, mais aussi à l'intérieur, non loin de l'entrée, près des toilettes. Il vous en coûtera de 1$ à 1,50$ chaque fois que vous les ouvrirez.

■ Centre de services aux nourrissons (*Baby Services*)

Situé à côté du Friends of the Wild Gift Shop, près de Penguin Encounter et au Shamu's Happy Harbor Baby Care Center. Des tables à langer sont également disponibles dans la plupart des toilettes ou à proximité de celles-ci.

■ Enfants perdus

Signalez tout enfant égaré au bureau des *Guest Services*, situé sur la gauche à l'entrée du parc.

■ Poussettes et fauteuils roulants

Offerts en location au Stroller Gift Shop, à l'entrée principale.

■ Renseignements

Le bureau des *Guest Services*, situé immédiatement après l'entrée principale, sur la gauche, est l'endroit où vous arrêter pour obtenir tout renseignement de même que pour trouver des plans du parc en français.

■ Service de collecte des paquets (*Package Pickup*)

Ce service gratuit vous évite d'avoir à traîner vos achats toute la journée. Demandez simplement aux commis des boutiques de SeaWorld d'envoyer vos sacs au Shamu's Emporium, où vous pourrez les réclamer au moment de quitter le parc.

Whale and Dolphin Theatre ★★★★★

Si vous avez déjà vu une publicité de SeaWorld à la télévision où un dauphin fait une triple pirouette dans les airs, dites-vous bien que ce n'était là qu'un avant-goût de ce qui vous attend au spectacle de dauphins et de baleines intitulé **Blue Horizons**.

Présenté dans un vaste amphithéâtre à ciel ouvert, ce spectacle d'une durée de 25 min permet de constater les incroyables prédispositions des dauphins et des baleines pour les sauts périlleux et la comédie.

Mais il y a plus! Aux prestations des dauphins, ces acrobates et danseurs de grand talent, et des baleines, ces cabotins qui prennent un malin plaisir à arroser les spectateurs des premières rangées, on a ajouté celles d'oiseaux exotiques qui voltigent au-dessus de la foule, de trapézistes vêtus de costumes colorés et de plongeurs qui effectuent des sauts vertigineux. L'ensemble, haut en couleur, s'avère des plus divertissants et culmine avec une chorégraphie enlevante à laquelle participent tous les acteurs de la représentation.

À NOTER: Si vous ne voulez pas vous faire tremper, évitez les premières rangées. Souvenez-vous aussi qu'il arrive que les oiseaux, tout aussi exotiques soient-ils, laissent tomber quelques «cadeaux» lors de leurs vols planés au-dessus des spectateurs… Pour obtenir une bonne place, prévoyez arriver environ 30 min avant le début du spectacle.

À la rescousse

Petits lamantins orphelins... Tortues de mer blessées... Otaries échouées sur le rivage... Ce ne sont là que quelques-uns des animaux marins que SeaWorld a pris sous son aile pour leur offrir un refuge à l'abri d'un environnement hostile et contribuer à leur rétablissement avant de les relâcher dans la nature. Et l'entreprise est de taille, puisque plus de 5 000 bêtes ont ainsi été accueillies depuis une dizaine d'années.

Les visiteurs peuvent examiner de plus près ces efforts de sauvetage grâce au **To The Rescue Tour**. Cette promenade guidée d'une heure comprend l'exploration des véhicules de sauvetage et des bassins de rétablissement, mais explique aussi les difficultés encourues lorsqu'il s'agit d'arracher un lamantin de 900 kg à son environnement naturel. Vous y prendrez en outre connaissance, par force détails, des efforts déployés pour sauver de l'extinction certaines espèces comme le lamantin et la tortue de mer.

Key West at SeaWorld ★ ★ ★

Architecture colorée, boutiques pittoresques, spectacles de rue divertissants et musique calypso donnent le ton à l'atmosphère de Key West at SeaWorld. Vous y trouverez d'exceptionnelles occasions de côtoyer certaines des créatures les plus fascinantes de SeaWorld, à savoir les tortues de mer (**Turtle Point**), les dauphins et les raies (**Stingray Lagoon**).

Le point le plus populaire en est le bassin des dauphins (**Dolphin Cove**), qui couvre 0,8 ha, et à la surface duquel vous pourrez nourrir les mammifères enjoués tout en interagissant avec eux. En descendant sous la surface, autour du bassin, vous découvrirez une immense fenêtre panoramique donnant sur leur habitat. Les entraîneurs des dauphins se tiennent régulièrement à votre disposition pour répondre à vos questions, et des spectacles sont quotidiennement organisés au Whale & Dolphin Theatre voisin.

Outre l'intérêt suscité par les animaux marins qui y vivent, Key West offre un répit prisé de la frénésie caractéristique des parcs thématiques. Plutôt que de vous hâter d'un point à un autre, profitez en toute quiétude des spectacles de rue

(jongleurs, mimes et faux guides touristiques) ou d'un concert de jazz.

À NOTER: Les dauphins se montrent plus réceptifs aux humains en début de journée. Pour mieux les apprécier, projetez donc d'arriver au parc le plus tôt possible, alors qu'ils sont avides de vous rencontrer et de vous accueillir.

Manatee Rescue ★ ★ ★ ★

Comment résister à l'air bon enfant des lamantins! Doux et patauds, ces habitants des eaux chaudes et peu profondes sont aujourd'hui menacés d'extinction par les promoteurs et les navigateurs de plaisance imprudents. Cette attraction de 1,5 ha recrée un habitat naturel de plus d'un million de litres d'eau et dispose d'une salle de projection circulaire sur les murs et le plafond de laquelle les visiteurs ont l'occasion de contempler le monde tel que le voient les lamantins. Il s'agit d'une présentation à la fois attendrissante et alarmante destinée à vous familiariser avec cet animal mystérieux et en péril.

À NOTER: Donnez-vous au moins une demi-heure pour admirer et apprécier à leur juste valeur ces animaux remarquables. Et ne manquez pas la vitrine d'observation de près de 40 m qui vous

SeaWorld Adventure Park - Manatee Rescue

permet de les voir évoluer sous l'eau. Prenez aussi quelques minutes pour aller jeter un coup d'œil à l'enclos des inquiétants **alligators**, situé tout près.

Journey To Atlantis ★ ★ ★ ★ ★

SeaWorld est peut être reconnu comme un lieu de divertissement facile, mais ces électrisantes montagnes russes à saveur nautique (de la variété des glissoires) ne manquent pas d'y mettre du piquant. Une musique lyrique vous accompagne dans votre périple intérieur, dans un décor de palais somptueux sous une voûte étoilée, et ce, jusqu'à l'inévitable descente finale.

Une des portions les plus effrayantes de ce manège tient à son ascension. Tandis que d'autres glissoires vous font grimper de façon à peine perceptible, celui-ci vous entraîne sur une pente redoutable, interminable, quasi impensable... et encore un peu plus haut. Une fois parvenu au sommet, la seule pensée de la descente qui doit immanquablement s'ensuivre aura sans doute pour effet de vous paralyser. Et c'est sans compter la surprise finale qui vous attend, rendant ce manège tout à fait unique.

À NOTER: Taille minimale 1,07 m. Le panneau affiché à l'entrée dit clairement *«Attendez-vous à vous faire mouiller»*, et ce n'est pas une blague! Mieux vaut laisser tout article périssable dans les casiers voisins (1$-1,50$).

Kraken ★ ★ ★ ★ ★

Shamu n'est pas le seul à faire un tabac à SeaWorld. Le parc thématique, réputé pour ses douces attractions axées sur la nature, possède en effet des manèges vraiment excitants. Le second en liste (le premier étant Journey to Atlantis) entraîne les amateurs de sensations fortes dans un périple ponctué de virages, de contorsions et de virevoltes sur le dos d'une créature mythique du nom de

Kraken. Vous y grimperez jusqu'à une hauteur de 15 étages, solidement attaché dans une nacelle sans fond qui se déplace à quelque 100 km/h!

À première vue, ces montagnes russes ne semblent ni si hautes ni si terribles. Mais ne vous y fiez pas, c'est un leurre! Le nombre de vrilles et de boucles effectuées par les convois filant à grande vitesse est vraiment surprenant; c'est là ce qui fait la réussite de ce manège.

À NOTER: Taille minimale 1,38 m. Vous vous retrouverez ici la tête en bas (et les pieds dans le vide), et même les plus fervents amateurs de sensations fortes y voient une expérience à vous faire lever le cœur. Ce n'est pas la fin du monde, mais vous êtes prévenu. Si vous êtes le moindrement préoccupé par la question, gardez ce manège pour la fin de la journée de manière à ne pas ruiner votre séjour... et à profiter des files d'attente moins importantes avant la clôture du parc.

Penguin Encounter ★ ★ ★ ★

Les créatures les plus charmantes de SeaWorld vivent ici dans une niche de 13 millions de dollars, garnie de rochers couronnés de neige, parcourue d'eaux glaciales et balayée par une brise incessante. Les visiteurs circulent sur un tapis roulant de 37 m, tandis que les manchots se dandinent au sol, plongent dans leur piscine océanique et se déplacent à toute vitesse sous l'eau. Ils vous regardent même parfois à travers la vitre comme pour vous dire: *Qu'y a-t-il de si extraordinaire?* Or, pour beaucoup de gens, Penguin Encounter est effectivement très extraordinaire, d'autant plus que cet univers polaire artificiel est le plus vaste habitat du genre au nord de l'Antarctique. Des centaines de manchots vivent ici dans une lumière qui change au fil des mois de manière à reproduire l'éclairage saisonnier de l'Antarctique, et à une température confortable (pour un manchot) de −1°C. À côté, dans une salle semblable, se trouvent des douzaines

Toujours plus près

Vous voulez vraiment voir les animaux de SeaWorld de plus près? Qu'à cela ne tienne, vous n'avez qu'à les nourrir. Achetez une boîte de harengs ou d'éperlans, et foncez tout droit vers le **Stingray Lagoon**, la **Dolphin Cove at Key West at SeaWorld** ou la **Pacific Point Preserve**. Les pastenagues et les dauphins viendront manger directement dans votre main, et vous pourrez même les flatter. Quant aux phoques et aux otaries, ils vous réservent tout un spectacle, jappant à qui mieux mieux et roulant sur le dos pour obtenir leur pitance; il suffit d'ailleurs d'y aller en fin de journée pour les voir repus, contents et empilés les uns sur les autres en train de digérer tout leur soûl.

N'ayez pas peur de vous salir les mains en tant que dresseur invité au programme **Trainer for a Day**, où vous aurez votre heure de gloire pendant le spectacle de Shamu. Immergez-vous en compagnie des requins et autres faux épaulards. Ou encore faites connaissance avec quelques-uns des animaux du parc qui ont été rescapés. De plus, des tours d'une heure en coulisses, de même qu'une tournée «Adventure Express» de six heures qui comprend la visite de quelques attractions avec le privilège de devancer les files d'attente, sont offerts. Le prix de ces sorties et expériences peut s'élever assez rapidement, et le nombre de places est limité. Pour réserver, composez le ☎800-327-2424.

À SeaWorld, les aventures ne se terminent pas toujours dès la fermeture quotidienne du parc. Il est maintenant possible de passer la nuit au royaume de Shamu grâce aux **SeaWorld Sleepovers** (les pyjamades de SeaWorld). Offertes deux fois par année, les pyjamades incluent des activités uniques et une nuit à l'un des habitats des animaux présentés en attractions (malheureusement, le bassin de Shamu n'en fait pas partie). Qui plus est, les Sleepovers ne sont qu'un des nombreux programmes proposés aux visiteurs qui veulent découvrir le parc autrement, dans les coulisses. Pour réserver, appelez au ☎800-406-2244.

d'alcidés, ces oiseaux de l'Arctique qui semblent être le produit d'un croisement entre le perroquet et le canard. Les alcidés portent des noms étranges tels que petits garrots, macareux, harles-piettes et marmettes de Brünnich. Si vous avez de jeunes enfants, emmenez-les voir les alcidés: ils adoreront ces animaux étranges et voudront apprendre à prononcer leurs noms.

À NOTER: Après avoir quitté le tapis roulant, les visiteurs peuvent observer les oiseaux de plus près depuis une aire située quelque peu à l'écart. Il y a aussi le **Learning Hall**, où une exposition et des films décrivent les recherches et les explorations effectuées en relation avec les manchots.

Pacific Point Preserve ★ ★ ★ ★

Cet habitat consacré aux pinnipèdes, d'une superficie de 1 ha et renfermant un bassin de 1,7 million de litres, recrée de façon impressionnante la côte du Nord californien. Les otaries et les phoques s'y ébattent dans un environnement d'eau salée plutôt froide, agitée par une machine à vagues. Doté de postes d'observation sous-marins et aériens, ce site permet d'admirer à loisir les gracieuses prouesses de ces mammifères marins.

À NOTER: Évitez cet endroit après un spectacle de loutres et d'otaries du Sea Lion and Otter Stadium voisin, alors qu'il est envahi par les foules.

Sea Lion and Otter Stadium ★ ★ ★

Un bateau de corsaire, une île de pirates et un trésor... que demander de plus? Eh bien, il y a plus, puisque le spectacle présenté au Sea Lion and Otter Stadium met en vedette les otaries **Clyde & Seamore**. Leur performance un peu bébête, mais tout de même adorable, retrace les aventures en haute mer d'un navire bondé de «compagnons de fortune». Les talentueux mammifères marins marchent sur les «mains», glissent sur le pont et se livrent à une foule de cascades rocambolesques qui ne manqueront pas de transporter les enfants au septième ciel, et les adultes eux-mêmes auront beaucoup de mal à résister au charme de ces acteurs attachants.

À NOTER: Arrivez tôt pour obtenir les meilleures places, un conseil d'autant plus précieux que vous voudrez sans doute éviter la zone d'éclaboussement total (les quelques premières rangées). Car, si les enfants adorent généralement se faire arroser, il n'en va pas toujours de même des adultes armés de caméscopes.

Mimes espiègles

Le pauvre monsieur bedonnant de Boise, en Idaho, n'a jamais eu la moindre chance. Il n'était pas aussitôt arrivé dans l'amphithéâtre que déjà un mime le talonnait, s'improvisant à son tour un gros ventre. Chaque pas que faisait l'homme était suivi d'un mouvement de ventre identique du mime. La foule éclatait de rire, et l'homme jetait autour de lui des regards furtifs, confus par la situation.

Les mimes de SeaWorld se moquent des visiteurs qui, ne se doutant de rien, viennent assister au spectacle du Sea Lion and Otter Stadium. Ils sont si drôles qu'ils sont devenus l'un des clous du parc thématique tout entier. La force des mimes est de mettre en évidence ce qu'il y a de plus ringard chez les touristes: jambes brûlées par le soleil et courtement vêtues de chaussettes roses, casquettes de Goofy aux longues oreilles, talons hauts et shorts très osés. Vous avez tout compris!

Afin de voir les mimes, soyez dans les gradins 15 min avant le spectacle. Et surtout, surveillez vos arrières!

Shark Encounter ★ ★ ★ ★

Il n'y a rien de bien terrifiant dans cette exposition, si ce n'est les dents pointues des barracudas, les poissons-globes armés de piquants et les requins de 2 m qui vous regardent sournoisement. Et n'oublions surtout pas les chirurgiens, dont les barbillons aussi tranchants que des rasoirs peuvent transpercer sans mal un vêtement isothermique! Ces phénomènes de la nature et bien d'autres peuplent les aquariums de cette grande exposition, d'autant plus exaltante que vous la voyez à travers un tunnel, ce qui veut dire que les monstres évoluent au-dessus de vous dans quelque 450 t d'eau salée. Alors que vous vous déplacez sur un tapis roulant, vous vous sentez vraiment comme un intrus dans cet «Oz» des profondeurs, peuplé de créatures meurtrières. Certaines vous intimideront sur-le-champ, alors que d'autres sont plus sournoises. Ainsi, la splendide rascasse volante injecte à ses victimes un venin assez puissant pour tuer un homme en six heures. Et la scorpène, experte en camouflage, est surnommée «trois pas», car, après avoir posé le pied dessus, on n'a pas aussitôt fait trois pas qu'on s'effondre en proie à une effroyable douleur. Prêt pour une trempette?

À NOTER: Les enfants de tout âge apprécient cette attraction au plus haut point, car selon les paroles d'un enfant de huit ans: *C'est comme si on se trouvait à l'intérieur d'un immense aquarium*. Ils aiment aussi le fait qu'ils peuvent facilement y retourner encore, encore et encore...

Nautilus Theatre ★★★★

Rien du spectacle **Odyssea** présenté dans l'enceinte du Nautilus Theatre ne correspond à ce que vous pouvez imaginer, d'autant moins que ses vedettes sont tous des humains et que, de thème aquatique, nenni! Il s'avère toutefois divertissant, offrant un mélange d'exotisme – des personnages de pingouins, des acrobates aériens et une contorsionniste. La visibilité est bonne de toutes les places, mais sachez que, si vous choisissez de vous installer au premier rang, vous risquez d'être transporté sur scène pour y prendre part à un extravagant match de boxe des plus tordants.

À NOTER: Le spectacle est certes amusant en soi, mais son prélude l'est encore plus. Prévoyez arriver au moins 15 min d'avance pour apprécier à sa juste mesure le mime hystérique qui fait par la suite partie du spectacle comme tel. Soyez toutefois sur vos gardes si vous ne voulez pas faire les frais de ses moqueries sans pitié.

The Sky Tower ★★★

Souvent appelée «l'aiguille céleste», cette tour d'un bleu d'encre s'élève à 122 m au-dessus du lagon de SeaWorld, et un ascenseur vitré de forme arrondie transporte les gens jusqu'à son sommet en décrivant une lente spirale. C'est la seule attraction pour laquelle on vous demande un supplément (3$). L'ascension de 15 min est calme, détendue et panoramique, et la vue qu'on y a depuis le sommet est à couper le souffle. À vous de déterminer si cet envol vaut quelques dollars de plus ou non. En toute franchise, le panorama que vous offre le sommet du Contemporary Resort à Walt

Disney World est tout aussi impressionnant, et parfaitement gratuit.

À NOTER: Certains enfants d'âge préscolaire sont effrayés lorsqu'ils voient le sol s'éloigner sous leurs pieds. Les plus vieux, cependant, trouvent que c'est ce qu'il y a de plus génial après Shamu.

Seaport Theatre ★★★

Vous ne pourrez pas vous empêcher d'esquisser un sourire à la vue de ce spectacle d'une époque révolue intitulé **Pets Ahoy!** qui met en vedette certains des hôtes non aquatiques de SeaWorld. Les chats se roulent par terre, les chiens jouent les grands malades, un âne montre gentiment ses dents au dentiste, et un cochon brandit des placards proclamant les injustices faites à son espèce (du genre «À bas le bacon!»). Pas de grandes surprises ici, mais les enfants ne pourront tout simplement pas résister au charme de ces douces créatures, et les parents ne voudront sans doute pas manquer leurs réactions, sans compter que le tout se déroule à l'intérieur, dans une salle climatisée. Le fait que ces talentueux chatons et chiots aient tous été adoptés auprès de refuges d'animaux de la région lance par ailleurs un sympathique message. Bref, le vaudeville n'a jamais eu plus mignonne allure.

À NOTER: Assurez-vous de rester un moment après le spectacle, puisque les enfants peuvent alors voir de plus près et même caresser certains des interprètes étoiles du spectacle.

The Waterfront at SeaWorld ★★★

La plus récente nouveauté de SeaWorld n'a pas pour objectif, contre toute attente, de dresser d'autres animaux aquatiques. Malgré tout, grâce à son thème marin élargi, SeaWorld a su créer une bien plaisante attraction avec son Waterfront, qui permet au gens de profiter encore plus de leur visite au parc.

SeaWorld Adventure Park - The Waterfront at SeaWorld

Ce secteur très animé s'étend sur 2 ha au pied de la Sky Tower. Il se présente comme un port de pêche en bordure de mer. On y trouve des personnages colorés qui racontent des histoires, des marchands «locaux», des spectacles de rue, des restaurants et un bar (The Sandbar).

À NOTER: Le Waterfront constitue un point d'observation de premier ordre pour assister au spectacle pyrotechnique **Mistify** présenté chaque soir.

Mistify ★ ★ ★ ★

Chaque soir, des feux d'artifice illuminent le ciel de SeaWorld tout juste au-dessus de son lagon central. Plus encore, ce spectacle pyrotechnique incorpore des effets spéciaux créés à l'aide de fontaines positionnées sur le plan d'eau.

À NOTER: Le Waterfront constitue le meilleur point d'observation pour cette présentation d'une dizaine de minutes. Vous pouvez aussi tenter votre chance, en vous présentant tôt, au Spice Mill Cafe, dont la terrasse donne sur le lagon.

Xtreme Zone ★ ★

Cette petite section du parc comprend un mur d'escalade et des trampolines où il est possible de dépenser votre surplus d'énergie… pour quelques dollars de plus.

À NOTER: Il en coûte 7$ pour s'élancer sur un trampoline, 7$ pour escalader le mur et 10$ pour vous adonner aux deux activités.

Anheuser-Busch Hospitality Center ★ ★

L'association de SeaWorld et de sa nouvelle compagnie mère, la Busch Entertainment Corporation, a donné un nouveau souffle à ce parc marin sur le déclin et a fait apparaître quelques nouveautés pour le moins inusitées, comme une grande cuve de brassage du début du XXe siècle utilisée pour la fabrication de la bière, une ancienne machine à copeaux de hêtre et une écurie de chevaux de trait Clydesdale. Tout cela se passe à l'Anheuser-Busch Hospitality Center, dans un complexe de deux bâtiments entourés de pelouses, de cascades et de jardins. Découvrez-y l'histoire d'Anheuser-Busch et l'utilisation qu'elle fait du hêtre pour donner de l'âge à sa bière, ou détendez-vous simplement sur la terrasse en profitant du paysage. Tout à côté, le **Clydesdale Hamlet** vous permettra de vous familiariser avec les célèbres chevaux de trait de ce grand brasseur, ou encore d'admirer la grange flanquée de poteaux d'attache qui faisait jadis partie de la visite des «coulisses» du parc.

À NOTER: Cet endroit, qui n'est visiblement pas une attraction de premier plan, constitue toutefois une découverte sans pareil à l'heure du déjeuner. Les amateurs de photo pourront même s'immortaliser sur pellicule aux côtés d'un cheval de 2 t au Clydesdale Hamlet.

Shamu's Happy Harbor ★ ★ ★ ★

«Tu n'aurais pas dû les emmener ici, je ne réussirai jamais à les faire ressortir» se plaignait une mère à son mari en parlant de leurs enfants. Il est en effet fréquent que les parents aient du mal à convaincre leur progéniture de quitter les lieux pour poursuivre la visite du parc, et pour cause: l'endroit regorge littéralement de tout ce que les enfants adorent. Les jeunes peuvent ainsi explorer des tunnels, tirer avec des mousquets à eau, faire sonner des cloches et tourner des roues. Il y a des piscines peu profondes, des gréements où grimper et des salles remplies de gros ballons en plastique entre lesquels ils doivent se frayer un chemin. Toute la journée, des enfants exubérants parcourent en tous sens ce terrain de jeu de 1,2 ha, essayant tout sur leur passage. Le grand favori de cette foule joyeuse est une goélette de 17 m offrant des milliers

Discovery Cove

Élément récent du complexe de SeaWorld, Discovery Cove propose à ses visiteurs depuis l'an 2000 une journée entière d'activités dans un décor tropical. Le clou de la journée est sans contredit la possibilité qui vous sera offerte de nager et de jouer pendant quelques minutes avec des dauphins. D'autres animaux marins et oiseaux exotiques peuvent être ici observés. De plus, vous pourrez prendre part à une excursion de plongée-tuba qui vous permettra de découvrir la reproduction d'une barrière de corail et d'explorer grottes et épaves.

Comptez 279$ par personne (179$ sans la baignade avec les dauphins), incluant le petit déjeuner, le déjeuner, les boissons non alcoolisées et l'accès au SeaWorld Adventure Park ou à Busch Gardens Tampa pendant sept jours. Accès limité à 1 000 visiteurs par jour. Il faut être âgé de 6 ans ou plus pour pouvoir nager avec les dauphins. Réservations requises (*407-370-1280 ou 877-434-7278, www.discoverycove.com*).

de recoins où courir, grimper et se cacher. Pour les parents, il y a un espace couvert et muni de nombreux sièges d'où ils peuvent facilement surveiller leur progéniture.

On trouve aussi dans ce secteur quelques manèges réservés aux tout-petits, comme **Swishy Fishies**, **Jazzy Jellies** et **Shamu Express**, des montagnes russes miniatures.

À NOTER: Il y a tellement de choses à voir et à essayer ici que les bambins deviennent fous fous fous… au point d'en oublier l'existence de leurs parents. Une surveillance discrète mais constante est donc de mise.

Shamu Stadium ★★★★★

Dans la région d'Orlando, Shamu l'épaulard est presque aussi connu que Mickey lui-même. Ce mammifère de 5 000 kg habillé de blanc et de noir fait d'ailleurs pleinement honneur à sa réputation dans ce nouveau spectacle intitulé **Believe**.

Ainsi, Shamu et ses amis épaulards vous en mettront plein la vue dans cette présentation de 30 min. Il y en a un qui effectue sur une musique originale un ballet étonnamment gracieux accompagné de sa dresseuse, un autre qui exécute un saut qui atteint une hauteur rien de moins qu'incroyable, et un autre encore qui vient saluer la foule en glissant sur une sorte de rampe qui s'avance jusqu'aux spectateurs.

Le concours des dresseurs, qui sont aussi des nageurs remarquables, est aussi à signaler. Ils n'hésitent d'ailleurs pas à s'installer sur le dos des épaulards afin d'entraîner leurs impressionnantes montures dans de folles «chevauchées». Une partie du spectacle se déroule également sur un grand écran qui se subdivise en quatre parties pouvant se positionner de différentes façons pour créer toutes sortes d'effets.

Mais il ne faut surtout pas oublier les facéties dont sont capables les mastodontes qui demeurent les vedettes incontestées du spectacle. Avis à ceux qui oseront s'installer dans les premières rangées: vous ne sortirez pas indemnes du raz-de-marée que les épaulards peuvent provoquer d'un simple coup de queue…

À NOTER: Cette attraction est la seule à se remplir bien avant l'heure du spectacle. Il convient donc de vous présenter au stade de 45 min à une heure à l'avance, surtout les jours de grande affluence.

SeaWorld Adventure Park - Shamu Stadium

Shamu Underwater Viewing ★★★

Le Shamu Underwater Viewing, un univers sous-marin réalisé au coût de 1,7 million de dollars tout à côté du Shamu Stadium, donne aux visiteurs la chance d'admirer les épaulards entre les spectacles. Derrière trois fenêtres sûres de 2,5 m chacune, vous pourrez ainsi observer de près ces majestueuses créatures sans risquer de vous faire éclabousser. Les enfants aiment particulièrement regarder les bébés s'ébattre dans leur nouvel habitat.

À NOTER: Pour éviter la foule, voyez cette attraction au moins une heure avant ou après le spectacle du Shamu Stadium.

Wild Arctic ★★★★

Le simulateur de vol en hélicoptère de SeaWorld vous transporte aux antipodes de glace de la planète, vers ces contrées ténébreuses aux jours blafards peuplées d'ours polaires et de bélugas, découpées de glaciers en dents de scie et ponctuées d'avalanches retentissantes. Vous prendrez place à bord d'un simulateur de vol tumultueux (rappelez-vous les Star Tours et Body Wars) censé ressembler à un hélicoptère en route vers le centre de recherche de Base Station Wild Arctic, et vous devrez entre autres éviter des montagnes enneigées, filer entre les parois de canyons de glace et survoler des vallées en rase-mottes. Les paysages seraient toutefois plus spectaculaires si l'écran du simulateur était moins brouillé. Ceux qui choisissent de ne pas prendre place à bord du simulateur peuvent tout de même visiter à pied l'exposition arctique.

Lorsque vous atterrissez enfin à la base, vous quittez le simulateur pour faire une promenade dans de fraîches cavernes. Derrière de grands murs de verre, vous pourrez alors observer des ours polaires évoluant dans un environnement rappelant l'Arctique, ainsi que des bélugas et des morses nageant dans d'énormes réservoirs dont l'eau est maintenue à 10°C.

À NOTER: Taille minimale 1,07 m. Vous verrez ici les plus longues files d'attente de SeaWorld, quoiqu'elles dépassent rarement 30 min.

Atlantis Bayside Stadium ★★★

L'Atlantis Bayside Stadium prend la forme de grandes estrades couvertes faisant face au lagon central du parc. Sur sa vaste scène sont présentés des concerts classiques, parfois accompagnés de feux d'artifice, ainsi que des spectacles de jazz, de musique populaire et autres.

À NOTER: Consultez l'horaire que l'on vous remettra à votre arrivée à SeaWorld pour connaître la teneur et l'heure des spectacles présentés.

Au-delà des grands parcs

Au-delà des parcs d'attractions de Walt Disney World, d'Universal Orlando ou du SeaWorld Adventure Park, d'autres attraits sont dignes de mention dans les environs. Les pages qui suivent vous invitent à découvrir les plus intéressants de ceux-ci.

Orlando ★ ★ ★ ★

Autrefois une petite ville endormie au charme certain, Orlando s'est mutée en une destination touristique d'envergure internationale lorsque l'ami Mickey est venu établir son royaume dans les environs au début des années 1970. Restaurants, hôtels, musées et attraits en tous genres y ont tour à tour vu le jour afin de répondre aux attentes d'une nuée chaque année plus dense de visiteurs (plus de 40 millions par an dit-on) venant de partout, au point de faire du centre-ville d'Orlando un secteur à découvrir.

- -

Downtown Orlando
★ ★ ★ ★

Le centre-ville d'Orlando, ou Downtown Orlando, présente une intéressante combinaison de bâtiments victoriens du XIXe siècle, de tours modernes et d'espaces verts entourant de nombreux plans d'eau, comme le **Lake Eola Park** ★ ★ ★, un beau parc situé en plein cœur du centre-ville. Le **Cultural Corridor** relie deux pôles d'attraction de la ville, soit le Downtown Arts District et le Loch Haven Park.

Située au cœur du **Downtown Arts District**, l'**Orlando City Hall Terrace Gallery** *(400 S. Orange Ave., ☎407-246-4279, www. cityoforlando.net)* présente les œuvres d'artistes de la région à l'intérieur même de la mairie de la ville. Le Cultural Corridor remonte ensuite Magnolia Avenue vers le nord, vous permettant de découvrir au passage galeries d'art, boutiques, restau-

rants et bars-terrasses, ainsi que l'**Orange County Regional Historic Center** *(adultes 10$, enfants 3,50$; lun-sam 10h à 17h, dim 12h à 17h; 65 E. Central Blvd., ☎407-836-8500, www.thehistorycenter.org)*, installé dans un ancien palais de justice datant de 1920.

En suivant Orange Avenue vers le nord puis en tournant à droite dans Princeton Street, vous vous rendrez au **Loch Haven Park** ★ ★ ★, où sont concentrées plusieurs institutions culturelles.

La plus importante du groupe est l'**Orlando Museum of Art** ★ ★ ★ *(adultes 8$, enfants 5$; mar-ven 10h à 16h, sam-dim 12h à 16h; 2416 N. Mills Ave., ☎407-896-4231, www. omart.org)*, qui s'intéresse à l'art américain du XVIIIe siècle à aujourd'hui (peintures, dessins, photographies, sculptures) en plus de posséder une collection d'objets amérindiens dont certains datent de 4 000 ans. Une collection d'art africain est également à signaler dans ce musée fondé en 1924.

Également situé dans le Loch Haven Park, l'**Orlando Science Center** ★ ★ ★ *(adultes 25$, enfants 20$; dim-jeu 10h à 18h, ven-sam 10h à 23h; 777 E. Princeton St., ☎407-514-2000, www.osc.org)* couvre les différentes sphères scientifiques au moyen d'expositions interactives.

Un peu en retrait, les **Harry P. Leu Gardens** ★ ★ ★ *(adultes 5$, enfants 1$; tlj 9h à 17h; 1920 N. Forest Ave., ☎407-246-2620, www.leugardens.org)* possèdent quelque 2 000 spécimens de camélias, une collection qui a fait la renommée de ce joli jardin botanique.

★ **ATTRAITS TOURISTIQUES**

1.	BX	Lake Eola Park
2.	BY	Orlando City Hall Terrace Gallery
3.	BY	Orange County Regional Historic Center
4.	CV	Loch Haven Park

5.	CV	Orlando Museum of Art
6.	CV	Orlando Science Center
7.	CV	Harry P. Leu Gardens

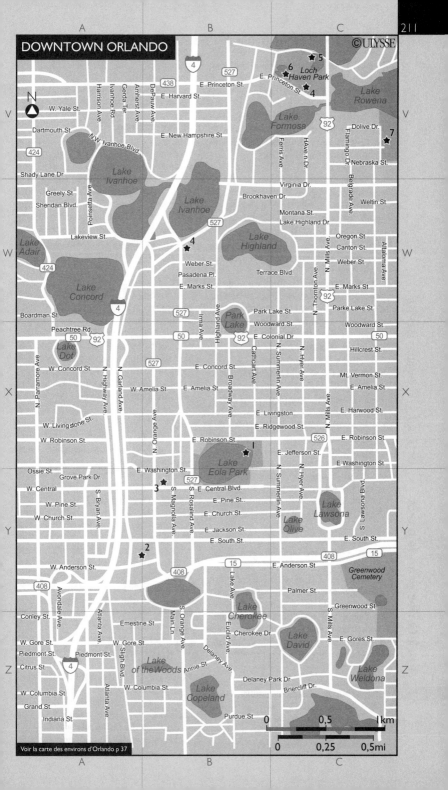

DOWNTOWN ORLANDO

©ULYSSE

N

A **B** **C**

I-4

527

438

E. Princeton St.

Loch Haven Park 5

E. Princeton St. 6

4

W. Yale St.

Lake Rowena

Dartmouth St.

E. Harvard St.

DePauw Ave.

Amherst Ave.

Gerda Ter.

Harrison Ave.

Ivanhoe Rd.

V

Lake Formosa

92

Dolive Dr. 7

E. New Hampshire St.

Flamingo Dr.

Nebraska St.

424

N.W. Ivanhoe Blvd.

Poinsetta Ave.

Ferris Ave.

H Ave. n. Dr.

Belgrade Ave.

Shady Lane Dr.

Lake Ivanhoe

Virginia Dr.

Weltin St.

Greely St.

Brookhaven Dr.

Sheridan Blvd.

Lake Ivanhoe

Montana St.

Lake Highland Dr.

Oregon St.

Lakeview St.

527

Canton St.

W

Lake Adair

4

Weber St.

Lake Highland

N. Thornton Ave.

Weber St.

Altaloma Ave.

424

Weber St.

E. Marks St.

92

Lake Concord

Pasadena Pl.

Terrace Blvd.

E. Marks St.

E. Marks St.

Parke Lake St.

Boardman St.

527

Highland Ave.

Park Lake St.

Woodward St.

Woodward St.

Peachtree Rd.

50

Irma Ave.

50

Lake Park Lake

92

E. Colonial Dr.

Cathcart Ave.

N. Summerlin Ave.

N. Hyer Ave.

50

Hillcrest St.

92

W. Concord St.

527

E. Concord St.

Mt. Vermon St.

Lake Dot

N. Highway Ave.

N. Garland Ave.

W. Amelia St.

E. Amelia St.

Broadway Ave.

E. Amelia St.

X

N. Parramore Ave.

W. Livingstone St.

E. Livingston

N. Mills Ave.

E. Harwood St.

W. Robinson St.

E. Ridgewood St.

526

E. Robinson St.

E. Robinson St.

E. Robinson St.

E. Jefferson St.

E Washington St.

Ossie St.

Grove Park Dr.

Lake Eola Park 1

E. Washington St.

W. Central

S. Bryan Ave.

E. Washington St.

527

3

S. Magnolia Ave.

S. Rosalind Ave.

E. Central Blvd.

N. Summerlin Ave.

N. Hyer Ave.

Lake Lawsona

W. Pine St.

E. Pine St.

W. Church St.

E. Church St.

E. Jackson St.

Lake Olive

S Lawsona Blvd.

Y

E. South St.

E. South St.

2

S. Orange Ave.

W. Anderson St.

408

15

E. Anderson St.

408

15

Avondale Ave.

Atlanta Ave.

Main Ln.

408

Lake Ave.

Greenwood Cemetery

Conley St.

Ernestine St.

Palmer St.

Lake Cherokee

Greenwood St.

W. Gore St.

Sligh Blvd.

W. Gore St.

Cherokee Dr.

S. Mills Ave.

E. Gores St.

Piedmont St.

Piedmont St.

Delaney Ave.

Euclid Ave.

Lake David

Z

Citrus St.

4

Lake of the Woods

Annie St.

Delaney Park Dr.

Lake Weldona

W. Columbia St.

W. Columbia St.

Briercliff Dr.

Grand St.

Lake Copeland

Indiana St.

Purdue St.

0   0,5   1 km

0   0,25   0,5mi

A **B** **C**

International Drive

L'International Drive constitue un long corridor reliant les grands parcs d'attractions de la région d'Orlando, bordé d'innombrables hôtels, restaurants, centres commerciaux et attractions de tout acabit. Voici d'ailleurs quelques-unes de ces attractions que nous considérons comme les plus intéressantes.

Il y a plusieurs parcs aquatiques dans les environs (dont ceux de Disney World), mais l'un des plus appréciés demeure **Wet'n Wild** ★★★ *(adultes 36,95$, enfants 30,95$; 6200 International Dr., ☎407-351-1800 ou 800-992-9453, www. wetnwildorlando.com)*, un classique du genre créé en 1977. Comme il se doit, le parc compte de nombreux toboggans dont un de 118 m de haut dénommé «Blast», une descente en chambre à air, une piscine à vagues, des aires de piquenique, sans oublier la plage artificielle où se faire bronzer.

WonderWorks ★★ *(adultes 19,95$, enfants 14,95$; tlj 9h à 24h; 9067 International Dr., ☎407-351-8800, www.wonderworksonline. com)* renferme de nombreuses expositions ludiques à caractère scientifique et plusieurs attractions virtuelles telles des montagnes russes dont on peut dessiner le parcours soi-même. Son amusant bâtiment, un temple grec qui semble avoir volé dans les airs avant de se poser à l'envers à Orlando (!), mérite le coup d'œil.

Hommage à la ville de Jérusalem antique, **The Holy Land Experience** ★★ *(adultes 35$, enfants 23$; lun-sam 10h à 17h; 4655 Vineland Rd., ☎407-872-2272, www. holylandexperience.com)* propose une série de reconstitutions des divers épisodes de l'Ancien et du Nouveau Testament. On y trouve entre autres une magnifique maquette de Jérusalem, ainsi qu'une impressionnante collection de bibles anciennes.

L'**Orlando/Orange County Convention Center** *(9800 International Dr., ☎407-685-9800, www.orlandoconvention.com)* est également à signaler dans le secteur d'International Drive. Avec ses 195 000 m² d'exposition, ce centre de congrès aux lignes modernes et élégantes compte maintenant parmi les plus importants aux États-Unis.

Kissimmee

Située au sud d'Orlando, Kissimmee est accessible par la route 192, aussi dénommée «Irlo Bronson Memorial Highway» et «Vine Street», qui croise la route I-4 tout juste au sud-est de Walt Disney World. Cette proximité du royaume de Disney rend ce secteur attrayant quant à l'hébergement, moins cher que dans les limites du parc tout en en étant peu éloigné.

Autrefois une petite communauté agricole paisible vouée à l'élevage du bœuf, Kissimmee s'est transformée de façon drastique dans la foulée de l'implantation de Walt Disney World dans les années 1970. Aujourd'hui, restaurants, hôtels, minigolfs et autres attractions, des meilleures jusque (le plus souvent) aux pires, s'alignent le long de la route 192 et débordent même plus loin à l'est jusqu'à St. Cloud.

Des milliers d'alligators, crocodiles et autres reptiles peuplent **Gatorland** ★★★ *(adultes 19,95$, enfants 12,95$; tlj 9h au coucher du soleil; 14501 S. Orange Blossom Trail, ☎800-393-5297, www.gatorland.com)*, qui est en fait une ferme d'élevage fondée en 1949. Le volet touristique prend la forme d'un parc animalier que vous découvrirez au moyen de trottoirs surélevés surplombant les bassins, ou d'une visite commentée à bord d'un petit train. Des spectacles au cours desquels ces énormes animaux exécutent des sauts surprenants sont également présentés.

Winter Park ★★★

Située dans la partie nord-est de la région urbaine d'Orlando, Winter Park est en fait une ville indépendante de 23 000 habitants, qui s'est joliment établie aux abords du **lac Osceola** ★★★. Il est d'ailleurs possible de faire une agréable balade en bateau sur ce beau plan d'eau, en se rendant tout au bout de Morse Boulevard: **Scenic Boat Tours** (☎*407-644-4056, www.scenicboattours.com*).

Le **Charles Hosmer Morse Museum of American Art** ★★★★ *(adultes 3$, enfants gratuit; mar-sam 9h30 à 16h, dim 13h à 16h; 445 N. Park Ave.,* ☎*407-645-5311, www. morsemuseum.org)* abrite de nombreuses œuvres d'artistes américains des XIXᵉ et XXᵉ siècles, incluant une impressionnante collection de poteries, peintures, bijoux et vitraux réalisés par Louis Comfort Tiffany. On y retrouve même le magnifique **intérieur de chapelle** ★★★★★ conçu par Tiffany en 1893 pour la World's Columbian Exposition de Chicago, une réalisation exceptionnelle que les fondateurs du musée, Jeannette Genius McKean et son mari, Hugh F. McKean, récupèrent in extremis en 1959 des ruines de l'ancien manoir incendié de l'artiste, mort plus de 25 ans auparavant. La chapelle n'est finalement restaurée et superbement reconstituée qu'en 1999, dans une nouvelle aile du musée construite grâce à la fortune léguée par les McKean à leur décès, survenus respectivement en 1989 et 1995.

Excursions dans les environs

Lakeland

Une curiosité à signaler se trouve à Lakeland, à une cinquantaine de kilomètres au sud-ouest de Kissimmee par la route I-4. Il s'agit du **Florida Southern College** ★★★, une université dont le campus comporte huit immeubles dessinés par le maître de l'architecture américaine moderne, Frank Lloyd Wright.

Winter Haven

Le plus ancien parc thématique de la Floride se trouve à Winter Haven, à environ 45 km au sud de Walt Disney World. Il s'agit des vénérables **Cypress Gardens** ★★★★ *(adultes 44,95$, enfants 39,95$; 6000 Cypress Gardens Blvd.,* ☎*863-324-2111, www.cypressgardens.com)*, rachetés après leur fermeture en 2003 par un homme d'affaires de Géorgie, Kent Buescher. Plus de 45 millions de dollars plus tard, les Cypress Gardens ont retrouvé leur lustre et ont rouvert leurs portes en décembre 2004. Créé en 1936 par Dick et Julie Pope, le parc est renommé pour ses splendides jardins tropicaux, que l'on nomme aujourd'hui les **Historic Gardens** ★★★. Autre attraction qui a fait la réputation de l'endroit, les fameux **spectacles de ski nautique** ★★★★ sont toujours présentés quelques fois par jour. Il y a aussi **Wings of Wonder** ★★★, une impressionnante volière à papillons dans laquelle on peut observer des centaines de spécimens colorés. Une quarantaine de nouveaux manèges, dont quatre parcours de montagnes russes, ont de plus été ajoutés afin de rajeunir l'ensemble.

Lake Wales

Une visite de Lake Wales, cette toute petite communauté située à une soixantaine de kilomètres au sud de Kissimmee, s'impose pour les amateurs de botanique. C'est là qu'en 1929 l'éditeur d'origine hollandaise Edward William Bok, directeur notamment du célèbre magazine féminin *Ladies' Home Journal*, fait aménager les 63 ha du terrain qu'il possède par Frederick Law Olmsted Jr., fils de l'architecte paysagiste à qui l'on doit le Central Park de New York et le parc du Mont-Royal à Montréal. Les magnifiques jardins de l'**Historic Bok Sanctuary** ★★★★ *(adultes 10$, enfants 3$; tlj 8h à 18h; 1151 Tower Blvd.,* ☎*863-676-1408, www.boksanctuary.org)*, que vous pouvez aujourd'hui explorer à votre guise, sont dominés par la **Bok Tower** ★★★★ (Milton B. Medary, architecte; Lee Lawrie, sculpteur), une remarquable tour néogothique haute de 62 m qui comprend un carillon de quelque 60 cloches servant à la présentation de récitals *(tlj à 15h)*.

Au-delà des grands parcs - Excursions dans les environs - Lake Wales

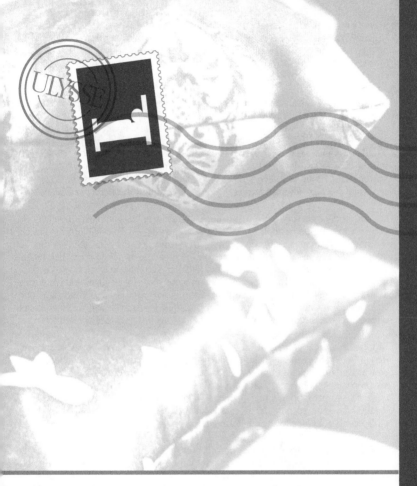

Hébergement

Depuis que Mickey Mouse est arrivé en ville, les hôtels ont poussé plus vite que les fleurs d'oranger. Disney World à lui seul possède plus de 21 500 chambres d'hôtel et emplacements de camping.

À la porte de Walt Disney World se trouvent certains des lieux d'hébergement les plus luxueux de la Floride, flanqués de rangées de motels qui s'étendent jusque dans les lointains pâturages. Ce boom hôtelier s'est produit si rapidement qu'il a fallu quelque temps avant que la demande ne s'ajuste à l'offre. Vous pouvez, par conséquent, trouver de bons prix, surtout pendant la basse saison (en dehors des périodes de congés scolaires).

La question la plus souvent posée concernant l'hébergement est aussi celle à laquelle il est le plus difficile de répondre: *Doit-on se loger à Disney World même?* Les établissements hôteliers de Disney World sont certes parmi les plus onéreux, mais ils sont également, et de loin, les plus commodes; or, quand on parle de vacances à Disney World, la commodité vient facilement au premier plan des considérations du visiteur, surtout dans le cas des familles avec de jeunes enfants, qui peuvent véritablement sauver chaque jour des heures de déplacements (et d'embêtements) en logeant à proximité des parcs thématiques et des moyens de transport offerts par Disney.

Si votre budget ne vous permet pas de séjourner dans les complexes hôteliers de Disney (ou s'ils sont complets), le terrain de camping de Fort Wilderness ou l'un des nombreux autres terrains de camping avoisinants peuvent constituer une option intéressante. Si vous préférez un motel ou un appartement de type familial, tenez-vous-en à ceux qui se trouvent à quelques kilomètres à peine de Disney. Vous économiseriez sans doute de l'argent en prenant un motel plus éloigné, mais vous passeriez alors des heures à faire la navette entre votre chambre et Disney World dans une circulation souvent dense. Retenez enfin que, quel que soit le lieu d'hébergement que vous choisissiez, les enfants seront presque toujours logés gratuitement.

La location d'un appartement ou d'une maison dans les environs est aussi à considérer. Quelques agences en font d'ailleurs leur spécialité. Ce type d'hébergement conviendra aux familles et aux groupes qui souhaitent économiser sur les repas en les préparant eux-mêmes plutôt que de toujours s'en remettre aux restaurants. Le confort accru par rapport à une chambre d'hôtel classique en séduira aussi plusieurs. Il faut cependant se rappeler que la location d'une voiture devient pratiquement indispensable si l'on choisit cette formule.

Sauf avis contraire, les catégories de prix suivantes s'appliquent à deux adultes et deux enfants de moins de 18 ans occupant une seule et même chambre. Les hôtels **petit budget** *($)* coûtent habituellement moins de 80$ par nuitée. Les hôtels de catégorie **moyenne** *($$)* coûtent de 80$ à 125$, ceux de catégorie **moyenne-élevée** *($$$)*, de 126$ à 200$, ceux de catégorie **supérieure** *($$$$)*, de 201$ à 300$, et les établissements de **grand luxe** *($$$$$)*, plus de 300$ par nuitée.

Walt Disney World

Un des plus grands avantages de résider à Walt Disney World même est que vous pouvez ranger les clés de votre voiture pendant toute la durée de votre séjour. En effet, les monorails, les traversiers et les bus vous transportent gratuitement vers tous les restaurants, attractions, boutiques et boîtes de nuit. Cela vous permettra en outre de vous reposer des parcs thématiques en milieu de journée en retournant à votre hôtel pour y faire trempette, ou simplement une sieste, ce qui n'est pas à négliger si vous voyagez avec des enfants.

Mais il y a plus encore, surtout si vous avez des enfants. Ici, la plupart des complexes hôteliers ont effectivement été conçus en fonction des familles. Habiter le monde de Disney, c'est aussi profiter des «Mouseketeer Clubs», d'activités pour adolescents, de papiers peints à l'effigie des personnages de dessins animés et de la présence de Mickey dans le hall d'hôtel. Et il y a une foule d'autres avantages, comme le fait de pouvoir réserver aux restaurants Disney jusqu'à trois jours à l'avance. Par ailleurs, puisque l'imagination est au cœur même de Disney World, quoi de plus naturel que de la voir se manifester jusque dans l'hébergement (camping compris!); élégant ou dingue, de Polynésie ou de Nouvelle-Angleterre, le décor de chaque complexe hôtelier de Disney a un cachet tout à fait particulier, et peu importe lequel vous choisirez, vous savez d'avance que vous serez comblé.

Pour réserver votre chambre d'hôtel dans l'un ou l'autre des établissements situés sur le site de Walt Disney World, communiquez avec la centrale de réservations:

Walt Disney World Central Reservations Office
P.O. Box 10100
Lake Buena Vista, FL 32830-0100
☎ 407-934-7639
www.disneyworld.com

Disney's All-Star Resorts
$$-$$$
≡ ≈ ♨ ✳ 🔒 ᵴ

Cette série de trois établissements à prix abordables connaît un tel succès qu'il faut réserver le plus longtemps possible à l'avance, et ce, même si l'on y compte près de 6 000 chambres. Le motel traditionnel est ici littéralement redéfini... à la sauce Disney. Ainsi, un thème est retenu pour chacun: la musique au **All-Star Music Resort** *(1801 W. Buena Vista Dr.,* ☎ *407-939-6000,* 🖷 *407-939-7222),* le sport au **All-Star Sports Resort** *(1701 W. Buena Vista Dr.,* ☎ *407-939-5000,* 🖷 *407-939-7333)* et le cinéma au **All-Star Movies Resort** *(1901 W. Buena Vista Dr.,* ☎ *407-939-7000,* 🖷 *407-939-7111).* L'aménagement intérieur et extérieur des complexes est ponctué d'innombrables et spectaculaires rappels de ces thèmes: immenses

personnages de Disney, cages d'escalier aux formes extravagantes, piscines dessinées en fonction de la thématique, etc. Les chambres, réparties sur trois étages, sont simples mais confortables et décorées de façon amusante. Toutes renferment deux lits doubles. Moyennant un léger supplément quotidien, on peut s'y faire installer un mini-réfrigérateur. Il est à noter qu'à l'automne 2006, 400 chambres du All-Star Music Resort ont été transformées en 192 suites familiales pouvant accueillir jusqu'à six personnes. Ces hôtels sont situés à mi-chemin entre Animal Kingdom et Blizzard Beach.

Disney's Pop Century Resort
$$-$$$
≡ ≈ ♨ 🔒 ᵴ
1050 Century Dr.
☎ 407-938-4000
🖷 407-938-4040

Devant le succès phénoménal remporté par ses établissements de la série des All-Star Resorts, Disney World récidive en lançant son Pop Century Resort à la fin de 2003. La même formule y est retenue, sur le thème cette fois de la culture populaire de la seconde moitié du XXᵉ siècle. Situé dans les environs du Disney's Wide World of Sports Complex, cet hôtel compte pas moins de 2 880 chambres réparties dans des bâtiments de quatre étages. Ici, ce sont des représentations géantes de téléphones Mickey, de cubes Rubik, de quilles et autres icônes pop qui rendent le site irrésistible.

Doubletree Guest Suites Resort
$$$
≡ ≈ ♨ ✳ 🏊 ᵴ
2305 Hotel Plaza Blvd.
☎ 407-934-1000 ou 800-222-8733
🖷 407-934-1011
www.doubletreeguestsuites.com

Le Doubletree renferme 230 suites comprenant chacune une chambre fermée, un salon avec canapé-lit et un coin repas avec réfrigérateur et four micro-ondes. Situé à deux pas de Downtown Disney.

Disney's Caribbean Beach Resort
$$$
≡ ≈ ♨ ✳ 🔒 ᵴ
900 Cayman Way
☎ 407-934-3400

☏ 407-934-3288

Ce centre de villégiature familial de plus de 2 000 chambres vous plonge dans une atmosphère proche de celle des Caraïbes: reconstitution de petits villages, plages de sable blanc, piscines, chambres aménagées dans des villas respectivement baptisées du nom d'une île des Antilles. Il y a aussi un terrain de jeux pour enfants et de nombreuses options en ce qui a trait à la restauration. Possibilité d'obtenir un petit réfrigérateur moyennant un léger supplément par jour.

Disney's Port Orleans Resort
$$$

≡ ≋ ❋ 🔒 ♿

2201 Orleans Dr.
☎ 407-934-5000
☏ 407-934-5353

Des décors de la vallée du Mississippi vous attendent au Port Orleans Resort. Ainsi, les 2 000 chambres de cet établissement sont réparties dans des résidences aux balcons en fer forgé qui rappellent La Nouvelle-Orléans (secteur «French Quarter») et dans des bâtiments comme ceux qu'on trouve dans les bayous (secteur «Riverside Rooms»). Elles sont meublées de deux lits doubles. Réfrigérateur sur demande (supplément). De petits bateaux font la navette entre l'hôtel et Downtown Disney.

Hotel Royal Plaza
$$$-$$$$

♨ ≋ ⫶⫶⫶

1905 Hotel Plaza Blvd.
Lake Buena Vista
☎ 407-828-2828 ou 800-248-7890
☏ 407-828-6338

www.royalplaza.com

L'Hotel Royal Plaza, moderne et rehaussé d'un cachet méditerranéen, comprend, en plus de 394 chambres, des courts de tennis, un *lounge* et un sauna. L'un des avantages de loger ici est que vous vous retrouverez en plein Downtown Disney; de plus, on vous y offrira gratuitement le transport vers toutes les attractions de Disney.

Disney's Coronado Springs Resort
$$$-$$$$$

≡ ≋ ⫶⫶⫶ ❋ 🔒 ♿

1001 W. Buena Vista Dr.
☎ 407-939-1000
☏ 407-939-1001

Avec sa reproduction d'une pyramide maya haute de 15 m, c'est clairement au Mexique que le Coronado Springs rend hommage. Trois bâtiments aux allures d'haciendas abritent les quelque 1 900 chambres de l'hôtel. Toutes sont munies de deux lits doubles, et l'on peut y faire installer un petit réfrigérateur moyennant un léger supplément.

Disney's Contemporary Resort
$$$$-$$$$$

≡ ≋ ♨ 🔒 ♿

4600 N. World Dr.
☎ 407-824-1000
☏ 407-824-3539

Le Contemporary Resort est cet hôtel futuriste que traverse le monorail de Disney World. Plutôt anonyme si on le compare aux établissements à thème développés par Disney au cours des dernières années, il a au moins l'avantage de proposer des chambres vastes et confortables, et de se trouver tout près du Magic Kingdom. L'établissement, qui

▲ HÉBERGEMENT

1.	CW	Buena Vista Palace Hotel
2.	AY	Disney's All Star Movies Resort
3.	AY	Disney's All Star Music Resort
4.	AY	Disney's All Star Sports Resort
5.	AX	Disney's Animal Kingdom Lodge
6.	BX	Disney's Beach Club Villas
7.	BX	Disney's BoardWalk Inn
8.	BX	Disney's BoardWalk Villas
9.	BX	Disney's Caribbean Beach Resort
10.	AV	Disney's Contemporary Resort
11.	AX	Disney's Coronado Springs Resort
12.	BV	Disney's Fort Wilderness Resort and Campground
13.	AV	Disney's Grand Floridian Resort & Spa
14.	CX	Disney's Old Key West Resort
15.	AV	Disney's Polynesian Resort
16.	BX	Disney's Pop Century Resort
17.	CX	Disney's Port Orleans Resort
18.	CX	Disney's Saratoga Springs Resort and Spa
19.	AV	Disney's Wilderness Lodge
20.	AV	Disney's Wilderness Lodge Villas
21.	BX	Disney's Yacht and Beach Club Resorts
22.	CW	Doubletree Guest Suites Resort
23.	CX	Hotel Royal Plaza
24.	BX	Walt Disney World Dolphin
25.	BX	Walt Disney World Swan

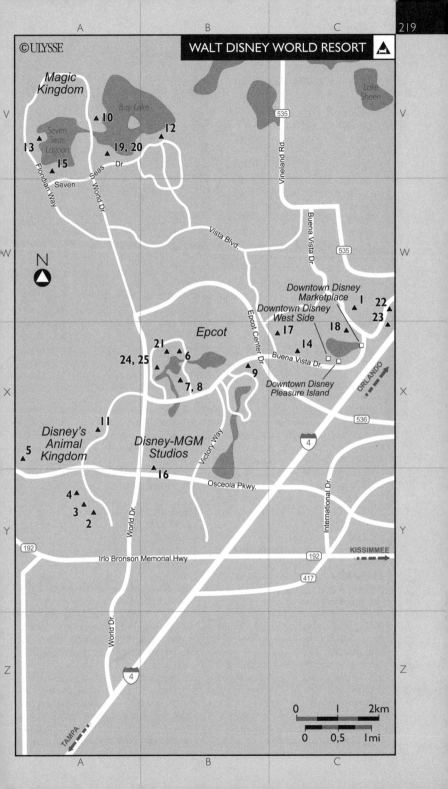

Le Disney Vacation Club

Le **Disney Vacation Club** (*☎800-500-3990, www.disneyvacationclub.com*) reprend la formule du *time sharing* (multipropriété), en l'apprêtant bien sûr à la sauce Disney. Ainsi, pour devenir membre du club, il faut acquérir un studio, un appartement ou une villa en «temps partagé», ce qui signifie qu'on peut y loger un nombre prédéterminé de semaines chaque année. Les complexes d'hébergement participants sont situés à Disney World (Beach Club Villas, BoardWalk Villas, Old Key West Resort, Saratoga Springs Resort & Spa, Wilderness Lodge Villas), à Vero Beach sur la côte est de la Floride (Disney's Vero Beach Resort) et en Caroline du Sud (Disney's Hilton Head Island Resort).

Au cours des années qui suivent l'acquisition d'une unité, les membres peuvent séjourner dans le lieu d'hébergement où ils «possèdent» un logement ou, par un système de points auxquels donne droit la somme investie, échanger leur temps de résidence à cet endroit contre un séjour dans un autre établissement participant. En plus des complexes cités plus haut, quelque 500 autres, se trouvant un peu partout dans le monde, sont également accessibles, de même que des croisières de la Disney Cruise Line et d'autres formules de vacances.

Il est à noter que les non-membres du Disney Vacation Club peuvent tout de même louer des studios, appartements et villas dans les complexes de Disney World qui participent à ce programme, mais seulement lorsque ceux-ci s'avèrent inoccupés par les membres en règle.

---

a ouvert ses portes en 1971 en même temps que Walt Disney World, a par ailleurs subi une importante rénovation terminée en 2006. La décoration de toutes les chambres a été revue de manière à répondre aux besoins des vacanciers et des voyageurs d'affaires d'aujourd'hui. Chacune est maintenant équipée d'un téléviseur à écran plat et d'une grande table de travail.

Walt Disney World Swan / Walt Disney World Dolphin
$$$$-$$$$$
≡ ≋ ₩ ☎ 🔒 ♿

1200 Epcot Resorts Blvd.
☎407-934-3000 (Swan)
☎407-934-4000 (Dolphin)
☎888-828-8850 (les deux)
www.swandolphin.com

On ne peut manquer ces deux grands hôtels qui se font face non loin du Disney's Boardwalk Resort, avec les cygnes et les dauphins géants qui trônent sur leurs toits. Ces deux établissements proposent de grandes et luxueuses chambres bien équipées, incluant cafetière et séchoir.

Quatre courts de tennis, cinq piscines et de nombreux restaurants et bars dans les hôtels et à proximité de ceux-ci (au Boardwalk) sont mis à votre disposition. De petites navettes lacustres peuvent de plus vous conduire à Epcot en quelques minutes seulement.

Disney's Old Key West Resort
$$$$-$$$$$
≋ ₩ ☎ ♀

1510 N. Cove Rd.
Lake Buena Vista
☎407-827-7700

Les sons feutrés de la musique de Jimmy Buffet et des airs de calypso vous introduisent au confort de l'Old Key West Resort. Les chambres, plus spacieuses et plus luxueuses que celles d'autres hôtels de Disney, sont parées de tons pastel et disposent d'agréables porches. Vous avez le choix entre les studios grand luxe, les appartements à une, deux ou trois chambres à coucher et la Grand Villa, qui peut accueillir jusqu'à 12 personnes. Cet établissement s'inscrit dans le programme **Disney Vacation Club** (voir l'encadré ci-dessus).

Disney's Animal Kingdom Lodge
$$$$-$$$$$
≡ ≋ ♨ ⌂ ⚕

2901 Osceola Pkwy.
☎ 407-938-3000
🖶 407-938-4799

La décoration des chambres de l'Animal Kingdom Lodge évoque habilement l'Afrique à l'aide de ventilateurs de plafond et d'éléments d'artisanat. Mais plus spectaculaire encore, le balcon de la majorité des chambres donne sur une «réserve faunique africaine» où il est possible d'apercevoir des girafes, des zèbres et d'autres animaux.

Disney's Saratoga Springs Resort & Spa
$$$$-$$$$$
♨ 🍴 ≋ ≡ Y

☎ 407-827-1100

De plus en plus de visiteurs à Disney World sont en fait «propriétaires d'appartements» dans l'un des établissements inscrits au programme **Disney Vacation Club** (voir l'encadré page ci-contre). Le plus récent complexe d'hébergement de cette catégorie est le Saratoga Springs Resort & Spa. Installé sur le site du Disney Institute (lieu de la défunte expérience de Disney en matière de vacances éducatives), le Saratoga Springs, du nom d'un populaire centre de villégiature estival du nord-est de l'État de New York au tournant du XXᵉ siècle, abrite plus de 800 logements de une, deux ou trois chambres à coucher. Le complexe – qui regarde vers Downtown Disney – s'avère idéal pour les amants de la vie nocturne et du magasinage. Le spa, quant à lui, permet aux parents de se relaxer après leur journée en compagnie d'enfants survoltés…

Disney's Wilderness Lodge
$$$$-$$$$$
≡ ≋ ♨ ⌂ ⚕

901 W. Timberline Dr.
☎ 407-824-3200
🖶 407-824-3232

Situé dans le secteur du Magic Kingdom, le Wilderness Lodge vous transporte dans l'atmosphère d'un parc national du nord-ouest des États-Unis. Sculptures amérindiennes, grand foyer dans le hall et décoration rustique sont ici à l'honneur. Les chambres, quoique confortables, s'avèrent toutefois de dimensions modestes. Le complexe comprend en outre, dans un bâtiment attenant de cinq étages, les quelque 180 **Wilderness Lodge Villas**. Occupées en priorité par les membres du **Disney Vacation Club** (voir l'encadré page ci-contre), elles prennent la forme de luxueux studios ou appartements de une ou deux chambres à coucher.

> Après Las Vegas, l'agglomération d'Orlando possède plus de chambres d'hôtel que toute autre région métropolitaine aux États-Unis!

Buena Vista Palace Hotel & Spa
$$$$-$$$$$
≋ ♨ 🍴 Y

1900 Buena Vista Dr.
Lake Buena Vista
☎ 407-827-2727 ou 866-397-6516
🖶 407-827-6034
www.buenavistapalace.com

Le Buena Vista Palace compte 895 chambres et 117 suites dans un décor très chouette. Situé sur un terrain de 11 ha, ce méga-complexe hôtelier ressemble à une tour élancée et montée sur un énorme piédestal. Le hall, d'une hauteur vertigineuse, est couronné de vitraux et de jeux d'eau. Les chambres sont modernes: moquettes moelleuses, meubles en chêne clair et balcons privés. Pour les familles, l'édifice adjacent, qui abrite les **Island Suites**, dispose de grands appartements de une ou deux chambres avec cuisinette, séjour et salle à manger. Entre les deux édifices se trouvent trois piscines chauffées, de petits bassins pour enfants et des courts de tennis. Vous découvrirez aussi dans les environs six parcours de golf à 18 trous de même que neuf bars et restaurants, dont un de style familial servant des repas minute de qualité.

Disney's Grand Floridian Resort & Spa
$$$$$
≡ ≋ ♨ ⚓ Y ⌂ ⚕

4401 Floridian Way
☎ 407-824-3000
🖶 407-824-3186

La spectaculaire élégance du Grand Floridian n'échappe à personne. La grandiose silhouette blanche de ce magnifique hôtel victorien au toit rouge se laisse
en effet admirer de loin, aux abords du
Seven Seas Lagoon qui s'étend devant
l'entrée du Magic Kingdom. Chaque
chambre, richement décorée, renferme
un grand lit ou deux lits doubles, et
donne sur un beau balcon. Un spa et un
centre de conditionnement physique très
bien équipés sont accessibles sur place.
La grande dame des hôtels disneyens.

Disney's Polynesian Resort
$$$$$
≡ ≋ ♨ ❄ 🔒 ⚿

1600 Seas Dr.
☎ 407-824-2000
🖷 407-824-3174

Plage de sable, bâtiments de bois et
de bambou, palmiers, cascades, jardins
touffus: vous voici au cœur d'une île
du Pacifique Sud? Non, simplement au
Polynesian Resort, non loin du Magic
Kingdom. Cet hôtel, l'un des premiers à
avoir été construits à Disney World, propose 850 chambres de très grand luxe. À
noter que toutes les chambres ont subi
une cure de rajeunissement au cours de
2006; elles sont désormais habillées de
couleurs éclatantes et garnies de meubles en bambou rehaussés d'éléments
décoratifs sculptés. Réfrigérateur disponible sur demande (supplément).

Disney's Yacht and Beach Club Resorts
$$$$$
≡ ≋ ♨ 🔒 ⚿

1700 et 1800 Epcot Resorts Blvd.
☎ 407-934-7000 (Yacht Club)
☎ 407-934-8000 (Beach Club)

Ces deux hôtels jumeaux, qui font face
au Disney's BoardWalk Inn situé de
l'autre côté du lac, prennent la forme
d'un centre de villégiature balnéaire
avec leur plage de sable, leur mini-port
de plaisance et leur splendide piscine
avec glissoire. Grâce à leur situation pri-
vilégiée, ils permettent de profiter des
restaurants et des bars du BoardWalk
d'en face et de se rendre à pied jusqu'à Epcot. Les chambres, de très bon
confort, comprennent un grand lit ou
deux lits doubles.

Disney's Beach Club Villas
$$$$$
♨ ≋ ❤

1900 Epcot Resorts Blvd.
☎ 407-934-2175
🖷 407-934-3850

Ceux qui préfèrent le charme de la Nouvelle-Angleterre, mais avec plus d'espace, peuvent essayer les Beach Club
Villas. Cet établissement membre du
Disney Vacation Club (voir l'encadré p 220)
propose des habitations aux dimensions
d'un appartement, avec pas moins de
trois chambres à coucher. Les plus grandes résidences renferment également
une buanderie et une cuisine tout équipée. Seul désavantage, toutes les Villas
sont situées à l'arrière du site du Beach
Club, ce qui veut dire que vous n'aurez
pas de vue sur le BoardWalk, faisant ainsi des BoardWalk Villas (voir ci-dessous)
peut-être un meilleur choix.

Disney's BoardWalk Inn
$$$$$
≡ ≋ ♨ ❤ 🔒 ⚿

2101 N. Epcot Resorts Blvd.
☎ 407-939-5100
🖷 407-934-5150

Ce splendide hôtel, dont l'architecture
rappelle les grandes demeures côtières
de la Nouvelle-Angleterre, s'étend au
bord d'une promenade de bois aménagée au bord d'un lagon. Fait à signaler,
de nombreux restaurants, boîtes de nuit
et boutiques s'alignent le long du Board-
Walk, si bien qu'on ne risque pas de s'en-
nuyer dans le secteur. De plus, il est facile de se rendre à pied jusqu'à l'une des
entrées d'Epcot (l'International Gateway
du World Showcase). Les chambres sont
garnies de meubles d'époque rappelant
les stations balnéaires de la côte Atlantique des années 1930. Il y a aussi les
BoardWalk Villas, au nombre de 520, qui
s'adressent en priorité aux membres du
Disney Vacation Club (voir l'encadré p 220).
Il s'agit là aussi bien de studios avec cuisinette que de villas conventionnelles de
une, deux ou trois chambres avec salle
de séjour, cuisine complète et coin salle
à manger.

Campings de Walt Disney World

Peu d'expériences vous rapprochent davantage de la «vraie» Floride que le camping. Des douzaines de terrains aménagés à cet effet à la porte de Disney vous permettent de dormir au pied des pins et des palmiers nains, couverts de mousse, ou dans des champs ouverts, parsemés de lacs. Vous pouvez vous y rendre avec votre véhicule récréatif, y planter votre propre tente ou encore en louer une sur place dans bon nombre de campings. De plus, il y a un terrain de camping superbe à Walt Disney World même.

Pour les familles, le camping peut constituer la solution de rechange idéale aux hôtels et aux motels. Les enfants y ont tout l'espace voulu pour courir (plus de courses dans les couloirs ni de voisins réveillés) et peuvent s'adonner à une myriade d'activités. Il y a des promenades en charrette de foin, des feux de camp, du canot, de la baignade, du vélo, des arbres à grimper, des sentiers à explorer et des lacs où pêcher. Il va sans dire que le camping coûte moins cher que l'hébergement à l'hôtel, et vous avez de plus l'occasion de cuisiner vos propres repas et, bien souvent, d'emmener votre animal de compagnie. Enfin, aucun service aux chambres de luxe ne peut remplacer l'esprit de camaraderie des campeurs, surtout entre familles. Tout bien considéré, il s'agit d'un bon moyen d'échapper à la folie des parcs thématiques.

**Disney's Fort Wilderness
Resort & Campground
*$ emplacements de camping
$$$$-$$$$$ caravanes à louer***
☛ ⬤

☎ 407-824-2900

C'est Walt Disney World (qui s'en étonnera?) qui possède le terrain de camping le plus raffiné. Le Fort Wilderness Resort offre tous les aménagements imaginables, du zoo interactif aux films de Disney en soirée, en passant par le parc aquatique. Les salles de douche sont si complètes, disait une mère, *«que nous*

pouvions nous y mettre en grande toilette tous les soirs pour le dîner». Même le chant des oiseaux est au rendez-vous.

Parmi les nombreuses particularités du camping de Disney World, mentionnons:

- des bateaux qui font la navette entre le camping et le Magic Kingdom, et un service de bus vers toute autre destination à Disney World;

- des installations climatisées comprenant toilettes, douches à l'eau chaude, vestiaires spacieux, distributeurs de glace et laverie automatique;

- plusieurs épiceries fines et casse-croûte, un restaurant de catégorie moyenne et une taverne;

- le Pioneer Hall, où a lieu la revue musicale *Hoop-Dee-Doo* et où les enfants peuvent prendre le petit déjeuner avec Tic et Tac;

- des chevaux d'équitation, des sentiers dans la nature, des courts de tennis, des piscines, des salles de jeux vidéo, des terrains de jeu, un lac pittoresque avec une plage pour la baignade, des canaux pour le canot et une marina avec location de bateaux à voiles et de skis nautiques, sans oublier les excursions de pêche au bar.

Malgré tout, bien des gens refusent de séjourner à Fort Wilderness, de peur d'avoir la vie trop dure. Ils se trompent! Ce refuge boisé de 300 ha dispose de caravanes qui donneraient de sérieux complexes à plus d'une chambre de motel. Blotties dans une pinède, les 408 roulottes climatisées offrent une cuisine et une salle de bain complètes, une chambre à coucher, un téléviseur, un téléphone et un service quotidien de bonne. Les prix en sont très élevés (entre 234$ et 339$ par nuitée), mais elles peuvent héberger jusqu'à quatre ou six personnes selon les modèles. Dehors, on retrouve devant chacune d'elles un petit jardin avec table de pique-nique et gril.

Pour ceux qui voyagent avec leur propre caravane, tente-caravane ou tente, Fort Wilderness compte 784 emplacements à travers les arbres. Ils sont tous munis de prises électriques, de tables de pique-nique et de grils au charbon de bois, et plusieurs d'entre eux disposent de raccordements sanitaires (eau courante et égout). Les tarifs varient de modiques à moyens selon la distance qui vous sépare du lac de Fort Wilderness (à partir de 39$ par nuit).

Pour l'été, Fort Wilderness est souvent complet à compter de Pâques. Si vous y allez durant cette période, réservez donc **plusieurs mois à l'avance** (pour plus de détails, consultez le chapitre intitulé «Ailleurs à Disney», p 142).

Universal Orlando

Soucieux de proposer une solution de rechange valable au concurrent qu'est Walt Disney World, le complexe d'Universal Orlando (Universal Studios, Islands of Adventure, Universal CityWalk) a entrepris un ambitieux développement visant à en faire une destination à part entière. La construction de trois hôtels d'envergure au cours des dernières années fait partie de ce plan. À noter que les occupants des hôtels se voient octroyer le privilège de passer devant les files d'attente aux attractions des parcs thématiques Universal Studios et Islands of Adventure. Des navettes lacustres ou routières conduisent de plus les hôtes jusqu'à l'entrée des parcs.

Royal Pacific Resort
$$$-$$$$
≡ ≋ ⱳ ⑅ 🔒

6300 Universal Blvd.
☎ 407-503-3000 ou 888-273-1311
🖷 407-503-3010
www.usf.com

Au Royal Pacific Resort, le thème retenu se veut tropical. Ainsi, l'aménagement extérieur rappelle les îles du Pacifique Sud: piscine en forme de lagon bordée d'une petite plage, présence de nombreux palmiers dans de luxuriants jardins. Inauguré à l'été de 2002, cet hôtel

de plus de 1 000 chambres est le plus récent du complexe d'Universal Orlando. Toutes les chambres, de dimensions plus restreintes que celles des deux autres hôtels du complexe, mais aussi légèrement plus économiques, sont équipées d'une cafetière, ainsi que d'une planche et d'un fer à repasser.

Hard Rock Hotel
$$$$-$$$$$
≡ ≋ ⱳ ⑅ ⑅ 🔒

5800 Universal Blvd.
☎ 407-503-2000 ou 888-273-1311
www.usf.com

On s'en doute, le thème du Hard Rock Hotel est l'histoire du rock-and-roll. Aussi vous ne serez pas surpris de voir d'innombrables souvenirs ayant appartenu à des idoles du rock en exposition un peu partout dans l'hôtel (guitares, disques d'or, costumes, photographies autographiées, etc.). Il y a même des haut-parleurs diffusant des *hits* pop sous l'eau de la piscine... L'hôtel compte 650 chambres vastes et confortables, toutes munies d'un lecteur de disques compacts, d'un minibar, d'une cafetière, ainsi que d'une planche et d'un fer à repasser.

Portofino Bay Hotel
$$$$-$$$$$
≡ ≋ ⱳ ⑅ ⑅ 🔒

5601 Universal Blvd.
☎ 407-503-1000 ou 888-273-1311
🖷 407-503-1010
www.usf.com

Aménagé en bordure d'un lac artificiel, le Portofino Bay Hotel évoque la Riviera italienne. Quelque 750 chambres de luxe meublées à l'italienne sont ici dissimulées derrière les façades de belles maisons en rangée. Toutes offrent une vue sur le plan d'eau où les gondoles se baladent. Cafetière, planche et fer à repasser dans chaque chambre.

Au-delà des grands parcs

À deux pas des barrières de Disney et d'Universal Orlando se trouvent plus de lieux d'hébergement que vous ne pouvez l'imaginer. La quasi-totalité des grands hôtels connus y sont représentés, et il y en a même parfois deux ou trois de la même chaîne à quelques kilomètres seulement l'un de l'autre. Entre ces hôtels, vous en découvrirez d'autres bon marché avec des noms pompeux tels qu'Adventure Motel, Viking Motel et Maple Leaf, mais aussi des adresses huppées se classant parmi les meilleures au pays.

Plusieurs services d'hébergement peuvent vous aider à trouver une chambre. Visitez le site Internet de **Kissimmee-St. Cloud Reservations** *(www.floridakiss.com)* ou appelez le **Central Reservations Service** *(☎800-548-3311)*.

Orlando

Quality Inn International
$-$$
≡ ≋ ♨ ✳ 🔒 ⚕

7600 International Dr.
☎407-996-1600 ou 800-825-7600
🖷 407-996-5328
www.orlandoqualityinn.com

Le Quality Inn propose 728 chambres simples mais confortables, aménagées dans quatre immeubles disposés autour d'un joli jardin. Four à micro-ondes et cafetière complètent les commodités mises à la disposition des clients dans les chambres.

Holiday Inn SunSpree Resort
$$
≡ ≋ ♨ ✳ 🔒 ⚕

13351 State Rd. 535
☎407-239-4500 ou 800-366-6299
🖷 407-239-7713
www.kidsuites.com

Situé près de Walt Disney World, cet hôtel présente un bon rapport qualité/prix pour les familles avec jeunes enfants. Il est composé de mini-suites avec une grande chambre pour les adultes, un coin séparé pour les enfants comprenant des lits superposés, ainsi qu'un petit coin repas avec four à micro-ondes. Les enfants de moins de 12 ans mangent gratuitement au resto de l'hôtel, et il y a même une garderie sur place.

Holiday Inn Hotel & Suites Universal Orlando
$$
≡ ≋ ♨ ⚕ 🍴 🔒 ⚕

5905 S. Kirkman Rd.
☎407-351-3333 ou 800-327-1364
🖷 407-351-3577
www.hiuniversal.com

Parmi les nombreux hôtels situés à proximité d'Universal Orlando, ce membre de la chaîne Holiday Inn propose un bon rapport qualité/prix. Il représente aussi une bonne option pour les familles grâce à ses suites avec cuisinette, salon avec divan-lit et chambre à coucher séparée. Les suites, au nombre de 134, s'ajoutent aux 256 chambres traditionnelles de bon confort de l'établissement.

Sheraton Safari Hotel
$$-$$$
≡ ≋ ⚕ 🍴 🔒 ⚕

12205 Apopka-Vineland Rd.
☎407-239-0444 ou 888-354-1356
🖷 407-239-1778
www.sheratonsafari.com

Ce maillon de la chaîne internationale Sheraton se distingue par l'adoption d'un thème, celui du safari. Ainsi, l'agréable piscine du complexe possède un long toboggan qui prend la forme d'un python, et l'aménagement paysager imite la brousse africaine. L'hôtel comprend 489 grandes chambres de très bon confort.

Best Western Plaza International
$$-$$$
≡ ≋ 🔒 ⚕

8738 International Dr.
☎407-345-8195 ou 800-654-7160
🖷 407-352-8196
www.bestwesternplaza.com

Les quelque 670 chambres du Best Western Plaza International vous apparaîtront sans doute un peu défraîchies, mais l'hôtel est commodément installé non loin d'Universal Orlando et du SeaWorld Adventure Park, et à proximité d'innombrables restaurants familiaux. Qui plus est, il dispose d'une belle piscine et, surtout, pratique des prix fort raisonnables. Cafetière dans chaque chambre.

ORLANDO ET SES ENVIRONS ▲

Silver Star Rd.
W. Colonial Dr.
Florida's Turnpike
Johns Lake
Lake Down
Lake Butler
Lake Tibet
Avalon Rd.
Wintergarden Rd.
Vineland Rd.
Vineland Rd.
S. Apopka Vineland Rd.
World Dr.

Downtown Orlando
N. Pine Hills Rd.
East-West Expwy.
36
Orlando Executive Airport
E. Colonial Dr.

ORLANDO
E. Michigan St.
Curry Ford Rd.

Voir Agrandissement page ci-contre

Universal Orlando
31
Lake Conway
8

SeaWorld Adventure Park
Bee Line Expwy.
Orlando International Airport

29
19
15
14 20
30
21
10
Osceola Pkwy.
18
32 9
16 34
35

Walt Disney World Resort

22
1 2

S. Orange Blossom Tr.
Florida's Turnpike
Central Florida Greenway
Boggy Creek
Lake Hart

I. Bronson Memorial Hwy.

KISSIMMEE
Neptune Rd.
East Lake Tohopekaliga
Narcoossee Rd.

Tampa St. Petersburg
S. Orange Blossom Tr.
S. Poinciana Blvd.
Pleasant Hill Rd.
St. Cloud

Lake Tohopekaliga
17
Miami

4

0   5   10km
0   2,5   5mi

©ULYSSE

▲ HÉBERGEMENT

Note: les établissements sans coordonnées sont positionnés sur l'agrandissement à la page suivante.

1.	AY	All Star Vacation Homes (bureaux)
2.	AY	Best Western Lakeside
3.		Best Western Plaza International
4.	BZ	Cypress Cove Nudist Resort & Spa
5.		Doubletree Castle, The
6.		Doubletree Hotel at the Entrance to Universal Orlando
7.		Enclave Suites
8.	CX	Fort Summit KOA Campground
9.	BY	Gaylord Palms Resort & Convention Center
10.	BY	Golden Link Motel
11.		Hard Rock Hotel
12.		Holiday Inn Hotel & Suites Universal Orlando
13.		Holiday Inn International Drive Resort
14.	BY	Holiday Inn SunSpree Resort
15.	AY	Hyatt Regency Grand Cypress
16.	BY	KOA Campground
17.	BZ	Lake Toho Resort
18.	BY	MainStay Suites Maingate

19.	BY	Marriott Residence Inn Lake Buena Vista
20.	BY	Nickelodeon Family Suites by Holiday Inn
21.	BY	Orlando World Center Marriott
22.	AY	Outdoor Resorts at Orlando
23.		Peabody Orlando, The
24.		Portofino Bay Hotel
25.		Quality Inn International
26.		Renaissance Orlando Resort at SeaWorld
27.		Ritz-Carlton Orlando, Grande Lakes
28.		Royal Pacific Resort
29.	BY	Sheraton Safari Hotel
30.	BY	Sheraton Vistana Resort
31.	BX	Sherwood Forest RV Resort
32.	BY	Suites at Old Town
33.		Summerfield Suites
34.	BY	Thrift Lodge
35.	BY	Tropical Palms Resort
36.	BX	Westin Grand Bohemian Hotel

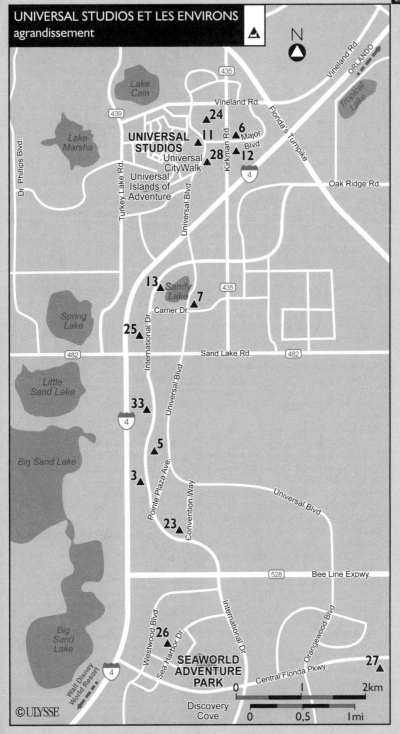

UNIVERSAL STUDIOS ET LES ENVIRONS
agrandissement

N

Vineland Rd.

ORLANDO

Tropical
Lake

Lake
Cain

435

439

Lake
Marsha

Vineland Rd.

24

Florida's Turnpike

UNIVERSAL
STUDIOS

11

6 Major
Blvd.

Kirkman Rd.

Dr. Phillips Blvd.

Universal
CityWalk

28

12

Universal
Islands of
Adventure

Turkey Lake Rd.

Universal Blvd.

4

Oak Ridge Rd.

13

Sandy
Lake

7

435

Carrier Dr.

Spring
Lake

25

International Dr.

Sand Lake Rd.

482

482

Little
Sand Lake

33

4

Big Sand Lake

5

Universal Blvd.

3

Pointe Plaza Ave.

Universal Blvd.

23

Convention Way

528

Bee Line Expwy.

Westwood Blvd.

26

Sea Harbor Dr.

International Dr.

Orangewood Blvd.

27

Big
Sand
Lake

Walt Disney World Resort

4

SEAWORLD
ADVENTURE
PARK

Central Florida Pkwy.

0

1

2km

©ULYSSE

Discovery
Cove

0

0,5

1mi

The Doubletree Castle
$$-$$$
≋ ♨ ❈

8629 International Drive
☎ 407-345-1511 ou 800-952-2785
📠 407-248-8181
www.doubletreecastle.com

Éclaboussé de rose, de pourpre et de corail, et surmonté de hautes flèches dignes des contes de fée, The Castle, de la chaîne Doubletree, ressemble à un rêve d'enfant. Des chants d'oiseaux et de la musique médiévale s'échappent des haut-parleurs éparpillés à travers cette création fantaisiste, dont les sept étages abritent des chambres royalement rehaussées de couvre-lits et tentures en satin pourpre, de fauteuils en brocard de satin et d'autres éléments décoratifs à saveur moyenâgeuse. Les familles y trouveront par ailleurs leur compte, puisque chaque chambre renferme une cafetière et un petit réfrigérateur, sans oublier la laverie et la grande piscine circulaire chauffée, enrichie d'une fontaine. Deux restaurants adjacents assurent le service aux chambres.

Marriott Residence Inn Lake Buena Vista
$$$ pdj
≋ ⚓

11450 Marbella Palms Court
☎ 407-465-0075
📠 407-465-0050
www.residenceinn.com

Des cascades rehaussent l'agréable aménagement paysager du Marriott Residence Inn Lake Buena Vista. Ce complexe d'hébergement de style caribéen propose des studios et des suites de une ou deux chambres. Les installations comprennent un terrain de basketball, une piscine extérieure, une salle d'exercices et une laverie. Les restaurants environnants peuvent vous livrer un buffet pour le déjeuner ainsi que le dîner.

Enclave Suites
$$$ pdj
≡ ≋ ♨ ⊖ 🔒 ♿

6165 Carrier Dr.
☎ 407-351-1155 ou 800-457-0077
📠 407-351-2001
www.enclavesuites.com

Option intéressante pour les familles désireuses d'économiser un peu sur les frais de restaurants, les 321 appartements de l'Enclave Suites sont réparties à l'intérieur de trois immeubles vaguement pyramidales de 10 étages. Ils se présentent sous la forme de grands studios pour quatre ou de suites de deux chambres à coucher pouvant accueillir jusqu'à six personnes.

Residence Inn by Marriott SeaWorld
$$$ pdj
≡ ≋ ♨ ⊖ ⚓ 🔒 ♿

11000 Westwood Blvd.
☎ 407-313-3600 ou 800-889-9728
📠 407-313-3611
www.residenceinnseaworld.com

Cet hôtel conviendra parfaitement aux familles à la recherche d'un studio ou d'une suite avec cuisine entièrement équipée. L'établissement propose en effet des studios avec un lit et un canapé-lit, de même que des suites avec chambre à coucher séparée. On trouve de plus sur place une immense piscine dans laquelle les bambins s'amuseront follement.

Holiday Inn International Drive Resort
$$$
≡ ≋ ♨ ❈ ⚓ 🔒 ♿

6515 International Dr.
☎ 407-351-3500
📠 407-351-5727
www.hicentralflorida.com

Près d'Universal Orlando et du parc aquatique Wet 'N Wild, le Holiday Inn International Drive Resort s'adresse aux familles. Chacune des 652 chambres de l'hôtel est équipée d'une cafetière et d'un four à micro-ondes.

Doubletree Hotel at the Entrance to Universal Orlando
$$$
≡ ≋ ♨ ⚓ ♿

5780 Major Blvd.
☎ 407-351-1000
📠 407-363-0106
www.doubletree.com

Situé littéralement aux portes d'Universal Orlando, cet établissement représente une option légèrement moins onéreuse que les hôtels installés sur le site même. Ses 742 chambres sont réparties dans deux tours jumelles.

229

Nickelodeon Family Suites by Holiday Inn
$$$-$$$$ pdj
≡ ≋ ♨ ☎ 🔒 ♿

14500 Continental Gateway
☎ 407-387-5437 ou 866-462-6425
📠 407-387-1490
www.nickhotel.com

Autrefois connu sous le nom de «Holiday Inn Family Suites Resort», cet hôtel s'est muté en un complexe thématique du genre des populaires **All-Star Resorts de Disney World** (voir p 217), sauf que ce sont ici les personnages du réseau de télévision pour enfants Nickelodeon (Bob l'éponge, Jimmy Neutron et compagnie) qui prennent la vedette. On y trouve plus de 800 suites réparties dans 14 immeubles. Chacune comprend deux chambres à coucher, une cuisinette équipée et trois téléviseurs. Plusieurs piscines et un immense terrain de jeux complètent les installations de ce lieu d'hébergement qui plaira grandement aux enfants ainsi qu'aux parents qui, pour leur part, apprécieront la proximité de Disney World et le fait de pouvoir économiser sur les repas en les préparant eux-mêmes. À noter que les petits déjeuners (gratuits) sont animés par les personnages du réseau Nickelodeon.

International Plaza Resort & Spa
$$$-$$$$
≡ ≋ ♨ ❄ ☎ 🔒 ♿ Ψ

10100 International Dr.
☎ 407-352-1100 ou 800-352-1100
www.internationalplazaresortand
spa.com

La belle tour de l'International Plaza Resort & Spa s'élève tout près de SeaWorld. Avec plus de 1 100 chambres, réparties sur les 17 étages du bâtiment principal mais aussi dans une vingtaine de petits immeubles, ce géant impressionne vraiment. Jeux Nintendo et cafetière dans chaque chambre.

Sheraton Vistana Resort
$$$-$$$$$
≋ ☎ ☎

8800 Vistana Center Drive
☎ 407-239-3100
📠 407-239-3111
www.starwoodvo.com

Les amateurs de tennis qui ne sont pas restreints par leur budget devraient opter pour le Sheraton Vistana Resort. Les quelque 1 000 unités de ce complexe peuvent accueillir des groupes importants, que ce soit dans des villas ou des maisons de ville, toutes dotées d'une cuisine complète. Les 13 courts de tennis s'entourent de 55 ha d'aménagements paysagers luxuriants, et sept piscines de même que trois centres de conditionnement physique complètent les installations.

Summerfield Suites
$$$$ pdj
≋ ☎

8480 International Dr.
☎ 407-352-2400 ou 800-833-4353
📠 407-352-4631
www.summerfield-orlando.com

Parents et enfants bénéficient de leurs quartiers respectifs au Summerfield Suites, dont la plupart des suites comportent deux chambres à coucher, une salle de séjour, une cuisine complètement équipée ainsi que trois téléviseurs et téléphones. Les autres ont une chambre à coucher de même qu'un sofa-lit dans le séjour. Toutes occupent un bâtiment aux allures de complexe d'habitation; son architecture et son aménagement paysager n'ont rien de bien particulier, quoiqu'un jardin agrémenté d'une piscine chauffée, une laverie et une épicerie proposant de la charcuterie fine et des films en location (chaque chambre dispose d'un lecteur DVD) complètent les installations. Petit déjeuner (gratuit) élaboré comprenant beaucoup d'aliments appréciés des enfants. L'établissement bénéficie d'une grande popularité auprès des familles européennes et canadiennes qui s'y installent volontiers pour deux ou trois semaines. Si vous préférez vous rapprocher de Disney World, songez à l'établissement du même nom qui a ouvert ses portes à **Lake Buena Vista (*$$$$*; 8751 Suiteside Dr., angle Apopka-Vineland Rd., Lake Buena Vista, ☎ 407-238-0777 ou 800-833-4353, 📠 407-238-2640).**

Hébergement - Au-delà des grands parcs - Orlando

Renaissance Orlando Resort at SeaWorld
$$$$
≡ ≋ ⩊ ⬷ 🔒 ♿

6677 Sea Harbor Dr.
☎ 407-351-5555
📠 407-351-9991
www.marriott.com

Le très chic Renaissance Orlando Resort fait littéralement face à SeaWorld. Son élégante silhouette s'élève en effet juste à côté du parc aquatique. Petite note pour demeurer dans le ton: on vous servira une coupe de champagne à votre arrivée. Accès à Internet et minibar dans les chambres, toutes fort spacieuses.

Orlando World Center Marriott
$$$$
≡ ≋ ⩊ ⬷))) 🔒 ♿

8701 World Center Dr.
☎ 407-239-4200 ou 800-380-7931
📠 407-238-8777
www.marriottworldcenter.com

On ne peut manquer la spectaculaire silhouette de ce vaste et chic complexe de 2 000 chambres situé à proximité d'un terrain de golf. Le hall, au haut plafond en partie vitré, mérite aussi un coup d'œil. Quant aux chambres, elles sont spacieuses, confortables, et donnent toutes sur une terrasse. Quatre piscines, entourées de palmiers, de jardins tropicaux et de fontaines, font par ailleurs la joie des occupants. Cafetière dans chaque chambre.

Westin Grand Bohemian Hotel
$$$$
≡ ≋ ⩊ ⬷))) 🔒 ♿

325 S. Orange Ave.
☎ 407-313-9000 ou 866-663-0024
📠 407-313-9001
www.grandbohemianhotel.com

Face à l'hôtel de ville, le Westin Grand Bohemian Hotel se veut l'établissement chic du centre-ville d'Orlando. Pour demeurer dans le ton du Downtown Arts District où il se trouve, l'hôtel de 250 chambres possède sa propre galerie d'art, et son splendide hall est agrémenté de plusieurs œuvres intéressantes. La collection de l'hôtel compte d'ailleurs une centaine d'œuvres d'artistes internationaux. Les chambres, confortables et habillées de couleurs chaudes, sont richement décorées tout en demeurant de très bon goût. Jolie piscine chauffée sur le toit de l'établissement. Accès à Internet haute vitesse, cafetière, planche et fer à repasser dans chaque chambre.

Hyatt Regency Grand Cypress
$$$$-$$$$$
≋ ⩊ ⚓

1 Grand Cypress Blvd.
☎ 407-239-1234
📠 407-239-3800
www.hyattgrandcypress.com

Si vous n'aviez pas à vous préoccuper de l'argent et si vous pouviez séjourner dans n'importe quel hôtel de la Floride, vous logeriez sûrement au Hyatt Regency Grand Cypress. Érigée sur un terrain de 600 ha, cette tour miroitante au toit en gradins, avec son spectaculaire atrium de verre d'une hauteur de 15 étages, offre tout un spectacle. Cet univers à l'extérieur de Disney World représente vraiment le summum en matière d'hébergement: une piscine de rêve sur trois niveaux où coulent des cascades, de belles plages au bord d'un lac, des ponts, des collines verdoyantes et des sentiers sinueux, bordés de sculptures en bronze et de jardins d'herbes aromatiques. Des ruisseaux au doux murmure, une flore tropicale florissante et des œuvres d'art mettent en valeur le hall. Et il y a plus encore: une réserve naturelle de 18 ha parrainée par la société Audubon, des courts de tennis, des chevaux d'équitation, des sentiers de jogging, un terrain de golf de 45 trous dessiné par Jack Nicklaus, un lac de 8 ha pourvu d'un centre de voile, un centre de conditionnement physique et quatre restaurants somptueux. On a aussi apporté de l'attention aux chambres, avec leurs canapés en osier, leurs causeuses et leurs décors à motifs de fleurs et à rayures. S'y trouvent aussi une piscine et un terrain de jeu pour enfants, et les 3 à 12 ans peuvent se joindre au Camp Hyatt pour participer à des activités supervisées. L'hôtel offre également un service de garde aux chambres et une garderie de jour. Ceux qui voyagent avec des enfants peuvent en outre bénéficier d'un forfait offrant une deuxième chambre à prix réduit.

The Peabody Orlando
$$$$-$$$$$

9801 International Dr.
☎ 407-352-4000 ou 800-732-2639
🖨 407-351-0073
www.peabodyorlando.com

À l'intérieur du Peabody Orlando, cinq canards malards (des vrais) se dandinent sur un tapis rouge spécialement déroulé pour leurs processions quotidiennes vers l'étang. Les hôtes de l'établissement s'assemblent deux fois par jour pour assister à cet événement, qui se déroule dans le hall élégant et très élevé, gorgé de soleil, de marbre et de vigoureux plants d'orchidées, de fougères et de broméliacées. Il y a même un restaurant du nom de Dux (d'ailleurs remarquable, même si vous ne trouverez pas de canard – *duck* en anglais – au menu) et une salle de bar du nom de Mallard Lounge. Les 891 chambres sont pour leur part tout aussi chics que le hall. Au troisième étage, vous découvrirez un centre récréatif réunissant quatre courts de tennis éclairés, une piscine olympique chauffée double grandeur, un centre de conditionnement physique et un salon de beauté, sans oublier le «palais des canards», où ceux-ci se retirent le soir venu. Des travaux d'agrandissement ont été lancés en 2006 et, à terme, auront permis l'ajout de 750 chambres de luxe ainsi que de nouveaux espaces pour les réunions d'affaires, de restaurants et d'un spa. Cet agrandissement devrait être complété à la fin de 2008 ou au début de 2009.

Ritz-Carlton Orlando, Grande Lakes
$$$$-$$$$$

4012 Central Florida Pkwy.
☎ 407-206-2400 ou 800-682-3665
🖨 407-206-2401
www.grandelakes.com

Comme il se doit, le Ritz-Carlton est l'hôtel le plus élégant des environs. Son architecture inspirée de palaces italiens, ses splendides jardins, ses chambres vastes et douillettes, son terrain de golf dessiné par le champion de ce sport, Greg Norman, bref, tout concourt à positionner l'établissement au-dessus de la mêlée.

Kissimmee

Golden Link Motel
$

4914 W. Route 192
☎ 407-396-0555 ou 800-654-3957
www.goldenlinkmotel.com

Le Golden Link Motel repose en bordure du lac Cecile. Il s'élève sur deux étages et arbore une façade en briques. Une piscine chauffée ainsi qu'une jetée pour la pêche complètent les installations de cet hôtel de 84 chambres, propres et convenables.

Thrift Lodge
$

4624 W. Route 192
☎ 407-396-2642
🖨 407-396-6653
www.thriftlodge.com

Les arcades et les ornements de briques rouges confèrent au Thrift Lodge un cachet quelque peu méditerranéen. Les chambres sont grandes et modernes.

Best Western Lakeside
$-$$

7769 W. Route 192
☎ 407-396-2222 ou 800-848-0801
🖨 407-997-1171
www.bestwesternlakeside.com

La Best Western Lakeside possède son propre lac et est situé dans une pinède de 9,6 ha rehaussée d'un aménagement paysager à saveur tropicale. Les installations offrent divers avantages: trois piscines, deux bassins pour enfants, deux terrains de jeu, une salle de jeux vidéo, un centre de conditionnement physique, un minigolf, des courts de tennis et un comptoir d'épicerie fine ouvert tard le soir.

Suites at Old Town
$-$$

5820 W. Irlo Bronson Memorial Hwy.
☎ 407-396-7900 ou 800-327-9126
🖨 407-396-0940
www.suitesatoldtown.com

Le Suites at Old Town propose 602 suites bon marché, mais bien tenues. Cha-

Hébergement - Au-delà des grands parcs - Kissimmee

cune possède une chambre séparée, un salon équipé d'un lit placard double et une cuisinette complète.

MainStay Suites Maingate
$$ pdj

4786 W. Route 192
☎ 407-396-2056
📠 407-396-2909
www.choicehotels.com

La première chose que les gens remarquent au MainStay Suites Maingate, ce sont ses foyers (plutôt rares dans les établissements du centre de la Floride). Mais ce qui doit davantage retenir l'attention des familles, ce sont les suites spacieuses (dont plusieurs avec cuisine), la piscine, le terrain de jeu pour enfants et les aires de pique-nique avec grils à gaz. Elles nichent toutes dans la forêt près du joli lac Cecile, où vous pouvez faire de la voile, du ski nautique, du canot, ou même pêcher sur le quai. Les prix comprennent un copieux petit déjeuner continental, de style buffet, pour toute la famille.

All Star Vacation Homes
$$-$$$$$

7822 W. Irlo Bronson Memorial Hwy.
☎ 407-997-0733 ou 800-592-5568
📠 407-997-1370
www.allstarvacationhomes.com

Pour les familles ou pour les groupes d'amis, la location d'une maison ou d'un appartement situé à proximité de Walt Disney World peut s'avérer une solution aux nombreux avantages: confort, économies relatives, impression de rentrer chez soi après une dure journée de files d'attente... La société All Star Vacation Homes propose une gamme étendue de maisons et d'appartements de construction récente, entièrement équipés et disponibles pour location à court ou long terme. Tous se trouvent à moins de 7 km de Disney World. La sélection comprend des appartements de deux chambres à coucher pouvant loger jusqu'à six personnes *(99$ à 139$)*, d'autres de trois chambres pour un maximum de huit occupants *(99$ à 179$)*, ainsi que des maisons de trois *(165$ à 209$)* à sept chambres *(279$ à 449$)* pour des groupes de 8 à 16 personnes. Chacu-

ne des maisons individuelles comprend un garage et une piscine chauffée protégée par une moustiquaire. Le site Internet d'All Star Vacation Homes, particulièrement bien fait, permet de sélectionner la propriété ou le logement de son choix grâce à des descriptions détaillées, des plans et des photographies.

Gaylord Palms Resort & Convention Center
$$$$-$$$$$

6000 W. Osceola Pkwy.
☎ 407-586-2000
📠 407-586-1999
www.gaylordpalms.com

Ce spectaculaire hôtel de construction récente rend hommage de façon grandiose à l'État de la Floride. Ainsi, dans un immense atrium, des sites célèbres du *Sunshine State* sont littéralement reproduits en miniature: les Everglades, Key West et ses fameux couchers de soleil, le Castillo de San Marcos à St. Augustine, le quartier Art déco de Miami Beach, etc. L'établissement possède en outre un magnifique spa baptisé le Canyon Ranch SpaClub, ainsi que plusieurs restaurants qui exploitent également des thèmes propres à la Floride. Chaque chambre, fort joliment décorée, donne sur un balcon qui surplombe les reconstitutions de paysages floridiens.

Campings

Des vastes emplacements pour caravanes et des camps de pêche reculés jusqu'aux centres de villégiature pour nudistes, vous trouverez mille et une formules de camping aux environs de Walt Disney World. Au moment de réserver un emplacement, demandez toujours à quelle distance précise de Disney World vous vous trouverez; il vaut mieux s'en tenir à quelques kilomètres seulement, sinon vous passerez un temps fou à vous rendre aux parcs thématiques et à en revenir. La plupart des terrains de camping offrent un service de navette (payant) jusqu'aux parcs, mais il est plus commode de voyager en voiture. Pour obtenir une liste complète des terrains disponibles, écrivez ou appelez au **Kissimmee-St. Cloud Convention and Visitors Bureau** *(fermé sam-*

dim; 1925 E. Irlo Bronson Memorial Hwy., Kissimmee, FL 34744, ☎407-847-5000 ou 800-333-5477, 🖷 407-847-0878, www.floridakiss. com) ou à la **Florida Association of RV Parks and Campgrounds** *(1340 Vickers Rd., Tallahassee, FL 32303-3041, ☎850-562-7151, 🖷850-562-7179, www.floridacamping.com)*.

Voici quelques terrains de camping familiaux de choix:

KOA Campground
$
bc ≋
2644 Happy Camper Place
Kissimmee
☎407-396-2400 ou 800-562-7791
🖷407-396-7577
www.kissorlandokoa.com
Ce beau terrain de camping est celui situé le plus près de Disney World. Comptez 25$ par jour pour un emplacement avec eau et électricité. On y fait aussi la location de chalets pour quatre à six personnes *($$)*.

Sherwood Forest RV Resort
$
≋
5300 W. Route 192
Kissimmee
☎407-396-7431 ou 800-548-9981
🖷407-396-7239
Le Sherwood Forest RV Resort a beau être densément boisé, il n'en revêt pas moins une allure rangée et proprette. Plus de 500 emplacements pour caravanes et tentes sont disponibles, sans compter la piscine chauffée, le minigolf, les courts de tennis et le lac. Les familles fréquentent le parc durant l'été, alors que les personnes âgées forment le plus gros de sa clientèle hivernale.

Fort Summit KOA Campground
$
≋
2525 Frontage Rd.
Davenport
☎863-424-1880 ou 800-424-1880
www.fortsummit.com
Parmi les avantages offerts par le Fort Summit KOA Campground, mentionnons les chalets climatisés de bois rond et les bains publics. Les chalets peuvent accueillir jusqu'à quatre personnes grâce à leurs lits doubles et superposés. Il y a

en outre 300 emplacements pour caravanes et tentes disposés le long d'un pâturage plat, ainsi qu'une piscine chauffée, une autre pour les enfants, un terrain de jeu clôturé et une salle de jeux vidéo. Le fait que Fort Summit se trouve à 11,5 km de Disney World représente un inconvénient, mais on offre en revanche un service de navette gratuit.

Lake Toho Resort
$
≋ 🍴
4715 Kissimmee Park Rd.
St. Cloud
☎407-892-8795
www.laketohoresort.com
Le Lake Toho Resort est assez éloigné de Disney World (environ 40 km), mais offre un camping idyllique en bordure du magnifique lac Tohopekaliga. Les 280 emplacements pour caravanes sont équipés de raccordements (eau, égout, électricité).

Tropical Palms Resort
$
≋
2650 Holiday Trail, en bordure de l'East Route 192
Kissimmee
☎407-396-4595 ou 800-647-2567
www.tropicalpalmsrv.com
Le Tropical Palms Resort est un des plus gros campings avec ses 600 emplacements pour caravanes, tentes-caravanes et tentes. Certains d'entre eux sont complètement à découvert, alors que d'autres sont cachés parmi les grands chênes et les palmiers du parc. On y loue aussi 144 chalets. À seulement 5 km de Disney World, ce «village» se trouve juste à côté du complexe commercial et récréatif d'Old Town. Deux piscines, une épicerie et quelques installations inhabituelles telles qu'un service de location de voitures complètent le tout, sans oublier une billetterie Disney.

Outdoor Resorts at Orlando
$-$$
≋
route 192, à l'est de la route 27
Orlando
☎863-424-1407 ou 800-531-3033
🖷863-424-5476
www.oro-orlando.com
La «Cadillac» des campings pour caravanes, c'est l'Outdoor Resorts at Orlando, avec ses 61 ha très bien aménagés. Des

Hébergement - Au-delà des grands parcs - Campings

voies revêtues sillonnent en tous sens ce parc comprenant 980 emplacements pour caravanes, un parcours de golf à neuf trous de haut niveau, des courts de tennis et un immense pavillon. On s'y adonne à la pêche et à la voile sur un lac de 67 ha, de même qu'à la natation dans un bassin olympique (les enfants ont le leur aussi). Il n'y a pas d'emplacements pour les tentes, mais vous pouvez louer sur place une caravane à la semaine.

Cypress Cove Nudist Resort & Spa
$ camping
$$-$$$ bungalows
≋ ⱳ ⵞ
4425 Pleasant Hill Rd.
Kissimmee
☎407-933-5870 ou 888-683-3140
📠407-933-3559
www.cypresscoveresort.com
Si vous êtes un adepte du naturisme, songez au Cypress Cove Nudist Resort & Spa. Blottie dans une forêt de 105 ha,

cette retraite pour puristes accueille aussi bien les couples que les familles possédant une caravane ou une tente. Vous pouvez camper dans la pinède ou en bordure du lac de 20 ha (apportez votre petit bateau). Il y a aussi des bungalows, de style motel, pour ceux qui recherchent un plus grand confort. Les enfants de moins de 12 ans sont logés gratuitement. On y trouve de plus deux piscines, deux bains à remous et deux restaurants à service complet.

Restaurants

Les centaines de restaurants de Walt Disney World peuvent se diviser en trois grandes catégories: restauration rapide infecte au coût excessif, restauration rapide convenable au coût excessif et cuisine recherchée de haute qualité.

Bon nombre d'entre eux se classent malheureusement dans le premier groupe, surtout au Magic Kingdom, où les familles passent beaucoup de temps et où, pour la simple commodité de manger au royaume de Mickey, il faut souvent attendre longtemps en ligne devant des comptoirs bondés. Même aux restaurants quatre-étoiles d'Epcot, les tables sont accolées les unes aux autres, et l'on presse parfois les clients de terminer rapidement leur repas.

Mais le fait de manger à Disney World n'a pas que du mauvais. Ainsi dans quel autre lieu pouvez-vous trouver un restaurant chic qui vous accueille en bermudas et en chaussures de sport, avec vos enfants et votre poussette? Mieux encore, la plupart des établissements offrent de bons menus pour enfants (bien que les prix ne soient pas toujours à leur taille) ainsi que divers avantages tels que livres à colorier et visites-surprises de personnages de Disney. Quant aux restaurants situés à l'extérieur de Walt Disney World, on n'y apporte peut-être pas autant d'attention, mais vous n'y trouverez pas moins des adresses intéressantes loin du brouhaha des parcs thématiques.

Un minimum de planification vous évitera de longues attentes, et ce, à n'importe quel restaurant. Si vous voyagez en haute saison, évitez les heures d'affluence (11h30 à 13h30 et 17h à 20h). Vous pouvez même carrément sauter le repas du midi en prenant un petit déjeuner copieux avant de vous rendre aux parcs thématiques, puis acheter un casse-croûte en milieu d'après-midi dans un des kiosques qui foisonnent à Disney World, offrant de tout, des bretzels aux hot-dogs, en passant par les pommes de terre au four et les glaces.

Dans ce chapitre, les restaurants sont regroupés par parc thématique, et chacun d'eux est coté en fonction du prix moyen d'un repas complet pour une personne, avant les boissons, les taxes et le pourboire: **$** (petit budget – moins de 15$), **$$** (catégorie moyenne – de 15$ à 25$), **$$$** (catégorie moyenne-élevée – de 26$ à 35$) ou **$$$$** (catégorie supérieure – plus de 35$).

Si vous logez dans un complexe hôtelier de Disney, vous pouvez demander une réservation prioritaire pour le déjeuner et le dîner dans la plupart des restaurants offrant un service complet, en appelant de un à 90 jours à l'avance au ☎407-939-3463. Sinon réservez le plus tôt possible la journée même si vous projetez de prendre un repas dans l'un ou l'autre des restaurants.

Magic Kingdom

La restauration rapide du Magic Kingdom se passe de présentation, car sa réputation d'insipidité la précède de loin. Mais comme tout visiteur finit tôt ou tard par y recourir, ne serait-ce que par nécessité, voici un petit guide des meilleurs établissements parmi les pires:

La **Columbia Harbour House** *($; Liberty Square)* sert un sandwich Monte Cristo convenable (dinde, jambon et fromage sur pain frit) de même qu'une bonne chaudrée de palourdes.

Le **Sleepy Hollow** *($; Liberty Square)*, ouvert en saison, fait le bonheur des enfants avec ses brownies, ses biscuits fourrés et ses «flotteurs» à la racinette.

Le **Cosmic Ray's Starlight Cafe** *($)* de Tomorrowland concocte un hamburger végétarien convenable et propose également du poulet rôti. Les salades du chef et César sont préparées sur commande, mais sans être toujours très fraîches pour autant.

El Pirata Y el Perico Restaurante
$

Pour des *tacos*, des *nachos*, des *empanadas* ou une salade, vous devez choisir ce comptoir situé à Adventureland aux abords du manège Pirates of the Caribbean.

Tomorrowland Terrace Noodle Station
$

Ce comptoir a remplacé le Plaza Pavilion en 2005, un gain net pour les visiteurs du Magic Kingdom! Les infects sous-marins et hamburgers de jadis ont laissé la place à des mets inspirés de diverses cuisines asiatiques: crevettes et poulet apprêtés à l'orientale, plats à base de nouilles et autres. Grande et agréable terrasse.

Cinq restaurants du Magic Kingdom proposent des repas complets. L'un d'entre eux, le Crystal Palace, sert de bons petits déjeuners et, ô bonheur, ouvre ses portes une demi-heure avant le reste du parc:

Plaza Restaurant
$$

Le Plaza Restaurant, dans Main Street, U.S.A., ne sert que le déjeuner et le dîner. Situé en face du Sealtest Ice Cream Parlor, cet établissement aéré, tout en miroirs et en fenêtres, propose des repas minute bien présentés. Les enfants apprécient particulièrement les hamburgers et les laits fouettés, tandis que leurs parents préfèrent en général la salade du chef, la quiche ou le pâté de poulet en croûte.

Tony's Town Square Restaurant
$$

Le Tony's Town Square Restaurant est un café italien d'allure victorienne aux murs de briques ornés de scènes de *La Belle et le Clochard*, et rehaussé de garnitures en laiton poli et de chaises blanches en métal. Comme dans plusieurs restaurants de Disney World, on a porté plus d'attention au décor qu'à la nourriture (mets italiens communs servis en por-

tions copieuses). Les enfants reçoivent un menu à colorier rempli d'images du célèbre dessin animé (les crayons de couleur sont fournis).

The Crystal Palace
$$

Plus joli restaurant du Magic Kingdom, le Crystal Palace est entouré de portes-fenêtres et couronné d'un étincelant dôme de verre. Situé dans Main Street, U.S.A., il se pare de délicats filigranes blancs et domine des palmiers ainsi que des plates-bandes sculptées. Le petit déjeuner, le déjeuner et le dîner y sont ponctués d'apparitions de Winnie l'ourson, Tigrou et Bourriquet. On y a un bon choix de petits déjeuners copieux (bacon, œufs, omelettes, etc.) pour débuter la journée du bon pied. Les enfants trouveront au buffet des gaufres Mickey le matin, le midi et le soir, du macaroni au fromage, de la pizza et des hot-dogs. Le buffet du matin est le meilleur du Royaume magique.

Liberty Tree Tavern
$$

Avec son foyer en pierres, son plancher de bois et son papier peint à motifs coloniaux, la Liberty Tree Tavern est chaleureuse et douillette. Situé au Liberty Square du Magic Kingdom, cet établissement charmant se présente comme une véritable oasis de l'Amérique d'autrefois. S'y trouvent un ancien rouet, des chaises à haut dossier et des stores vénitiens en bois. De pair avec ce décor, le menu propose au déjeuner un «Yankee Peddler» (sandwich au bœuf), un «Boston Seafood Melt» (combinaison de fruits de mer dans une sauce au vin) et un «Minuteman Club» (sandwich à trois étages). Au dîner, alors que plusieurs personnages de Disney y font leur apparition, on sert du poulet, du steak et des fruits de mer, y compris du homard du Maine en saison. Le service est adéquat et la nourriture au-dessus de la moyenne. À moins que vous ne projetiez de dîner tôt, une réservation s'impose (au restaurant même, à compter de 11h).

Restaurants - Magic Kingdom

Où manger avec les personnages

Pour beaucoup de jeunes enfants (et parfois de moins jeunes…), prendre un repas dans l'un des établissements où des personnages de Disney sont présents constitue le clou de leur voyage. Voici donc la liste des restaurants qui proposent ce type d'animation. Souvenez-vous toutefois que des changements sont apportés de temps à autre dans la distribution des personnages.

Arkeshus Royal Banquet Hall (voir p 241)
Pavillon de la Norvège, Epcot
Les princesses des contes adaptés par Disney font ici leur apparition tout au long de la journée.

1900 Park Fare (voir p 249)
Disney's Grand Floridian Resort & Spa
Mary Poppins, Cendrillon et autres au petit déjeuner et au dîner.

Cape May Café (voir p 248)
Disney's Beach Club Resort
Petit déjeuner animé par Goofy et ses amis.

Chef Mickey's (voir p 248)
Disney's Contemporary Resort
Buffet au petit déjeuner et au dîner où c'est le chef Mickey Mouse en personne qui reçoit.

Cinderella's Royal Table (voir p 239)
Magic Kingdom
Pour un repas magique en compagnie de Cendrillon, dans son splendide château.

The Crystal Palace (voir p 237)
Magic Kingdom
Winnie l'ourson et ses amis accueillent les enfants toute la journée.

The Garden Grill (voir p 240)
The Land, Epcot
Pour un dîner en compagnie des écureuils Chip & Dale (Tic et Tac), ainsi que de Minnie et Mickey.

Hollywood & Vine (voir p 243)
Disney-MGM Studios
Les personnages du Disney Channel chantent et dansent avec les enfants à l'heure du lunch.

Liberty Tree Tavern (voir p 237)
Magic Kingdom
Nombreux personnages en soirée, incluant Goofy, Pluto et Minnie.

'Ohana (voir p 249)
Disney's Polynesian Resort
Petit déjeuner avec Lilo, Stitch, Mickey et Pluto.

Restaurantosaurus (voir p 245)
Disney's Animal Kingdom
Le petit déjeuner est animé par Donald le canard et sa bande.

Du côté d'Universal Orlando, on a emprunté la formule dans un établissement de chacun des deux parcs thématiques:

Confisco Grille (voir p 252)
Universal's Islands of Adventure
Du jeudi au dimanche, des personnages comme Spider-Man ou ceux du Docteur Seuss animent le petit déjeuner.

Finnegan's Bar and Grill (voir p 251)
Universal Studios
Les vendredis et samedis, Scooby Doo, Jimmy Neutron et d'autres personnages sont présents au petit déjeuner.

Cinderella's Royal Table
$$$-$$$$

Les petites filles adorent la Cinderella's Royal Table parce qu'elles peuvent y voir Cendrillon. La princesse aux cheveux d'un blond renversant, vêtue d'une robe en mousseline et couronnée d'un diadème orné de joyaux, y fait en effet plusieurs apparitions par jour. Une autre bonne raison pour s'y rendre est qu'il s'agit du seul moyen de pénétrer à l'intérieur du château de Cendrillon, à Fantasyland. Au déjeuner, on sert des sandwichs au bœuf et une gamme complète de salades. Au dîner, on offre des côtelettes, des fruits de mer et des plats de poulet. La nourriture n'est malheureusement que passable, mais le décor fabuleux et l'engouement des enfants vous feront vite oublier votre assiette. Réservations indispensables.

Epcot

Les gens se rendent au Magic Kingdom pour rêver, et à Epcot pour manger (entre autres). Epcot comble en effet le vide qu'accuse le Magic Kingdom en matière de nourriture, offrant des mets beaucoup plus frais et originaux dans des décors absolument adorables. Chose étrange, même les kiosques de rue semblent y offrir de la meilleure nourriture que ceux du Magic Kingdom! Une autre grande différence: vous ne pouvez vous procurer des boissons alcoolisées au Magic Kingdom, alors que cela est possible dans presque tous les établissements d'Epcot.

Les restaurants les plus populaires d'Epcot (Les Chefs de France, L'Originale Alfredo di Roma Ristorante et le Coral Reef Restaurant) sont très souvent complets; des réservations pour le jour même peuvent cependant être obtenues à l'un ou l'autre des World Key Information Centers d'Epcot, et, si vous logez dans un des hôtels de Disney, vous pouvez obtenir une réservation prioritaire jusqu'à 90 jours à l'avance en composant le ☎407-939-3463.

Future World

Fountain View Espresso and Bakery
$

Au Fountain View Espresso and Bakery d'Innoventions West, vous prendrez place autour d'un joli bar express pour un petit remontant matinal, qu'il s'agisse d'un cappuccino, d'un café au lait ou d'un café moka accompagné de croissants ou de viennoiseries.

Les kiosques de rue cinq-étoiles d'Epcot

Les mets offerts par les kiosques d'Epcot surpassent en qualité ceux qu'on propose généralement le long des trottoirs. Voici les plus populaires:

- gaufres chaudes et *kaki-gori* frais (jus de fruits glacés), en face du pavillon japonais;

- hot-dogs de 30 cm et maïs soufflé (essayez d'y résister après en avoir senti le parfum!), en face du pavillon des États-Unis;

- grosses pommes de terre au four (avec du fromage, s'il vous plaît), en face du pavillon du Royaume-Uni;

- pouding au pain onctueux et fruits frais, devant le pavillon du Canada.

Sunshine Seasons
$

Sous le Garden Grill du pavillon The Land, le Sunshine Seasons se présente comme une aire de restauration animée, aménagée à l'intérieur d'une immense rotonde où pendent de mini-montgolfières. Cet espace coloré propose une kyrielle de mets frais, nourrissants et appétissants. Il y a entre autres des soupes fumantes et des bouchées de toute sorte, des salades de pâtes, des pains pita farcis, des sandwichs de viandes fines et du poulet rôti. Les enfants tournent autour du comptoir à glaces, tandis que les parents privilégient les cocktails glacés et les barbotines aux fruits.

The Garden Grill Restaurant
$$$

Pour un petit déjeuner plus raffiné, rendez-vous au Garden Grill du pavillon The Land, le seul restaurant d'Epcot à offrir le service aux tables le matin. Vous pouvez par ailleurs y prendre le dîner en compagnie de Mickey, Minnie, Chip et Dale, auprès de qui vous aurez la possibilité de vous faire photographier. Le menu du midi et du soir change constamment, mais comporte toujours une abondance de légumes, de poissons et de fines herbes provenant du site même de The Land. Vous pourriez ainsi déguster une truite ou un tilapia sauté, du maïs en épi, des pommes de terre en purée, de petites côtes levées ou du poulet rôti. Les dîners sont servis dans des box intimes, tous de velours habillés, qui (puisque c'est un restaurant tournant) vous offrent des vues imprenables sur la forêt tropicale, les prairies et les autres paysages aperçus au cours de la promenade en bateau autour de The Land.

Coral Reef Restaurant
$$$-$$$$

Le principal attrait du Coral Reef Restaurant du pavillon The Seas with Nemo & Friends est la vue qu'il offre sur un gigantesque aquarium de coraux. Sous un éclairage tamisé, et assis à des tables disposées en gradins, les convives peuvent observer les requins, les dauphins et les crevettes (ces dernières étant d'ailleurs au menu). On fait mijoter les crevettes avec des tomates, des poireaux et des oignons, et griller le mahi-mahi badigeonné de beurre aux câpres citronnées. Les menus du déjeuner et du dîner se composent principalement de fruits de mer et de poissons, tels le thon en sashimi et l'espadon sauté à la poêle.

World Showcase

Plusieurs des restaurants du World Showcase sont d'étonnantes reconstitutions d'établissements connus des différents pays qu'ils représentent, et offrent une cuisine ethnique et continentale des environs. Serveurs et serveuses sont toujours natifs du pays à l'honneur, et ils adorent parler de leur patrie; ne soyez donc pas avare de questions.

États-Unis

Liberty Inn
$
Quel dommage que le restaurant représentant les États-Unis en soit un de type *fast-food* (tous les autres pays du World Showcase ont au moins un établissement de bonne chère, et certains en ont même deux). Quoi qu'il en soit, le Liberty Inn est une vraie bénédiction pour les familles, et les enfants adorent ses hamburgers, ses hot-dogs et ses biscuits aux pépites de chocolat, sans compter que les places extérieures vous donnent amplement d'espace.

Canada

Le Cellier SteakHouse
$$
Le Cellier SteakHouse du pavillon du Canada offre une nourriture bonne et copieuse dans une salle à manger conventionnelle au menu complet (steaks, hamburgers grillés, salades, fruits de mer et pâtes). Décor de pierres de style château, de bois sombre et chaleureux, de lampes en fer forgé et de banquettes en cuir.

Mexique

San Angel Inn Restaurante
$$-$$$
Vous croyez sans doute que le restaurant le plus romantique d'Epcot se trouve au pavillon de la France ou de l'Italie. Mais détrompez-vous, car c'est plutôt au pavillon du Mexique qu'il est situé. Le San

Angel Inn Restaurante repose en bordure d'une sombre rivière coulant sous un ciel factice émaillé d'étoiles. L'air est frais, et les tables, recouvertes de nappes roses et de lampes à l'huile aux flammes dansantes, sont bien espacées. Au déjeuner et au dîner, on sert un mélange de mets mexicains et texans tels qu'*enchiladas* au poulet, *chile rellenos* ainsi que d'autres mets latino-américains intéressants. Le *cochinita pibil*, entre autres, se compose de porc cuit au four dans une marmelade épicée. Le San Angel Inn est en outre un bon établissement où emmener les enfants, qui peuvent alors explorer le marché mexicain adjacent pendant que vous attendez le repas ou l'addition.

Norvège

Akershus Royal Banquet Hall
$$-$$$
La Scandinavie n'a jamais été célèbre pour son art culinaire, et c'est sans doute la raison pour laquelle beaucoup de visiteurs boudent l'Akershus Royal Banquet Hall du pavillon de la Norvège. Pour ceux qui n'hésitent pas à s'aventurer en terre inconnue, ce restaurant propose un buffet chaud et froid, ou *koldtbord*, regorgeant de saumon fumé, de hareng apprêté de diverses façons, de poulet rôti froid, de rutabagas, d'agneau, de chou et d'autres mets nationaux. Pour les enfants, il y a des boulettes de viande et du macaroni au fromage. La nourriture n'est pas exceptionnelle, mais les plafonds de bois sculpté, les salles coiffées de tourelles et les arcs-boutants sont absolument magnifiques. De plus, les princesses des contes adaptés par Disney sont présentes à chaque repas.

Allemagne

Biergarten Restaurant
$$-$$$
Au Biergarten du pavillon de l'Allemagne, chaque repas est comme un banquet. Les accordéonistes, les iodleurs et l'orchestre à flonflons égaient les clients qui se régalent du buffet à volonté. Cette ambiance animée convient parfaitement aux familles, d'autant plus que les enfants aiment bien le décor sympa de ce

Restaurants - Epcot - World Showcase

«château». Bien qu'on y mette l'accent sur la bonne chère typiquement allemande, cette succulente nourriture fortifiante – allant des saucisses au poulet rôti – en a pour tous les goûts.

Italie

L'Originale Alfredo di Roma Ristorante
$$-$$$

L'Originale Alfredo di Roma Ristorante vient au deuxième rang des restaurants les plus populaires d'Epcot. On y sert de fins mets italiens tels que *fettucine Alfredo* (d'où le nom du restaurant), veau *piccata* et pâtes variées. Les enfants optent volontiers pour les spaghettis aux boulettes de viande et apprécient le jeu des musiciens ambulants. Un seul inconvénient: les tables sont beaucoup trop rapprochées les unes des autres, alors que l'établissement est toujours plein à craquer. Allez-y entre les heures de repas ou durant la basse saison. Il y a aussi une jolie terrasse.

Royaume-Uni

Rose & Crown Dining Room
$$-$$$

Au Rose & Crown Dining Room du Royaume-Uni, de jeunes gens se pressent autour des clients avec des plateaux remplis de simples mets anglais tels que poisson frites, œufs au scotch et tourte au steak et aux rognons. Vous pouvez manger à l'intérieur, dans un décor de laiton et de verre gravé à l'eau-forte, ou sur la terrasse, au bord du lagon.

Chine

Lotus Blossom Cafe
$

Si vous vous sentez l'âme chinoise, rendez-vous au Lotus Blossom Cafe du pavillon de la Chine, où l'on sert du bœuf sauté, des rouleaux impériaux, du poulet aigre-doux et des glaces aux haricots rouges.

Nine Dragons Restaurant
$$$

C'est dans un opulent décor, composé de tapis rouge grenat, de paravents en bois de rose et de tables en bois laqué, que se drape ce restaurant du pavillon de la Chine. La cuisine ne s'avère toutefois pas à la hauteur de cette riche mise en scène, puisqu'elle se limite aux classiques de la cuisine chinoise américanisée. Qui plus est, les prix sont élevés.

Japon

Teppanyaki Dining Room
$$$

Ce restaurant du pavillon japonais bannit les vrais plats régionaux et n'offre qu'une version américanisée des mets du pays du soleil levant. Les chefs nippons vous donnent cependant un bon spectacle en tranchant et en faisant sauter viandes, volailles et fruits de mer à votre table. Somme toute, il s'agit d'un bon établissement pour les familles, car on partage les tables avec les autres convives, et les chefs se montrent sociables.

France

Les Chefs de France
$$$

Au pavillon de la France, Les Chefs de France propose un menu complet dans une belle salle à manger aux accents Art Nouveau. Au menu figurent tous les classiques de la cuisine de l'Hexagone. Il est également possible de s'installer à une agréable terrasse. La liste des vins et la carte des desserts sont par ailleurs fort bien garnies.

Le Bistro de Paris
$$$

Le Bistro de Paris est pour sa part campé dans une salle aux plafonds sculptés et aux ornements de laiton, tandis que ses tables sont rehaussées de bouquets fleuris et de bougies. Au menu, du poisson rôti, des côtelettes d'agneau grillées et de la surlonge de veau, le tout arrosé de sauces légères et onctueuses.

Maroc

Restaurant Marrakesh
$$$

Le couscous et la pastilla sont deux exemples de mets exotiques servis au Restaurant Marrakesh du pavillon marocain. Le premier se compose de minuscules grains de semoule arrosés d'un ragoût de légumes, alors que le second est un mélange d'amandes épicées, de safran et de cannelle entrelacé de poulet ou de fruits de mer. On y retrouve une ambiance typique de l'Afrique du Nord, avec de ravissantes danseuses du ventre accompagnées d'un trio de musiciens. Si les enfants (ou papa) désirent faire partie du spectacle, faites-en part à votre serveuse; les danseuses aiment bien faire participer les enfants.

Disney-MGM Studios

Comme vous pouvez vous en douter, les restaurants des studios Disney-MGM reflètent la passion du cinéma et de tout l'univers d'Hollywood. Malheureusement, la pensée et l'imagination de Disney se limitent aux décors et n'honorent en rien les menus. La plupart des mets proposés sont tout de même passables, et l'attention portée aux vedettes comble les attentes du plus grand nombre.

Starring Rolls Bakery
$

Hollywood Boulevard

Pour un petit déjeuner léger, la Starring Rolls Bakery offre des baguels, des muffins et des pâtisseries géantes. Il ouvre ses portes une demi-heure avant le reste des studios Disney-MGM, de sorte que vous pouvez y prendre une bouchée avant d'entamer votre visite. Plus tard dans la journée, venez y savourer l'un de ses desserts succulents.

Dinosaur Gertie's Ice Cream of Extinction
$

Echo Lake

Pour le dessert, faites un saut au Dinosaur Gertie's Ice Cream of Extinction, où l'on vous servira un délice glacé du ventre d'un brachiosaure.

ABC Commissary
$

près du Chinese Theatre

Outre le 50's Prime Time Café, d'autres restaurants vous font remonter dans le passé d'Hollywood. L'ABC Commissary, de style cafétéria Art déco des années 1930, offre de la salade aux haricots et aux fruits de mer, du poulet frit et, comme dessert, un petit pain roulé aux bananes.

Backlot Express
$

Echo Lake

Le Backlot Express offre des hamburgers et des hot-dogs convenables.

Toy Story Pizza Planet
$

Le Pizza Planet – le restaurant thématique de *Toy Story* (*Histoire de Jouets*) –, du nom du restaurant où, dans le film, Buzz Lightyear rencontre les petits hommes verts, propose des salades et de bonnes pizzas bien garnies. De plus, comme dans le film, l'établissement est aussi une bruyante arcade remplie d'innombrables jeux vidéo.

Studio Catering Co.
$-$$

Streets of America

Les studios Disney-MGM recèlent également plusieurs «restaurants-minute». Ainsi, le Studio Catering Co. sert des sandwichs et du café (il est tellement bien caché qu'il est rarement bondé).

Hollywood & Vine
$$

près de l'Echo Lake

Le Hollywood & Vine propose un buffet dans un décor des années 1950 et se spécialise dans les steaks, le poisson et le poulet grillés ou rôtis. Choisissez une table donnant sur l'immense murale reproduisant différents points de repère d'Hollywood. À l'heure du lunch, des personnages du Disney Channel chantent et dansent avec les enfants.

Mama Melrose's Ristorante Italiano
$$

Streets of America

Perdu dans une rue secondaire derrière Star Tours, le Mama Melrose's Ristorante

Restaurants - Disney-MGM Studios

Italiano compte parmi les favoris de Disney-MGM. Son intérieur vous rappellera les bonnes vieilles et chaleureuses pizzerias avec ses banquettes intimes, ses nappes à carreaux rouges et blancs, ses lampes à huile vacillantes et la chaleur qui s'échappe du four en briques. Les pizzas au fromage bouillonnant font l'unanimité, mais la lasagne aux légumes et les poitrines de poulet arrosées d'une sauce au basilic et à l'ail, puis couronnées de mozzarella et de parmesan, sont également excellentes. Autre avantage: un important menu pour enfants. Mama sert le déjeuner et le dîner, quoique sa fermeture précède généralement celle du parc. Prenez donc la peine de vous en informer au préalable.

50's Prime Time Café
$$-$$$
Echo Lake

Le 50's Prime Time Café est idéal pour les familles. Ses tables en stratifié entourées de chaises en vinyle et la présence de téléviseurs anciens un peu partout créent une ambiance tout ce qu'il y a de plus cordial, d'autant plus que la matrone des lieux vous enjoint de ne rien laisser sur votre plateau. La nourriture, composée de pain de viande, de pommes de terre en purée, de rôti, de salade au poulet et de soupe à l'alphabet, vous est servie dans de grandes assiettes à compartiments, et «maman» apporte des livres à colorier et des crayons aux enfants tout en vérifiant s'ils se sont bien lavé les mains avant de manger. (Gardez-vous bien de mettre vos coudes sur la table et surveillez votre langage, sinon *Mom* risque de vous mettre en pénitence!)

Sci-Fi Dine-In Theater Restaurant
$$-$$$
Le Sci-Fi Dine-In Theater Restaurant offre un service complet. Ses sandwichs clubs, ses hamburgers et ses fruits de mer sont tout juste passables, mais le décor – qui recrée intérieurement un ciné-parc – vaut à lui seul le détour. Vous y mangerez à bord de «voitures» à la mode d'autrefois et pourrez regarder des extraits de films de science-fiction sur grand écran tout

en prenant votre repas. On ne parle pas ici de chefs-d'œuvre cinématographiques, mais de films de série B d'une époque révolue, du genre de *The Attack of the 50 Foot Woman* (L'attaque de la femme de 15 m), *The Teenagers from Outer Space* (Les adolescents extraterrestres) ou *The Cat Women of the Moon* (Les femmes-chats de la Lune)… Vraiment unique en son genre.

Hollywood Brown Derby
$$$
Hollywood Boulevard

Le réputé restaurant Brown Derby d'Hollywood n'est plus, mais son sosie prospère aux studios Disney-MGM. Le Hollywood Brown Derby arbore des lambris en teck, des lustres et des caricatures de stars qui lui confèrent une élégance feutrée. Au déjeuner et au dîner, le menu propose des pâtes, du veau, des fruits de mer et une salade *cobb* très colorée. Celle-ci, rendue célèbre par le restaurant d'origine, se compose de légumes verts frais garnis de bacon haché, d'avocat, de tomates, de fromage bleu et de dinde. Les portions sont de taille, mais le service est lent et les prix sont élevés. Pour les familles pressées ou soucieuses de leur budget, le Brown Derby ne constitue pas un bon choix.

Disney's Animal Kingdom

À la différence des autres parcs thématiques, le Disney's Animal Kingdom ne fait pas de la restauration une attraction en soi, et les établissements en cause n'ont visiblement pas tout le caractère et l'éclat de ceux du Magic Kingdom ou d'Epcot, par exemple. La nourriture n'est cependant pas mauvaise pour autant – en fait, certains petits cafés offrant des produits de boulangerie s'avèrent exceptionnellement bons.

Si vous n'en avez que pour les sucreries, sachez que vous en trouverez partout dans le parc; parmi les grands favoris, retenez le **Kusafiri Coffee Shop & Bakery** *($)* de l'«Afrique» pour ses pâtisseries fraîches à souhait et son bon café.

Flame Tree Barbecue
$

Sur Discovery Island, il y a fort à parier que vous humerez les effluves émanant du Flame Tree Barbecue avant même de l'apercevoir; son menu odorant de poulet rôti, de côtes levées, de porc et de bœuf grillé constitue d'ailleurs une solution de rechange on ne peut plus savoureuse aux sempiternels hamburgers, d'autant plus que vous pourrez déguster le tout sur une confortable place extérieure au bord de l'eau.

Pizzafari
$

Une fournée n'attend pas l'autre au Pizzafari, où vous pourrez tout aussi bien commander une salade ou un sandwich sur le pouce.

Tusker House Restaurant
$

Si, d'aventure, vous vous trouvez en «Afrique», vous n'aurez pas à marcher bien loin pour apaiser votre faim, puisque le Tusker House Restaurant vous propose toute une gamme de plats rôtis, du poulet frit, des sandwichs au bœuf et des salades.

Restaurantosaurus
$-$$

À DinoLand U.S.A., le Restaurantosaurus, à saveur résolument paléontologique, sert des repas toute la journée; le petit déjeuner revêt la forme d'un buffet à volonté (Donald's Prehistoric Breakfastosaurus) en compagnie des personnages de Disney, tandis qu'après 11h on y mange du McDonald.

Rainforest Cafe
$$-$$$

www.rainforestcafe.com

Le seul et unique restaurant à service complet du parc, le Rainforest Cafe, se trouve à proprement parler hors du parc. Vous n'avez d'ailleurs pas à acquitter le droit d'entrée au parc pour y manger (en fait, vous devrez vous faire estampiller la main pour pouvoir retourner dans le parc si vous le quittez pour y prendre votre repas), quoique vous devrez là aussi faire la queue. Ce restaurant de chaîne aménagé sur le thème de la jungle bénéficie en effet d'une extrême popularité et impose souvent une attente d'une heure ou plus. Quant à la nourriture (hamburgers, côtes levées, pépites de poulet), elle n'est pas mauvaise du tout, et les enfants apprécieront à n'en point douter les animaux animatroniques (entre autres l'éléphant qui lance de l'eau avec sa trompe à l'extérieur) et les simulations d'orages périodiques.

Downtown Disney

Loin des grands parcs thématiques, Disney offre encore davantage de restaurants aux visiteurs. Certains d'entre eux attirent une foule moins nombreuse, surtout le midi, à l'heure où les parcs sont bondés, tandis que d'autres ont leurs habitués, ce qui vous oblige à réserver ou à vous présenter à des heures improbables.

Ghirardelli Soda Fountain & Chocolate Shop
$

L'irrésistible chocolaterie de San Francisco a pignon sur rue dans le Downtown Disney Marketplace. Pour un immense lait fouetté ou une extravagante glace garnie de sauce au chocolat, c'est ici qu'il faut faire escale.

Earl of Sandwich
$

Earl of Sandwich, situé dans le secteur du Marketplace, propose une belle variété de savoureux sandwichs, ainsi que des salades et de délicieux desserts. Vous avez le choix entre la vaste salle à manger et la terrasse. On y sert aussi le petit déjeuner.

Wolfgang Puck Express
$-$$

Au Marketplace, le Wolfgang Puck Express propose une restauration rapide haute en panache. Ce restaurant coloré, émaillé de tables de bistro, brille par ses pizzas cuites au four à bois de même que par diverses spécialités telles que le gaspacho (soupe froide à base de tomates, piments et épices), la salade chinoise, les pommes de terre à l'ail en purée et les sandwichs César au poulet rôti. On trouve un autre Wolfgang Puck Express dans le secteur West Side de Downtown Disney.

Cap'n Jack's Restaurant
$$

Le Cap'n Jack's Restaurant du Marketplace offre une jolie vue sur le Buena Vista Lagoon. Dans une ambiance détendue, on y propose des fruits de mer, des steaks et des pâtes.

Planet Hollywood
$$

S'il est un établissement où tout le monde veut manger, boire, être vu ou simplement s'imprégner de l'air que respirent les vedettes de cinéma, c'est bien le Planet Hollywood, qui fait en outre partie de la chaîne internationale lancée par Bruce Willis, Sylvester Stallone et Arnold Schwarzenegger. D'une immense popularité, files d'attente à l'appui, cette énorme boule bleue flanquée d'un vaisseau spatial se trouve à la limite entre le West Side et Pleasure Island. Quant à la nourriture et à l'atmosphère, elles sont bonnes, et même très bonnes, depuis le décor planétaire éclaté et les clips projetés sur écrans géants jusqu'aux savoureuses portions de poulet, de poisson et de pizzas cuites sur feu de bois. La «planète», qui présente deux étages, est ouverte et remplie de curiosités, telles ces pierres gemmes rutilantes sous le verre des bars, ces tapis à motifs de léopard et ces nappes aux rayures de zèbre, ou encore la Coccinelle et le canot suspendus au plafond, les douzaines d'accessoires de cinéma sous verre accrochés aux murs et les serveuses qui utilisent le micro accroché à leur casque pour appeler l'heureuse tablée suivante.

House of Blues
$$-$$$

Cet établissement du West Side fait partie de la célèbre chaîne appartenant à Dan Aykroyd, Jim Belushi, John Goodman et certains membres du groupe Aerosmith. On y sert une cuisine «inspirée du delta» (du Mississippi) avec, entre autres, *jam-balaya*, étouffée d'écrevisse et pudding au pain maison. Des musiciens animent le repas du soir du jeudi au samedi. Le dimanche matin, on y propose le fameux House of Blues Gospel Brunch, une célébration populaire au cours de laquelle vous entendrez de la musique et des chants gospel en direct.

Bongos Cuban Cafe
$$

Si vous préférez les rythmes latins, prenez plutôt la direction du Bongos Cuban Cafe de la chanteuse Gloria Estefan, où vous trouverez une cuisine cubaine accompagnée d'une riche musique du Sud. On ne peut manquer la chic maison blanche flanquée de colonnes qui abrite ce restaurant.

Rainforest Cafe
$$-$$$
www.rainforestcafe.com

Le plus innovateur des établissements du Marketplace est en quelque sorte une attraction en soi. Campé au pied du volcan actif qui se dresse derrière le marché, le Rainforest Cafe vous offre aussi bien une aventure qu'un repas puisque, ici, on ne fait pas que manger: on part aussi en safari. Les salles à manger renferment en effet de véritables jungles peuplées d'animaux sauvages, et un orage tropical sévit toutes les 20 min. Créé à des fins de divertissement certes, mais aussi de sensibilisation aux problèmes environnementaux, ce restaurant se veut résolument authentique avec ses brumes tropicales (qui ont cependant un effet désastreux sur les coiffures de ces dames), ses cascades d'eau, ses perroquets à demeure ainsi que sa faune et sa flore tropicales. Y flotte même une exotique odeur de forêt tropicale humide! Au menu, Rasta Pastas (pâtes nappées d'une sauce crémeuse à l'ail et garnies de poulet grillé et d'épinards frais) et Tuscan Chicken (poulet, concombres et olives Calamata), pour ne mentionner que ces deux plats. Les enfants adoreront les gorilles et les éléphants animatroniques, et que dire de Tracy, l'arbre parlant? Tous les gadgets qu'on retrouve ici en font un restaurant couru, si bien qu'il n'est pas rare d'y faire la queue avant de manger.

Réservez votre table ou arrivez tôt, soit avant midi pour le déjeuner, et avant 17h pour le dîner.

Wolfgang Puck Café
$$-$$$

Dans le West Side, le Wolfgang Puck Café, qui porte le nom du chef de réputation mondiale du Spago, met en vedette ses créations californiennes uniques, y compris ses pizzas au four à bois sans égales, mais aussi ses potages et ses plats de résistance à mourir d'envie. On y donne même souvent de la pâte aux enfants pour qu'ils fassent eux-mêmes leur pizza au comptoir des pizzas! Vous avez le choix entre la formule buffet de type cafétéria sur la terrasse ou le service complet à l'intérieur. Cette seconde option permet d'apprécier le beau décor de mosaïques colorées de la salle à manger, bruyante certes, mais dont l'atmosphère enjouée est irrésistible. Si vous le pouvez, choisissez une table vers l'arrière pour jouir de la vue sur le lagon.

Raglan Road Irish Pub and Restaurant
$$$

Seul restaurant de Pleasure Island, le Raglan Road peut aussi devenir un établissement où faire la fête. Il s'agit en fait d'un pub irlandais où la bière coule à flots, et des musiciens invitent les convives à chanter et à danser.

Fulton's Crab House
$$$-$$$$

Si vous voulez manger assis sans avoir à attendre, faites une réservation à la Fulton's Crab House, aménagée à l'intérieur du bateau à aubes amarré en permanence au Marketplace. Déjeuner et dîner y sont servis tous les jours. Les fruits de mer sont à l'honneur, mais les vrais carnivores trouveront tout de même du bifteck et du poulet au menu. Quant aux enfants, ils auront le choix entre la pizza, les hamburgers et les hot-dogs.

Portobello Yacht Club
$$$-$$$$

Le Portobello Yacht Club, un charmant petit établissement italien, se trouve au bord de l'eau dans le secteur du Mar-ketplace et profite d'un décor nautique, manifeste dans les ventilateurs en forme de gouvernails, les modèles réduits de bateaux, les murs lambrissés et le laiton étincelant. Le service est impeccable, l'atmosphère joviale et la nourriture fraîche, savoureuse, et à prix raisonnable. On y sert des pizzas à croûte mince et croustillante cuites sur feu de bois, des crevettes à l'ail et toutes sortes de pâtes, toutes apprêtées dans une cuisine à aire ouverte.

Les complexes hôteliers de Disney

Les hôtels du Walt Disney World Resort renferment de nombreux restaurants, depuis le comptoir de restauration rapide jusqu'à la table gastronomique, en passant par le restaurant thématique où divers personnages sont présents.

Comme tous les lieux de promenade estivaux, le BoardWalk s'avère riche en comptoirs de friandises. Fondant au chocolat maison, bretzels enrobés de chocolat et autres confections garnissent ainsi l'étalage de **Seashore Sweets** *($)*, tout à côté du ESPN Club. Le **Boardwalk Bakery** *(☎407-939-5100)*, flanqué de pittoresques tables de bistro au bord de l'eau, est pour sa part un bon établissement pour faire une pause devant un cappuccino et une danoise ou un muffin démesuré.

Captain Cook's Snack and Ice Cream Company
Disney's Polynesian Resort
1600 Seas Dr.
$

Vous trouverez des hamburgers, des plateaux de fruits frais et des hot-dogs à la noix de coco au Captain Cook's Snack and Ice Cream Company du Polynesian Resort.

Beaches & Cream Soda Shop
$$
Disney's Beach Club Resort
1700 Epcot Resorts Blvd.
☎407-934-7000

Le Beaches & Cream du Yacht Club tient une buvette fantaisiste et colorée où l'on sert de riches coupes glacées et des hamburgers à la mode du Fenway Park (le stade de baseball des Red Sox de Boston).

Boma – Flavors of Africa
$$
Disney's Animal Kingdom Lodge
2901 Osceola Pkwy.
Cet établissement fort apprécié a toutes les allures d'un marché africain. On y propose un buffet hors du commun composé de mets d'à peu près tous les pays du continent africain.

Cape May Café
$$
Disney's Beach Club Resort
1700 Epcot Resorts Blvd.
Ce restaurant à l'ambiance tout ce qu'il y a de plus décontractée sert au dîner un impressionnant buffet de fruits de mer au bord de la plage. Le petit déjeuner est quant à lui animé par le chien Goofy et ses amis.

> Les casse-croûte situés en bordure des piscines des hôtels de Disney World offrent les repas les plus rapides (et souvent les moins chers).

Chef Mickey's
$$
Disney's Contemporary Resort
4600 N. World Dr.
Voici probablement le restaurant le plus apprécié des familles qui souhaitent que leurs enfants puissent s'approcher de Mickey Mouse en personne. Dans cet immense atrium haut de plus de 27 m, là où glisse le monorail au-dessus des convives, c'est en effet le chef Mickey qui reçoit et propose à ses invités les plats qu'il a mitonnés pour le buffet du petit déjeuner et du dîner.

ESPN Club
$$
Disney's BoardWalk Inn
2101 N. Epcot Resorts Dr., Lake Buena Vista
Les sportifs de salon découvriront avec plaisir l'ESPN Club, dont les 90 écrans de télévision diffusent constamment divers événements sportifs. Les lundis soir de la saison régulière de football américain mettent parfois en vedette des athlètes réputés et offrent des commentaires sur chaque jeu. Vous pouvez prendre place au bar ou dans la salle, conçue sur le modèle d'un terrain de basketball. Quant à la nourriture, délicieuse et abondante, elle n'étonnera pas les habitués des stades: hot-dogs, sandwichs au bifteck, hamburgers, etc.

Trail's End Buffet
$$
Disney's Fort Wilderness Resort & Campground
Pour un repas terre à terre de type familial, rendez-vous au Trail's End Buffet du Fort Wilderness Campground. Cette construction en rondins arbore des chandeliers en forme de roues de charrette, et l'on y sert à volonté des mets du sud des États-Unis tels que poulet frit, ainsi que des côtes levées cuites sur le gril. Les omelettes et les gaufres offertes au petit déjeuner sont particulièrement bourratives. On trouve aussi au Trail's End Buffet un comptoir à pizzas ouvert de 16h30 à 21h30.

Grand Floridian Café
$$
Disney's Grand Floridian Resort & Spa
4401 Floridian Way
Les familles apprécient particulièrement le Grand Floridian Café pour son atmosphère décontractée, ses prix raisonnables et ses mets originaux. Dans ces lieux imprégnés de tons de pêche, de vert menthe et de crème, parsemés de tables en marbre et remplis de bruits d'assiettes et de cris d'enfants, on sert du poulet, du porc, du bœuf et des fruits de mer à saveur souvent tropicale. Nous vous recommandons les *quesadillas* au poulet sauce barbecue ainsi que les pâtes Key Largo (apprêtées au vin blanc et à l'ail).

Big River Grill & Brewing Works
$$-$$$
Disney's BoardWalk Inn
2101 N. Epcot Resorts Dr., Lake Buena Vista
Le Big River Grill & Brewing Works propose de bons vieux plats de pub tels que mini-côtes levées, bretzels chauds

à la bière et salade de poulet grillé. Et n'oubliez pas d'essayer certaines ales maison, dont vous pouvez observer la fabrication à travers de larges baies vitrées. Le menu pour enfants, imprimé sur une feuille à colorier (crayons de cire fournis), fera sûrement aussi l'affaire: hamburger régulier, hamburger au fromage, hot-dog, sandwich au fromage grillé...

Kona Cafe
$$-$$$
Disney's Polynesian Resort
600 Seas Dr., Lake Buena Vista
Si vous aimez les petits déjeuners copieux, rendez-vous au Kona Cafe et commandez du pain Tonga, soit du pain au levain fourré de bananes en crème et revenu dans la friture jusqu'à ce qu'il gonfle, le tout saupoudré de sucre à la cannelle. Ce café sans prétention sert aussi des œufs et des céréales au petit déjeuner, de même que des sandwichs et de grosses salades au déjeuner et au dîner, et propose en outre un menu pour enfants. Un seul inconvénient: les foules ont découvert cet établissement (et son fabuleux pain Tonga), si bien qu'il est généralement bondé.

Olivia's Café
$$-$$$
Disney's Old Key West Resort
1510 N. Cove Rd., Lake Buena Vista
Les chaleureuses concoctions familiales de l'Olivia's Café cadrent parfaitement dans le décor de l'Old Key West Resort, qu'il s'agisse du pâté de poulet, de la purée de pommes de terre ou des soupes maison. Il y a même des plats spécialement conçus à l'intention des enfants (mais évitez les hot-dogs).

Spoodles
$$-$$$
Disney's BoardWalk Inn
2101 N. Epcot Resorts Dr., Lake Buena Vista
Chaleureux et détendu, le Spoodles adopte la formule espagnole des tapas (partage de nourriture entre les convives) et sert des plats méditerranéens qu'on se passe à tour de rôle autour de la table. Les champignons Portobello grillés sont un vrai régal. Parmi les autres choix, retenons le thon épicé à la marocaine, les

côtelettes d'agneau tunisiennes noircies et bien relevées, et le bifteck de faux-filet grillé. La nourriture y est excellente, mais les portions sont parfois minces, de sorte que vous devrez commander plusieurs plats pour satisfaire les appétits de tous. Pour les enfants, on propose les traditionnels pizza, macaroni au fromage, spaghetti ou poulet.

1900 Park Fare
$$-$$$
matin et soir
Disney's Grand Floridian Resort & Spa
4401 Floridian Way
Si vous recherchez un buffet hors du commun, foncez tout droit vers le 1900 Park Fare du Grand Floridian Resort & Spa. Vous y trouverez des tonnes de nourriture, un menu pour enfants et un bel assortiment de desserts. Divers personnages animent le petit déjeuner et le dîner.

'Ohana
$$-$$$$
Disney's Polynesian Resort
1600 Seas Dr., Lake Buena Vista
Au restaurant 'Ohana du Polynesian Resort, vous vous retrouverez dans une ambiance festive de *luau* polynésien. Fruits de mer, volailles et viandes grillés y sont servis en brochettes par un personnel en tenues hawaïennes. Le spectacle tient également beaucoup au gril ouvert de 5 m sur lequel on prépare la nourriture. Repas familiaux à prix fixe avec boissons et desserts à la carte. Assurez-vous d'avoir une faim de loup, car il y a beaucoup à manger. Les personnages Lilo, Stitch, Mickey et Pluto sont présents au petit déjeuner. Pas de déjeuner.

Flying Fish Cafe
$$$
dîner seulement
Disney's BoardWalk Inn
2101 N. Epcot Resorts Dr., Lake Buena Vista
☎ 407-939-5100
Les fruits de mer sont la spécialité du Flying Fish Cafe, dont l'ambiance est celle d'un «restaurant de jetée» du centre de la côte Atlantique. Ainsi nommé en mémoire de la première voiture d'un manège de montagnes russes d'Atlantic City dans les années 1930, ce restaurant

Restaurants - Les complexes hôteliers de Disney

se pare de bleus sombres et d'appliques murales Art déco, sans parler de la grande roue en verre et des montagnes russes d'apparat. Son menu, comparable à celui de son homologue, le California Grill du Contemporary Resort, comprend un filet de saumon grillé sur feu de chêne de même qu'un bar rayé enrobé de pommes de terre. Les végétariens et les carnivores n'y seront pas en reste non plus. Menu pour enfants de poisson frites, de bâtonnets de poulet et de hot-dogs. Réservations recommandées.

Cítricos
$$$

dîner seulement, lun-mar fermé
Disney's Grand Floridian Resort & Spa
4401 Floridian Way

Cet établissement récent propose un menu relevé de spécialités méditerranéennes de type cuisine du marché. Le choix de vins est fort bon, et le menu en suggère même un pour chaque plat. Belle vue sur le Seven Seas Lagoon.

Shula's Steak House
$$$

Walt Disney World Dolphin
1200 Epcot Resorts Blvd.

Ce restaurant fait partie de la chaîne mise sur pied par le légendaire ex-entraîneur de l'équipe de football des Dolphins de Miami, Don Shula. Ambiance chic, steaks juteux et bon choix de vins constituent les ingrédients qui en ont fait le succès. Dîner seulement.

Outback
$$$-$$$$

Buena Vista Palace Hotel & Spa
1900 Buena Vista Dr., Lake Buena Vista
☎407-827-3430
www.buenavistapalace.com

L'Outback, dans l'enceinte du Buena Vista Palace Hotel & Spa, vous emmène aux antipodes. Des mets australiens y sont préparés sur des grils au beau milieu de la salle à manger. Des mini-côtes levées, des queues de homard, de kangourou et d'alligator ainsi qu'une grande variété de bières (américaines et importées) y sont disponibles. Pour accéder au restaurant, vous devez prendre un ascenseur en verre qui traverse une chute. Dîner seulement.

Les grillades au barbecue sont généreuses et servies façon familiale au **Whispering Canyon Cafe** (**$$-$$$**) du Disney's Wilderness Lodge. Mieux encore, son personnel vous fera passer un excellent moment. À la même enseigne, le chic **Artist's Point** (**$$$-$$$$**; *matin et soir; Disney's Wilderness Lodge, 901 Timberline Dr., Lake Buena Vista*) est un restaurant à la mode du «Pacific Northwest» qui se spécialise dans le gibier et les fruits de mer frais.

California Grill
$$$-$$$$

Disney's Contemporary Resort
4600 N. World Dr., Lake Buena Vista

Le California Grill porte Disney World un peu plus loin au-delà de son image de capitale du hot-dog et du hamburger. Situé au 15e étage du Contemporary Resort, il propose une fraîche cuisine californienne et des vues parmi les plus belles du Magic Kingdom. Le raffinement de cet établissement lui confère une image recherchée. Le menu change régulièrement, mais vous pourriez y déguster des mets aussi branchés que les raviolis au fromage de chèvre de Sonoma accompagnés de champignons *shitake* ou du tofu grillé sur lit de riz basmati aux légumes printaniers. Le menu pour enfants (qui va des macaronis au fromage au poulet rôti) est à prix raisonnable, mais l'atmosphère des lieux se prête résolument davantage à une sortie en tête-à-tête. Allez-y le soir pour admirer le feu d'artifice du Magic Kingdom. Tenue de mise requise.

Victoria & Albert's
$$$$

Disney's Grand Floridian Resort & Spa
4401 Floridian Way

Étant donné la forte concurrence que se livrent entre eux les hôtels, plusieurs des meilleurs restaurants de la région se trouvent dans les grands complexes d'hébergement. Pour un dîner à son meilleur avec ou sans les enfants, le Victoria & Albert's propose un repas à six services à prix fixe, servi par des employés vêtus en reines et en rois. Le menu change quotidiennement, mais il contient habituellement du poisson, de la volaille, du

veau, du bœuf et de l'agneau, souvent suivis des célèbres desserts soufflés de cet établissement. Pour couronner le tout, on offre aux convives des roses à longue tige. Tenue vestimentaire de mise et réservation requises.

Universal Orlando

Universal Orlando surpasse Disney en ce qui a trait à la nourriture. De la restauration rapide à la fine cuisine, les restaurants dépassent ici en effet d'un cran leurs homologues des parcs thématiques en général.

À noter qu'il est possible de se procurer un forfait qui permet, pour un prix fixe, de prendre tous les repas de la journée dans une sélection de restaurants des Universal Studios ou des Universal's Islands of Adventure. Ce forfait a été baptisé **Universal Meal Deal**. Comptez 24,99$ pour les adultes et 12,99$ pour les enfants.

Universal Studios

Il y a beaucoup d'établissements où vous pouvez vous procurer un repas rapide et économique. La **Beverly Hills Boulangerie** *($; Hollywood)* sert des croissants, des pâtisseries et des sandwichs. À New York, un **kiosque extérieur** vend des oranges, des pommes et d'autres fruits frais. Pour une chère internationale (convenant bien au thème de World Expo), rendez-vous à l'**International Food and Film Festival** *($)* et faites votre choix entre la cuisine italienne, chinoise, allemande et grecque.

Louie's Italian Restaurant
$
New York
Un des meilleurs établissements où se procurer un repas rapide et satisfaisant est le Louie's Italian Restaurant, qui imite un bistro de la Petite Italie. La pizza, la lasagne et les autres plats de pâtes y sont offerts en libre-service. Pour ceux qui préfèrent manger plus léger, il y a aussi de la soupe minestrone et des salades de pâtes.

Mel's Drive-In
$
Hollywood
Peu de familles peuvent passer outre au Mel's Drive-In. Les enfants adorent ses hamburgers, ses laits fouettés et ses banquettes rouges assorties de juke-box individuels, alors que les parents jouissent de la nostalgie dont sont imprégnés les lieux. Ce restaurant, qu'on dirait tiré du film *American Graffiti*, est placardé de mélodies des années 1950 et décoré de néons roses et de métal argenté.

Finnegan's Bar and Grill
$$
New York
Les Universal Studios possèdent désormais leur pub irlandais tout ce qu'il y a de plus typique, avec *shepherd's pie* et *fish & chip* au menu, bon choix de bières pression et chanteur pour animer le repas du soir. Les vendredis et samedis, le petit déjeuner se prend en ces lieux en compagnie de Scooby Doo, Jimmy Neutron et autres personnages.

Lombard's Seafood Grille
$$
San Francisco/Amity
Si vous recherchez l'élégance, allez faire un tour du côté du Lombard's Seafood Grille. Établissement situé dans un entrepôt en bordure d'un lagon, il comporte des plafonds de planches, et ses tables en teck miroitant s'entourent d'arches, d'un aquarium en forme de bulle et de fontaines en cuivre. Des fruits de mer et des poissons, comme le saumon grillé et les beignets de crabe, composent le menu, où figurent également la côte de bœuf, le poulet et les plats destinés aux enfants.

Universal's Islands of Adventure

Croissant Moon Bakery
$
Port of Entry
À la Croissant Moon Bakery, le comptoir de pâtisseries ne manquera pas de vous envoûter; les douceurs de la maison prennent en effet des proportions

gargantuesques et s'avèrent tout aussi délectables qu'irrésistibles.

The Burger Digs
$

Jurassic Park

Si vous vous sentez plus carnivore, The Burger Digs concocte d'énormes hamburgers et sandwichs à même de satisfaire un appétit de dinosaure.

Captain America
$

Marvel Super Hero Island

De simples hamburgers, salades, frites et rondelles d'oignons composent le menu de cet établissement, mais les reproductions géantes de super-héros de son décor le rendent irrésistibles aux yeux des adolescents et des plus jeunes.

Au Toon Lagoon, vous trouverez aussi des sandwichs géants au **Blondie's *($)*, à moins que vous ne préfériez un hamburger au **Comic Strip Cafe** *($)*.

Confisco Grille
$$

Port of Entry

☎ 407-224-4012

Universal's Islands of Adventure propose une restauration pour le moins inspirée. Le Confisco Grille, un établissement à service complet, propose un menu de pâtes, de grillades et de salades, servies dans une salle remplie d'objets hétéroclites, tandis que les serveurs exploitent à fond le thème des lieux – le nom du restaurant fait référence aux objets «confisqués» aux aventuriers peu méfiants, d'où tout ce que vous voyez sur les murs –, de sorte que vous pouvez vous attendre à être temporairement délesté de certaines de vos possessions! Les jeudis, vendredis, samedis et dimanches matin, des personnages comme Spider-Man ou ceux du Docteur Seuss animent le repas.

Circus McGurkus Cafe Stoopendous
$$

Seuss Landing

Mangez sous le «grand chapiteau» du trépidant Circus McGurkus Cafe Stoopendous, dont le poulet frit, les spaghettis et la pizza feront sans nul doute le bonheur des enfants, tout comme l'atmosphère

de cirque rehaussée de «numéros de trapèze» ininterrompus.

The Enchanted Oak Tavern
$$

The Lost Continent

Les plats fumés proposés par l'Enchanted Oak Tavern, sous l'arbre de Merlin, sont l'occasion d'un véritable festin, sans compter que vous pourrez les arroser de quelque 45 bières différentes.

Mythos Restaurant
$$$

The Lost Continent

Ce restaurant grec installé dans la section du Lost Continent constitue le meilleur choix du parc pour un bon dîner. Fruits de mer et grillades composent le menu de l'établissement, qui propose en outre un décor spectaculaire de grotte sous-marine et offre une vue saisissante sur le lagon central.

Universal CityWalk

L'Universal CityWalk compte maintenant une douzaine de restaurants. Pour réserver une table à l'un ou l'autre de ces établissements, composez le ☎ 407-224-3663.

Pastamoré Ristorante & Market
$-$$

Si les spécialités italiennes vous intéressent, rendez-vous au Pastamoré, un restaurant où vous pourrez vous attabler sur une place de marché à ciel ouvert ou dans une salle intérieure au décor coloré, avec cuisine à aire ouverte permettant d'observer les cuistots. Les pizzas cuites au four à bois sont ici particulièrement appréciées. Au dessert, gardez-vous un peu de place pour un *gelato* et un bon café à l'italienne.

Bob Marley – A Tribute to Freedom
$$

Dans cet établissement, c'est bien sûr la musique reggae et la cuisine jamaïcaine qui sont à l'honneur.

The Bubba Gump Shrimp Co. Restaurant & Market
$$

Voici l'endroit tout désigné pour déguster des crevettes apprêtées de mille et une façons ou d'autres fruits de mer, dans une ambiance inspirée du fameux film *Forrest Gump*.

Jimmy Buffett's Margaritaville
$$

Le chanteur Jimmy Buffett est une grande star en Floride et ailleurs aux États-Unis, et sa chaîne de restos-bars y obtient un franc succès. On y sert des spécialités des Keys floridiennes et des Antilles, et des musiciens animent la soirée avec d'irrésistibles airs caribéens.

Latin Quarter
$$

Au Latin Quarter, le riche menu propose des spécialités inspirées des cuisines de pas moins de 21 pays latino-américains. En soirée, des musiciens sur scène s'assurent que la piste de danse se remplisse rapidement. Agréable terrasse.

NASCAR Cafe Orlando
$$

Les amateurs de course automobile se donnent rendez-vous dans cet établissement consacré à la célèbre série américaine. Au menu, côtes levées, steaks et autres classiques du genre.

NBA City
$$

C'est au basketball professionnel que rend hommage ce restaurant qui sert hamburgers, pâtes et pizzas. D'innombrables écrans vidéo présentent les performances des meilleurs joueurs professionnels.

Hard Rock Cafe
$$$
☎407-351-7625

L'incontournable Hard Rock Cafe du City-Walk s'enorgueillit d'être le plus vaste maillon de cette célèbre chaîne internationale vouée au culte des idoles du rock-and-roll. Comme d'habitude, l'endroit est autant un musée, avec ses souvenirs de stars exposés partout, qu'un restaurant. Qui plus est, un immense amphithéâtre en forme d'arène romaine où sont présentés des concerts rock avoisine l'établissement.

Emeril's Restaurant Orlando
$$$-$$$$

Outre le fait d'avoir apporté d'indéniables additions aux possibilités de vie nocturne dans la région d'Orlando, CityWalk a rehaussé le niveau gastronomique local. Entre autres, le chef Emeril Lagasse de La Nouvelle-Orléans a ouvert son propre restaurant, l'Emeril's Restaurant Orlando, et, que vous ayez ou non eu l'occasion de voir ses émissions à la télé, vous ne pourrez qu'être conquis par sa cuisine inspirée du sud des États-Unis servie dans une élégante salle vitrée.

SeaWorld Adventure Park

Comme c'est toujours le cas dans les parcs d'attractions, il y a de nombreux comptoirs de restauration rapide un peu partout sur le site de SeaWorld. Bien peu cependant méritent qu'on s'y attarde, à part peut-être ceux aménagés sur le **Waterfront at SeaWorld**. Cependant, dans la foulée de la rénovation du parc menée par ses nouveaux propriétaires, des salles à manger hors du commun se trouvent maintenant aux abords de certaines attractions:

Voyagers Wood Fired Pizza
$

Ce restaurant a toutes les allures d'une grande cafétéria, mais la nourriture y est d'une qualité très acceptable. Comme son nom l'indique, on y propose des pizzas, mais aussi du poulet rôti, du saumon grillé et des pennes.

Dine With Shamu
$$$
☎407-351-3600 ou 800-327-2420

Un buffet est servi dans une salle attenante au bassin de l'épaulard Shamu, ce qui permet de l'observer de près et de le voir en interaction avec ses entraîneurs. Il en coûte 37$ par adulte et 19$ par enfant de 3 à 9 ans. Réservations requises.

Sharks Underwater Grill
$$$
☎407-351-3600

Installé à l'intérieur de l'attraction Shark Encounter, ce bon restaurant, avec service aux tables, est probablement le plus intéressant de SeaWorld. Vous y déjeunez ou y dînez en compagnie d'une cinquantaine de requins... qui nagent dans un grand bassin situé derrière une épaisse baie vitrée. Steaks, poulet et fruits de mer figurent au menu.

Au-delà des grands parcs

Orlando

Beaucoup d'établissements de type *fast-food* et de restos de chaîne s'alignent sur International Drive. À travers les innombrables enseignes au néon, on trouve toutefois quelques trésors en y cherchant bien.

Café Tu Tu Tango
$-$$$
8625 International Dr.
☎407-248-2222
www.cafetututango.com

Avec ses airs de loft d'artiste à l'espagnole, ses murs jaunes défraîchis, ses œuvres originales et ses planchers de bois usés, tout comme d'ailleurs ses tables et ses banquettes, le Café Tu Tu Tango propose une nourriture «pour artistes affamés». Filiale des bars à tapas de Miami et d'Atlanta, ce restaurant renferme un bar bruyant mais convient aussi aux familles. Les enfants peuvent y commander un sandwich au fromage, des spaghettis ou des bâtonnets de poulet, tandis que leurs parents préféreront sans doute les pizzas cuites au four de briques, l'espadon grillé, les *empanadas* au crabe ou les bâtonnets d'alligator, de même que les plats méditerranéens et la nouvelle cuisine servie au compte-gouttes. Le prix varie en fonction du nombre d'amuse-gueule que vous vous offrez.

Numero Uno
$$
2499 S. Orange Ave.
☎407-841-3840

Ce petit resto cubain est l'une des adresses favorites des résidants de la région, qui y vont principalement pour la fameuse paella, spécialité de l'établis-

Dinner Theaters

La région d'Orlando et de Kissimmee compte une impressionnante quantité de salles vouées à la présentation de dîners-spectacles thématiques. Ces Dinner Theaters, comme on les appelle, exploitent tous un thème particulier et mettent en vedette chanteurs, danseurs et autres amuseurs qui s'exécutent pendant le dîner. La plupart des établissements se trouvent à Kissimmee, le long de l'Irlo Bronson Memorial Highway (route 192), ou à Orlando dans le secteur d'International Drive. En ce qui a trait aux prix d'entrée, il faut en général compter entre 40$ et 50$ pour les adultes et autour de 35$ pour les enfants, incluant le repas.

sement. Cependant, le riz aux haricots noirs et la soupe aux lentilles constituent également de bons choix.

Ming Court
$$
9188 International Dr.
☎407-351-9988

On ne peut manquer cet immense restaurant chinois dont la forme évoque un dragon de 80 m de long. La cuisine y est diversifiée et délicieuse, et les prix sont fort raisonnables.

Race Rock Supercharged Restaurant
$$
8986 International Dr.
☎407-248-9876

Cet amusant et bruyant restaurant thématique s'adresse aux mordus de la course automobile. Ici, dans un bâtiment qui a toutes les allures d'un stand d'écurie, la musique rock et les bolides ayant jadis été pilotés par les Andretti, Petty et compagnie volent la vedette aux hamburgers, sandwichs et salades classiques de ce genre d'établissement. Les enfants adorent!

Ran-Getsu
$$-$$$
dîner seulement
8400 International Dr.
☎ 407-345-0044
www.rangetsu.com

Beaucoup de gens d'ici vous parleront du Ran-Getsu comme du meilleur restaurant japonais de la région. Le bar à sushis ondule comme la queue d'un dragon, et les tables basses surplombent une forêt de bonsaïs et un étang. À part les sushis, le restaurant offre du *sukiyaki*, du *kushiyaki*, des bâtonnets d'alligator et d'autres spécialités nippo-floridiennes.

McCormick & Schmick's Seafood Restaurant
$$$
The Mall at Millenia
4200 Conroy Rd. (sortie 78 de la route I-4)
☎ 407-226-6515

Les restaurants situés dans les centres commerciaux n'ont habituellement que peu d'attrait. Mais lors de la conception du chic Mall at Millenia en 2002, au sud-ouest du centre-ville d'Orlando, on a porté une attention particulière à la qualité des établissements de restauration retenus, et McCormick & Schmick's constitue à n'en point douter une preuve indubitable de cette intention. Des fruits de mer frais sont ici servis dans un cadre classique et chaleureux. Bonne sélection de vins et de bières de microbrasseries.

Le Coq au Vin
$$$
4800 S. Orange Ave.
☎ 407-851-6980

L'une des bonnes tables d'Orlando, Le Coq au Vin propose une fine cuisine française dans une atmosphère décontractée modelée par un décor sans prétention. Le pâté de foie de poulet s'avère succulent, alors que le canard rôti constitue une valeur sûre. Au dessert, la crème brûlée vous comblera de bonheur.

Atlantis
$$$-$$$$
dîner seulement
fermé dim toute l'année et lun en été
6677 Sea Harbor Dr.
☎ 407-351-5555

Si vous voulez passer une soirée loin des enfants, l'Atlantis du Renaissance Orlando Resort vous propose une cuisine franco-méditerranéenne dans un décor rehaussé de beaux meubles et d'objets d'art. Le menu, qui met l'accent sur les fruits de mer, offre des délices tels que l'albacore vinaigrette au soya et aux truffes, et le carré d'agneau sauce à l'ail et au romarin. Réservations fortement recommandées.

Manuel's on the 28th
$$$$
390 N. Orange Ave.
☎ 407-246-6580

Juché au sommet du Bank of America Building, ce restaurant offre évidemment

Buffet à volonté

Le buffet constitue, pour les familles, une bonne façon d'économiser sur les repas. Bon nombre de restaurants à proximité de Disney World s'en sont d'ailleurs fait une spécialité et vous proposent des festins à volonté à prix modiques ou moyens. La majorité de ces établissements se trouvent le long de la route 192 et d'International Drive.

Le **Golden Corral** *(7702 West Route 192, Kissimmee,* ☎ *407-390-9615)* est un petit restaurant sans prétention servant les trois repas de la journée. Vous pouvez également essayer les chaînes de restaurants suivantes: **Ponderosa Steak House**, **Olive Garden Italian Restaurant** et **Sonny's Barbecue**.

Restaurants - Au-delà des grands parcs - Orlando

une vue remarquable sur la ville et ses environs. Mais il s'agit aussi d'une bonne table où vous pourrez vous régaler d'un filet mignon, d'escalopes de veau ou d'un confit de canard. En soirée seulement. Tenue de ville recommandée.

Christini's
$$$$
7600 Dr. Phillips Blvd.
☎407-345-8770

Ce chic restaurant italien, probablement le meilleur des environs, a acquis une solide réputation grâce à sa cuisine imaginative. Pâtes fraîches fabriquées sur place et compositions comprenant poissons, fruits de mer ou agneau valent à cette adresse les plus grands éloges. Tenue soignée exigée. En soirée seulement.

Kissimmee

Tout le long de la route 192, aussi dénommée «Irlo Bronson Memorial Highway», vous trouverez des comptoirs de restauration rapide, des restos familiaux bon marché et plusieurs Dinner Theaters.

Giordano's of Kissimmee
$
7866 W. Irlo Bronson Memorial Hwy.
☎407-397-0044

Ce resto membre de la populaire chaîne créée dans la région de Chicago constitue un bon choix pour les familles. Tous se régaleront à prix raisonnable en choisissant la spécialité de la maison: la succulente *stuffed pizza* (la pâte même est farcie des garnitures à pizza). Le spectacle des cuistots qui font virevolter les pâtes au-dessus de leurs têtes est quant à lui irrésistible.

Sorties

La région de Walt Disney World, si riche en attraits touristiques, a créé son propre assortiment de divertissements nocturnes. À ce chapitre, l'endroit par excellence est sans contredit **Downtown Disney**, où l'on trouve deux secteurs consacrés à la vie nocturne: **Pleasure Island** et **West Side**.

Du côté d'Universal Orlando, on a toutefois riposté de manière éclatante en créant il y a quelques années le secteur **Universal CityWalk**, couvert lui aussi de restaurants, de bars et de salles de spectacle.

En dehors des grands parcs d'attractions, il faut noter l'existence de nombreux dîners-spectacles présentés dans des restaurants qui se transforment dans certains cas en de véritables amphithéâtres. Vous retrouverez dans le présent chapitre les principales attractions du genre, mais aussi d'autres bars et lieux de rencontre plus modestes.

Magic Kingdom

La **SpectroMagic Parade** constitue le haut fait de la «vie nocturne» au Magic Kingdom. Vingt-six spectaculaires chars allégoriques, illuminés de milliers d'ampoules électriques, se succèdent dans une présentation rien de moins que féerique. Présenté tous les soirs à 21h, ce défilé est suivi d'un grandiose feu d'artifice au-dessus du château de Cendrillon.

Epcot

Vous devez absolument voir **IllumiNations: Reflections of Earth** d'Epcot, car cette grande finale nocturne pourrait très bien être le clou de votre séjour à Disney. Présenté tous les soirs vers 21h ou 22h au-dessus du lagon du World Showcase, ce spectacle s'impose comme une éblouissante symphonie de fontaines multicolores, de musique émouvante et de projections laser décrivant des arabesques dans un ciel d'encre (Epcot éteint alors tous ses feux). IllumiNations va en effet beaucoup plus loin qu'un simple spectacle laser, créant des images d'une netteté renversante aussi bien à travers les jets d'eau des fontaines que sur le globe du Spaceship Earth ou les pavillons internationaux du World Showcase.

Considéré comme le plus grandiose et le plus perfectionné des spectacles laser au monde, IllumiNations utilise deux sortes de lasers: celui à l'argon pour le vert et le bleu, et celui au krypton pour le rouge. Certains des projecteurs sont juchés sur le toit des pavillons du World Showcase, tandis que d'autres sont montés sur une barge de 45 t se trouvant dans le lagon. La finale pyrotechnique de ce spectacle fait éclater quelque 650 fusées en l'espace de 6 min, soit près de deux par seconde!

Situé au bord de l'eau, le **Rose & Crown Pub** du pavillon du Royaume-Uni, à Epcot, est un établissement de choix pour prendre une bière. Son atmosphère s'avère chaleureuse et animée, et son magnifique décor de bois de chêne poli, de vitraux et de laiton le rend encore plus charmant. Que ce soit l'après-midi ou le soir, on y trouve toujours une foule joyeuse.

Au pavillon de l'Allemagne d'Epcot, le **Biergarten** vous offre de passer un bon moment dans une atmosphère de café bavarois. Un orchestre accompagné de iodleurs assure l'animation. Quant au relaxant **Matsu No Ma Lounge** du Japon, on y découvre des bonsaïs, des tables en teck et des vues imprenables sur Epcot. Les sushis et les boissons exotiques au rhum et aux fruits y sont excellents.

Dîner-spectacle

Obtenir une place pour le spectacle **Fantasmic!** peut s'avérer une véritable corvée. En haute saison, les spectateurs en devenir commencent en effet à faire la file plus d'une heure avant le début de la représentation, et sans nécessairement être assurés d'obtenir une place! Épargnez-vous donc cette torture en prenant un forfait dîner-spectacle; vous pourrez ainsi manger au Mama Melrose, au Brown Derby ou au Hollywood & Vine, et obtenir un coupon vous assurant d'une place dans l'enceinte. Le piège: vous devrez fort probablement dîner en fin d'après-midi (plutôt que le soir), ce qui n'est sans doute pas plus mal si vous voyagez avec des enfants. Sinon les clients des complexes de Disney peuvent acheter leur billet à l'avance à l'hôtel même, alors que les autres n'ont d'autre choix que de faire la queue et d'acheter le leur dans le parc.

Disney-MGM Studios

C'est dans un amphithéâtre à ciel ouvert pouvant accueillir au-delà de 6 500 personnes qu'est présenté chaque soir à 21h (seconde représentation à 22h30 certains soirs) **Fantasmic!**, qu'il ne faut manquer sous aucun prétexte. Au cours de ce spectacle, Mickey lui-même doit combattre à lui seul tous les vilains des films d'animation de Disney. Effets pyrotechniques, flammes et jets d'eau sur lesquels sont projetés des extraits des dessins animés sont mis à contribution afin de créer un spectacle haut en couleur dont vous vous souviendrez longtemps. À noter qu'il faut prévoir arriver très tôt, soit quelque 90 min avant la représentation, pour avoir de bonnes places.

Le **50's Prime Time Café** des studios Disney-MGM vous donne l'impression d'être plongé dans une comédie télévisée des années 1950. Aménagé comme un salon douillet, cet établissement est garni de canapés coussinés et de petites tables de télévision.

Downtown Disney

Pleasure Island

Pleasure Island (☎407-934-7781), surnommé le Magic Kingdom de la vie nocturne, satisfait habituellement tous les goûts. Ce royaume du plaisir, d'une superficie de 2,4 ha, s'enorgueillit de huit boîtes de nuit conçues autour de thèmes différents, ainsi que de plusieurs scènes extérieures où se produisent des chanteurs et des danseurs énergiques. Une célébration rappelant les fêtes du Nouvel An, avec feux d'artifice et projections laser, y a également lieu tous les soirs vers minuit. Un seul prix d'entrée (comptez 21$ par personne) vous donne accès à toutes les boîtes de nuit, mais les moins de 18 ans doivent être accompagnés d'un adulte, et il faut être âgé d'au moins 21 ans pour consommer des boissons alcoolisées, de même que pour être admis au Mannequins Dance Palace. Chaque boîte de nuit de Pleasure Island présente un spectacle de style différent, du country-western aux étourdissantes fantaisies psychédéliques.

Si les gens se ruent en si grand nombre sur le **Comedy Warehouse**, c'est en raison des improvisations hilarantes auxquelles on s'y livre sur le dos de nul autre que Disney! Le décor du Comedy Warehouse est fort à propos et fantaisiste: tambours à l'effigie de Mickey, crayons de cire géants, palmiers artificiels et autres objets hétéroclites éparpillés ici et là. On y propose chaque soir plusieurs spectacles affichant invariablement complet. Projetez d'assister à la première représentation de cette comédie (en général à 20h15), ou encore à la dernière (vers minuit), en sachant

Sorties - Downtown Disney - Pleasure Island

que les autres nécessitent générale-ment une attente de 30 à 45 min.

L'**Adventurers Club** de Pleasure Island prend des allures de safari démesuré. Partout où se porte votre regard, ce ne sont que bizarreries africaines: des têtes réduites, des hélices, un tabouret de bar à pattes d'éléphant, des gargouilles et une tête d'hippopotame. Une salle en-tière est remplie de masques qui s'ani-ment environ toutes les heures. Outre ce spectacle de masques parlants, des «voyageurs» excentriques racontent des histoires invraisemblables aux touristes.

Au **Mannequins Dance Palace**, il y a telle-ment de vibrations et de bruit que vos côtes en tremblent. Qualifié de boîte de nuit high-tech, ce palais d'acier balayé de pulsations stroboscopiques baigne dans une atmosphère de brouillard. Les serveuses transportent des plateaux gar-nis de *shooters* servis dans des éprouvet-tes, et les danseuses se pavanent à la Madonna sur une piste tournante. Il faut être âgé d'au moins 21 ans pour y être admis.

Les mélodies envoûtantes des Bee Gees, de Village People et de Donna Summer connaissent un second souffle au bar des années 1970 qu'est le **8TRAX** de Pleasure Island. Saccos (*beanbag*) et globe miroitant sont de la partie, comme pour mieux vous inspirer à sortir votre pantalon à pattes d'éléphant et à vous abandonner au rythme de la danse.

Le **BET SoundStage Club**, exploité par Black Entertainment Television, vous gavera de jazz, de rhythm-and-blues, de soul et de hip-hop en direct.

Le **Rock and Roll Beach Club** arbore des tapis psychédéliques, des rampes cous-sinées de noir, des filets de pêche et des parcomètres. On y danse aussi bien sur des airs de Led Zeppelin que sur des re-frains des Beach Boys, sans oublier les formations qui se produisent sur scène, et l'on peut même jouer au billard à l'étage.

Motion en offre pour tous les goûts, avec ses tubes allant du palmarès à la musi-que alternative.

Nouvellement installé à Pleasure Island, **Raglan Road** est un pub typiquement ir-landais. Comme il se doit, on y propose un bon choix de bières, et des musiciens s'y produisent chaque soir.

West Side

Les possibilités de divertissements noc-turnes semblent s'être multipliées à l'in-fini depuis l'ouverture de la chic zone de West Side. Sous les spots et les néons, cette partie du complexe (qui représente un tiers de Downtown Disney, les deux autres étant couverts par Pleasure Island et le Marketplace) fait en effet naître nombre de restaurants et bars à la mode dont plusieurs présentent des spectacles sur scène.

Vous pourriez vous contenter de pren-dre un verre au **Planet Hollywood**, mais ce n'est pas le cas de la majorité des gens. Vous trouverez certes à l'inté-rieur de cette énorme boule bleue, incarnant tout le kitsch d'Hollywood, plusieurs bars bondés, mais aussi des centaines de tables où l'on déjeune et dîne, sans parler des repas de fin de soirée. Il y a presque tous les soirs une file d'attente d'au moins une heure pour prendre un simple verre; si vous comptez vous y attabler, ajoutez une bonne demi-heure!

Par ailleurs, vous entendrez des rythmes latins au **Bongos Cuban Cafe** de la chan-teuse Gloria Estefan, et du blues (sept jours sur sept) à la **House of Blues** de Dan Aykroyd, Jim Belushi, John Goodman et certains membres du groupe Aerosmith. Pour quelque chose de complètement différent, procurez-vous un billet pour assister au spectacle *La Nouba* du **Cir-que du Soleil** (☎ *407-939-1298)*, cette ré-putée troupe québécoise de comédiens et d'acrobates ayant érigé un chapiteau permanent dans le West Side. La presta-tion vaut sans nul doute le détour, cependant, en raison du prix des billets (de 61$ à 95$ pour les adultes selon l'emplacement des sièges), vous y penserez probablement à deux fois avant d'emmener toute la famille. Quant aux amateurs de cinéma, ils apprécieront le gigantesque **AMC Theater**, ses 24 salles et ses quelque 6 000 places (dont beaucoup en gradins), ce qui en fait le plus vaste complexe du genre en Floride.

Vous connaissez les moindres courbes et pentes des montagnes russes de Disney? Eh bien, pourquoi ne pas concevoir les vôtres propres, pour ensuite les essayer? **Disney Quest** vous offre en effet un lieu de divertissement virtuel de quelque 10 000 m² où vous pourrez dévaler des rapides, flotter sur un tapis volant et créer de toutes pièces les montagnes russes de vos rêves sans avoir à quitter la pièce. Et il ne s'agit pas que d'un terrain de jeu pour adultes; les jeunes génies de l'informatique adoreront eux-mêmes y faire valoir leurs prouesses, et peut-être même en remontrer à maman et à papa. Les quatre zones (Explorer, Score, Create et Replay) de Disney Quest ne sont limitées que par votre imagination... et votre portefeuille, puisque les prix se révèlent à la mesure des véritables parcs thématiques (jeux illimités pour environ 38$).

Les complexes hôteliers de Disney

Chaque soir, le calme et sombre Seven Seas Lagoon s'électrifie. Comme sous l'effet d'une force mystérieuse, les eaux prennent soudain vie durant l'**Electrical Water Pageant**. Cette caravane longue de 300 m fait apparaître des milliers d'ampoules minuscules assemblées de manière à former diverses créatures marines qui, en se déplaçant sur le lagon, s'y reflètent et semblent y nager.

Vous pouvez voir ce splendide spectacle à partir du Polynesian Resort, du Grand Floridian Resort & Spa, du Contemporary Resort, du Fort Wilderness Resort et du Magic Kingdom (lorsqu'il reste ouvert jusqu'à 23h). Le défilé débute habituellement à 21h. Si vous ne logez dans aucun des lieux d'hébergement

mentionnés ci-dessus, rendez-vous à n'importe lequel d'entre eux par monorail ou par bus Disney. Le belvédère qui se trouve en bordure du lac du Grand Floridian Resort & Spa offre une vue particulièrement impressionnante sur ce spectacle.

De toutes les activités offertes à Walt Disney World, bien peu suscitent autant d'intérêt auprès des familles que le **Fort Wilderness Campfire**. Ce rassemblement à l'ancienne, accessible aux seuls hôtes des complexes d'hébergement de Disney, a lieu chaque soir devant un poste de traite en rondins caché dans une pinède. Il s'agit d'un événement populaire, avec guimauves grillées et chansons à répondre bien connues des campeurs. Quant aux enfants, ils sautent de joie lorsqu'ils voient apparaître les écureuils Tic et Tac à l'affût de biscuits aux pépites de chocolat (apportez-en une poignée). Pour terminer cette soirée en beauté, un film de Disney est présenté en version intégrale sur un écran extérieur.

Le **Spirit of Aloha** *(Polynesian Resort, 1600 Seas Dr., Lake Buena Vista)* est un spectacle qui attire aussi bien les adultes que les enfants dans un décor extérieur des mers du Sud. Durant cette revue, des danseuses du ventre et des jongleurs de torches enflammées divertissent une foule se régalant de grillades.

À la **Hoop-Dee-Doo Musical Revue** *(Fort Wilderness Resort)*, les Pioneer Hall Players vous proposent une comédie western à l'ancienne tandis que vous dégustez des plats de circonstance. Il s'agit, et de loin, de la revue la plus courue de Disney (il faut parfois des mois pour obtenir une place), mais aussi, il faut bien l'avouer, d'une des moins divertissantes. Les danses et les chants sont quelconques, et les blagues souvent sans saveur. Pis encore, les billets se vendent au prix fort (50$ pour les adultes et 25$ pour les enfants).

Le **BoardWalk**, près duquel se trouvent plusieurs hôtels (Disney's BoardWalk Resort, Disney's Yacht Club Resort, Walt Disney World Swan et Walt Disney Dolphin), est un secteur comprenant restau-

rants, bars et boîtes de nuit, développé sur le thème des promenades de bord de mer classiques de la côte Atlantique dans les années 1930. Ainsi, des soirées dansantes se tiennent à compter de 21h à l'**Atlantic Dance**, le *dance hall* du Boardwalk. À noter que les personnes âgées de moins de 21 ans doivent être accompagnées d'un adulte.

Non loin de là, toujours sur le Board-Walk, un duo de pianistes se produit chaque soir au **Jerryrolls**, où vous pouvez siroter un cocktail tout en appréciant les prestations de deux musiciens de talent d'une verve intarissable. La foule est d'ailleurs toujours enchantée, au point même d'entonner spontanément les succès joués par nos deux virtuoses.

Les amateurs de sport trouveront quant à eux leur bonheur devant une bonne bière, des bretzels chauds et les 80 écrans de télévision de l'**ESPN Club**. Lors des événements sportifs importants, les hôtes de la boîte commentent parfois les rencontres. Menu complet au bar et dans la salle à manger, aménagée en court de basketball.

Universal Orlando

Universal CityWalk

Afin de concurrencer Downtown Disney, Universal Orlando a développé son CityWalk (☎ *407-363-8000*), un regroupement de bars, restos et boîtes de nuit. L'atmosphère est ici on ne peut plus festive et la qualité des établissements assez remarquable, de quoi bien s'amuser jusqu'à 2h du matin. À noter qu'un laissez-passer, le *Party Pass*, donne accès à toutes les boîtes et coûte 9,95$.

Hard Rock Live

Attenant au Hard Rock Cafe local, cet amphithéâtre en forme de Colisée compte plus de 3 000 places. Des vedettes rock s'y donnent régulièrement en spectacle.

Bob Marley – A Tribute to Freedom

Du côté de chez Bob Marley, on se doute bien que la musique reggae régnera toute la soirée, à la belle étoile.

The Groove

Une discothèque où l'on peut s'éclater sur une piste de danse jusqu'à épuisement, il en existe une à CityWalk: The Groove.

Jimmy Buffett's Margaritaville

Des musiciens se produisent tous les soirs dans ce resto-bar propriété du chanteur Jimmy Buffett, au plus grand plaisir des visiteurs friands de musique folk-rock, blues et funk.

Pat O'Brien's

Un piano-bar comme on en trouve dans le Quartier Français de La Nouvelle-Orléans, voilà ce que propose le Pat O'Brien's.

Red Coconut Club

Cette récente boîte de nuit de CityWalk prend l'allure d'un superclub. On y va pour les martinis, pour la musique, et pour y faire des rencontres à l'un de ses nombreux bars.

CityJazz

Des musiciens de jazz, mais aussi de rock, de R&B et de soul, se produisent au CityJazz. Le soir, du jeudi au dimanche, on y présente même des spectacles de *stand-up comics*.

Latin Quarter

Resto-bar où la danse et les musiques de 21 pays latino-américains sont à l'honneur.

NASCAR Café

Resto-bar sur le thème de la course automobile.

NBA City

Bar sportif tablant sur la popularité des stars professionnels du basketball.

AMC Universal Cineplex

Ce complexe cinématographique compte 20 salles dans lesquelles sont projetées les superproductions hollywoodiennes de l'heure.

SeaWorld Adventure Park

Le dîner-spectacle **Makahiki Luau** *(☎407-351-3600 ou 800-327-2420)* est proposé chaque soir dans un restaurant situé en bordure du lagon central. Danseuses exotiques et cracheurs de feu animent cette soirée polynésienne haute en couleur. Réservations requises. Comptez 46$ pour les adultes et 30$ pour les enfants.

Au-delà des grands parcs

Orlando

■ Dîners-spectacles

Le Far West est à l'honneur au **Dolly Parton's Dixie Stampede Dinner & Show** *(8251 Vineland Ave., ☎866-443-4943, www. dixiestampede.com)*, alors que musique country, danse western, numéros équestres et compétitions de rodéo composent le spectacle.

Le **Pirate's Dinner Adventure** *(6400 Carrier Dr., ☎407-248-0590, www.piratesdinner adventure.com)* propose une aventure en haute mer avec des pirates qui livrent des combats à l'épée et au mousquet.

■ Spectacles et concerts

Le **Bob Carr Performing Arts Center** *(401 W. Livingston St., ☎407-849-2577, www.orlando centroplex.com)* est la plus importante salle de la ville. Comédies musicales de Broadway, concerts de l'**Orlando Philharmonic Orchestra** *(☎407-647-8525, www. orlandophil.org)*, représentations de l'Orlando Opera et spectacles de variétés y sont présentés.

En plus des matchs de basket de l'Orlando Magic (voir ci-dessous), des spectacles rock et pop sont à l'affiche

de l'**Amway Arena** *(600 W. Amelia St., ☎407-839-3900)*.

Le **Walt Disney Amphitheater** *(195 N. Rosalind Ave., ☎407-246-2827)*, un amphithéâtre extérieur, se trouve au cœur du Lake Eola Park. On y propose divers événements tout au long de l'année, dont un festival shakespearien du mois de mars au mois de mai.

■ Sports professionnels

Basketball

L'**Orlando Magic** représente la ville au sein du circuit professionnel de la National Basketball Association. La saison régulière s'étend d'octobre à avril, et les matchs locaux ont lieu à l'**Amway Arena** *(600 W. Amelia St., ☎407-896-2442, www. orlandomagic.com)*.

Kissimmee

■ Dîners-spectacles

Le dîner-spectacle de l'**Arabian Nights** *(3081 Arabian Nights Blvd., ☎407-239-9223, www.arabian-nights.com)* présente des courses de chars, une chorégraphie de chevaux arabes et des démonstrations de lippizans blancs.

Le **Medieval Times** *(4510 W. Irlo Bronson Memorial Hwy., ☎407-396-1518 ou 800-229-8300, www.medievaltimes.com)* innove à sa façon en vous transportant au Moyen Âge. Vous pouvez y manger du gibier avec vos doigts tout en assistant à une joute.

La comédie musicale du **Capone's Dinner & Show** *(4740 W. Irlo Bronson Memorial Hwy., ☎407-397-2378, www.alcapones.com)* vous ramènera à l'époque des gangsters des années 1920.

Sorties - Au-delà des grands parcs - Kissimmee

■ Sports professionnels

Baseball

Orlando ne possède pas de franchise professionnelle de baseball. Par contre, plusieurs équipes professionnelles tiennent leur camp d'entraînement printanier dans les environs au mois de mars.

Outre les **Braves d'Atlanta**, qui jouent leurs matchs pré-saison au Disney's Wide World of Sports Complex, il y a les **Astros de Houston** qui disputent leurs rencontres préparatoires à l'**Osceola County Stadium** *(1000 Bill Beck Blvd., ☎ 407-933-2520)*.

Achats

Aussi bien à Walt Disney World qu'à l'extérieur de ses murs, vous aurez facilement l'occasion de dépenser vos dollars en achats de toute sorte. Au Magic Kingdom, à Epcot et aux studios Disney-MGM, notamment, ce sont des boutiques fantaisistes qui ajoutent à l'atmosphère de rêve de ces lieux.

Le château de Cendrillon, par exemple, possède une alcôve regorgeant de joyaux scintillants ainsi que d'épées et de haches de style médiéval. Certains commerces proposent également tout ce qui peut avoir trait à Disney, que ce soient des sous-vêtements ou des écrans protecteurs contre le soleil à l'effigie de Mickey, ou encore des accessoires de cuisine à l'image de Donald. On peut facilement passer des heures (et dépenser des centaines de dollars) dans les boutiques de Disney, mais ne vous laissez pas prendre au piège, sans quoi vous perdrez un temps considérable que vous feriez mieux d'utiliser pour visiter le site. Sauf si vous ne pouvez vous empêcher d'acheter tout ce que vous voyez, gardez donc votre argent pour les centres commerciaux. Retenez cependant que certaines boutiques, parmi les meilleures, sont si originales qu'elles méritent d'être visitées au même titre que des attractions à part entière.

Magic Kingdom

Les commerces de Main Street, U.S.A. contribuent à créer une atmosphère de charmante petite ville américaine. L'odorante **Main Street Market House** propose entre autres des herbes séchées, des thés et des emporte-pièces en forme de Mickey. Quant à la **Main Street Confectionery**, il s'agit d'une confiserie à l'ancienne aux rayons éclairés et chargés de chocolats et de pâte brisée aux arachides.

Pour un souvenir Disney (peluches à l'effigie des personnages, t-shirts, casquettes ou autres), l'**Emporium** de Main Street, U.S.A. est l'endroit où s'arrêter.

Le **Frontierland Trading Post** se surpasse lorsqu'il s'agit d'idées-cadeaux et d'articles de cuir d'inspiration western ou mexicaine.

Une des plus intéressantes boutiques du Magic Kingdom est le **Yankee Trader** de Liberty Square. Tel un authentique magasin général de la Nouvelle-Angleterre, il déborde de confitures et de gelées, de beaux meubles campagnards et de gadgets de cuisine plus géniaux les uns que les autres.

Les commerces de Fantasyland s'adressent tout naturellement aux enfants. Ainsi, **Tinker Bell's Treasures** propose des robes de princesse pour les petites filles et des voitures à assembler pour les garçons. Par ailleurs, rares sont ceux qui peuvent résister à **The King's Gallery**, situé dans le château de Cendrillon et dont les objets en verre soufflé, les châteaux miniatures et les costumes médiévaux confèrent aux lieux une aura de magie.

Mickey's Toontown Fair et Tomorrowland ne possèdent pas beaucoup de boutiques intéressantes. Si vous tenez à y dénicher quelque chose, rendez-vous chez **Merchant of Venus** de Tomorrowland pour ses idées-cadeaux «futuristes».

Epcot

Le Future World d'Epcot recèle quelques commerces originaux. Ainsi, aux environs des pavillons Innoventions, vous trouverez la délicieuse boutique **The Art of Disney**, qui propose des reproductions d'images tirées de films d'animation, de même que de jolies porcelaines à l'effigie des personnages. Cher mais de qualité.

Non loin de là, **Mouse Gear** est une immense (vraiment immense!) boutique de souvenirs Disney.

Les boutiques du World Showcase font par contre partie intégrante de l'expérience culturelle d'Epcot. Chaque pavillon abrite des denrées et des objets représentatifs du pays hôte, et expose en outre bien souvent des œuvres d'artistes et artisans de passage. L'architecture des boutiques rappelle en général les traits propres à chaque culture et méritent que vous les observiez de plus près.

Conçue tel un square de petite ville le soir, la **Plaza de Los Amigos** *(Mexique)* prend des allures de marché animé où s'entassent paniers, poteries, *piñatas*, objets en papier mâché et autres produits du Mexique.

Au Moyen Âge, les paysans scandinaves peignaient leurs vieux meubles pour leur redonner vie. Le **Puffin's Roost** de la Norvège reprend cette tradition en faisant appel à une technique utilisant des motifs floraux et diverses inscriptions. De plus, cette boutique aux plafonds et aux sols également peints de façon ravissante étale des souvenirs norvégiens en bois et en étain.

Le **Yong Feng Shangdian** («Abondante Récolte») de la Chine s'impose comme une galerie somptueuse de tapisseries de soie, de coffrets sculptés, de bijoux et d'autres trésors asiatiques. Pour les enfants, on y trouve en outre des serpents et des épées en plastique.

Le pavillon de l'Allemagne possède pas moins de neuf boutiques, y compris l'invitante **Glas und Porzellan,** qui, à l'image de nombreuses boutiques d'artisanat allemand, renferme des douzaines de bahuts encastrés et de recoins truffés de figurines et de bibelots signés Hummel ou Goebel. **Der Teddybar** est quant à lui rempli à craquer de coffres bondés de jouets allemands traditionnels, tandis que **Volkskunst** propose des horloges à coucou et des chopes à bière.

Au pavillon de l'Italie, **Il Bel Cristallo** propose des sacs à main et des portefeuilles en cuir fin, pendant que l'**Enoteca Castello** présente une belle sélection de vins et de cafés italiens.

Les enfants trouveront leur chapeau en raton laveur et leur fusil de Daniel Boone chez **Heritage Manor Gifts** *(États-Unis).*

Service de collecte des paquets

Si vous êtes amateur de t-shirts de Mickey, de casquettes de Goofy et d'autres souvenirs farfelus (et ne vous en cachez pas, car nous savons que vous l'êtes), voici une bonne nouvelle: vous n'aurez pas à traîner vos sacs toute la journée. Chaque fois que vous ferez un achat dans les parcs thématiques de Walt Disney World, d'Universal Orlando ou au SeaWorld Adventure Park, vous pourrez en effet demander au commis d'acheminer vos sacs au centre de collecte des paquets. Il ne vous restera plus alors qu'à les ramasser au moment de quitter le parc. Pour connaître l'emplacement des centres de collecte à Disney World, informez-vous auprès du bureau des *Guest Relations* de chaque parc thématique.

Devant la boutique, on vend également des tympanons ainsi que des drapeaux américains.

Dans la plus pure tradition capitaliste, le pavillon japonais possède son propre magasin à rayons, le **Mitsukoshi Merchandise Store**, où vous découvrirez un riche assortiment d'œuvres artisanales, de poupées, de porcelaines fines, de bijoux, de kimonos et de bien d'autres choses encore.

Les marchands de l'exotique **pavillon marocain** vous offrent des objets authentiques tels que fez, bagues à clochettes, tapis tissés et soufflets. Le bruit des cornes et des tambours ne manquera pas d'égayer votre passage en ses murs.

La France est un véritable paradis du magasinage. **Plume et Palette** vend du cristal et de la porcelaine (entre autres de Limoges), alors que **Vins de France** dispose d'un bon choix de vins français et que

Achats - Epcot

Souvenirs de France est rempli de jouets, de souvenirs typiques de même que de bouchées.

Chacune des boutiques du pavillon du Royaume-Uni révèle une architecture propre à une époque particulière. Ainsi, le **Tea Caddy**, fournisseur de thés anglais, ressemble à un cottage de chaume du XVIe siècle; **Magic of Wales**, de style Tudor, offre de l'artisanat et des objets gallois, alors que **Queen's Table**, de style Queen Anne cette fois, expose du Royal Doulton, des figurines de porcelaine et des tasses Toby.

Finalement, l'artisanat inuit et amérindien est à l'honneur chez **Northwest Mercantile**, une cabane en rondins située dans l'enceinte du pavillon canadien.

Disney-MGM Studios

L'une des boutiques les plus amusantes des Disney-MGM Studios, parce que délicieusement subversive, se nomme **Villains in Vogue** et déborde d'articles à l'effigie de tous les vilains qui ont hanté les dessins animés de Disney. Vous la trouverez dans le secteur Sunset Boulevard du parc.

Sid Cahuenga's One-of-a-Kind *(Hollywood Boulevard)* est l'établissement tout désigné pour vous procurer des souvenirs d'Hollywood, qu'il s'agisse de trésors rares en rapport avec le cinéma ou la télévision, ou encore d'autographes de vedettes comme Al Pacino et Burt Reynolds.

Une autre boutique inspirée du cinéma est le **In Character** (dans l'enceinte de «Voyage of the Little Mermaid»), qui propose costumes, accessoires, cadeaux et vêtements liés à *La Petite Sirène* et à d'autres films de «princesse». Vous trouverez en outre certains des plus beaux toutous, jouets et vêtements de Disney au **L.A. Cinema Storage**.

Disney's Animal Kingdom

C'est sans doute le thème naturaliste des lieux qui a incité Disney à restreindre le nombre des commerces dans l'Animal Kingdom, tant et si bien qu'on en dénombre moins d'une douzaine. Cela dit, les articles en vente ici comptent souvent parmi les plus intéressants. Après DINO-SAUR, songez à passer un peu de temps chez **Chester and Hester Dinosaur Treasures**, où vous dénicherez entre autres tout ce qu'il faut pour faire le bonheur des paléontologues en herbe, y compris des casques surmontés de lampes. Le **Mombasa Marketplace** de l'Afrique propose pour sa part des articles exotiques d'une tout autre espèce, dont une bonne partie provient directement du continent noir. C'est toutefois sur Discovery Island que vous trouverez la plus grande concentration de magasins, et vos tout-petits risquent d'ailleurs fort de vous entraîner malgré vous à l'intérieur de **Creature Comforts** pour voir de plus près son assortiment d'animaux en peluche et de jouets recherchés, à moins que ce ne soit au **Beastly Bazaar**, où vous attend toute la panoplie des objets à collectionner du film *Vie de bestiole*. Enfin, **Island Mercantile** vous vend des souvenirs de vos *Lands* favoris, et **Disney Outfitters** dispose encore davantage de fétiches et de cadeaux du royaume de l'animation.

Downtown Disney

Dans le **West Side**, il n'y a pas que la nourriture et les boissons qui délesteront votre porte-monnaie. On y dénombre en effet une quinzaine de boutiques, dont certaines d'ailleurs associées à des franchises de restauration et de divertissement (Cirque du Soleil, Planet Hollywood). Livres et disques se font innombrables au **Virgin Megastore**, aménagé sur plusieurs étages. Faites provision d'aimants pour votre réfrigérateur chez **Magnetron Magnetz**, dépensez quelques dollars en friandises au **Candy Cauldron** ou en souvenirs de Disney au **Mickey's Groove**.

La boutique la plus étonnante du West Side s'avère toutefois **Starabilia's**, un véritable coffre au trésor dans lequel vous trouverez des disques d'or de John Lennon, des guitares signées par les Beatles ou Jimi Hendrix, des casquettes portées par Elvis, des affiches de films signées par leurs vedettes, des bâtons de baseball portant la griffe de Babe Ruth ou de Joe DiMaggio…

Le **Marketplace** a été créé pour vous permettre d'acheter des souvenirs de Disney sans avoir à défrayer le prix d'entrée des parcs thématiques. Ce chapelet lacustre de boutiques et de restaurants plus jolis les uns que les autres constitue un bon endroit où passer un après-midi pluvieux ou une soirée de détente (les commerces sont ouverts jusqu'à 23h en saison; hors saison, prenez la peine de vous informer au préalable).

Un magasin en particulier, **The World of Disney**, offre plus d'articles de Disney que tout autre; vous y trouverez près de 5 000 m² de Mickeys, Minnies et Goofys en peluche, en céramique et en strass, sans parler des jouets, des objets de collection et de la boutique de costumes, à même de combler les rêves de toute petite fille. À l'intérieur de ce magasin toujours bondé, il y a même une salle dénommée The **Bibbidi Bobbidi Boutique**, où, sur réservation (☎407-939-7895), on transforme les petites filles en princesses, et une autre, **The Adventure Room**, de laquelle les petits garçons ressortent accoutrés comme des pirates.

Le **LEGO Imagination Center** voisin, où l'on peut aussi bien admirer qu'acheter, expose 75 modèles LEGO fantaisistes, une grue de construction haute comme trois étages de même que diverses créatures en LEGO, des serpents de mer aux dinosaures.

Les collectionneurs d'art à la Disney se tourneront pour leur part vers **The Art of Disney**, qui propose des reproductions limitées de dessins tirés de films d'animation et des sculptures de qualité prenant les personnages de Disney pour modèles.

Chez **Arribas Brothers**, ce sont de superbes objets en cristal, en verre taillé et en verre soufflé que vous trouverez. Des artisans sont d'ailleurs à l'œuvre sur place. Parmi les articles les plus étonnants, mentionnons les reproductions de personnages de Disney à 650$ pièce ou celle du château de Cendrillon à… 37 500$!

Parmi les autres haltes dignes de mention du Marketplace, citons le **Team Mickey's Athletic Club** et sa sélection d'articles reliés au monde du sport, **Disney's Days of Christmas** (décorations de Noël), **Goofy's Candy Co.** (confiserie), **Disney Tails** (accessoires pour animaux de compagnie), **Disney's Wonderful World of Memories** (papeterie), **Disney's Pin Traders** (pour les collectionneurs d'épinglettes) et **Once Upon a Toy** (jouets en tout genre).

Du côté de **Pleasure Island**, on trouve peu de boutiques, mais il faut tout de même signaler la présence de l'**Orlando Harley-Davidson**, qui propose une panoplie d'objets de collection portant la signature de la célèbre marque de motocyclette.

Universal Orlando

Universal Studios

Les boutiques imaginatives des Universal Studios sauront certes retenir votre attention. Arrêtez-vous chez **Cyber Image** *(Hollywood)*, qui propose des articles uniques qui feront certes le bonheur des admirateurs de *Terminator*. Si vous êtes à la recherche d'une tenue décontractée à faire craquer n'importe qui, **Studio Styles** *(Hollywood)* vous offre le tout dernier cri en matière de strings et autres «minis» fluo.

Les jeunes enfants peuvent passer un après-midi complet au **Cartoon Store** *(Woody Woodpecker's KidZone)*, où ils seront entourés de panthères roses, de Woody Woodpeckers et d'autres personnages de dessin animé en peluche. Vous projetez un voyage à Hawaii? N'oubliez pas **Quint's Surf Shack** *(San Francisco/Amity)* pour votre tenue de plage.

Achats - Universal Orlando - Universal Studios

La boutique la plus imposante du parc est cependant l'**Universal Studios Store** *(Production Central)*, située non loin de la sortie. Vêtements, souvenirs et babioles en tout genre arborant le logo des studios y sont proposés.

Universal's Islands of Adventure

Vous aurez immanquablement l'occasion de vous procurer des souvenirs de votre aventure aux Universal's Islands of Adventure. Au Port of Entry, **Island Market and Export Candy Shop** présente un choix complet et varié d'aliments exotiques des quatre coins du monde. Vous trouverez tout ce qu'il vous faut pour compléter votre collection d'objets liés à la série *Betty Boop* au **Betty Boop Store** du Toon Lagoon. Il vous manque des numéros de votre bande dessinée préférée? Inutile de chercher plus loin qu'au **Comic Book Shop** de la Marvel Super Hero Island. **Dragon's Keep** *(Lost Continent)* dispose pour sa part d'un éventail intéressant de jouets et de jeux. Tous les titres voulus de la collection du Dr. Seuss vous attendent chez **Dr. Seuss' All the Books You Can Read** *(Seuss Landing)*. Et pour les articles en peluche, rendez-vous sans hésiter au **Mulberry Street Store** *(Seuss Landing)*.

Universal CityWalk

En plus d'être une «mecque» de la restauration et de la vie nocturne, l'Universal CityWalk s'impose comme le royaume des objets à collectionner et des articles fantaisistes. Outre l'incontournable **Universal Studios Store**, on dénombre ici une douzaine de détaillants. **Cartooniversal** saura étancher votre soif d'originalité et de frivolité, que ce soit par ses t-shirts drolatiques ou ses jouets aussi bizarres que divertissants. **Fresh Produce Sportswear** vend des vêtements aux couleurs de vos fruits et légumes préférés, et **Quiet Flight** affiche planches de surf sur mesure et fringues assorties. S'il vous faut absolument les plus récents modèles de lampes à pied de lave, foncez tout droit chez **Dapy**. Et pour tout accessoire de cigare,

songez à **Cigarz at CityWalk**, qui dispose par ailleurs de cordiaux et de cafés.

SeaWorld Adventure Park

De manière générale, les boutiques que l'on retrouve au SeaWorld Adventure Park proposent des marchandises de belle qualité. Vous y dénicherez bien entendu les éternels t-shirts, de même que des Shamu, des dauphins et des otaries en peluche, mais aussi une variété d'autres beaux objets reliés aux thèmes de la mer et de la faune.

Les plus belles boutiques sont situées au **Waterfront at SeaWorld** ou sont rattachées à certaines des attractions-vedettes du parc: **Penguin Encounter**, **Journey to Atlantis** et **Wild Arctic**.

Au-delà des grands parcs

Orlando

Un des plus importants regroupements de magasins d'usines qui soit, le **Prime Outlets Orlando** *(5401 W. Oakridge Rd., ☎407-352-9600, www.primeoutlets.com)* réunit plus de 160 fournisseurs vendant de tout, des livres à rabais aux appareils électroniques, en passant par les vêtements, les bijoux et la vaisselle.

Le chic et moderne centre commercial **The Mall at Millenia** *(4200 Coroy Rd., ☎407-363-3555, www.mallatmillenia.com)* ravira les adeptes du lèche-vitrine. De grands magasins comme Macy's, Bloomingdale's, Neiman Marcus et Crate & Barrel y ont élu domicile, de même que de nombreuses boutiques spécialisées de luxe comme Cartier, Chanel, Gucci, Louis Vuitton, Tiffany et quelque 140 autres. Ce centre commercial d'une grande élégance est situé au sud-ouest du centre-ville d'Orlando, au niveau de la sortie 78 de la route I-4.

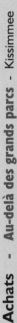

Kissimmee

L'**Old Town** *(5770 W. Route 192, ☎407-396-4888 ou 800-843-4202, www.old-town.com)* est un centre commercial périphérique proposant des articles branchés et recherchés dans une atmosphère vieillotte. Ses allées pavées de briques s'entourent de petites places, de carrousels, de comptoirs à glaces et d'enseignes de Coke métallisées recréant une ambiance nostalgique.

À l'intérieur d'Old Town, **Tiki Jim's** vend toutes sortes de t-shirts comiques et a plein d'autres idées-cadeaux humoristiques. **The Old Town Pet Palace** présente dans ses étalages des surprises pour *Fluffy* et des articles à thème animal qui peuvent être autant chouettes que kitsch. **The General Store** *(☎407-396-6445)*, toujours dans l'enceinte d'Old Town, possède tous les objets rigolos à l'ancienne dont vous pouvez rêver, qu'il s'agisse d'anciens verres ou bouteilles de Coca-Cola ou de Budweiser. Enfin, **Magic Max** *(☎407-396-6884)* dispose d'une collection fascinante de livres et d'accessoires de magie, en plus de vous offrir une leçon gratuite pour chaque accessoire que vous vous procurez.

Achats - **Au-delà des grands parcs** - Kissimmee

Références

Index

Les numéros de page en gras renvoient à des cartes.

Index - R

Liste des encadrés

Notes

Tous les guides Ulysse

Comprendre

Comprendre la Chine	16,95 $	14,00 €
Comprendre le Japon	16,95 $	14,00 €

Fabuleux

Fabuleuses Maritimes - Vivez la passion de l'Acadie	29,95 $	24,99 €
Fabuleux Montréal	29,95 $	23,99 €
Fabuleux Ouest canadien	29,95 $	23,99 €
Fabuleux Québec	29,95 $	22,99 €

Guides de conversation Ulysse

L'Allemand pour mieux voyager	9,95 $	6,99 €
L'Anglais pour mieux voyager en Amérique	9,95 $	6,99 €
L'Anglais pour mieux voyager en Grande-Bretagne	9,95 $	6,99 €
Le Brésilien pour mieux voyager	9,95 $	6,99 €
L'Espagnol pour mieux voyager en Amérique latine	9,95 $	6,99 €
L'Espagnol pour mieux voyager en Espagne	9,95 $	6,99 €
L'Italien pour mieux voyager	9,95 $	6,99 €
Le Portugais pour mieux voyager	9,95 $	6,99 €
Le Québécois pour mieux voyager	9,95 $	6,99 €

Guides de voyage Ulysse

Arizona et Grand Canyon	29,95 $	23,99 €
Bahamas	29,95 $	24,99 €
Boston	24,95 $	19,99 €
Canada	34,95 $	27,99 €
Cancún et la Riviera Maya	24,95 $	19,99 €
Chicago	24,95 $	19,99 €
Chili	34,95 $	24,99 €
Costa Rica	29,95 $	22,99 €
Cuba	29,95 $	22,99 €
Disney World	19,95 $	19,99 €
Équateur - Îles Galápagos	29,95 $	23,99 €
Floride	27,95 $	22,99 €
Gaspésie, Bas-Saint-Laurent, Îles de la Madeleine	24,95 $	19,99 €
Guadeloupe	27,95 $	19,99 €
Guatemala	34,95 $	24,99 €
Haïti	24,95 $	22,99 €
Hawaii	34,95 $	27,99 €
Honduras	27,95 $	23,99 €
La Havane	17,95 $	14,99 €
Las Vegas	19,95 $	19,99 €
Martinique	27,95 $	19,99 €
Miami	24,95 $	19,99 €
Montréal	24,95 $	19,99 €
New York	24,95 $	19,99 €
Nicaragua	29,95 $	24,99 €
Ontario	29,95 $	22,99 €
Ouest canadien	32,95 $	24,99 €
Panamá	29,95 $	22,99 €
Pérou	29,95 $	22,99 €
Portugal	19,95 $	19,99 €
Provence - Côte d'Azur	19,95 $	19,99 €
Provinces atlantiques du Canada	24,95 $	22,99 €
Le Québec	29,95 $	22,99 €
Québec et Ontario	29,95 $	19,99 €
Ville de Québec	22,95 $	19,99 €
République dominicaine	24,95 $	22,99 €
Sainte-Lucie	17,95 $	14,99 €
Saint-Martin, Saint-Barthélemy	19,95 $	17,99 €
San Francisco	24,95 $	19,99 €
Sud-Ouest américain	37,95 $	24,99 €
Toronto	24,95 $	19,99 €

Vancouver, Victoria et Whistler	19,95 $	19,99 €
Washington, D.C.	24,95 $	19,99 €

Journaux de voyage Ulysse

Journal de ma croisière	14,95 $	14,99 €
Journal de voyage Amérique centrale et Mexique	17,95 $	17,99 €
Journal de voyage Europe	17,95 $	17,99 €
Journal de voyage Prestige	17,95 $	17,99 €
Journal de voyage Ulysse: l'Écrit	12,95 $	12,95 €
Journal de voyage Ulysse: l'Empreinte	12,95 $	12,95 €
Journal de voyage Ulysse: la Feuille de palmier	12,95 $	12,95 €
Le Grand journal de voyage	14,95 $	14,95 €

Ulysse Espaces verts

Balades à vélo dans le sud du Québec	24,95 $	22,99 €
Camping au Québec	24,95 $	19,99 €
Cyclotourisme au Québec	24,95 $	22,99 €
Kayak de mer au Québec – Guide pratique	24,95 $	22,99 €
Le Québec cyclable	19,95 $	19,99 €
Randonnée pédestre au Québec	24,95 $	19,99 €
Randonnée pédestre dans les Rocheuses canadiennes	22,95 $	19,99 €
Randonnée pédestre Montréal et environs	19,95 $	19,99 €
Randonnée pédestre Nord-Est des États-Unis	24,95 $	19,99 €
Le Sentier transcanadien au Québec	24,95 $	22,99 €
Ski alpin au Québec	24,95 $	22,99 €
Ski de fond et raquette au Québec	24,95 $	22,99 €

Ulysse hors collection

Balades et circuits enchanteurs au Québec	14,95 $	13,99 €
Carte Monde en relief / Physical World Map	14,95 $	
Croisières dans les Caraïbes	29,95 $	23,99 €
Délices et séjours de charme au Québec	14,95 $	14,99 €
Dictionnaire touristique Ulysse le Globe-Rêveur	39,95 $	29,99 €
Escapades et douces flâneries au Québec	14,95 $	13,99 €
Gîtes et Auberges du Passant au Québec 2007	24,95 $	19,99 €
Montréal en métro	19,95 $	19,99 €
Les plus belles escapades à Montréal et ses environs	24,95 $	19,99 €
Le Québec à moto	24,95 $	22,99 €
Le Québec accessible	19,95 $	17,99 €
Le tour du monde en 250 questions	9,95 $	9,99 €
Voyager avec des enfants	24,95 $	19,99 €

Titres	Quantité	Prix	Total

Nom:	Total partiel	
	Port	4,85$CA/4,00 €
Adresse:	Au Canada, TPS	
	Total	
Courriel:		

Paiement: ☐ Chèque   ☐ Visa   ☐ MasterCard

N° de carte _____ Expiration _____

Signature

Tous les guides Ulysse

Pour commander, envoyez votre bon à l'un de nos bureaux, en France ou au Canada (voir les adresses à la page suivante), ou consultez notre site: **www.guidesulysse.com**.

Nos coordonnées

Nos bureaux

Canada: Guides de voyage Ulysse, 4176, rue Saint-Denis, Montréal (Québec) H2W 2M5, ☎514-843-9447, fax: 514-843-9448, info@ulysse.ca, www.guidesulysse.com

Europe: Guides de voyage Ulysse sarl, 127, rue Amelot, 75011 Paris, France, ☎01 43 38 89 50, voyage@ulysse.ca, www.guidesulysse.com

Nos distributeurs

Canada: Guides de voyage Ulysse, 4176, rue Saint-Denis, Montréal (Québec) H2W 2M5, ☎514-843-9882, poste 2232, fax: 514-843-9448, info@ulysse.ca, www.guidesulysse.com

Belgique: Interforum Bénélux, 117, boulevard de l'Europe, 1301 Wavre, ☎010 42 03 30, fax: 010 42 03 52

France: Interforum, 3, allée de la Seine, 94854 Ivry-sur-Seine Cedex, ☎01 49 59 10 10, fax: 01 49 59 10 72

Suisse: Interforum Suisse, ☎(26) 460 80 60, fax: (26) 460 80 68

Pour tout autre pays, contactez les Guides de voyage Ulysse (Montréal).

Écrivez-nous

Tous les moyens possibles ont été pris pour que les renseignements contenus dans ce guide soient exacts au moment de mettre sous presse. Toutefois, des erreurs peuvent toujours se glisser, des omissions sont toujours possibles, des adresses peuvent disparaître, etc.; la responsabilité de l'éditeur ou des auteurs ne pourrait s'engager en cas de perte ou de dommage qui serait causé par une erreur ou une omission.

Nous apprécions au plus haut point vos commentaires, précisions et suggestions, qui permettent l'amélioration constante de nos publications. Il nous fera plaisir d'offrir un de nos guides aux auteurs des meilleures contributions. Écrivez-nous à l'une des adresses suivantes, et indiquez le titre qu'il vous plairait de recevoir.

Guides de voyage Ulysse

4176, rue Saint-Denis
Montréal (Québec)
Canada H2W 2M5
www.guidesulysse.com
texte@ulysse.ca

Les Guides de voyage Ulysse, sarl

127, rue Amelot
75011 Paris
France
www.guidesulysse.com
voyage@ulysse.ca

Tableau des distances

Distances en kilomètres et en milles
Exemple: la distance entre Tallahassee et Miami est de 781 km ou 484 mi.

1 mille = 1,62 kilomètre
1 kilomètre = 0,62 mille

	Toronto, ON	Tampa	Tallahassee	Pensacola	Orlando	Ocala	Montréal, QC	Miami	New York, NY	Key West	Key Largo	Jacksonville	Fort Myers	Fort Lauderdale	Daytona Beach
Fort Lauderdale															381/236
Fort Myers														226/140	347/215
Jacksonville													483/299	521/323	149/92
Key Largo												658/408	330/205	143/89	519/322
Key West											165/102	820/508	495/307	300/186	687/426
New York, NY										2303/1428	2140/1327	1484/920	1963/1217	2097/1300	1628/1009
Miami									2037/1263	268/166	99/61	559/347	250/155	43/27	418/259
Montréal, QC								2631/1631	609/378	2893/1794	2724/1689	2079/1289	2555/1584	2595/1609	2219/1376
Ocala							2239/1388	492/305	1644/1019	756/469	588/365	168/104	356/221	454/281	132/82
Orlando						128/79	2303/1428	379/235	1718/1065	642/398	476/295	233/144	257/159	340/211	88/55
Pensacola					734/455	615/381	2493/1546	1104/684	1887/1170	1372/851	1203/746	583/361	961/596	1062/658	723/448
Tallahassee				318/197	417/259	291/180	2331/1383	781/484	1746/1083	1044/647	879/545	265/164	645/400	744/461	410/254
Tampa			447/277	998/619	139/86	157/97	2445/1516	450/279	1853/1149	693/430	528/327	367/228	204/126	426/264	229/142
Toronto, ON		2200/1364	1972/1223	1953/1211	2066/1281	1997/1238	545/338	2394/1484	825/512	2651/1644	2487/1542	1841/1141	2321/1439	2352/1458	1983/1229
West Palm Beach	2288/1419	375/233	680/422	760/471	275/171	388/241	2524/1565	107/66	1939/1202	376/233	200/124	458/284	294/182	69/43	316/196

Mesures et conversions

Mesures de capacité

1 gallon américain (gal) = 3,79 litres

Mesures de longueur

1 pied (pi) = 30 centimètres
1 mille (mi) = 1,6 kilomètre
1 pouce (po) = 2,5 centimètres

Mesures de superficie

1 acre = 0,4 hectare
10 pieds carrés (pi²) = 1 mètre carré (m²)

Poids

1 livre (lb) = 454 grammes

Température

Pour convertir des °F en °C:
soustraire 32, puis diviser par 9 et multiplier par 5.

Pour convertir des °C en °F:
multiplier par 9, puis diviser par 5 et ajouter 32.

100°F	40°C
70°F	30°C
	20°C
50°F	10°C
32°F	0°C
20°F	-10°C
0°F	-18°C
-20°F	-30°C

Tableau des distances • Mesures et conversions

Légende des cartes

★	Attraits	
▲	Hébergement	
●	Restaurants	

Mer, lac, rivière

Forêt ou parc

Place

✪ Capitale de pays

✪ Capitale d'État ou de province

––·––·–– Frontière internationale

········· Frontière inter-États ou provinciale

⌁⌁⌁ Chemin de fer

▓▓▓▓ Tunnel

 Aéroport

 Bâtiment

 Monorail

········· Parcours des défilés

☐ Point d'intérêt (carte régionale)

Symboles utilisés dans ce guide

≡ Air conditionné

🎧 Audioguide en français

🏋 Centre de conditionnement physique

🔒 Coffret de sûreté

🍴 Cuisinette

♿ Établissement accessible aux personnes à mobilité réduite

FP▸ · Fast Pass

🏷 Label Ulysse pour les qualités particulières d'un établissement

pdj Petit déjeuner inclus dans le prix de la chambre

≋ Piscine

❄ Réfrigérateur

♨ Restaurant

bc Salle de bain commune

))) Sauna

✗ Spa

▤ Télécopieur

☎ Téléphone

tlj Tous les jours

Les sections pratiques aux bordures grises répertorient toutes les adresses utiles. Repérez ces pictogrammes pour mieux vous orienter:

▲	Hébergement
☕	Restaurants
♪	Sorties
🛍	Achats

Classification des attraits touristiques

★★★★★	À ne pas manquer
★★★★	Supérieur à la moyenne
★★★	Moyen
★★	Inférieur à la moyenne
★	Pauvre

Classification de l'hébergement

L'échelle utilisée donne des indications de prix pour une chambre pour quatre personnes (deux adultes et deux enfants).

$	moins de 80$
$$	de 80$ à 125$
$$$	de 126$ à 200$
$$$$	de 201$ à 300$
$$$$$	plus de 300$

Classification des restaurants

L'échelle utilisée dans ce guide donne des indications de prix pour un repas complet pour une personne, avant les boissons, les taxes et le pourboire.

$	moins de 15$
$$	de 15$ à 25$
$$$	de 26$ à 35$
$$$$	plus de 35$

Tous les prix mentionnés dans ce guide sont en dollars américains.